es 1777
edition suhrkamp
Neue Folge Band 777

Was hat sich eigentlich in der DDR im Jahre 1989 ereignet? Viele qualifizieren die Vorgänge als »Revolution« und diese näher als nachholende oder gewaltlose Revolution. Diese Frage drückt aus, daß schon der Charakter des Ereignisses selbst unterschiedlich gedeutet werden kann. Die unterschiedlichen Deutungen richten sich ebenso auf die Einschätzung der Vergangenheit wie der Zukunft, der Gründe wie der Terminierung der Prozesse. Die Frage lautet also eher, ob die Unterstellung einer Stabilität immer schon falsch war oder ab wann sie falsch wurde. Auch Gegenwärtiges und Zukünftiges werden fundamental unterschiedlich klassifiziert. Werden die neuen Bundesländer gegenwärtig kolonialisiert – oder ist solches Reden nur die resignative Ideologie abgesetzter Eliten? Was entsteht in diesen neuen Ländern zur Zeit: *der* Kapitalismus oder *die* Demokratie? – Aber machen diese Begriffe in solcher Allgemeinheit überhaupt einen soziologischen Sinn? War die »Revolution« in der DDR ein Glied in der Geschichte der Revolutionen, oder ist der Zusammenbruch der DDR Vorbote völlig perspektivloser Zusammenbrüche anderer Gesellschaften? Fragen wie diese werden in dem vorliegenden Band aus unterschiedlichen Perspektiven diskutiert.

Der Zusammenbruch der DDR
Soziologische Analysen

Herausgegeben von
Hans Joas und Martin Kohli

Suhrkamp

edition suhrkamp 1777
Neue Folge Band 777
Erste Auflage 1993
© Suhrkamp Verlag Frankfurt am Main 1993
Erstausgabe
Alle Rechte vorbehalten, insbesondere das der Übersetzung,
des öffentlichen Vortrags
sowie der Übertragung durch Rundfunk und Fernsehen,
auch einzelner Teile.
Satz: Hümmer, Waldbüttelbrunn
Druck: Nomos Verlagsgesellschaft, Baden-Baden
Umschlagentwurf: Willy Fleckhaus
Printed in Germany

1 2 3 4 5 6 – 98 97 96 95 94 93

Inhalt

Hans Joas/Martin Kohli
Der Zusammenbruch der DDR:
Fragen und Thesen

1. Gegenwart und Vergangenheit

Der Zusammenbruch der DDR rückt allmählich in einen anderen Zeithorizont: den der Vergangenheit. Er ist nicht mehr das, was sich vor unseren ungläubigen Augen abspielt, was täglich neue, unerwartete Erfahrungen schafft, sondern er nimmt die Konturen eines abgeschlossenen Ereignisses an. Anders gesagt: Er wird Teil der Geschichte.

Diese Geschichte ist allerdings im wesentlichen noch unbegriffen. Sie wird die Sozialwissenschaften auf lange Zeit hinaus in Atem halten. Erste Analysen sind bereits in erheblicher Zahl – als Kommentare zum laufenden Geschehen – veröffentlicht worden, und allmählich verdichtet sich das Deutungsgewebe und wiederholen sich die Deutungen. Aber das meiste bleibt noch zu leisten. Und der Vergangenheitscharakter der Ereignisse macht diese nicht schon problemlos verfügbar. Der Zusammenbruch der DDR bildet den Ausgangspunkt einer nach wie vor schwankenden Zukunft, und daher schwankt auch seine Bedeutung.

Das gilt auch für diesen Band. Seine Analysen sind nicht unabhängig von der aktuellen Lage, in der sie entstanden sind. Es handelt sich (zum größten Teil) um überarbeitete Beiträge zu einer von den Herausgebern organisierten Tagung des Instituts für Soziologie der Freien Universität Berlin. Gerade für die Berliner Soziologie und für das intellektuelle Leben dieser Stadt stellt der Umbruch in Deutschland eine enorme Provokation zum Lernen dar (vgl. Joas 1991; zum Hintergrund: Bude/Kohli 1989). Vorbereitet wurde diese Tagung im November 1990, kurz nach dem Ende der DDR als Staat und ihrem Aufgehen in der Bundesrepublik. Vorgetragen und diskutiert wurden die Beiträge Anfang Februar 1991, als zunehmend deutlich wurde, wie schwierig der gesellschaftliche Umbau sein und welche Verlusterfahrungen er mit sich ziehen würde, als diese Schwierigkeiten jedoch kurzfristig durch den Golfkrieg aus der Spitzenposition der Aktualität verdrängt wurden. Überarbeitet wurden die Beiträge im Sommer

1991, als die staatliche Vereinigung schon annähernd zur Normalität geworden war, die gesellschaftliche Vereinigung aber nach wie vor in weiter Ferne lag – und zugleich der Putschversuch in der Sowjetunion und der Bürgerkrieg in Jugoslawien die Fragilität der »neuen Weltordnung« auch in Europa beleuchteten. Hinsichtlich der Zukunft haben uns die Ereignisse der letzten zwei Jahre zumindest dies in Erinnerung gerufen: wie sich Geschichte verflüssigen kann und wie brüchig damit der Bedingungsrahmen wird, den unsere Projektionen – die politischen ebenso wie die sozialwissenschaftlichen – gewöhnlich als stabil unterstellen.

Es gehört gewiß zu den zentralen Aufgaben der Sozialwissenschaften, den Transformationsprozeß der Gesellschaft der ehemaligen DDR und die Entstehung einer gesamtdeutschen Gesellschaft zu beobachten sowie die wahrscheinlichsten Entwicklungspfade und die verfügbaren Entwicklungsalternativen in diesem Prozeß herauszuarbeiten. Die Erfahrung eines zerbrechenden Bedingungsrahmens sollte dem nicht im Wege stehen, sondern das Bewußtsein dafür schärfen, von welchen Stabilitätsunterstellungen solche Projektionen abhängen und abhängen *müssen*. Dies ist aber nicht die Hauptaufgabe, die wir uns mit diesem Band stellen. Er setzt vorher an, nämlich bei der Untersuchung dessen, was jetzt schon Geschichte geworden ist: des Zusammenbruchs einer Gesellschaft und ihres Staates.

Eine solche Untersuchung ist der notwendige Ausgangspunkt für eine Beurteilung der gegenwärtigen Entwicklungschancen. Zu fragen ist dabei zunächst, was eigentlich zusammengebrochen ist und was nicht. Diese Frage kann nicht unabhängig vom gewählten theoretischen Rahmen beantwortet werden. Klar ist, daß die staatlichen und inzwischen auch die meisten formellen gesellschaftlichen und wirtschaftlichen Institutionen – die in dieser »verstaatlichten Gesellschaft« (Claus Offe) im übrigen kaum voneinander zu differenzieren waren – vollständig zusammengebrochen sind. Dagegen sind viele der grundlegenden sozialen Strukturen, Lebensformen und Mentalitäten noch wirksam und werden weiter wirksam bleiben – welche, läßt sich nur auf der Grundlage einer sorgfältigen Analyse des vergangenen Zustandes ermitteln. Charakteristisch für die neu entstehende Gesellschaft wird auf lange Zeit eine spezifische Form der »Gleichzeitigkeit des Ungleichzeitigen« sein.

Vielleicht ist der beste Weg, unser Verständnis des Themas zu erläutern, eine Begründung der Formulierung, die wir gewählt haben. Die Formulierung vom »Zusammenbruch« – mit oder ohne Fragezeichen – ist ja keineswegs selbstverständlich. Viele sprechen statt dessen von der »Revolution«, die sich ereignet habe, und qualifizieren diese näher als nachholende (Habermas) oder protestantische (Neubert), als gewaltlose oder spätbürgerliche Revolution. Nichts liegt uns ferner, als Leistung und persönlichen Mut der einzelnen und Gruppen, die sich im Herbst 1989 hervorgewagt haben, bagatellisieren zu wollen. Es ist nicht das Pathos der Sieger und Rechthaber, das uns dennoch vom Zusammenbruch sprechen läßt. Ausschlaggebend ist vielmehr eine höhere Gewichtung der außenpolitischen Bedingungsfaktoren einerseits, der Widerstandslosigkeit des Regimes andererseits. Daß ein Staat bei einem äußeren Anstoß wie ein Kartenhaus zusammenfällt, ist mit dem üblichen Begriffsverständnis von »Revolution« schwer verträglich. Die Frage »Revolution oder Zusammenbruch?« drückt also aus, daß schon der Charakter des Ereignisses selbst unterschiedlich gedeutet werden kann. Noch mehr gilt dies für die Entwicklung, die diesem Ereignis vorausgegangen ist.

2. Die Unwahrscheinlichkeit des Zusammenbruchs

Was die Vergangenheit betrifft, so beginnt der Streit bereits bei den Grundlagen, nämlich bei der Richtigkeit früherer Stabilitätsprognosen für die DDR. Heute wollen viele es schon immer gewußt haben: Das System war dem Zusammenbruch – und zwar dem baldigen Zusammenbruch – geweiht. Im nachhinein zu raten oder Prognosen ohne Datierung abzugeben, ist freilich immer leicht, und wir haben den Zeitgenossen noch nicht gefunden, der – sagen wir 1988 – Zusammenbruch oder Revolution in der DDR für das nächste Jahr vorausgesagt hätte.

Wer dies jetzt vergißt, ist nicht nur intellektuell unredlich, sondern bringt sich auch um die Möglichkeit einer unvoreingenommenen Beurteilung. Er sitzt einem vom Ende her konstruierten Determinismus auf – einer gewendeten Geschichtsphilosophie, die vom alten Denken nur das Vorzeichen geändert hat. Sie ist moralisch fragwürdig, weil sie eine Geschichtsphilosophie der Sieger ist, und sie ist analytisch falsch, weil sie einen zu engen Bezugspunkt wählt. Sie macht die historische Selektion einer Entwicklungsalternative zum Fundament ihres eigenen Bezugssystems. Die DDR nur von ihrem Zusammenbruch her zu analysieren, ist eine umgekehrte Teleologie, die sich selber (unwissentlich) der Dogmatik bedient, die für den Staatsmarxismus charakteristisch war. Die Teleologie sieht in allem rückblickend die Indikatoren für sich unlösbar zuspitzende Widersprüche, also für einen naturgesetzlich ablaufenden Verfallsprozeß. Die Theorie dafür hat bisher noch gefehlt, wird aber jetzt nachgeliefert.

Es ist wichtig, dagegen festzuhalten, daß der Zusammenbruch der DDR für alle überraschend kam, selbst für die Geheimdienste, wie Klaus von Beyme (1991) sarkastisch festgestellt hat. Die Erinnerung dokumentiert unser aller immer erneutes Erstaunen darüber, daß dieser Staat und mit ihm das gesamte institutionelle System des dort installierten Realsozialismus (von »real existierendem Sozialismus« mag man jetzt offenbar auch in der Retrospektive nicht mehr sprechen) derart rasch und vollständig zusammenbrach.

In den folgenden Beiträgen wird dies an mehreren Stellen hervorgehoben. Rolf Reißig zeigt, daß die DDR überwiegend nicht nur als stabil, sondern auch als in Grenzen entwicklungsfähig wahrgenommen wurde. Der Zusammenbruch der DDR ist – wie Claus Offe sagt – über weite Strecken nicht in Kategorien des Willens faßbar, auch nicht in Kategorien der Struktur, sondern in Kategorien des Zufalls. Man muß hier allerdings einwenden: »Zufall« ist auch eine Frage der Perspektive. Aus der Perspektive der DDR – der Peripherie – sind Perestroika und ihre Folgen ein Zufall, aus der Perspektive der Sowjetunion – des Zentrums – dagegen ein Strukturproblem. Das Selbstbewußtsein, mit den Mitteln der eigenen Theorie die Zusammenbrüche im strategischen Vorfeld der Sowjetunion vorausgesagt zu haben, ist denn auch bei Vertretern geopolitischer Konzeptionen (wie Randall Collins 1986) am größten.

Es könnte sich lohnen, eine kleine Übung in kontrafaktischer Geschichtsschreibung zu machen – vielleicht bis 1996, wenn Kanzler Lafontaine nach seinem zweiten Wahlsieg mit dem Staatsratsvorsitzenden Krenz im Austausch für eine gewisse Reisefreiheit die Aufgabe der einheitlichen deutschen Staatsbürgerschaft vereinbart und VW in einem Joint-venture in Zwickau einen neuen Billigwagen produziert, nachdem die Produktion des spanischen Seat wegen zu hoher Arbeitskosten zurückgefahren worden ist. So etwa hat man sich 1988 eine vernünftige Zukunft vorgestellt.

Die Frage lautet also eher, ob die Unterstellung einer Stabilität immer schon falsch war oder ab wann sie falsch wurde. Die Frage läßt sich an die Soziologie richten: Hätte sie den Zusammenbruch der DDR voraussehen sollen? Für die östliche Soziologie war dies aus offensichtlichen Gründen kein Thema, nicht einmal eine Denkmöglichkeit. Die westliche Soziologie befaßte sich ihrerseits wenig mit der DDR; von der DDR ging keine Faszination aus. Mehr noch: die DDR erzeugte bei der westdeutschen Linken (einschließlich großer Teile der Sozialdemokratie) ein Gefühl von niederdrückender Unbehaglichkeit. Auch wenn man sich vom Realsozialismus distanzierte, blieb eine theoretisch überzeugende Grenzziehung zu ihm ein heikles Unterfangen, dem man möglichst aus dem Weg ging. Davon ausgenommen war einzig die kleine Minderheit, die alle Fehlentwicklungen in der DDR mit ihren schlechten Ausgangsbedingungen entschuldigte und alle Hoffnungen in die Zukunft setzte. Auch für die Rechte bot die DDR keinen Anlaß zur Genugtuung. Sie fand sich (spätestens seit dem politischen Arrangement zwischen CSU- und SED-Führung) in einer zunehmenden Schere zwischen Prinzipienglauben und Realitätssinn. Politische Dilemmata und die wirksame Abschottung dieser Gesellschaft gegenüber ihrer Untersuchung waren hinreichend, um die westliche DDR-Forschung in den Sozialwissenschaften zu einem Randphänomen zu machen.

Dennoch besteht kein Grund, die Soziologie an den Pranger zu stellen. Vielleicht war die Unterstellung von Stabilität gar nicht falsch – vielleicht war es richtig, den Zusammenbruch nicht vorherzusehen, denn er war zu unwahrscheinlich (zu sehr eine unprognostizierbare Verkettung von kontingenten Ereignissen) und zu wenig »hausgemacht« (zu sehr von externen Bedingungen abhängig). Kontingenz bedeutet, daß für eine Wissenschaft, die nach typischen Entwicklungen fragt, eine Prognose nicht möglich sein konnte. Mangelnde Prognosefähigkeit ist in diesem Sinn nicht von vornherein ein Zeichen von Schwäche. Die Soziologie muß sich damit zufriedengeben, daß ihre prognostische Kraft Grenzen hat und ihr prophetische Fähigkeiten abgehen. Dies zu akzeptieren, kann gerade ihre Stärke ausmachen. Es gehört zu einer reifen Wissenschaft, daß sie sich keine überzogenen Erklärungsansprüche aufnötigen läßt.

Wo keine Prognose möglich war, kann aber dennoch eine nachträgliche Rekonstruktion möglich sein. Wo ein Ergebnis von Zufällen bestimmt oder mitbestimmt ist, kann man es nur historisch erklären. Es ist Endpunkt einer Ereignisverkettung, also nicht eines in Gesetzen faßbaren sozialen Wandels, sondern einer Geschichte – und eben nicht nur einer Strukturgeschichte, sondern auch einer Ereignisgeschichte.

Eine Geschichte enthält immer ein Element von Emergenz; sie ist offen für Überraschungen. Sie hätte auch andere Endpunkte haben können, aber diese Alternativen sind im historischen Verlauf zunehmend verschüttet worden. Es ist Aufgabe einer »historischen Erklärung«, diesen Selektionsprozeß nicht nachträglich zu naturalisieren, sondern die Bifurkationspunkte zwischen den Alternativen im Blick zu halten. Bifurkationspunkte sind »Strukturbrüche« oder Zäsuren, die einen kontinuierlichen Verlauf unterbrechen.

Wenn die Soziologie sich dieser notwendigen Grenzen bewußt ist und sich in der Rekonstruktion nicht ausschließlich auf die Perspektive des Zusammenbruchs festlegt, kann sie sich an die Aufgabe machen, die Strukturprobleme und Widersprüche der ehemaligen DDR-Gesellschaft zu erhellen. Ihr Tempo ist niedriger als das der Schriftsteller und Essayisten, die ohne große theoretische oder empirische Umstände Anspruch auf Deutungswahrheit erheben. Die Schwierigkeiten einer nachträglichen Rekonstruktion der vergangenen Zustände und ihrer Dynamik sind erheblich, aber manches ist heute leichter als früher, weil der Informationsschleier inzwischen gefallen ist.

3. Eine Typologie der Erklärungen

Um sich einen Überblick über die kontroversen Deutungen dieses historischen Ereignisses zu verschaffen, ist es hilfreich, die vorliegenden Erklärungen in einer Typologie zu ordnen. Nicht alle Typen von Erklärungen sind in diesem Band präsent. In vielen Beiträgen wird durchaus auf mehrere Typen Bezug genommen, und dies ist berechtigt, da sich manchmal ein einzelner Typus nur daraus ergibt, daß ein Erklärungsansatz eine falsche Ausschließlichkeit gewinnt. Die Typen sind hier nach einem Kontinuum geordnet, das von den Mikro- zu den Makrodimensionen reicht.

Ein *erster Typus* liegt dort vor, wo *psychische Dispositionen* der DDR-Bevölkerung zur entscheidenden Determinante der gesellschaftlichen Prozesse erklärt werden. Gemeint sind damit diejenigen Erklärungen, die die langjährige Stabilität des DDR-Regimes und das Fehlen breiter Oppositionsbewegungen vornehmlich auf die Mentalität der DDR-Bevölkerung zurückführen und dementsprechend die Ursachen – wenn schon nicht der Wende, so doch des in ihren Augen raschen Endes der Wende – auf der Ebene dieser Mentalität suchen. In der breiten Öffentlichkeit am bekanntesten geworden ist hier das Psychogramm der DDR, *Der Gefühlsstau*, das der Hallenser Psychotherapeut Hans-Joachim Maaz vorlegte. Es zählen hierzu aber auch die Aussagen vieler Theologen aus der DDR über krankhaft geringes Selbstbewußtsein und Engagement der DDR-Bürger. Solche Diagnosen passen als »subjektives« Korrelat zu Strukturtheorien, die von der totalen »Entsubjektivierung« unter totalitären Bedingungen sprechen. Es stellt sich freilich gleich die Frage nach den Ursprüngen dieser Mentalität. Soll man sie als Fortsetzung einer bereits in der Gründungszeit der DDR vorfindbaren, vielleicht spezifisch deutschen Mentalität und politischen Kultur verstehen, oder als etwas, das die DDR produziert hat? Wodurch aber kann diese Mentalität aufrechterhalten und produziert worden sein? Ist sie das systematische Resultat totalitärer Manipulation oder die Resignation einzelner Generationen, die den mit Gewalt unterdrückten Aufstand von 1953 oder den Mauerbau 1961 erleiden mußten, oder ist sie ein Effekt der durch ständige Abwanderung von Bevölkerungsteilen erzeugten Selektion? Diese Fragen bezeichnen die Vieldeutigkeit und Unabgeschlossenheit rascher psychologischer Erklärungen. Es könnte natürlich auch sein, daß die Prämisse all dieser Deutungen falsch ist. Vielleicht war der Totalitarismus an seinen Zielen gemessen erfolglos und die bezeichnete Mentalität eine rationale Technik des Überlebens.

Ein *zweiter Typus* von Erklärungen ist soziologischer. Er rückt den *Legitimitätsglauben der Bevölkerung* gegenüber dem DDR-Regime und die Versuche der SED zur Begründung eines solchen Glaubens in den Vordergrund. Nicht irrationale Anpassung oder zähneknirschende Hinnahme eines aufgezwungenen Regimes, sondern eine zumindest partielle Akzeptanz des Regimes bedürfen dann der Untersuchung. Nun ist es schwierig bis unmöglich, auf der Basis bisher verfügbarer Daten ein präzises Bild des Legitimitätsglaubens der DDR-Bevölkerung in der historischen Entwicklung zu erstellen. Rolf Reißig glaubt, empirische Anhaltspunkte für einen rapiden Legitimitätsverfall im Laufe der achtziger Jahre und eine gleichzeitige Zunahme der Demokratieforderungen in diesem Zeitraum zu haben. Damit wird aber möglicherweise das Ausmaß eines vor diesem Erosionsprozeß bestehenden Legitimitätsglaubens übertrieben. Deshalb ist es naheliegend, zunächst einmal die Legitimationsversuche der SED zu studieren. Dies unternimmt vor allem Sigrid Meuschel (vgl. auch Meuschel 1991). Sie unterscheidet dabei die Phasen des »antifaschistischen Stalinismus«, der Ideologie von der technokratischen Reformierbarkeit des Stalinismus und schließlich des »real existierenden Sozialismus«. Während in der ersten Phase Legitimität aus dem Antifaschismus bezogen wurde, der starke Staat sich gerade mit einer Perspektive auf die zukünftige Abschaffung des Staates begründete und Legitimationsdefizite als Folge der Deformation des deutschen Volkes, das ja schließlich Träger des untergegangenen Dritten Reiches gewesen war, als hinnehmbar erschienen, sollte in der zweiten Phase das Reformversprechen selbst die Loyalität der Bevölkerung erzeugen. In der dritten Phase schließlich wird der Utopieverlust schon in der Selbstbezeichnungs-Formel vom »real existierenden« Sozialismus spürbar; die Idee des Friedens als eines weiteren Legitimationsmittels konnte die unübersehbar gewordenen Legitimationsdefizite ebenfalls nicht beseitigen. Eine gewissermaßen postmoderne Variante des auf Legitimität zentrierten Erklärungstyps liegt in Heinz Budes Versuch vor, die Art der Selbstthematisierung von Gesellschaften als eine Grundlage von Legitimationsproblemen zu untersuchen und dafür besonders die Dichotomie »tragischer« versus »ironischer« Selbstbeziehung ins Spiel zu bringen.

Zum Typus legitimitätsbezogener Erklärungen gehören auch all jene Versuche, die große Systeme der Weltdeutung und ihre institutionellen Verkörperungen für wesentlich erklären. Wichtig ist sicher die fortschreitende Aushöhlung der Ideologie des Marxismus-Leninismus. Diese konnte aufgrund ihrer Dogmatisierung für wissenschaftlich gesonnene Intellektuelle keine große Attraktivität bewahren; der Utopieverlust der Ideologie entzog ihr aber auch ihr quasi-religiöses Potential. Und der auch bei vielen nichtmarxistischen Intellektuellen zu findende Gedanke einer Unvermeidlichkeit kommunistischer Zukunftstendenzen hatte sich aufgelöst. Über diesen Glaubwürdigkeits- und Faszinationsverlust des Marxismus-Leninismus gibt es keine Kontroversen. Umstritten ist dagegen die genaue Rolle der Kirchen, insbesondere der schon zahlenmäßig bedeutenderen evangelischen Kirche, für den Zusammenbruch der DDR. War die »Revolution« eine »protestantische Revolution«, oder schlug die Kirche nur *eine* Öffnung in die monolithische Gesamtstruktur? Detlef Pollack wendet sich gegen die Überschätzung der Rolle der Kirche bei der Erklärung der Prozesse. Er akzentuiert, daß auch die Kirchen eine durchaus zweideutige Rolle spielten und spielen mußten. – Besonders heftig diskutiert wird schließlich die Rolle nationaler Identität (vgl. Kocka 1990). Hier gehen die Deutungen sehr weit auseinander. Wenn Rolf Reißig davon spricht, daß keine nationale Identität in der DDR ausgeprägt war, dann meint er damit das Scheitern der Versuche, der DDR-Bevölkerung das Gefühl einer eigenen »sozialistischen Nation« zu geben. Die Bedeutung einer gesamtdeutschen nationalen Identität bleibt aber damit unthematisiert. Eine prägnante These hierzu enthält auch Claus Offes Beitrag. Für ihn ist die Betonung einer Sehnsucht nach deutscher nationaler Identität artifiziell und instrumentell: westdeutsche Eliten hätten hier für die Zwecke des Einigungsprozesses in kühler Berechnung ein Angebot gemacht, das die DDR-Bevölkerung ebenso kühl angenommen habe. Offe hat gewiß recht, wenn er damit den Vorstellungen entgegentreten will, in Deutschland sei plötzlich ein Aufstand hochemotionalisierter und nationalistischer Art erfolgt. Aber erlaubt dies wirklich einen so weitgehenden Schluß? Mancherlei, etwa die spürbar spontane und nicht von westdeutschen Eliten inszenierte Wiederkehr regionaler Identitäten bis hin zur raschen Wiedergründung der historischen Länder (Sachsen, Brandenburg usw.) sowie die nie verschwundene starke Orientierung am westdeutschen Teilstaat, weist in eine andere Richtung.

Ein *dritter Typus* von Erklärungen sucht weder auf der Ebene langfristig tradierter Mentalitäten noch auf der politischer Legitimationssysteme die Ursachen des raschen Umschwungs, sondern in der *Dynamik sozialer Bewegungen* selbst. Jan Wielgohs und Marianne Schulz geben eine »dichte Beschreibung« der östlichen Bürgerbewegungen und ihres Entstehungsmilieus. Sie deuten diese Bürgerbewegungen weniger im Sinne politischer Opposition denn als gegenkulturelle Strömungen mit stark sozialethischem Gehalt. Durch den Vergleich mit den »neuen sozialen Bewegungen« in westlichen Gesellschaften, aber auch mit anderen Bürgerbewegungen in Mittel- und Osteuropa gewinnt das von ihnen gezeichnete Bild an Kontur. Ganz anders verfährt die an der Theorie rationalen Handelns und rationaler Wahl orientierte Studie von Karl-Dieter Opp, der sich um eine Erklärung der quantitativen Expansion der Teilnahme an den spektakulären Protestaktionen des Herbstes 1989 bemüht. Im Rahmen seines auf sozialstrukturelle Wandlungen konzentrierten Beitrags betont Wolfgang Zapf eine Besonderheit in der Dynamik der ostdeutschen Protestbewegung: nämlich ihre Interaktion mit der gleichzeitig anschwellenden »Auswanderungsbewegung«. Auffallend ist, daß zwar in vielen Analysen, die die Dynamik sozialer Bewegungen in den Mittelpunkt rücken, der Zusammenbruch der Repressionsfähigkeit des DDR-Regimes (oder seines Repressionswillens) hervorgehoben wird, gründlichere Analysen der inneren Widersprüche der Sicherheitsapparate aber fehlen. Das Tabu, das in der Sozialforschung der DDR gegenüber den Sicherheitsapparaten bestand, hat seine bannende Kraft anscheinend noch nicht verloren.

Ein *vierter Typus* von Erklärungen – der am weitesten verbreitete – zielt auf tiefgehende *Defizite in der politischen Organisation von Gesellschaft und Staat der DDR.* Der Maßstab für die Beurteilung der DDR sind oft verschiedene Varianten der Differenzierungstheorie. Einheitlich werden die Parteizentriertheit und die monopolistische Machtstruktur des DDR-Staats hervorgehoben und daraus Lernschwierigkeiten abgeleitet. Ohne die Möglichkeit zur Artikulation abweichender Weltsichten und ohne die Möglichkeit zur Organisation konfligierender Interessen konnte eine Anpassung an veränderte Bedingungen nur schwer realisiert werden. Gert-Joachim Glaeßner schildert – auf der Grundlage seiner langjährigen Forschungen zur DDR – anschaulich die unbeabsichtigten Folgen zentralisierter Macht. Rainer Weinerts Fallstudie zum »Freien Deutschen Gewerkschaftsbund« illustriert dies am Fall einer der wichtigsten Massenorganisationen. Manfred Lötsch und Sigrid Meuschel weisen zusätzlich zur geringen Differenziertheit des politischen Systems auf Nivellierung und Entdifferenzierung der Sozialstruktur hin. Dem Arsenal der Soziologie werden die verschiedensten Mittel entnommen, um die Spezifik der DDR-Gesellschaft auf den Begriff zu bringen. So spricht Glaeßner vom »Parteipatrimonialismus«, Meuschel von »parteibürokratischer« (»partocratic«) Herrschaft, und Artur Meier (1990) sieht in der

DDR gar einen »Ständestaat mit Kastenherrschaft«, wogegen Manfred Lötsch hier gewichtige Einwände erhebt. Bei allen Defiziten der DDR-Gesellschaft in Hinsicht auf Differenzierung sollten die auch vorhandenen modernen Züge dieser Gesellschaft nicht völlig in Vergessenheit geraten.[1]

Der *fünfte Erklärungstypus* ist *ökonomischer Natur.* Seit Jahrzehnten wurde über die Realisierbarkeit ökonomischer Gesamtplanung und die Folgen des staatlichen Außenhandelsmonopols und des Staatseigentums am größten Teil der Produktionsmittel gestritten. Die Unzulänglichkeiten in Quantität und Qualität der Konsumgüterproduktion und der Verfügbarkeit von Dienstleistungen waren schon bei oberflächlicher Betrachtung für jedermann sichtbar. Vor allem durch die neue Welle technologischer Innovationen im Westen kam auch das Problem der technisch-ökonomischen Innovationsfähigkeit des »Sozialismus« auf die Tagesordnung. Heiner Ganßmann zielt in seinem Beitrag besonders auf die »Chaotisierung« der Ökonomie, in die der Versuch zur gesamtwirtschaftlichen Planung führte. Außenwirtschaftliche Fragen, etwa die Rolle der Verschuldung oder der ungenügenden Einbindung in die internationale Arbeitsteilung, sind Gegenstand anderer ökonomisch zentrierter Analysen.

Der *sechste Erklärungstypus* korrespondiert eng mit dem Nachweis der fehlenden Differenziertheit, der Lern- und Innovationsunfähigkeit des Realsozialismus. Zusätzlich werden diese Diagnosen aber in ein *Schema globaler Evolution* eingebracht, das den Umbruch als bloße Korrektur eines Irrwegs erscheinen läßt. Repräsentativ steht hier Jürgen Habermas' Formel von der »nachholenden Revolution«. Die Erfahrung der langen Dauer dieses Irrwegs und die Tatsache, daß ja auch die russische Revolution und die bolschewistische Ideologie schon Reaktion auf eine bestimmte Form von Modernisierung waren, könnte aber Anlaß zur Vorsicht sein. Nicht jeder einzelne Modernisierungsschritt führt zu stabiler Modernität. Die langfristigen Wirkungen der Umwälzungen von 1989 sind noch sehr unklar; aus der normativen Überlegenheit bestimmter Institutionen folgt nicht eine höhere Wahrscheinlichkeit ihrer empirischen Durchsetzung.

Ein *siebter Erklärungstypus* sieht mehr die *externen* als die internen *Bedingungen* der DDR als ausschlaggebend für ihren Zusammenbruch an. In die meisten Analysen spielen Verweise auf den Einfluß von »Perestroika« und »Glasnost« in der Sowjetunion, die

Veränderungen in Polen und Ungarn und die Lockerung des östlichen Blockzusammenhangs hinein. Am Rande wird oft auch die gestiegene Bedeutung internationaler kultureller Zusammenhänge und der »Konferenz für Sicherheit und Zusammenarbeit in Europa« erwähnt. Meist bleiben aber solche Verweise unsystematische Bezugnahmen auf kontingente Konstellationen in der Umwelt einer Gesellschaft. Ganz anders verhält sich das bei Randall Collins. Für ihn war schon Anfang der achtziger Jahre der Niedergang des sowjetischen Imperiums eine bloße Frage der Zeit (vgl. Collins 1986). Er sah das Imperium als Überdehnung der Machtchancen angesichts der – etwa im Vergleich zu den USA – weit geringeren Ressourcenbasis der Sowjetunion. In seinem Beitrag hebt er nicht nur hervor, daß seine theoretischen Annahmen eine Prognose der jetzt eingetretenen Entwicklung zuließen, sondern daß auch andere Theorien in diese Richtung wiesen, ohne daß ihre Vertreter den Mut zu dieser Prognose gefunden hätten.

Collins denkt dabei keineswegs monokausal; er fordert vielmehr die Verknüpfung einer »geopolitischen« Theorie mit den Ergebnissen der Bewegungsforschung und der Legitimitätsanalysen. Wie schon gesagt, verbinden viele Autoren Elemente aus verschiedenen Typen von Erklärungen. Der nächste Schritt zu ihrer überzeugenden Integration liegt wohl darin, das Augenmerk nicht nur auf den einzelnen Fall der DDR zu legen.

4. Die Notwendigkeit einer vergleichenden Perspektive

Das Ende der DDR wirft unmittelbar die Frage nach den Gründen für den »Sonderweg« der DDR auf. Die DDR war unter den ostmitteleuropäischen Ländern des Realsozialismus das einzige, in dem sich (zumindest seit 1953) überhaupt keine starken Anzeichen einer formierten Opposition ausmachen ließen. Der Massenprotest des Herbsts 1989 hatte – abgesehen von einigen kleinen Bürgerrechts- und Ökologiegruppen, die sich in den letzten Jahren gebildet hatten – keine Vorläufer. Der Zusammenbruch kam um so plötzlicher und überraschender.

Hier bietet sich natürlich eine Antwort an, die sich auf die externe Verflechtungsstruktur bezieht: nämlich auf die Beziehung zum westdeutschen Teilstaat. Diese Beziehung verhinderte die Herausbildung eines eigenen nationalen Bezugspunktes für die

Identität der DDR-Gesellschaft. Die Identitätsarbeit der DDR-Führung – einerseits über den Antifaschismus und die Selbststilisierung als »das bessere Deutschland«, andererseits über die Abgrenzung von der Ausbeutung und moralischen Verkommenheit des Kapitalismus – erwies sich langfristig als wirkungslos. Die offizielle Verteufelung des westlichen Kapitalismus trug letztlich dazu bei, daß dieser nicht nur als Schlaraffenland des Konsums, sondern sogar als utopische Verheißung erscheinen konnte. Der einschlägige DDR-Sinnspruch lautete: »Die Leute im Westen haben keine Ideale mehr. Die Leute im Osten haben ein Ideal – den Westen.«

Es ist offensichtlich, daß der Zusammenbruch der DDR auch im Rahmen der Verflechtungsstruktur des realsozialistischen Lagers zu sehen ist. Braucht man also keinen Scharfsinn auf sozialstrukturelle und ökonomische Ursachen des Zusammenbruchs zu wenden? Perestroika in der Sowjetunion, die langsamen Transformationen in Polen und Ungarn und schließlich die Grenzöffnung in Ungarn taten das Ihre, um ein nie auf Massenloyalität gestütztes System zu kippen. Tatsächlich gab es keine unbefleckte Empfängnis der sozialistischen Idee im Osten Deutschlands, sondern eine enge Verknüpfung mit Stalinismus und sowjetischer militärischer Besatzung von Anfang an. Aber wenn man es dabei bewenden läßt, macht man sich die Erklärung auch wieder zu einfach. Daß der Anstoß vom Zentrum kam, heißt nicht, daß die Suche nach internen Bedingungen für den Zusammenbruch sich erübrigt. Die Frage muß im Blick auf die DDR umformuliert werden. Sie lautet nicht »Warum ist die DDR zusammengebrochen?«, sondern sie muß lauten »Warum hat das DDR-Regime, als die externe Stütze durch den sowjetischen Herrschaftsapparat wegfiel, dem Zusammenbruch so wenig Widerstand entgegensetzen können?«

Diese Frage verweist zurück auf die Bedingungen der DDR im Vergleich zu denjenigen der anderen realsozialistischen Gesellschaften. Ein solcher Vergleich steht allerdings noch ganz am Anfang. Auch wo seine Notwendigkeit nicht bestritten wird, läßt seine Realisierung auf sich warten, denn die Kenntnis der anderen ostmitteleuropäischen Gesellschaften war bis jetzt in der westdeutschen Sozialwissenschaft noch weit geringer als diejenige der DDR.

Ein Vergleich müßte sich auf die sozialstrukturellen Voraussetzungen konzentrieren, die beim Übergang zum Sozialismus gegeben waren, und auf ihre Umformung durch die sozialistischen Regimes. Der nächste Vergleichsfall zur DDR ist hier die Tschechoslowakei (zumindest deren westliche Landesteile). Die unterschiedliche Verlaufsdynamik in den beiden Staaten dokumentiert die Schwierigkeiten, die hier zu lösen sind. Auch wenn nach möglichen Organisationskernen für eine Opposition gefragt und dabei etwa die Bedeutung der Kirche herausgehoben wird, sind die Schwierigkeiten eines Vergleichs (mit Polen, der Tschechoslowakei, Ungarn) evident.

Das Verhältnis von sozialstruktureller und politischer Dynamik gewinnt besonders im Vergleich mit Ungarn an Prägnanz. Ungarn ist ein Fall von relativ kontinuierlicher Entwicklung ohne staatlichen Zusammenbruch. Die Jahrzehnte seit 1956 waren durch eine soziale und wirtschaftliche Modernisierung geprägt, die allmählich einen politischen Transformationsbedarf hervorbrachte, der auch für die eigenen politischen Eliten erkennbar war und von ihnen befördert wurde. Warum kam es in Ungarn zu einer solchen eher kontinuierlichen Modernisierung auf der Basis einer kompromißorientierten Politik? Eine sozialstrukturelle Erklärung allein dürfte hier nicht ausreichen. Sie müßte ergänzt werden durch eine Geschichte der einzelnen Etappen der politischen Opposition und des staatlichen Umgangs mit ihr – man könnte auch sagen: durch eine Geschichte der Etappen des Sozialvertrags zwischen Bevölkerung und Regime.

5. Theoretische Konsequenzen

Angesichts der Vielzahl von konkurrierenden Gründen und Erklärungsangeboten für den Zusammenbruch der DDR – von der internationalen Verflechtung bis zur Psychoanalyse – scheint es aussichtslos, einen einheitlichen Erklärungsrahmen zu konstruieren, wenn man sich nicht mit Teilerklärungen zufriedengibt. Dies kann allerdings nicht das letzte Wort sein. Ohne hier eine alles integrierende »Meisterdeutung« präsentieren zu können, seien doch zumindest einige Hinweise auf mögliche theoretische Schlußfolgerungen erlaubt.

Man kann mit einiger Aussicht auf Erfolg eine zum klassischen Marxismus analoge Erklärung versuchen, nämlich eine Erklärung des Zusammenbruchs als Folge einer neuen historischen Zuspitzung des Widerspruchs zwischen Produktivkräften und Produktionsverhältnissen – Produktivkräften, die im Zuge der wissenschaftlich-technischen Komplexitätssteigerung und Informatisierung der Produktion immer stärker auf Dezentralisierung und Individualisierung beruhen müssen, und Produktionsverhältnissen, die genau dieses blockieren. Die DDR und mit ihr die anderen realsozialistischen Staaten haben den Übergang von einem extensiven zu einem intensiven Wachstum nicht bewältigt. Mit den Begriffen der Industriesoziologie, die für den Wandel der westlichen Produktionsstrukturen entwickelt worden sind, kann man sagen: Der Realsozialismus hat es noch ganz gut geschafft, mit den Problemen einer tayloristischen Produktionsweise zurechtzukommen, aber der Übergang zu einer post-tayloristischen bzw. post-fordistischen Produktionsweise hat ihn überfordert. Mit dem Heraufziehen der neuen Produktionskonzepte und der Dezentralisierung im Rahmen der neuen industriellen Arbeitsteilung im Westen rückte für die DDR das Ziel, den Westen einzuholen, in immer weitere Ferne. Die Verschleierung dieses Tatbestandes ging zunehmend an die Substanz.

An diesem Punkt stellt sich allerdings ein Problem der Theoriekonstruktion. Es ist nicht leicht und auch nicht besonders produktiv, die »entscheidende Wurzel« (Reißig) des Zusammenbruchs zu suchen. Auch in der Perspektive der externen Verflechtung bringt es wenig, die Kausalkette immer weiter nach hinten zu verlängern, bis der letzte, der ursprüngliche Grund gefunden ist. Perestroika kommt dafür nicht in Frage, denn sie verlangt nach weiteren Begründungen. Auf diese Weise kann es leicht passieren, daß man bei Helmut Schmidt oder Ronald Reagan landet, beim NATO-Doppelbeschluß oder beim erzwungenen Wettrüsten.

Deshalb liegt es nahe, auf einer allgemeineren Ebene einen theoretischen Bezugspunkt zu suchen, der eine solche unproduktive Suche nach letzten Gründen überflüssig macht, nämlich eine Theorie der Differenzierung und Systemoffenheit. Es geht um den Bestand an Strukturbedingungen und Institutionen, die einem System die erforderliche Adaptationsfähigkeit sichern. Die Frage nach dem Zusammenbruch der DDR kann dann so reformuliert werden: Wenn es bedrohliche Engpässe und Schwierigkeiten gab, warum wuchsen sie sich so ungebremst zu akuten Bestandsgefährdungen des Systems aus? Warum versagten alle Reparatur- und Kompensationsmechanismen? Diese Frage, die sich auf interne

Strukturen richtet, bleibt auch dann sinnvoll, wenn – was nicht zu bestreiten ist – die unmittelbaren Anstöße und vielleicht sogar wichtige Ursachen für den Zusammenbruch von außen kamen. Offene Systeme sind dadurch charakterisiert, daß sie Ereignisketten unterbrechen können, also nicht zu naturgesetzlichen Kausalketten werden lassen.

Die Frage kann auch evolutions- bzw. lerntheoretisch gefaßt werden: Warum hat es die DDR nicht fertiggebracht, aus ihren Fehlern zu lernen? An welchen institutionellen Defiziten und kulturellen Verhärtungen lag es, daß Fehler nicht wahrgenommen, wahrgenommene Fehler nicht öffentlich auf die Tagesordnung gesetzt und für öffentlich debattierte Fehler keine Lösungen gefunden wurden?

Die DDR war spätestens seit 1961 eine »geschlossene Gesellschaft« – auf diese einfache Formel läßt sich manches bringen. Geschlossen natürlich nach außen, aber zu wenig offen auch in ihrer internen Informationsverarbeitung. Es gab zu wenig Möglichkeiten der gesellschaftlichen Selbstbeobachtung und Selbstevaluation. Für den Bereich der Ökonomie ist dies wohlbekannt: Hier fiel die Möglichkeit der Selbstbeobachtung und Selbstevaluation über Märkte und Preise aus. Aber auch im politischen und kulturellen Bereich fehlten die erforderlichen Institutionen. Es gab kein Frühwarnsystem – im Gegenteil: die Alarmsignale wurden systematisch erstickt. »Blockade« scheint eine durchgängige Metapher zu sein, wenn von der DDR gesprochen wird, »Stau« eine andere: »Konfliktstau« (Niethammer), »Gefühlsstau« (Maaz), »Zukunftsstau«. Ein solcher Stau ist besonders gefährlich für eine Gesellschaft, die ihre Gegenwart – wie Heinz Bude deutlich macht – immer nur im Blick auf die Zukunft thematisiert. Deshalb konnte auch der Verlust der Glaubwürdigkeit des Marxismus-Leninismus bei seinen Anhängern selbst von Bedeutung sein. Zu den stärksten Erfahrungen beim Dialog mit Sozialwissenschaftlern und Philosophen der DDR gehörte seit vielen Jahren der Eindruck, daß niemand, buchstäblich niemand, mehr ernsthaft »glaubte« und sich die Individuen nur im Umgang mit ihrem keimenden Unglauben unterschieden. »Bei uns fallen individuelles und gesellschaftliches *Des*interesse zusammen«, formulierte Volker Braun mit Galgenhumor.

Wenn von »verstaatlichter Gesellschaft« (Claus Offe) oder »Organisationsgesellschaft« (Detlef Pollack) gesprochen wird, ist das

Grundproblem ungenügender Differenzierung zwischen politischem, wirtschaftlichem und kulturellem System und deren je eigenen Rationalitätskriterien gemeint. Die Politik griff bruchlos auf alles durch; innerhalb der Politik war es die Partei, innerhalb der Partei das Politbüro. Politische Herrschaft und wirtschaftliche Organisation, die allein auf der Zentralisierung des Anordnungs- und Gewaltmonopols in einer politischen Hierarchie beruhen, sind offenbar nicht genügend leistungsfähig.[2]

Immanuel Wallerstein hat kurz vor den Ereignissen, um die es hier geht, die These vertreten, die Bewegungen von 1968 hätten eine Revolution im Weltsystem dargestellt (Wallerstein 1989). Die These ist im Rahmen von Wallersteins Theoriegebäude nicht überraschend, aber die Folgen dieser Revolution, die uns heute deutlich werden, waren andere, als er sie beschrieb: Die 68er Bewegung leitete im Westen einen überfälligen kulturellen Modernisierungsschub ein; sie war eine Frischzellenkur für eine alternde Gesellschaft. Die kulturelle Revolution im Westen hätte im Prinzip dessen Bestand gefährden können, aber empirisch hatte sie – so scheint es – die umgekehrte Wirkung: Sie beförderte dessen notwendige Anpassungsleistungen an veränderte Umweltbedingungen (einschließlich des Übergangs in eine »post-fordistische« Produktionsweise...). Im Osten wurde diese Revolution unterdrückt, bis sie nach zwei Jahrzehnten – unter geänderten Bedingungen – mit diesmal vernichtender Sprengkraft ausbrach.

Ein Erklärungsansatz, der dem marxistischen Modell nachgebildet ist, wird damit relativiert. Die Erklärung des Zusammenbruchs der realsozialistischen Gesellschaften ist nicht darin zu suchen, daß sich Widersprüche zwischen Produktivkräften und Produktionsverhältnissen entwickelt haben: daß diese Gesellschaften es also nicht geschafft haben, von der extensiven zur intensiven Produktion oder von der Schwerindustrie zur Elektronik und Dienstleistung überzugehen. Man muß weiterfragen, *warum* sie dies nicht geschafft haben, warum sie also auf einen sich zuspitzenden Widerspruch nicht flexibel genug reagieren konnten; anders gesagt, warum ihnen die Institutionen fehlten, die für eine flexible Adaptation erforderlich sind. Ähnliches gilt für die politische Krise: nicht *daß* diese Gesellschaften es nicht fertigbrachten, die Veränderungen politischer Ansprüche und die sich abzeichnenden Protestbewegungen zu kanalisieren, ist das Entscheidende, sondern *warum* sie es nicht fertigbrachten, warum also ihr institutionelles Repertoire auf so fatale Weise beschränkt war.

Diese Lage führt zu unbestreitbar guten Gründen für eine Renaissance der Modernisierungstheorien – und damit jener Theorien, die in den letzten zwanzig Jahren als Angelegenheit des »orthodoxen Konsensus« der westlichen Soziologie der Nachkriegszeit galten und schon Gegenstand ironischer Nachrufe geworden waren. Diese Renaissance wird nicht nur von Autoren artikuliert, die sich in ihren alten Auffassungen bestätigt sehen – wie Wolfgang Zapf oder die Parsonianer – sondern auch von Autoren, die als Kritiker der Modernisierungstheorie bekannt waren, wie Dieter Senghaas oder Edward Tiryakian.[3] Die Situation ist freilich aus zwei Gründen vertrackt. Zum einen sollte historische Erfahrung lehren, daß aus den Ereignissen einer Gegenwart heraus nur mit größter Vorsicht theoretische Kontroversen entschieden werden können. Zum anderen sind die innertheoretischen Einwände gegen die Modernisierungstheorie nicht plötzlich hinfällig geworden. Die Ungeklärtheit der Frage nach den Ursachen und den Trägern von Differenzierungsprozessen, die ausschließlich positive Bewertung solcher Prozesse, die Verwendung funktionaler Erklärungen und vieles andere mehr geben Anlaß zumindest zu einer tiefen Korrektur – und nicht einer einfachen Wiederbelebung – der Modernisierungstheorie. Geboten sind die Konfrontation und der Versuch einer Synthese mit handlungstheoretisch fundierten Makrotheorien (Joas 1990).

6. Ausblick

Für diese Fragen ist hier nicht der richtige Ort. Wir wollen zum Schluß einen Ausblick in anderer Richtung wagen. Es läßt sich ja fragen, ob mit der DDR ein funktionsunfähiges System zusammengebrochen ist und sich damit der westliche Weg bestätigt, oder ob beide Wege in Sackgassen führen und wir es nur noch nicht alle gemerkt haben? Angesichts des enormen Problemstaus in westlichen Gesellschaften wie etwa in der Gesellschaft der USA, aber auch im internationalen System, ist dies gewiß keine absurde Frage. Wird sich die Lernfähigkeit der westlichen Gesellschaften hier ein weiteres Mal erweisen?

Die westlichen Gesellschaften haben in der Nachkriegszeit ein

Repertoire von Institutionen entwickelt, das im Kern auf ein »magisches Viereck« reduziert werden kann: pluralistische Demokratie, Rechtsstaatlichkeit, Marktwirtschaft, Wohlfahrtsstaat. Dieses Repertoire bestimmt den Sozialvertrag (hauptsächlich immer noch zwischen Arbeit und Kapital) und damit die Modernisierungskoalitionen, auf denen bisher der Erfolg der westlichen Gesellschaften beruht. Dabei sind sie in sich keineswegs einheitlich. Zu Beginn der achtziger Jahre war es üblich, in den westeuropäischen Gesellschaften verkrustete Systeme, deren Bestand akut gefährdet sei, zu sehen (»Eurosklerose«). Inzwischen hat sich diese Sichtweise umgekehrt. Nach dem Zusammenbruch der realsozialistischen Gesellschaften werden die westeuropäischen Gesellschaften, allen voran die deutsche, als bestaunenswerte Modelle der Verbindung von sozialer und politischer Stabilität und wirtschaftlicher Dynamik angesehen. Ihre entwickelten Wohlfahrtsstaaten scheinen der wirtschaftlichen Dynamik nicht nur nicht hinderlich zu sein, sondern sich sogar als neue Produktivkraft zu entpuppen. Die am stärksten entwickelten Wohlfahrtsstaaten (vor allem Schweden) haben im Osten zu verbreiteten und mißverständlichen Hoffnungen hinsichtlich eines möglichen »Dritten Weges« Anlaß gegeben – mißverständlich deshalb, weil übersehen worden ist, daß alle diese Gesellschaften eine privatwirtschaftliche Kernstruktur aufweisen und deshalb nur Varianten des »Ersten Weges« sind. Aber die Distanz zwischen diesen Varianten ist erheblich, etwa im Hinblick auf die Regulierung der Arbeitsmärkte und den Umfang des staatlichen Sektors.[4]

Mit dem Zusammenbruch des Realsozialismus ergibt sich für die westlichen Gesellschaften eine neue Lage. Zum einen fällt die Systemkonkurrenz weg, und dies könnte auf längere Sicht den Innovationsdruck gefährlich zurückgehen lassen.[5] Zum andern stellt sich das Problem der Integration der sich transformierenden östlichen Gesellschaften. Gerade für das bundesdeutsche System bildet die Frage, ob seine institutionelle Struktur den Anpassungserfordernissen des Vereinigungsprozesses gewachsen ist, einen sehr anspruchsvollen Test hinsichtlich Lernfähigkeit. Es geht dabei keineswegs nur um die Funktionsfähigkeit der übergestülpten Institutionen im Beitrittsgebiet; es geht auch darum, ob die zentralen Institutionen und die politischen und wirtschaftlichen Akteure offen und flexibel genug sind, um eine Kolonialisierung des Ostens durch den Westen zu vermeiden. Nur wenn es gelingt, in der vereinigten Gesellschaft solche gefährlichen Ungleichgewichte auszugleichen und die Grundlagen für einen neuen stabilen Sozialvertrag zu schaffen, wird man sagen können, daß das westdeutsche Institutionenrepertoire dem Vereinigungsprozeß gewachsen war. Auf europäischer Ebene wiederholt sich dieses Problem. Wenn die Integration Europas *unter Einschluß des Ostens* nicht gelingt, wird auch der Westen Europas keine Insel der Seligen im Meer der wachsenden globalen Probleme sein können.

Anmerkungen

1 Zur Frage der Modernität des Realsozialismus interessant: Srubar (1991).

2 Ähnliches läßt sich mit Bezug auf das kulturelle System feststellen, insbesondere mit Bezug auf die Wissenschaft. Es gab nur positionale Autorität, die aus der politischen Hierarchie abgeleitet war und sich aus ihr – d. h. letztlich aus der ihr »anvertrauten« Sorge um das Gesamtwohl – legitimierte; es war nicht mehr nötig, für Anordnungen vernünftige Gründe anzugeben. Ein schlagendes Beispiel dafür liefert Jürgen Kuczynski, der Nestor der DDR-Gesellschaftswissenschaften, in seinem Bericht über ein Gespräch mit Ulbricht, in dem es um eine wissenschaftspolitische Entscheidung ging. Kuczynski berichtet, daß er seinen Einspruch gegen diese Entscheidung Ulbrichts sinngemäß etwa mit folgenden Worten zurückzog: »Ich bin für die Entwicklung der Gesellschaftswissenschaften zuständig, und du, Walter, bist für die Sicherheit des Sozialismus zuständig; die Sicherheit des Sozialismus ist wichtiger als die Entwicklung der Gesellschaftswissenschaften, deshalb hast du recht.«

3 Vgl. die Eröffnungsansprache von Wolfgang Zapf auf dem 25. Deutschen Soziologentag in Frankfurt/M. 1990 sowie Senghaas (1990) und Tiryakian (1991); zur Kritik: Müller (1991).

4 *Wie* erheblich, wird in der westdeutschen Diskussion – mangels einer vergleichenden Perspektive – oft unterschätzt (vgl. Kohli 1989). So scheitert z. B. die Behauptung, eine Gesamterwerbsquote auf dem Niveau der ehemaligen DDR sei unter den Bedingungen einer westlichen Wirtschaft nicht möglich, am Beispiel Schweden. Ein solches Erwerbsregime kann allerdings nicht nach Belieben übernommen werden und dürfte deshalb für deutsche Verhältnisse nicht verfügbar sein.

5 In der alten Bundesrepublik war das Motiv der Systemkonkurrenz bei

vielen grundlegenden gesellschaftlichen Innovationen wirksam, nicht zuletzt bei der Ausgestaltung des Wohlfahrtsstaats (etwa in Adenauers großer Rentenreform von 1957).

Literatur

von Beyme, Klaus (1991), *Selbstgleichschaltung. Warum es in der DDR keine Politologie gegeben hat*, in: Bernd Giesen/Claus Leggewie (Hg.), *Experiment Vereinigung. Ein sozialer Großversuch*, Berlin, S. 123-132

Bude, Heinz/Kohli, Martin (1989), *Die Normalisierung der Kritik*, in: dies. (Hg.), *Radikalisierte Aufklärung. Studentenbewegung und Soziologie in Berlin 1965 bis 1970*, Weinheim, S. 17-42

Collins, Randall (1986), *The future decline of the Russian Empire*, in: ders., *Weberian sociological theory*, Cambridge, S. 186-209

Habermas, Jürgen (1990), *Die nachholende Revolution*, Frankfurt/M.

Joas, Hans (1990), *Die Demokratisierung der Differenzierungsfrage*, in: *Soziale Welt* 41, S. 8-27

Joas, Hans (1991), *Berlin als Ort und Gegenstand der Soziologie*, in: *Die Neue Gesellschaft, Frankfurter Hefte*

Kocka, Jürgen (1990), *Revolution und Nation 1989. Zur historischen Einordnung der gegenwärtigen Ereignisse*, in: *Tel Aviver Jahrbuch für deutsche Geschichte* 19, S. 471-499

Kohli, Martin (1989), *Institutionalisierung und Individualisierung der Erwerbsbiographie. Aktuelle Veränderungstendenzen und ihre Folgen*, in: D. Brock et al. (Hg.), *Subjektivität im gesellschaftlichen Wandel*, München, S. 249-278

Maaz, Hans-Joachim (1990), *Der Gefühlsstau. Ein Psychogramm der DDR*, Berlin

Meier, Artur (1990), *Abschied von der sozialistischen Ständegesellschaft*, in: *Aus Politik und Zeitgeschichte* (Beilage zur Wochenzeitung *Das Parlament*), B 16-17/90 (13. April), S. 3-14

Meuschel, Sigrid (1991), *Legitimation und Parteiherrschaft in der DDR*, Frankfurt/M.

Müller, Klaus (1991), *Nachholende Modernisierung? Die Konjunkturen der Modernisierungstheorie und ihre Anwendung auf die Transformation der osteuropäischen Gesellschaften*, in: *Leviathan* 19, S. 261-291

Neubert, Ehrhard (1991), *Die protestantische Revolution*, Berlin

Senghaas, Dieter (1990), *Jenseits des Nebels der Zukunft: Europas ordnungspolitische Option*, in: ders., *Europa 2000. Ein Friedensplan*, Frankfurt/M., S. 57-77

Srubar, Ilja (1991), *War der reale Sozialismus modern? Versuch einer struk-*

turellen Bestimmung, in: *Kölner Zeitschrift für Soziologie und Sozialpsychologie* 43, S. 415-432

Tiryakian, Edward A. (1991), *Modernisation: Exhumetur in pace (Rebirthing macrosociology in the 1990s)*, in: *International Sociology* 6, S. 165-180

Wallerstein, Immanuel (1989), *1968, revolution in the world-system. Thesis and queries*, in: *Theory and Society* 18, S. 431-449

Wolfgang Zapf
Die DDR 1989/1990 – Zusammenbruch einer Sozialstruktur?

Es hängt von den theoretischen Vorentscheidungen über die Reichweite der Sozialstrukturanalyse ab, ob man von einem totalen Zusammenbruch der Sozialstruktur der DDR sprechen sollte oder von partiellen Zusammenbrüchen oder gar von sozial-strukturellen Resistenzen gegen die politisch gewählte Systemtransformation in der ehemaligen DDR.

Ich selbst habe bisher mit drei Konzepten von Sozialstruktur gearbeitet. Erstens wäre die demographische Grundgliederung der Bevölkerung und die Verteilung zentraler Ressourcen wie Bildung, Beruf und Einkommen zu nennen. Traditionell wird dies im Querschnitt untersucht; neu ist die Längsschnittbetrachtung der sozialen Prägung des Lebenslaufs in der Abfolge der Generationen. Zweitens kann man unter Sozialstruktur – unter Einschluß von Werten und Mentalitäten – die Zusammenfassung dieser Gliederungen in soziale Klassen und soziale Schichten verstehen; neu ist hier die Perspektive, daß »flüssigere« Sozialmilieus und Lebensstile neben Klassen und Schichten betrachtet werden sollen. Drittens gibt es den anspruchsvolleren Begriff von Sozialstruktur als dem System gesellschaftlicher Ordnungen und Basisinstitutionen, zu denen dann allerdings politische Ordnungen und Institutionen gehören. Veränderungen der Sozialstruktur kann man in ihrer Richtung am Maßstab der Modernisierung (funktionale Differenzierung, Interpenetration, Kapazitätssteigerung) und in ihrer Bedeutung für den einzelnen als Wohlfahrtsentwicklung bestimmen und messen.[1]

Nach diesen Konzepten ist das DDR-System gesellschaftlicher Ordnungen und Basisinstitutionen tatsächlich plötzlich und vollständig zusammengebrochen. Hingegen wird die Veränderung sozialer Klassen, Schichten, Milieus und Lebensstile kompliziert, mit unterschiedlicher Geschwindigkeit und Konfliktintensität verlaufen. Im Trend wird sich die Verteilung zentraler Ressourcen in Richtung auf Modernisierung und Wohlfahrtsentwicklung verändern. Aber die Prozesse der Segmentierung und Ausgrenzung sind zumindest übergangsweise massiv, und sie können die Systemtransformation signifikant beeinflussen. Es wird deutliche Generationen- und Milieuunterschiede hinsichtlich der Anpassungsbereitschaft und Angleichungsfähigkeit geben.

Ich beginne mit einer Skizze der letzten »offiziellen« Sozialstrukturanalyse der DDR aus dem Jahr 1988, ihrer westlichen Kommentierung und ihrer DDR-Revision nach der Wende (I). Ich resümiere sodann eine Reihe der heute vorliegenden Erklärungen des Zusammenbruchs der DDR, insbesondere von jüngeren DDR-Autoren, und die daraus abgeleiteten Prognosen der zu erwartenden Transformationsprobleme (II). Schließlich präsentiere ich einige neue Surveydaten, um quantitative Anhaltspunkte zum derzeitigen Stand des deutschen Transformationsprozesses zu gewinnen (III).

I

Sozialstruktur der DDR, verfaßt von einem Autorenkollektiv unter der Leitung von Rudi Weidig (u. a. M. Lötsch, A. Meier, G. Winkler), wurde im Herbst 1988 ausgeliefert und ist – von heute aus gesehen – die letzte größere Publikation der DDR-Soziologie, in der Sozialstrukturanalyse als Gesellschaftstheorie verstanden wurde, durchaus in Differenz zur ML-Doktrin. Das Buch beginnt ganz linientreu mit der These:

»Die historisch neue Sozialstruktur, wie sie im Prozeß der sozialistischen Revolution in der Deutschen Demokratischen Republik entstanden ist, stellt heute und für die Zukunft eine der größten Errungenschaften und sozialen Triebkräfte des Sozialismus dar.«[2]

Die Klassen- und Schichtstruktur der DDR im Jahre 1985 (nach Berufstätigen, in Prozent) wird folgendermaßen dargestellt[3]:

Arbeiterklasse	74,7
Klasse der Genossenschaftsbauern	6,8
Schicht der Intelligenz	15,0
Genossenschaftliche Handwerker	1,8
Private Handwerker, Kommissions-, Einzelhändler und andere	1,7

Von den Angestellten innerhalb der Arbeiterklasse ist, wie von zahlreichen anderen Differenzierungen, wiederholt die Rede, aber es findet sich – auf 370 Seiten – keinerlei quantitative Abgrenzung.

Die Dramaturgie der Analyse scheint dem Schema von Pflicht und Kür zu folgen: erst konventionelle Passagen wie *Soziale Annäherung – ein historisch tiefgreifender und langwieriger Prozeß* (Abschn. 1.2), dann aber auch durchaus nicht unkritische Töne: *Der Schichtcharakter der Intelligenz in der Dialektik von Reduzierung und Reproduktion sozialer Unterschiede* (Abschn. 2.3.4). Das war der Reform-Kommunismus der achtziger Jahre in der Nische der SED-Akademie (der Autor ist M. Lötsch):

»In der sozialistischen Gesellschaft kann die Reproduktion sozialer Besonderheiten, bis hin zur konsequenten Schaffung von Entwicklungsbedingungen für überragende Talente, einfach deswegen nicht zur ›elitären Separierung‹ führen, weil, was gegnerische Kritiker und ›Ratgeber‹ allzugern übersehen, Segmentierungen und Polarisierungen durch systemimmanente Gesetzmäßigkeiten zuverlässig verhindert werden. … Sich ausprägende soziale Differenzierungen sind keine autonome Gesetzmäßigkeit sozialstruktureller Entwicklung, sondern Bestandteil eines übergeordneten Vorgangs: Als Boden sozialer Triebkräfte des wissenschaftlich-technischen Fortschritts tragen sie dazu bei, die Bedingungen für die Reproduktion sozialer Unterschiede auf ständig niedrigem Niveau zu schaffen.«[4]

Was hier in DDR-Deutsch formuliert ist, würde man im westlichen Soziologenjargon etwa so ausdrücken, daß differentielle Belohnungen innovationsfördernd sind und in dem Maße gerechtfertigt werden können, wie sie zur allgemeinen Wohlfahrtssteigerung (»upgrading«) beitragen.

Unter anderem gibt es in dem Buch einen Abschnitt *Die Arbeiterklasse und die politische Macht* (2.1.1), der jedoch über konventionelle Zustromprozente für Inhaber von Leitungspositionen nicht hinausgeht. DDR-Spezialisten sollten aber einmal hermeneutisch entfalten, ob die folgende Passage noch Ritual oder schon Signal gewesen ist:

»Bürgerliche Soziologen, die sich mit der Charakterisierung der Sozialstruktur im Sozialismus beschäftigen, stellen immer wieder die These auf, daß soziale Unterschiede im Sozialismus vor allem durch die gegebenen ›Machtstrukturen‹, durch eine ›unterschiedliche Verteilung von Macht‹, ›Privilegien‹ und ›Prestige‹ determiniert seien. Mit der subjektivistischen Trennung von sozialer Struktur und Macht sowie der sozialen Unterschiede von den sie bestimmenden sozialökonomischen und materiell-technischen Grundlagen soll vor allem ihre Behauptung theoretisch gestützt werden, daß sich im Sozialismus eine vom ›Volk isolierte, abgehobene und alles beherrschende Machtelite‹ als neue Klasse herausgebildet habe.«[5]

Ich habe mir inzwischen bestätigen lassen, daß das konjunktivische Zitat tatsächlich eine gängige Form der Nachrichtenübermittlung gewesen ist.

Im übrigen finde ich es beeindruckend, wie souverän Katharina Belwe 1988 (veröffentlicht 1989) als Vertreterin der inzwischen so gescholtenen westdeutschen DDR-Forschung diese komplizierte Debatte dargestellt hat:

»Die mit dem Konzept der wissenschaftlich-technischen Revolution verbundene Vorstellung von der raschen Annäherung der Klassen und Schichten durch das weitgehende Verschwinden körperlich schwerer Arbeiten und eine entsprechende Zunahme geistig-anspruchsvoller Tätigkeiten haben sich zu großen Teilen nicht erfüllt. Statt der erwarteten Homogenisierung sahen sich die Sozialstrukturforscher mit zunehmender sozialer Differenzierung konfrontiert, die seit Beginn der achtziger Jahre in einer Qualifikationspolarisierung gipfelt. Dem entspricht auch ein ›tiefgreifender Wandel im konzeptionellen Denken‹. Die in der Vergangenheit ›summarisch als negative Erscheinungen‹ geltenden sozialen Differenzierungen erfahren seither eine positive Wertung. Ihnen wird jetzt die Funktion von Triebkräften ökonomischen Wachstums zugeschrieben. Damit ist es nicht nur möglich geworden, noch vorhandene soziale Unterschiede zu legitimieren, sondern es ist auch der Weg freigegeben zur Bildung von Sondergruppen mit einem – von der jeweiligen Klasse oder Schicht abweichenden – spezifischen höherwertigen sozialen Status.«[6]

Fünf Monate nach der Wende, im März 1990, werden im *Sozialreport '90* (hg. von G. Winkler) die Zahlen und einige kritische Interpretationen nachgeliefert, die in dem Kompendium von 1988 noch nicht möglich waren:

»Letztmalig mit der Bevölkerungszählung 1981 erfolgte eine detaillierte Erfassung, die jedoch nicht veröffentlicht wurde und auch mit einer Reihe von Problemen behaftet ist. Danach ergibt sich folgende Grundstruktur: 1981 waren von den wirtschaftlich Tätigen

54,4% Arbeiter
    darunter   37,1% in Produktionsberufen
                22,7% in anderen Arbeiterberufen
36,1% Angestellte
    darunter   25,9% Leitungs- und Verwaltungspersonal
                10,2% Geistesschaffende
 9,5% Genossenschaftsmitglieder u. a. Berufsgruppen.«[7]

»Es kann nicht entschieden werden, inwieweit die vorhandene Verteilung der wirtschaftlich Tätigen gerechtfertigt ist. Zweifel kann man anmelden, ob der Bereich ›Sonstige nichtproduzierende Zweige‹ mit einem Anteil an

den wirtschaftlich Tätigen von 9,5% (also mit einem höheren Beschäftig-
tenanteil als z. B. die Bauwirtschaft) nicht überdimensioniert ist. In den
›Sonstigen nichtproduzierenden Bereichen‹ sind 28% des Leitungs- und
Verwaltungspersonals beschäftigt...

Zweifel, ob die DDR über das notwendige wissenschaftliche Kaderpo-
tential verfügt, kommen spätestens dann, wenn sich zeigt, daß nur 0,49%
der wirtschaftlich Tätigen im Sektor Wissenschaft und Forschung arbeiten,
demgegenüber aber z. B. im Sektor Vorschulerziehung 1,16%.«[8]

Dies heißt, immer noch deutlich zensiert, daß der Kontroll- und
Verwaltungsapparat übermäßig aufgebläht und die Intelligenzbe-
rufe falsch alloziert waren.

II

Der *Sozialreport* '90 bringt schon auf S. 10 eine Graphik, die die
halbe Geschichte des Zusammenbruchs der DDR zusammen-
faßt[9]: Euphemistisch ist noch von Bevölkerungsabwanderung/
Auswanderung die Rede; in Wirklichkeit handelt es sich um Massenflucht, um *Exit.*

Meine eigene Erklärung sieht in der *Massenflucht* den gewichti-
gen Faktor des Zusammenbruchs der DDR, auch noch für die
Modrow-Phase. Induziert zunächst von den sich häufenden Ausreiseanträgen, dann beschleunigt durch die Massenflucht, formiert sich aus kleinen, gefährdeten oppositionellen Randgruppen
der *Massenprotest* als die zweite notwendige Bedingung. Die hin-
reichenden Bedingungen für die ab Oktober 1989 einsetzende
Kettenreaktion kommen jedoch aus den internationalen Veränderungen. Mit der Perestroika-Politik der sozialen und wirtschaftlichen Modernisierung verringerte sich der sowjetische Druck auf
die Satellitenstaaten. Die Reformbewegungen in Polen, Ungarn
und der Tschechoslowakei lieferten die Vorbilder für den Widerstand in der DDR. Prag und Budapest öffneten den Weg für die
Massenflucht. Der späte Machtwechsel innerhalb der SED be-
schleunigte den Protest. Ein einmaliger Doppelprozeß von *Exit*
und *Voice,* Massenflucht und Massenprotest, ohne sowjetischen
Gegenschlag, ermöglichte die »friedliche Revolution« unmittelbar
nach dem 40. Geburtstag der DDR.

Deshalb ist es *nicht* richtig, wenn die Bürgerbewegungen die
friedliche Revolution für sich beanspruchen und beklagen, man

Abbildung 1: Bevölkerungszunahme oder -abnahme in der DDR
1970-1989

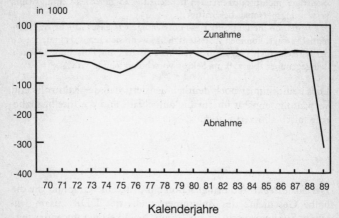

Kalenderjahre

hätte sie ihnen durch die Kolonisierungspolitik des Jahres 1990
gestohlen. Nicht einmal, nicht zweimal, sondern dreimal hinter-
einander ist der Sozialismus, und auch der »dritte Weg«, 1990 in
der DDR abgewählt worden. »Vor allem wählen die Arbeiter in
der ehemaligen DDR wesentlich häufiger CDU als SPD, während
es in der alten Bundesrepublik genau umgekehrt ist.«[10]

Die ersten Aufarbeitungen durch DDR-Soziologen wurden bereits auf dem Soziologie-Kongreß im Februar 1990 sowie kurz
danach vorgetragen: Das DDR-System in seiner Spätphase wird
als »Ständestaat mit Kastenherrschaft« und steigendem Moderni-
sierungsrückstand beschrieben (Arthur Meier). Das allmählich
entstandene Doppelleben in der DDR – in Schattenwirtschaft,
kirchlichen Gruppen, in eigenständiger Kombinatpolitik – schuf
sozialstrukturelle Nischen, in denen sich doch einige politische
Aktivisten entwickeln konnten (Thomas Hanf). Der steigende Widerspruch zwischen der auch in der DDR-Gesellschaft ablaufenden Differenzierung und der gewaltsamen Entdifferenzierung des
SED-Regimes schuf die revolutionäre Basis für die Demontage
einer »Organisationsgesellschaft« (Detlef Pollack).[11]

In neueren Beiträgen, die auch auf dem Frankfurter Soziologentag im Oktober 1990 zu Wort kamen, gehen die DDR-Kollegen

noch erheblich weiter und verbinden die Erklärung des Zusammenbruchs mit Abschätzungen des laufenden Transformationsprozesses. Wo sich die Analyse authentischer Erfahrungen nicht durch Betroffenheit überwältigen läßt, haben diese Beiträge m. E. ein besonderes Gewicht.

Michael Thomas sieht in der *Entsubjektivierung* »den Grund für die rasche Implosion des Systems«. Mit Entsubjektivierung meint er – in anschaulichen Begriffen – die »Verohnmächtigung« aller Basisobjekte, die »Enteignung« der Werktätigen, die »Entmachtung« der Arbeiterklasse, die »Sicher- und Stillstellung« der Massen. Dies gilt ihm als die »lebensweltliche Hypothek«, die tief in die Psyche der DDR-Bürger hineingreift und noch lange nachwirken wird.[12]

Peter Pawlowsky und Michael Schlese dramatisieren diese Ansicht noch und sehen die Reorganisationschancen in Ostdeutschland stehen und fallen »mit der Bewältigung des psychischen Umbruchs«. Sie legen ein *»Transformationsdilemma«* dar, das darin besteht, daß der Zusammenbruch der DDR den Neuaufbau nicht von innen induziert, sondern von außen – und wieder von oben – erfordert. Dies wiederum führt zur »Mentalitätsverfestigung«, der »Verfolgung von Selbstschutzinteressen«, sowie Konflikten bei der Ausgrenzung der alten Eliten und der beim Neuaufbau Zurückbleibenden. Die DDR selbst beschreiben Pawlowsky/Schlese (gegen A. Meiers Feudalismusthese) als »semimoderne Mischgesellschaft«, die letztlich wegen ihrer Leistungsschwäche zusammengebrochen ist. Die unstreitig vorhandenen Differenzierungs- und Bürokratisierungsprozesse haben die Monopolstellung der Parteiführung nicht verflüssigt, sondern zementiert, auch durch die permanente Absorption von Gegeneliten. Die egalitäre Einkommens- und Statusverteilung wie auch die privatistische Interessendiversifikation zerstörte alle ökonomischen Anreize. Die Revolution durch Massenflucht und Massenprotest erhielt einen zusätzlichen Anschub – und dies sind zwei neue Argumente – durch »Betriebsunfälle« der SED-Fronde und womöglich sogar durch »Verschwörung« einzelner Spitzenkader in den letzten Wochen und Monaten.[13]

Thomas Hanf spricht ohne Umschweife vom *plötzlichen* und *vollständigen* Zusammenbruch der sozialstrukturellen Beziehungen in der DDR, der vor allem deshalb zustande kam, weil – anders als in den anderen osteuropäischen Ländern – in der Ordnung der Bundesrepublik ein komplettes Gegenmodell zur Verfügung stand. Zusätzlich zu den auch von den anderen Autoren genannten Faktoren der sozialstrukturellen Zerrüttung der DDR (wirtschaftliche Stagnation, Vernachlässigung des individuell-subjektiven Innovationspotentials) nennt Hanf die »permanente ökonomische Entwertung der Substanz des Gemeinwesens und des individuellen Reichtums« als Ursache für den Zusammenbruch. So bleibt nur die Destruktion der alten Sozialstruktur durch erzwungene oder freiwillige Mobilität großer Bevölkerungsgruppen in Richtung auf westdeutsche Institutionen – um den Preis eines massenhaften Verlusts von Orientierung.[14]

Auch für Frank Adler liegen die Gründe für die Erosion des DDR-Systems in der »paternalistischen Entsubjektivierung gesellschaftlicher Akteure«. Er zeigt im einzelnen, wie die *Blockierung von Mobilität* zugleich die Blockierung von *Innovation und Verantwortung* gewesen ist. Sein weiterführender Gedankengang ist die Analyse der zunehmenden *Divergenz von Machtstruktur und Schichtungsstruktur*. Nachdem in den Aufbaujahren der DDR durchaus Hoffnung und Solidarisierung vorhanden waren, wurde eine grundlegende Statusinkonsistenz immer deutlicher: zwischen dem unkontrollierten Macht- und Privilegienmonopol der SED-Funktionäre einerseits und der Nivellierung der Lebensverhältnisse der breiten Bevölkerung andererseits. Im Laufe der Zeit verloren die »sozialistischen Errungenschaften« ihre Überzeugungskraft: die garantierten sozialen Grundsicherungen, das Fehlen extremer Randlagen, die Kooperation zwischen betrieblicher Führungsebene und Belegschaft. Langfristig bewirkten »die strukturellen Innovationsschwächen dieses Systems« auch die »Instabilität von Macht«. Weil die DDR nie eine mobile Leistungsgesellschaft werden durfte, ist sie eine »Arbeitsgesellschaft« geblieben, in der Erwerbsarbeit und Betrieb für viele Menschen zum Lebensmittelpunkt wurden. Diese Säulen der Arbeitsgesellschaft DDR sind heute besonders gefährdet – nicht zuletzt deshalb erweist sich der Transformationsprozeß in Ostdeutschland als so schwierig.[15]

III

Aufgrund der Erfahrungen mit der Transformation in Westdeutschland nach 1945 sowie den Transformationsprozessen in Spanien und Portugal nach 1974 habe ich – gegen viele Schnell-Szenarios – die Anpassungszeit auf zehn Jahre geschätzt und im einzelnen wie folgt spezifiziert:

»Was die sozialstrukturelle Angleichung betrifft, so werden gemäß Modernisierungstheorie die meisten Entwicklungen der DDR in westdeutsche Richtung gehen: Rückgang der Frühehen und Frühscheidungen, eine erhebliche Bildungsexpansion, ein Wachstum nicht-öffentlicher Dienstleistungen, eine Vergrößerung der Ungleichheit, eine Differenzierung der Lebensformen und Lebensstile. Für offen und innovationsträchtig in Richtung auf ostdeutsche Erfahrungen halte ich wenige, allerdings sozialstrukturell sehr bedeutsame Bereiche. Das vereinte Deutschland wird nicht einfach ›protestantischer‹ werden als die Bundesrepublik (6 Millionen DDR-Bürger bezeichnen sich als der evangelischen Kirche, 1 Million als der katholischen Kirche zugehörig, 9 Millionen gehören nicht zu einer Kirche), sondern der Anteil der Konfessionslosen wird von 10% auf 20% ansteigen und damit das laizistische Element verstärken. Bezüglich der Rolle der Frauen war das Modell der weiblichen Vollzeitproduktionskraft bereits in der DDR selbst kritisiert worden. Aber die hiesige Diskussion um Frauenerwerbstätigkeit, um die Vereinbarkeit von Beruf und Familie und um ausreichende öffentliche Betreuungseinrichtungen wird durch die Erfahrungen der DDR-Frauen stärker auf Reformkurs gebracht werden. Auch die Verkürzung der Schulzeit bis zum Abitur auf 12 Jahre und die Vermehrung von Ganztagsschulen wird beschleunigt werden.«[16]

Wahrscheinlich wird eine Verkürzung der Schulzeit tatsächlich erfolgen. Bezüglich der Frauenerwerbstätigkeit im Osten halte ich einen Abbau um ca. ein Drittel des Stundenvolumens für naheliegend. Dies war – gemessen allein an den Fehlzeiten – immer schon die Realität; es würde Ostdeutschland noch immer in die Spitzengruppe der EG-Statistik stellen. Die Entwicklung der kirchlichen Verhältnisse und z. B. die Resistenz der Jugendweihe als Institution sind interessante Nebenaspekte.

Für jeden, der die inzwischen umfangreiche Literatur über die »Transformation von der Diktatur zur Demokratie« wahrgenommen hat, mußte klar sein, daß diese Transformationsprozesse nicht geradlinig verlaufen, sondern von heftigen Konflikten und Stimmungsschwankungen begleitet sein würden. »Desencanto«, frustrierte Enttäuschung, ist ein am Beispiel Spaniens, Portugals

Abbildung 2: Soziale Lagen in Ostdeutschland – 1990 / Soziale Lagen in Westdeutschland – 1988

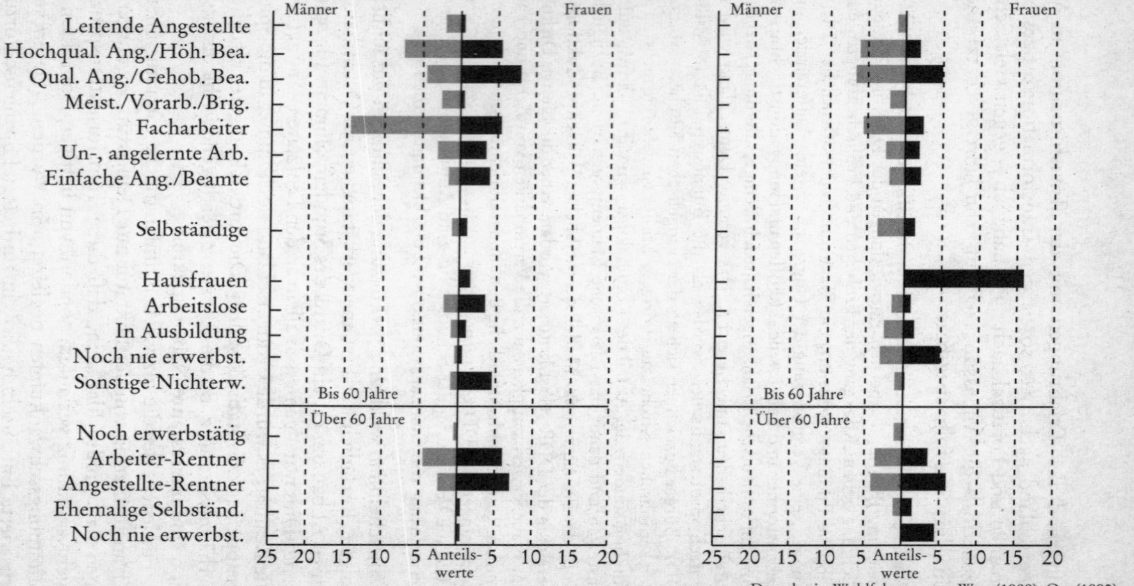
Soziale Lagen in Ostdeutschland – 1990
Soziale Lagen in Westdeutschland – 1988
Männer
Frauen
Leitende Angestellte
Hochqual. Ang./Höh. Bea.
Qual. Ang./Gehob. Bea.
Meist./Vorarb./Brig.
Facharbeiter
Un-, angelernte Arb.
Einfache Ang./Beamte
Selbständige
Hausfrauen
Arbeitslose
In Ausbildung
Noch nie erwerbst.
Sonstige Nichterw.
Bis 60 Jahre
Über 60 Jahre
Noch erwerbstätig
Arbeiter-Rentner
Angestellte-Rentner
Ehemalige Selbständ.
Noch nie erwerbst.
25 20 15 10 5 Anteils- 5 10 15 20
werte

Datenbasis: Wohlfahrtssurvey West (1988), Ost (1990)

und der lateinamerikanischen Fälle eingeführter Begriff für die Phase nach der Euphorie der Befreiung. Daß die »Konsolidierung« der Transformation an die langwierige »Habitualisierung« bürgerlicher, zivilgesellschaftlicher Lebeweisen gebunden ist: diese Verallgemeinerung läßt sich anhand der gleichen Literatur treffen.[17]

Was wir hier und heute mit den Mitteln der empirischen Sozialforschung tun können, ist eine Bestandsaufnahme sozialstruktureller Grundtatsachen sowie der objektiven und subjektiven Wohlfahrt der Bürger in Ost- und Westdeutschland zum Zeitpunkt der deutschen Vereinigung. Hierzu steht mir als Datenquelle der Wohlfahrtssurvey-Ost vom Oktober 1990 zur Verfügung, eine repräsentative Bevölkerungsbefragung, die nach dem Vorbild früherer Befragungen in Westdeutschland konzipiert wurde und die hier mit dem westdeutschen Wohlfahrtssurvey 1988 verglichen wird.[18] Für Sozialstrukturanalysen sind Umfragen nicht die ideale Datenquelle, insbesondere wegen der geringen Fallzahl und der Selbsteinstufung der Befragten. Für die Messung des Zusammenhangs von objektiver und subjektiver Wohlfahrt sind solche Umfragen jedoch die einzige Quelle.[19] Ich präsentiere im folgenden vier Vergleiche der Sozialstruktur Ostdeutschlands und Westdeutschlands: soziale Lage, Familien- und Lebensformen, objektive Wohlfahrt, subjektive Wohlfahrt.[20]

Soziale Lagen

Für diesen Vergleich werden die Befragten (die erwachsene Bevölkerung) nach den Unterscheidungslinien (a) Erwerbsstatus, (b) Stellung im Beruf, (c) Erwerbsphase vs. Ruhestandsphase und (d) Männer und Frauen klassifiziert. Dies ist durchaus eine inhaltlich relevante Operationalisierung von Sozialstruktur im Sinne meiner Eingangsdefinitionen (Gliederung nach der Ressourcenverteilung, Gliederung nach handlungsrelevanten Schichten). Die Beamtenkategorien wurden in der DDR natürlich nicht vorgegeben; die Selbsteinstufung nach den übrigen Katgorien war offenbar ohne Mühe möglich.

Wenn man die Verteilungen in der (ehemaligen) DDR auf die Größenordnung der (bisherigen) Bundesrepublik projiziert, gewinnt man – im Wortsinn – ein Bild der Unterschiede in Ost und West. Die DDR war eine *Arbeitsgesellschaft* mit einer deutlich hö-

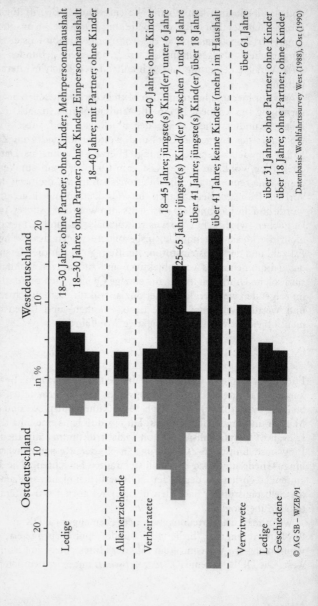

Abbildung 3: Lebens- und Familienformen in Ost- und Westdeutschland

Ostdeutschland — Westdeutschland

Ledige
- 18–30 Jahre; ohne Partner; ohne Kinder; Mehrpersonenhaushalt
- 18–30 Jahre; ohne Partner; ohne Kinder; Einpersonenhaushalt
- 18–40 Jahre; mit Partner; ohne Kinder

Alleinerziehende

Verheiratete
- 18–40 Jahre; ohne Kinder
- 18–45 Jahre; jüngste(s) Kind(er) unter 6 Jahre
- 18–45 Jahre; jüngste(s) Kind(er) zwischen 7 und 18 Jahre
- über 41 Jahre; jüngste(s) Kind(er) über 18 Jahre
- über 41 Jahre; keine Kinder (mehr) im Haushalt

Verwitwete
- über 61 Jahre

Ledige
Geschiedene
- über 31 Jahre; ohne Partner; ohne Kinder
- über 18 Jahre; ohne Partner; ohne Kinder

Datenbasis: Wohlfahrtssurvey West (1988), Ost (1990)

© AG SB – WZB/91

heren Erwerbsquote, insbesondere der Frauen, als in der Bundesrepublik. Die im Westen stark besetzten Kategorien der »noch nie Erwerbstätigen« und der »Hausfrauen« kommen in der DDR kaum vor. Arbeitsgesellschaft läßt sich durchaus im Sinne von Frank Adler (s. o.) über die Zentralität des Wertes Arbeit und des sozialen Ortes Betrieb bestimmen. Des weiteren war die DDR eine Arbeiter-, genauer: eine *Facharbeitergesellschaft*. Ein Drittel aller Erwerbstätigen waren Facharbeiter (einschließlich Vorarbeiter, Meister; 33% vs. 16% in Westdeutschland). Ortskenner sprechen hier aber auch von der Unterausnutzung dieser Fachqualifikation bzw. von einer bloßen Briefqualifikation. Auch die obersten Angestelltenkategorien sind in der DDR stärker besetzt als im Westen (21% vs. 18%); dies sind die umfangreichen Leitungskader und die aufgeblähten staatlichen und Parteiapparate.

Wenn man nun die Größenordnungen für die DDR wieder auf einen maßstabsgerechten Vergleich reduziert, dann zeigt sich, daß die Sozialstruktur der Bundesrepublik durch das Hinzukommen der DDR nur in wenigen Aspekten verändert wird: höhere Erwerbsquote, höherer Arbeiteranteil, Kaderüberhang, höhere Frauenerwerbstätigkeit. Genau hier liegen denn auch die Konfliktquellen einer Transformation in westliche Richtung: Die Arbeitslosigkeit wird für eine längere Übergangszeit stark steigen, insbesondere kann die Frauenarbeitslosigkeit kurzfristig durch die Ausweitung von Kurzarbeit und Teilzeit nur zum Teil aufgefangen werden. Viele Kaderqualifikationen und auch viele Facharbeiterqualifikationen werden obsolet, andere sind nur durch Umschulung zu retten. Andererseits liegen hier auch die Personalressourcen für die Umstellung auf eine moderne Dienstleistungsökonomie, die Entwicklung von Verwaltungen, den Ausbau von Infrastruktur und Kommunikation. Deswegen halte ich im übrigen auch eine exorbitante Freisetzung von Frauen für unwahrscheinlich – wie ja auch Frauen in Westdeutschland nicht an den Herd zurückgetrieben werden, sondern allein zwischen 1987 und 1990 zu über 800 000 neu in den Arbeitsmarkt eingetreten sind.

Familien- und Lebensformen

Die Kombination von Familienstand und Alter der Befragten sowie Zahl und Alter der Kinder im Haushalt ergibt eine Typologie

Tabelle 1: Indikatoren zu objektiven Lebensbedingungen in Ost- und Westdeutschland

	Insgesamt		Erwerbs-tätige		Rentner		Arbeitslose	
	Ost	West	Ost	West	Ost	West	Ost	West
Haushaltseinkommen/ Kopf (in DM)	733	1218	793	1320	653	1312	552	973
Anteil der Miete am Haushaltsnettoeinkommen (%)	4	15	3	13	5	18	4	17
Anteil an Wohnungseigentümern (%)	19	46						
Wohnungsausstattung (%)								
– mit Bad in der Wohnung	84	99						
– mit WC in der Wohnung	83	97						
– mit Zentralheizung	51	83						
– mit Bad, WC und Zentralheizung	49	80						
Bevölkerungsanteil ohne Konfession	67	8						
Anteil:								
– Männer (18 bis 64 Jahre) (%)			88	80				
– Frauen (18 bis 64 Jahre) (%)			72	38				

Datenbasis: Wohlfahrtssurvey West (1988), Ost (1990)

von Familien- und Lebensformen, die sich im Lebenszyklus interpretieren läßt, aber auch nach dem Schema Kernfamilie vs. andere Lebensformen. Der Ost-West-Vergleich spiegelt die früheren Heiraten, früheren Geburten und höheren Scheidungsraten in der DDR. Die Kategorien der ledigen Ein- und Zweipersonenhaushalte sind viel schwächer besetzt als im Westen, die Gruppen der Alleinerziehenden und der Geschiedenen sind hingegen größer. Von Ortskundigen wissen wir aber inzwischen, daß zahlreiche Alleinerziehende durchaus einen Partner haben, wegen sozialpolitischer Vorteile jedoch in dieser Kategorie verblieben sind. In maßstabsgerechter Kombination werden wiederum die ostdeutschen Familien- und Lebensformen die Sozialstruktur der Bundesrepublik nicht nachhaltig verändern; vielmehr sind rasche Anpassungen in westlicher Richtung zu erwarten.

Objektive Wohlfahrt

Der Lebensstandard in der DDR zum Zeitpunkt der Vereinigung entsprach, grob gesagt, dem der Bundesrepublik zu Beginn der sechziger Jahre, immerhin also 10-15 Jahre nach Beginn des westdeutschen Wirtschaftsaufschwungs. Gemessen am Haushaltseinkommen pro Kopf erreichen die erwerbstätigen DDR-Bürger rund 60%, die Rentner nur 50% des Westniveaus. Dabei muß man noch in Rechnung stellen, daß aufgrund der höheren Frauenerwerbstätigkeit durchschnittlich mehr »Verdiener« pro Haushalt zu diesem Einkommen beitragen. Auch die Indikatoren der Wohnungsausstattung zeigen, daß die DDR 1990 ungefähr den westdeutschen Standard von 1960 erreicht hatte. Der niedrige Mietkostenanteil am Einkommen belegt, wie extrem nicht-ökonomisch das Gut Wohnen in der DDR behandelt wurde. Beim Anteil der Wohnungseigentümer von rund einem Fünftel (Westen: 46%) überrascht weniger der Abstand zur Bundesrepublik als der Umstand, daß sich doch privater Hausbesitz in der DDR halten konnte. Ortskundige berichten darüber hinaus von den umfangreichen Aktivitäten, Wochenendgrundstücke (die »Datschen«) zu mieten oder zu erwerben. Neben Dequalifizierung und Arbeitslosigkeit werden Miet- und Wohnungskostensteigerungen zu den größten Konfliktquellen in Ostdeutschland gehören.

Zu den Umweltbelastungen am Wohnort haben wir über die Selbsteinschätzung der Befragten einige Anhaltspunkte. Fast 60% der Ostdeutschen gegenüber 23% der Westdeutschen klagen über Luftverschmutzung, fast 40% über das Ausmaß der Landschaftszerstörung (Westen: 17%), und jeder dritte klagt über Lärmbelästigung und schlechte Wasserqualität (Westen: 28% bzw. 13%).

Subjektive Wohlfahrt

Wie reagieren die ostdeutschen Bürger in ihrer subjektiven Befindlichkeit auf Lebensumstände und historische Erfahrungen in einer Befragung im Oktober 1990? Die Frage nach der allgemeinen Lebenszufriedenheit (»Wie zufrieden sind Sie, alles in allem, heute mit Ihrem Leben?«, gemessen auf einer Skala von 0-10) ist ein

Tabelle 2: Indikatoren zur subjektiven Wohlfahrt in Ost- und Westdeutschland[21]

		Ost	West
Zufriedenheiten			
Zufriedenheit mit dem Leben			
– heute alles in allem	Skala	6,6	7,9
– heute schlechter als vor 5 Jahren	%	33	18
– heute besser als vor 5 Jahren	%	41	35
Zufriedenheit mit der Wohnung	Skala	6,6	8,2
Zufriedenheit mit dem Einkommen	Skala	4,8	7,1
Unzufriedene	%	13	4
Unglückliche	%	16	6
Besorgnissymptome			
– Öfter erschöpft oder zerschlagen	%	52	44
– Immer wieder Ängste und Sorgen	%	29	19
– Ständig aufgeregt und nervös	%	17	12
– Gewöhnlich unglücklich oder niedergeschlagen	%	16	11
– *Keines* der angegebenen Symptome	%	37	47
Anomiesymptome (»stimmt ganz und gar«)			
– einsam	%	10	6
– sich nicht zurechtfinden	%	12	3
– Schwierigkeiten nicht ändern können	%	34	(32)

Datenbasis: Wohlfahrtssurvey West (1988), Ost (1990)

bewährtes Instrument zur Erfassung einer bilanzierenden Bewertung der gesamten Lebensumstände. In der alten Bundesrepublik lagen die Werte in den letzten Jahren für die meisten Gruppen auf einem hohen, stabilen Niveau um 7,8-8,0 Punkte. Nur ausgesprochene Problemgruppen wie Arbeitslose, Behinderte, sozial Isolierte hatten deutlich geringere Zufriedenheitsniveaus. Die Bevölkerung der DDR nun liegt heute mit ihrem Zufriedenheitsniveau durchweg im Bereich der westdeutschen Problemgruppen. Bei einem Mittelwert von 6,6 finden sich die meisten Gruppen unterhalb der westdeutschen Arbeitslosen. Auch der Anteil der explizit

Unzufriedenen und Unglücklichen ist dreimal höher als im Westen; aber auch in der ehemaligen DDR sind die Unzufriedenen und Unglücklichen in der Minderheit. Trotz eingeschränkter Lebenszufriedenheit bezeichnen sich immerhin 73% der Ostdeutschen als »ziemlich glücklich« und 11% als »glücklich« (Westen: 71% bzw. 23%). Dies findet eine Erklärung darin, daß deutlich mehr Menschen ihre gegenwärtige Lage als eine Verbesserung gegenüber der Situation vor fünf Jahren einschätzen.

Durch den Vergleich der Lebenszufriedenheit »heute« und »vor fünf Jahren« lassen sich auch empirische Hinweise auf die »Verlierer« und »Gewinner« des Umbruchs in der DDR gewinnen. Bei den heute Unzufriedeneren sind – gemessen am Gesamturteil von 33% (Westen: 18%) – vor allem Arbeitslose (62%) und andere Nichterwerbstätige überrepräsentiert. Zu den »Gewinnern«, d. h. zu den heute Zufriedeneren (insgesamt: 41%, Westen: 35%) gehören vor allem die noch kleine Gruppe der Selbständigen (70%), die Meister und Brigadiere (61%), aber auch die oberen Angestelltengruppen.

Die Beeinträchtigung des subjektiven Wohlbefindens zeigt sich bei der ostdeutschen Bevölkerung besonders in der stärkeren Ausprägung von Besorgnis- und Anomiesymptomen: Erschöpfung, Ängste und Sorgen, Niedergeschlagenheit, Einsamkeit, Orientierungslosigkeit und subjektive Ohnmacht werden zum Teil deutlich häufiger berichtet als im Westen. Man muß hier aber gleichzeitig beachten, daß sich mehr als ein Drittel der Befragten durch keines der Besorgnissymptome beeinträchtigt fühlt und daß die wahrgenommene Ohnmacht (»Gefühl, an den Schwierigkeiten nichts ändern zu können«) auch im Westen verbreitet ist.

Der Rahmen für alle diese Bewertungen ist eine bemerkenswert optimistische Grundhaltung bezüglich der »persönlichen Zukunft allgemein« wie auch in mehreren spezifischen Lebensbereichen. Gerade auch die Arbeitslosen interpretieren ihre Lage als transitorisch und sehen zu 83% (insgesamt: 84%) ihre persönliche Zukunft »optimistisch« bzw. »eher optimistisch«, zu 70% auch ihre Einkommensentwicklung, zu 65% die soziale Sicherheit generell. Diese Mosaiksteine fügen sich in ein plausibles Gesamtbild: Trotz aller Frustrationen, Unsicherheiten und Belastungen scheint für die meisten die Richtung klar zu sein. Es gibt keinen Weg zurück, sondern die Lage muß sich verbessern durch die eigentätige Überwindung der Schwierigkeiten oder doch durch eine positive Wendung der Verhältnisse.

Deshalb glaube ich nicht an eine sich weiter verschärfende und verfestigende Polarisierung der deutschen Gesellschaft entlang der Grenzen zwischen Ost und West. Gegenwärtig (Juni 1991) sind die Enttäuschungen groß, und ausreichende individuelle und organisatorische Formen der Konfliktbewältigung scheinen nicht vorhanden zu sein. Aber zwischen Konflikten und verfestigten Polarisierungen ist ein großer Unterschied, und Verfahren der Konfliktorganisation wird man im Osten importieren oder nacherfinden. Die Soziologie kann anhand von historischen und komparativen Erfahrungen mit gesellschaftlichen Transformationsprozessen belegen, daß die gegenwärtigen Schwierigkeiten in der ehemaligen DDR nicht unerwartet, extraordinär oder exorbitant sind. Ein hoffnungsvolles Szenario ist, daß trotz allgemeiner Lähmung und Frustration die Rate der erfolgreichen Umstellungen und Innovationen so groß wird, daß Bewegung auch in die Mehrheit der anscheinend erstarrten Zuschauer kommt, daß sich also – mit anderen Worten – Diffusionsprozesse in Gang setzen. Auch gibt es Anzeichen für eine Erhöhung von Innovation und Adaption in der Abfolge von älteren zu jüngeren Alterskohorten.

Das *Tempo* des sozialstrukturellen Wandels in Deutschland wird sich nach den dramatischen Ereignissen nicht nur des Jahres 1989, sondern auch der »Wende in der Wende« des Jahres 1990 wieder verringern und dadurch den Druck auf den einzelnen wieder etwas abschwächen. Der *Tiefgang* des Wandels, der für die ehemalige DDR durchaus revolutionäre Dimensionen hat, wird sich auch für Westdeutschland vergrößern, insbesondere durch die Erfahrungen erheblicher sozialer und geographischer Mobilität. Mit den neuen Märkten, Karrieremöglichkeiten, Mobilisierungen, finanziellen Belastungen wird auch die alte Bundesrepublik nicht mehr so sein wie vor dem Fall der Mauer. Die *Richtung* des Wandels erscheint eindeutig: Modernisierung und Wohlfahrtsentwicklung nach westlichen Maßstäben, einschließlich der Streiks und Konflikte, Verteilungs- und Kulturkämpfe, die die westliche Entwicklung gekennzeichnet haben. Die *Steuerbarkeit* des sozialstrukturellen Wandels schließlich ist in modernen Gesellschaften zwar in Teilbereichen nicht unbachtlich, aber doch prinzipiell begrenzt. Gesamtgesellschaftliche Planung und Lenkung gehören nicht zu den Errungenschaften moderner Gesellschaften, sondern statt dessen die Dynamik von Konflikt und Krise, Innovation und Reform, die sie lernfähig und evolutionsfähig halten.

Anmerkungen

Eine kürzere Vortragsfassung dieses Beitrags ist im *Berliner Journal für Soziologie*, 1991/Heft 2, erschienen.

1 Vgl. Wolfgang Zapf, *Zum Verhältnis von soziostrukturellem und politischen Wandel: Die Bundesrepublik 1949-1989, Leviathan*, Sonderheft 12, 1991, S. 130-139.

2 *Sozialstruktur der DDR,* Autorenkollektiv unter der Leitung von Rudi Weidig, Berlin-Ost 1988; hier S. 5.

3 Ebd., S. 16.

4 Ebd., S. 159.

5 Ebd., S. 26.

6 Katharina Belwe, *Sozialstruktur und gesellschaftlicher Wandel in der DDR,* in: W. Weidenfeld/H. Zimmermann (Hg.), *Deutschland-Handbuch*, Bundeszentrale für politische Bildung, Bonn 1989, S. 125-143, hier S. 140.

8 *Sozialreport '90. Daten und Fakten zur sozialen Lage in der DDR*, hg. v. Gunnar Winkler, Berlin-Ost 1990, S. 71.

9 Ebd., S. 74, 76.

10 Vgl. Konrad Schacht, *Chancen und Risiken sozialdemokratischer Politik in einer gesamtdeutschen Gesellschaft*, in: *Forschungsjournal Neue Soziale Bewegungen*, 1991/1, S. 25-33; hier S. 30.

11 Artur Meier, *Abschied von der sozialistischen Ständegesellschaft*, Beilage zur Wochenzeitung *Das Parlament*, B 16/17, 13. April 1990, S. 3-14; Thomas Hanf, *Auf der Suche nach Subjektivität*, Beitrag zum 5. Soziologenkongreß der DDR, Februar 1990, Manuskript; Detlef Pollack, *Das Ende einer Organisationsgesellschaft: Systemtheoretische Überlegungen zum gesellschaftlichen Umbruch in der DDR*, Zeitschrift für Soziologie 19 (1990), S. 292-307.

12 Michael Thomas, *Wenn es konkret wird: Hat marxistische Klassentheorie Chancen in der modernen Unübersichtlichkeit?*, Vortrag auf dem 25. Deutschen Soziologentag, Manuskript 1990, im Druck.

13 Peter Pawlowsky, Michal Schlese, *Arbeitsbeziehungen im ›Realen Sozialismus‹ – Bedingungen der Systemtransformation*, Unveröffentlichtes Manuskript 1991.

14 Thomas Hanf, *Sozialstruktur im Umbruch – Die ehemalige DDR*, Vortrag auf dem 25. Deutschen Soziologentag, Manuskript 1990, im Druck.

15 Frank Adler, *Einige Grundzüge der Sozialstruktur der DDR*, in: Gert Wagner (Hg.), *Lebenslagen im Wandel – Basisdaten und -analysen zur Entwicklung in Ostdeutschland*, Frankfurt/M. 1991, S. 152-177.

16 Wolfgang Zapf, *Der Untergang der DDR und die soziologische Theorie der Modernisierung*, in: B. Giesen/C. Leggewie (Hg.), *Experiment Vereinigung – Ein sozialer Großversuch*, Berlin 1991, S. 38-51; hier S. 44.

17 Vgl. E. Baloyra (ed.), *Comparing New Democracies: Transition and Consolidation in Mediterranean Europe*, Boulder/London 1987; G. O'Donnell/Ph. Schmitter, *Tentative Conclusions about Uncertain Democracies*, Baltimore 1989.

18 Zu Methodik und Stichproben der Wohlfahrtssurveys 1978, 1980, 1984 und 1988 vgl. *Datenreport 1989*, Teil II: *Objektive Lebensbedingungen und subjektives Wohlbefinden*, Bundeszentrale für politische Bildung, Bonn 1989, hier S. 367-375. Zum Wohlfahrtssurvey Ost 1990 vgl. Detlef Landua, *Methodenbericht zum Wohlfahrtssurvey 1990-Ost*, Arbeitsgruppe Sozialberichterstattung, Wissenschaftszentrum Berlin für Sozialforschung, 1991.

19 Die idealen Quellen für Sozialstrukturanalysen wären Mikrozensus- oder Mikrozensus-Zusatzerhebungen mit 600000 bzw. 60000 Fällen. Wegen der herrschenden Datenschutzphilosophie werden derzeit die notwendigen Variablen allerdings nicht erhoben. Subjektive Bewertungen erfaßt die amtliche Statistik in Deutschland prinzipiell nicht; hierfür stehen nur repräsentative Bevölkerungsumfragen zur Verfügung. Der Wohlfahrtssurvey 1988 umfaßte 2 144 Befragte, der Wohlfahrtssurvey 1990-Ost 735 Befragte, die mit einer Random Route-Stichprobe ausgewählt wurden.

20 Ich stütze mich dabei vor allem auf folgende Arbeiten der Arbeitsgruppe Sozialberichterstattung am WZB: Landua/Spellerberg/Habich, *Der lange Weg zur Einheit – Unterschiedliche Lebensqualität in den alten und neuen Bundesländern*, WZB papers P 91-101, März 1991; R. Habich u. a., *Ein unbekanntes Land – Lebensbedingungen und wahrgenommene Lebensqualität in Ostdeutschland*, Beilage zur Wochenzeitung *Das Parlament*, B 31/91, August 1991, S. 13-33; D. Landua/W. Zapf, *Deutschland nach der Wiedervereinigung: Zwei Gesellschaften, eine Nation*, in: *Informationsdienst Soziale Indikatoren*, Nr. 6, ZUMA, Mannheim, Juli 1991, S. 10-13. Abbildung 3 sowie Tabellen 1 und 2 sind aus Habich u. a., Abb. 2 ist aus Landua/Zapf übernommen.

21 Erläuterungen zu Tabelle 2: Die Zufriedenheitsskalen laufen von »0« = ganz und gar unzufrieden bis »10« = vollständig zufrieden. Unzufriedene: Skalenwerte 0-4. Unglückliche: Antworten »unglücklich« und »ziemlich unglücklich« bei vier Alternativen. Besorgnissymptome: Anteile der Antwort »Ja« auf die Frage »Sind Sie...« usw. Anomiesymptome: Anteil »stimmt ganz und gar« bei vier Alternativen. Der Wert für Westdeutschland von 32% beim Item »Schwierigkeiten...« stammt aus dem Jahr 1978; es wurde später nicht mehr erhoben.

Rolf Reißig
Das Scheitern der DDR und des realsozialistischen Systems – Einige Ursachen und Folgen

DDR-Zusammenbruch – unausweichlich und vorhersehbar?

Der plötzliche Zusammenbruch der DDR und ihr fast ebenso rasches Verschwinden von der politischen Landkarte haben in Wissenschaft und Politik so gut wie alle überrascht. Zumindest sind sie meines Wissens so noch bis zum Sommer 1989 nirgendwo offiziell vorhergesagt oder dokumentiert worden. Dennoch – heute, wo es die DDR nicht mehr gibt, finden sich nicht wenige, die erklären, dies alles so schon vorher gewußt und vorausgesagt zu haben. Der Autor kann sich nicht dazu rechnen. Er wußte zwar wie andere seit längerem, daß die DDR nur eine Chance haben konnte, wenn sie sich demokratisierte, reformierte und schrittweise öffnete. Aber um diese Chance sollte in der DDR und für eine radikal erneuerte DDR gefochten werden. Diese Möglichkeit schien während des Umbruches zunächst noch realistisch, doch die Entwicklung ist bekanntlich anders verlaufen. Im nachhinein erwies es sich als unmöglich und damit als Illusion, das durch und durch deformierte politische und ökonomische System des Realsozialismus von innen oder gar von oben schrittweise reformieren zu können.

Wenn es heute auch nur noch wenige aussprechen wollen: Die DDR ist lange Zeit im Osten und im Westen, mehrheitlich auch bei ihren scharfen Kritikern, als relativ stabil und in Grenzen sogar als entwicklungsfähig wahrgenommen worden. Selbst der bekannte amerikanische Kommunismusforscher Brzezinski hob diese Stabilität der DDR sogar noch 1989 in seinem Buch *Das gescheiterte Experiment* hervor.[1] Auch die Bundesregierung in Bonn ließ sich – wie im *Stern* publizierte Gesprächsprotokolle zeigen – noch 1989 davon leiten. Natürlich unterlag man dabei auch optischen Täuschungen. Man saß gewissermaßen einem »schiefen DDR-Bild« auf, wie es westdeutsche Politikwissenschaftler in jüngster Zeit kritisch thematisieren.[2] An der Entstehung dieses »schiefen DDR-Bildes« tragen die Sozialwissenschaftler in der DDR ein gerütteltes Maß Verantwortung. Doch unterlagen die, die von dieser Annahme einer begrenzten Stabilität und Entwicklungsfähigkeit ausgingen, nicht nur einer optischen Täuschung. *Zum einen* schuf wirtschaftliches Wachstum in der DDR über längere Zeit Voraussetzungen für eine kontinuierliche Verbesserung des materiellen Lebensniveaus, für soziale Sicherungen und bescheidenen Wohlstand. Dies war verbunden mit einer begrenzten Zustimmung und Loyalität zum System oder zumindest seiner passiven Duldung durch größere Teile der DDR-Bevölkerung. Und die kulturellen Eliten der DDR standen von Anfang an mehrheitlich auf dem Boden des freilich immer mehr instrumentalisierten Antifaschismus und sozialistischer Transformationskonzepte; eine ernsthafte, gar systemsprengende Opposition schien nicht in Sicht, viele Systemkritiker wurden in den Westen »abgeschoben«; und den kritischen Reformkräften ging es um eine Erneuerung der DDR, nicht um ihr Ende. *Zum anderen* stand diese wahrgenommene, relative Stabilität im Zusammenhang mit einer weitgehenden Abschottung der DDR nach außen und der Existenz eines intakten, schier übermächtigen Macht- und Repressionsapparates nach innen. *Und schließlich* schien der Bestand der DDR durch ein Sonderbündnis mit der Hegemonialmacht Sowjetunion strategisch abgesichert; und die Mehrzahl der europäischen Staaten hatte ein Interesse an der Existenz von *zwei* deutschen Staaten. Die Wiedervereinigung als Ziel *praktischer* Politik war auch von der Bundesregierung de facto verabschiedet worden. Die meisten Westdeutschen setzten keineswegs auf eine Vereinigung der beiden deutschen Staaten. Der »Osten« interessierte nur wenige.

War also das Ende der DDR dann doch mehr ein *Zufall*? Diese Annahme wird z. B. damit begründet, daß in einer spezifischen Situation der DDR-Führung das Mittel der Repression nicht mehr zur Verfügung gestanden habe. Andere wiederum meinen, das Ende der DDR sei allein oder doch primär das Resultat ihrer »Freigabe« durch die Sowjetunion, durch Gorbatschow. Beide Fakten sind nicht zu ignorieren, führen aber für sich betrachtet m. E. doch zu einer zu vereinfachten Sichtweise. Die zeitgeschichtliche Forschung steht auch hier noch vor vielen offenen Fragen. Was aber noch im Frühjahr 1989 nicht einmal als Möglichkeit erwähnt wurde, sollte im nachhinein nicht als unausbleibliche Notwendigkeit dargestellt oder konstruiert werden (Claus Offe). Doch so plötzlich und in manchem zufällig sich der Umbruch und der darauffolgende Zusammenbruch der DDR im Herbst 1989 auch vollzog, so sehr war er m. E. doch in den vorausgehenden Prozessen zumindest »angelegt«; nicht im Sinne von abstrakten »Notwendigkeiten« und »Widersprüchen«, aber im Sinne von sich anhäufenden Konflikt- und Krisenpotentialen, sich wandelnden Interessenlagen und verändertem Verhalten der Akteure. Dies gilt gleichermaßen für die *innere* und *äußere* Entwicklung der ehemaligen DDR.

Entwirrt man das Knäuel von Konflikten und Krisenfaktoren in jener Zeit, so treten drei Konfliktlinien und -potentiale besonders hervor, die über mehrere Vermittlungen schließlich zu einem dramatischen Legitimitätsverlust des Herrschaftssystems und zu seiner Existenzkrise führten. Dies steht aus meiner Sicht in engstem Zusammenhang mit der *Aufkündigung des Sozialvertrages*, der *Zuspitzung der Demokratiefrage* als *System*frage und der *strategischen Isolierung* der DDR *im eigenen Systemverbund*.

Soziale Konfliktanhäufung und Aufkündigung des Sozialvertrages

Im ehemaligen sozialistischen Lager galt die Wirtschaft der DDR lange Zeit als »vorbildlich«. Offiziell wurde in der DDR propagiert, man nehme einen Platz unter den zehn/zwölf führenden Industriestaaten der Welt ein. Natürlich – im Vergleich zu den osteuropäischen Ländern – war die Wirtschaft der DDR entwikkelter, effizienter und das Land – freilich sehr verspätet – bemüht, Anschluß an den technischen Fortschritt zu bekommen. Die Realität stimmte aber zu keiner Zeit mit der Propaganda und auch nicht mit den Darstellungen der ökonomischen Lehrbücher überein.

Dennoch – mit dem Machtwechsel von Ulbricht zu Honecker Anfang der siebziger Jahre, der nicht, wie oft behauptet wird, mit dem Übergang zu einer neuen Gesellschaftskonzeption verbunden war, traten zunächst einige Änderungen in der wirtschaftlichen und sozialen Grundsituation ein, die vorübergehend mehr Akzeptanz und Loyalität in der Bevölkerung gegenüber der Staatspolitik bewirkten. Die wirtschaftliche Entwicklung wurde stärker an sozialen Bedürfnissen orientiert (sog. »Hauptaufgabe« als »Einheit von Wirtschafts- und Sozialpolitik«), das Warenangebot verbesserte sich, sozialpolitische Programme wurden realisiert, für ganz kurze Zeit trat eine gewisse Liberalisierung in der Kunst- und Wissenschaftspolitik ein, in der Außenpolitik erfolgte die weltweite Anerkennung des Staates DDR.

Doch bereits seit Mitte der siebziger Jahre, und besonders dann in den achtziger Jahren verschlechterte sich die wirtschaftliche Situation zunehmend. Die Wachstumsraten sanken. Die Produktivitäts- und Modernisierungsrückstände zu den westlichen Industrieländern vergrößerten sich erneut. Die Wettbewerbsfähigkeit der DDR-Wirtschaft auf dem internationalen Markt ließ weiter nach. Die einseitige Orientierung auf die Entwicklung einer »eigenen Mikroelektronik« verschärfte die Disproportionen in der Wirtschaft.

Um dennoch Mittel für die Konsumtion einzusetzen, wurden die notwendigen Investitionen weiter reduziert, was zur totalen Überalterung der meisten Industrieanlagen und zum weiteren Zurückbleiben der Infrastruktur führte. Die Aufnahme neuer Milliardenkredite im Westen erhöhte die Auslandsverschuldung (heute wird von rd. 50 Milliarden DM gesprochen) und reduzierte das im Inland real zur Verfügung stehende Bruttosozialprodukt (BSP) um 50 und mehr Prozent. Die gesellschaftspolitischen Folgen waren gravierender als zunächst voraussehbar. Der ökonomische Spielraum für den Anfang der siebziger Jahre konstituierten »Sozialvertrag«, gedacht insbesondere zur sozialen Befriedung der Arbeitnehmerschaft, verringerte sich beträchtlich. Wie auch empirische Erhebungen von DDR-Soziologen Ende 1988/Anfang 1989 belegten, nahm die Unzufriedenheit mit wichtigen Lebensbedingungen – Warenangebot, Dienstleistungen, Infrastruktur, Umwelt – erheblich zu. Es kam allmählich zu einem Bruch in der Erfahrungswelt vieler DDR-Bürger (geprägt von einer stetigen, wenn auch langsamen Verbesserung des Lebensniveaus) und zu einem Umschwung der Stimmungslage, vor allem in der Arbeiterschaft. Aber auch in der wissenschaftlichen Intelligenz und unter Führungskräften bewirkten der wachsende internationale Rückstand in Wissenschaft und Technik, die ökonomischen Irrationalitäten und voluntaristischen Entscheidungen in der Wirtschaftspolitik eine zunehmende Distanz zur offiziellen SED-Politik.

Hinzu kamen die sozialen Nivellierungen: Im Unterschied zu

den fünfziger und sechziger Jahren waren die sozialen Aufstiegs-chancen blockiert. Die herrschende Elite rekrutierte sich inzwi-schen fast ausschließlich aus sich selbst. Die gleichzeitig massiv zunehmende offizielle Erfolgspropaganda wirkte nicht nur kon-traproduktiv, sondern als eine Verhöhnung.

Die Wirkungs- und Bindemöglichkeiten des »Sozialvertrages« schwanden nun immer mehr; Zustimmung und Loyalität wurden zu Passivität, Enttäuschung und Resignation; Resignation wurde zu Widerspruch. Und für die Mehrheit der Bürger relativierte sich der erworbene, wenn auch bescheidene Wohlstand vor allem im Vergleich zur Bundesrepublik. Und allein dieser Vergleich mit der Bundesrepublik zählte inzwischen für die Mehrheit, nicht mehr der mit der vergangenen Umstrukturierungs- und Aufbauperiode und auch nicht der von »oben« gewünschte und geforderte mit dem materiellen Lebensniveau in der Sowjetunion und den Län-dern Mittel-Osteuropas.

Ein in der Bundesrepublik bedeutend höheres und auch schnel-ler steigendes Einkommensniveau, eine überlegene Warenvielfalt und die damit verbundene Möglichkeit der Menschen, vielfältige Bedürfnisse zu befriedigen, wirkten immer nachhaltiger auf die Mehrheit der DDR-Bevölkerung. Diese Wirkung übertraf immer mehr die realen oder auch nur scheinbaren Vorteile von Arbeits-platz- und sozialer Sicherheit. Die Faszination »westlicher Le-bensweise« stieg, zumal man sie nie »wirklich ganz« erleben konnte. Das zeigte sich besonders in der Jugend, die ca. ein Drittel der Bevölkerung ausmacht. Ein gewisser Wohlstand und eine, wenn auch eingeschränkte, soziale Perspektive bindet sie seit Be-ginn der achtziger Jahre immer weniger an das System.[3] Diese Vorteile erschienen der Mehrheit als ein zu hoher Preis für politi-sche Indoktrination, geringe Spielräume des Sich-Ausprobierens, die Beschränkungen der Reisemöglichkeiten, zumal ein Wandel nicht in Sicht schien. Gerade der letztere Umstand – »ein Wandel scheint nicht in Sicht« – führte dazu, daß besonders in der Jugend (aber eigentlich unter allen Bevölkerungsgruppen) der Kreis derer wuchs, die die persönliche Zukunftsperspektive vom Sozialismus und von der DDR abkoppelten. Die steigende Flut von Ausreise-anträgen war ein Indiz dafür. 1989 gab es wohl schon mehr als 120 000 Ausreiseanträge.

Demokratische Konflikte mit gesamtgesellschaftlicher Dimension

Neben der sozialen Frage gewinnt die demokratische in den achtziger Jahren in der DDR einen neuen Stellenwert. Für die Mehrheit stellt sie sich insbesondere in der Forderung nach Reise-, aber auch nach Informationsfreiheit, die seit Mitte der achtziger Jahre Jahr für Jahr merklich brisanter wird.

Eine zunächst noch kleine Minderheit erhebt darüber hinaus radikal-demokratische Forderungen: nach Transparenz der Entscheidungen, Entfaltung von Öffentlichkeit und gesellschaftlichem Dialog, basisdemokratischen Mitgestaltungsmöglichkeiten, Respektierung und Förderung auch der individuellen Menschenrechte. Diese Forderungen werden erhoben u. a. im Thesenpapier der »Initiative für Frieden und Menschenrechte«, in den 20 *Thesen* zur gesellschaftlichen Erneuerung von Friedrich Schorlemmer (Juni 1988), während des Olof-Palme-Friedensmarsches im September 1987, im Zusammenhang mit der breiten Diskussion des SED-SPD-Streitpapiers (1987/88). Es finden sich Bürgerrechts-, autonome Friedens-, Frauen- und Ökologiegruppen zusammen. So entsteht ein eigenes Netz der Kommunikation, eigene Wertvorstellungen und Weltbilder, die mit den staats-offiziell verkündeten nichts mehr gemein haben. Es wird ein neuer Wille zur Überwindung bislang vorherrschender Konformität und zur politischen Freiheit sichtbar, der die Auflehnung gegen die bürokratische Herrschaft stimuliert und die Angst allmählich überwindet.[4]

Diese Forderungen und Bestrebungen stoßen jedoch auf eine nach wie vor ausschließlich parteizentrierte Struktur des politischen Systems, das für sie keine Institutionen, keine Regulierungs- und Integrationsmechanismen bereithält. Dazu kommt das subjektive Unverständnis in der Führung der SED, die noch immer auch auf integrative, aber mehr und mehr auf repressive Gegenmaßnahmen setzt (u. a. gewaltsames Vorgehen gegen Bürgerrechtsgruppen in der Zions-Kirche, gegen systemkritische und oppositionelle Gruppen während der Liebknecht-Luxemburg-Demonstration im Januar 1988, gegen die Proteste von Bürgerrechtlern im Zusammenhang mit der Wahlfälschung vom Mai 1989). Im »Weltbild« des Politbüros handelt es sich um systemfremde, westliche Erscheinungen, gar um fremdgesteuerte, »antisozialistische« Aktivitäten. Doch dieses Vorgehen der SED-

Führung bewirkt jetzt das Gegenteil und befördert nur noch die »Auflehnung«, den Willen zu Veränderungen. Freilich – es bleibt auf eine kleine, aktive Minderheit beschränkt, die sich etwa seit 1986/87 zur *politischen Opposition* formiert hat. Der Einfluß der ca. 160 Bürgerrechtsorganisationen mit ihren etwa 2500 aktiven Mitgliedern geht nun aber über die Kirche schon weit hinaus. Im Grunde entsteht – natürlich auch über die Einschaltung der bundesdeutschen Medien – eine »zweite Öffentlichkeit« in der DDR. Und das *politische Herrschaftssystem* selbst gerät in eine Krise, die m. E. drei neue Erscheinungen aufweist.

1. kommt es zu einem rapiden *Schwinden der ideologischen Legitimation* des politischen Systems, der Herrschaft der SED. Eine Mehrheit hat sich wohl nie mit dem politischen System wirklich identifiziert. Aber über längere Zeit hat es doch eine gewisse Massenloyalität im Austausch für einen relativen Wohlstand, für eine gewisse Art von sozialer Sicherheit und für das Akzeptieren privater Spielräume gegeben.[5] Wie sonst auch hätte ein Staat, ein autoritäres Herrschaftssystem 40 Jahre bestehen können? (Dies zu untersuchen – einschließlich der Frage nach den historischen Chancen der DDR – ist künftig mindestens so wichtig, wie das Phänomen des Zusammenbruchs zu ergründen.)

In der zweiten Hälfte der achtziger Jahre aber fallen gleich mehrere Faktoren zusammen, die zu einer *akuten* Legitimations*krise* der SED-Herrschaft führten: der fast vollständige Verlust der sozialistischen *Utopie, der Zukunftsvision* (des Sozialismus als »historisch überlegener«, zumindest als alternativer, gerechterer Gesellschaft); die massenhafte kritische Infragestellung der sozialistischen *Vergangenheit* (Machtantritt Gorbatschows und offizielle und bislang weitreichendste Entmythologisierung und öffentliche Thematisierung der Verbrechen stalinistischer und poststalinistischer Systeme; »Überschwappen« der Diskussion auf die DDR); und schließlich die wachsende Unzufriedenheit mit der realsozialistischen *Gegenwart*[6], die nun eben auch nicht mehr *massenwirksam* mit dem Verweis auf antifaschistische Tradition, Aufbauleistungen und auf die Gestaltung einer neuen, historisch überlegenen Zukunftsgesellschaft abgefangen werden kann.

2. zeigen sich seit 1987 deutlichere Anzeichen einer zunehmenden *Führungsschwäche des SED-Politbüros*, die 1989 in eine akute *Führungskrise* und schließlich in direkte *Handlungsunfähigkeit*

mündet. Die SED war aber bekanntlich die zentrale Säule des politischen Systems, des Herrschaftsapparates.

3. vollzieht sich eine innere Erosion *in* der SED, die – viel zu spät freilich – letztlich zur innerparteilichen Entmachtung der SED-Führung durch eine kritische Parteibasis führt.

Unter dem Herrschaftsmonopol der SED, die immer auch ein Sammelbecken unterschiedlicher Kräfte war, bilden sich seit 1985 als neue Erscheinung verschiedene Strömungen heraus[7] (vermittelt und überlagert auch in den Sozialwissenschaften). Freilich dominiert bis zum Beginn des demokratischen Umbruchs der konservative Block über die reformorientierten, kritischen Kräfte recht eindeutig, wenngleich zuletzt vorwiegend repressiv. Doch seit 1985 gewinnen die sogenannten Reformer in der SED an Gewicht, vor allem unter Intellektuellen.

Aber erst im Sommer und Frühherbst 1989 – mit der Herausbildung der demokratischen Volksbewegung – werden diese Kritiker und Reformer in der SED wirklich öffentlich wirksam. Eine kritische Parteibasis reiht sich jetzt (erst jetzt) aktiv ein in die demokratischen Aktionen und macht erfolgreich mobil gegen die alten und neuen Konservativen der SED-Führung. Die alte, sogenannte »neue« SED-Führung kann sich im Oktober 1989 nicht mehr auf eine Mehrheit in »ihrer« Partei stützen. In keinem anderen europäischen Land hat die kritische Parteibasis (ohne daß es je einen »zentralen« Reformflügel gab) zumindest in der Phase des unmittelbaren demokratischen Umbruchs ein solch aktives Engagement gezeigt. Sie setzt die Überwindung der SED-Monopolstellung selbst auf die Tagesordnung. Die Entmachtung der SED auch von innen heraus hatte Einfluß auf den demokratischen Umbruch und seinen gewaltlosen, friedlichen Verlauf, denn die SED war ja zugleich Staatspartei, Herrschafts- und Machtmonopol und Träger der Repressionsapparate. Allerdings war sie nie die hauptsächliche oder gar die vorwärtsdrängende Kraft des Umbruchs in der DDR. Ihre praktisch-politischen, ideologischen und theoretischen Schwächen sind beträchtlich und noch genauer zu thematisieren.

Doch der Umbruch in der DDR und ihr alsbaldiger Zerfall können nicht allein aus den DDR-*internen* Veränderungen erklärt werden. Ganz wesentlich – und für manche Autoren sogar an erster Stelle stehend – sind *externe* Faktoren.

Isolierung im Systemverbund

In den achtziger Jahren veränderten sich die *internationalen strategischen Rahmenbedingungen der DDR* und damit der SED-Politik grundlegend. Zwei Faktoren fallen dabei besonders ins Gewicht.

Da ist zum einen der KSZE-Prozeß und das allmähliche Ende des Ost-West-Konfliktes, zumindest in seiner bisherigen Form. An der Ingangsetzung des KSZE-Prozesses hatte die DDR aus eigenem Interesse Anteil und zog auch Nutzen daraus. Mit der Zeit aber untergrub der KSZE-Prozeß spezifische »Fundamente« des DDR-Herrschaftssystems. KSZE – das bedeutete schrittweise Kooperation und Öffnung der Systeme. Die DDR aber basierte historisch nicht unwesentlich auf strategischer und handfester Abschottung (Mauer). KSZE – das hieß volle Verwirklichung der Menschenrechte und Dialog auch nach innen. Die nur begrenzten Zugeständnisse der SED in der Menschenrechtsfrage und die Verweigerung des inneren gesellschaftlichen Dialogs vergrößerten die Konfliktpotentiale und schmälerten das gerade erst gewonnene internationale Ansehen der DDR.

Zum anderen ist es der beginnende *Perestroika-Kurs Gorbatschows* und seine Wirkungen auf den Systemverbund und die DDR. Die SED-Führung erwies sich als völlig unfähig, diese neue Situation ernsthaft zu analysieren und die DDR darauf einzustellen. Im Gegenteil, Honecker ging auf einen Gegenkurs zu Gorbatschow, insbesondere zu dessen Glasnost- und Perestroika-Politik. Zusammen mit dem Unverständnis und der Ablehnung der Transformationsprozesse in Polen und Ungarn, den Versuchen, einen konservativen Gegenblock Berlin – Prag – Bukarest – Peking zu bilden, verbunden mit Parolen nationaler Überheblichkeit, entstand für die DDR damit eine völlig neue Lage im eigenen Systemverbund. Das Sonderbündnis mit der Sowjetunion und die bisherige Blocksolidarität, auf die sich die DDR vor allem in Krisenzeiten noch immer stützen konnte, wurden allmählich aufgekündigt, und die DDR geriet erstmals im eigenen Lager in die Isolierung.[8] Und sie konnte es nicht durch nationale Identität kompensieren. Ohne diese externen Faktoren, vor allem ohne die »Freigabe« der DDR durch die Sowjetunion, durch Gorbatschow, wäre der Sturz des politischen Systems und der Umbruch in der DDR so nicht möglich geworden.

War also 1989, gerade 1989, die Zeit »reif« für den Zusammenbruch der DDR?

Es war allmählich eine neue Grundsituation entstanden, eine gesamtgesellschaftliche Krise. Zum ersten Mal war es gleichzeitig eine innere *und* äußere Krise; eine Krise, die alle Bereiche der Gesellschaft *und* der Macht sowie ihres Zentrums, der SED, erfaßt hatte und die mit der Krise des »Weltsozialismus« zusammenfiel. Aber: Die Krise in der DDR 1989 hätte sich vermutlich noch unbestimmte Zeit, vielleicht jahrelang, hinziehen können, wenn nicht zu den sich aktualisierenden Krisenpotentialen unmittelbar auslösende, unvorhersehbare Faktoren für das Scheitern der Honecker-Politik hinzugetreten wären. Sie fungierten als *Auslöser* des Zusammenbruchs. Dazu gehört zuerst die veränderte Haltung der Sowjetunion (innere Krise und die »Freigabe« der DDR) und die Öffnung der Grenze durch die ungarische Regierung am 11. September 1989. Diese Grenzöffnung und die damit einsetzende Ausreisewelle wurden zum direkten Auslöser der allgemeinen Destabilisierung der DDR, zum Anfang vom Ende der DDR. Zu diesen auslösenden Faktoren gehört ferner, daß die Kraft der Ausreisewilligen rasch diejenigen im Lande stimulierte und vorantrieb, die bleiben wollten, sich mit den bestehenden Verhältnissen aber nicht mehr länger abfinden mochten. Mit dem amerikanischen Soziologen Hirschmann könnte man sagen – *Exit* (Ausreisedruck) verknüpfte sich immer enger mit *Voice* (Druck im Inneren) und schwindender *Loyalty*. Und ganz gewiß nicht zuletzt wurde, wenn auch unfreiwillig, die Führung der SED, zunächst mit ihrer Sprachlosigkeit (Sommer 1989) und dann mit ihren permanenten Fehlentscheidungen (September/Oktober 1989), zu einem auslösenden Faktor der Krise und des Zusammenbruchs der DDR. Ein effektives Krisenmanagement gab es nicht.

Die Möglichkeiten einer Transformation waren offensichtlich erschöpft. Die lange unterdrückte Unzufriedenheit brach sich eruptiv Bahn. Für die Austragung der Konflikte gerade in Krisenzeiten standen keine wirksamen demokratischen Institutionen und Instrumentarien – gesellschaftliche Frühwarnsysteme, Mechanismen der Interessenaustragung, gesellschaftlicher Dialog und Möglichkeiten einer Konsensbildung, pluralistisches Parteiensystem, Gewaltenteilung – zur Verfügung. Selbst die Fähigkeit zur kritischen Selbstreflexion, zum Denken in Alternativen war im zentralen Herrschaftssystem nie entwickelt worden. Gesellschaftliche Krisenkonzepte waren nicht ausgearbeitet, intellektueller Vorlauf für eine solche Situation – gerade auch unter den Sozialwissenschaftlern – nicht vorhanden.

Angesichts der Massendemonstrationen und -stimmungen, der inneren Verfaßtheit der SED sowie der internationalen Lage konnte auch der Repressionsapparat nun nicht mehr wirksam eingesetzt werden. Die Ereignisse überschlugen sich. Mit dem Fall der SED, dem Zentrum der monopolisierten Macht, fiel deshalb in relativ kurzer Frist das gesamte politische, militärische, wirtschaftliche und ideologische Kommandosystem in sich zusammen.

Mein Fazit: Durch die Verquickung von sogenannten evolutionären Veränderungen in der Grundsituation und -stimmung im Lande einerseits mit »zufälligen«, ereignisgeschichtlichen Faktoren andererseits wird gerade im Herbst 1989 eine plötzliche, nicht mehr aufzuhaltende Kettenreaktion ausgelöst. Sie führt zur Implosion des »realsozialistischen Systems« und schließlich auch zum Ende der DDR. Dieses Ereignis war *so* nicht vorauszusehen, aber es kam auch nicht als »überraschender Zufall«.

Zäsur im Umbruch und Ende der DDR

Der Zusammenbruch des Systems war zugleich auch ein erzwungener Umbruch durch handelnde Akteure. Als Akteure treten im Umbruch der DDR Eliten und Massen in Erscheinung. Beide sind in sich und im Vergleich zueinander sehr differenziert zu sehen. Ein Bündnis zwischen ihnen kam nur kurzfristig zustande, in der Zeit etwa zwischen dem 7. Oktober und 9. November. Als unmittelbare politische Akteure des Umbruchs traten vier Gruppen auf, die aber hinsichtlich ihres Gewichts, ihrer Ziele, ihrer Aktionsformen und ihres Anteils an den Veränderungen sich unterscheiden. Initiatoren des demokratischen Umbruchs und der Massenbewegungen waren die oppositionellen Bürgerbewegungen und neuen politischen Gruppen. Zu den Akteuren im Umbruch gehörten ferner – auf jeweils recht differenzierte Art und Weise – große Teile der evangelischen *Kirche,* aber auch Teile der kulturellen *Elite* und kritische, *reformorientierte Gruppen in der SED.*

Dabei war das Ende der DDR auch im Oktober 1989, nach Beginn des demokratischen Umbruchs, noch nicht vorauszusehen. Die Hauptakteure traten für eine Überwindung der SED-Herrschaft und des poststalinistischen Sozialismusmodells ein. Aber sie sprachen sich zugleich für eine neue, radikal demokratisierte DDR, für ein pluralistisches politisches System und einen konsequenten Rechtsstaat, für sozial und ökologisch gestaltete Wirtschaftsstrukturen, für eine freie, selbstbestimmte Entwicklung in Kultur, Bildung und Wissenschaft aus. Sie wollten eine eigenständige und kooperativ mit der Bundesrepublik im »Europäischen Haus« verbundene DDR. Die zwischen dem 6./7. Oktober und Ende 1989 erzielten gesellschaftlichen Veränderungen sprachen zunächst auch in der Praxis für eine neue, eigenständige demokratische Entwicklungsvariante in der DDR. Die Bürgerbewegungen und neuen politischen Gruppen und Parteien bestimmten mit ihren Thesen immer nachhaltiger die öffentliche Diskussion. Ihr Einfluß in der Bevölkerung wuchs von Tag zu Tag. Schrittweise kam es zum Bruch mit wesentlichen alten Machtstrukturen. Die Staatspartei SED mußte auch formal-juristisch auf ihre »führende Rolle« verzichten. Neue Formen und Strukturen unmittelbarer Demokratie entstanden. Eine Reihe neuer, demokratischer Gesetze wurde verabschiedet oder vorbereitet. Der gesellschaftliche Dialog, jahrzehntelang unterdrückt, brach sich Bahn. Die im Entstehen begriffene Zivilgesellschaft artikulierte sich. Im Lande bildete sich de facto eine »Doppelherrschaft« heraus. Doch allmählich und dann immer schneller, beginnend mit dem 9. November, nahm die Entwicklung einen anderen Verlauf als es die Akteure des demokratischen Umbruchs beabsichtigt hatten.

Es kam zur »Wende in der Wende«. Der demokratische Auf und Umbruch »knickte ab«. Es setzten sich die Anhänger einer Adaption, d. h. der Anpassung an die wirtschaftlilchen, politischen und gesellschaftlichen Verhältnisse der Bundesrepublik durch, was dann zur bedingungslosen Übernahme des westdeutschen Modells führte.

Warum dieser Umschwung? Wo lagen die Gründe für diese Zäsur im Umbruch, für diese Wende in der Wende?

Nach der Maueröffnung ging die Initiative von den Akteuren des demokratischen Umbruchs in der DDR allmählich und dann ab Ende 1989 immer rascher über an die bundesdeutsche Parteien- und Medienlandschaft, besonders an die Regierung in Bonn. Sie wurden nun direkt auf dem damaligen Gebiet der DDR wirksam, führten dort auch ihren Wahlkampf. Die strategischen, lebenswichtigen Fragen der weiteren Entwicklung auf deutschem Boden wurden nicht wirklich thematisiert und diskutiert, sondern statt dessen der Logik der Wahlkämpfe untergeordnet. Und in Wahlkämpfen dominieren bekanntlich die großen Versprechungen und schnellen Lösungen. Wer hat die Sprüche nicht noch in den Ohren: »Jedem wird es nach der Vereinigung besser gehen«, »Eine Steuererhöhung zur Finanzierung der Einheit ist nicht erforderlich«.

Diese Überlagerung der DDR durch die bundesdeutsche Parteien- und Medienlandschaft engte den Spielraum für eine autonome Entwicklung in der DDR nun immer weiter ein. Dennoch wurden gerade im 41. Jahr, dem letzten der DDR, Ergebnisse hervorgebracht, die es verdient hätten, auch im vereinten Deutschland positiv aufgehoben zu werden: das gesamtgesellschaftliche Wirken der Bürgerbewegungen, der damit verbundene neue Politikansatz, der Runde Tisch, die gemeinsamen Entwürfe für eine neue Verfassung und eine Sozialcharta. Doch letztlich dominierte die Bonner Regierung nun alle grundlegenden Entscheidungen der DDR-Entwicklung. Dies reichte von der Parteienlandschaft – Vereinnahmung der Blockparteien und Bildung der »Allianz für Deutschland« – über die Wirtschafts- und Währungsunion bis zum Staatsvertrag. Die Bedingungen dafür wurden allesamt in Bonn bestimmt.[9]

Und dennoch: Die letztlich entscheidenden Ursachen für diese Wende in der Wende liegen vor allem in der DDR, insbesondere im bisherigen realsozialistischen System und seinen gesellschaftlichen Folgen, sowie konkret im Wandel der Hauptakteure und der Massenstimmungen und -forderungen in der Zeit zwischen der zweiten (vom 6./7. Oktober bis November 1989) und dritten Phase (vom November 1989 bis zum 18. März 1990) des Umbruchs.

Stichpunktartig kann hier nur auf folgende Fakten verwiesen werden: Die ökonomische Krise spitzte sich jetzt weiter zu. Das politische System war vollständig entlegitimiert, eine nationale Identität nicht ausgeprägt; Legitimitätsreserven standen nicht mehr zur Verfügung; ein überzeugendes Krisen- und Reformkonzept war nicht vorhanden. Das Potential für eine eigenständige Reformpolitik in der Gesellschaft war nur schwach entwickelt. Die Orientierung sozialistischer Reformkräfte auf einen »dritten

Weg« erwies sich als Illusion. Eine auch nur einigermaßen funktionierende sozialistische Entwicklung in Europa war nicht in Sicht, die Krise der Perestroika und der Politik Gorbatschows offensichtlich. Das Bündnis zwischen Eliten und Massen, zwischen demokratischer und sozialer Strömung, zerbrach. Es kam zur Umgruppierung der Kräfte. Die nach dem 9. November entstehenden neuen Mehrheiten hatten mit radikaler, selbstbestimmter Demokratie, individueller Selbstbestimmung oder gar einem dritten Weg nichts mehr im Sinn, zumal die Bürgerbewegungen und Reformkräfte auf die die Massen nunmehr bewegende ökonomische und nationale Frage keine überzeugende Antwort hatten. Aufgrund ihrer eigenen praktischen Erfahrungen wandten diese, besonders die Mehrheit der Arbeiterschaft, sich gegen ein neues Sozialismus- und DDR-Experiment. Sie plädierten für das »funktionierende Wirtschafts- und Gesellschaftsmodell Bundesrepublik als rettendes Ufer«. Damit sollten die sie bedrängenden Probleme schnell gelöst werden, so wie es ihnen regierungsoffiziell von Bonn versprochen wurde.

War die staatliche Einheit durch Wahlen in der DDR demokratisch legitimiert, so wurden die Art und Weise des Einigungsprozesses, seine Inhalte und konkreten Fristen von der Bundesregierung dominiert und instrumentalisiert.[10] Politisch wurde die Vereinigung dann zu einer »Stunde der Exekutive«, zu einer »Gründung von oben«. Im Vordergrund standen die Kategorien der wirtschaftlichen und monetären Organisation der Einigung. Die Hoffnungen auf eine demokratische Dynamik dieses Einigungsprozesses erfüllten sich nicht.

Der Beitritt der DDR zur Bundesrepublik schafft im Vergleich zu den Ländern Mittel-Osteuropas für die Umstrukturierung und Modernisierung der ostdeutschen Wirtschaft und Gesellschaft günstigere materielle Bedingungen. Doch der Aufbau eines leistungsfähigen, modernen, demokratischen und sozialen Gemeinwesens in Ostdeutschland ist zugleich mit neuen, grundlegenden und langfristigen Konflikten belastet. Die staatliche Einheit – und das kann gewiß nicht überraschen – bedeutet nicht die ökonomische, die soziale, vor allem nicht die psychische und gesellschaftliche Einheit. So haben wir heute *einen* Staat – aber *zwei* Gesellschaften, und diese sind vorerst und für längere Zeit nicht kompatibel. Das schnelle Überstülpen hat notwendige, längerfristig angelegte Strukturkonzepte mit Anpassungs- und Übergangsmaßnahmen verdrängt und die ebenso notwendige Entfaltung der inneren Potenzen eingeschränkt. Deutschland ist zu einem historisch bislang wohl einzigartigen Testgelände für einen gesellschaftlichen Transformations- und Integrationsprozeß unterschiedlicher, sogar entgegengesetzter wirtschaftlicher, politischer, kultureller Systeme und Lebensweisen geworden. Die historische Frage, die sich dabei stellt, ist, ob sich dieser Prozeß der Integration unterschiedlicher Gesellschaften durch Transformation und Kooperation vollzieht oder durch einseitige Anpassung oder gar Unterordnung. Die Art und Weise dieser Integration hat zugleich eine europäische Dimension, kann zum anziehenden oder abstoßenden Beispiel für eine gesamteuropäische Integration werden.

Die den Niedergang des realsozialistischen Systems verursachenden Strukturdefekte

Die Krise in der DDR entstand nicht – wie gelegentlich zu hören ist – primär durch eine falsche Politik, und sie wurde nicht einfach durch den Altersstarrsinn der Führungsriege hervorgerufen (beides ist freilich nicht zu unterschätzen). Sie läßt sich aber auch nicht allein mit »stalinistischen Deformationen« oder der »verzerrten« Umsetzung eines im Grunde »guten« theoretischen Gesellschaftskonzepts erklären. Legenden haben noch immer selbstkritische Analysen verhindert.

Die Krise und der Niedergang haben tieferliegende, systemimmanente Wurzeln, die im praktischen und theoretisch-konzeptionellen »Konstruktionsfehler«, in den genetischen Strukturdefekten des Realsozialismus insgesamt liegen. Die Krise und der Zusammenbruch der DDR sind deshalb auch nur als Teil der Krise und des Zusammenbruchs aller realsozialistischen Systeme Mittel-Osteuropas zu verstehen und zu erklären.

Die globale Krise des Sozialismus, wie sie in den achtziger Jahren heranreifte, mündete, anders noch als in den fünfziger und sechziger Jahren, in den Niedergang und Zerfall der realsozialistischen Systeme. Offensichtlich war Ende der sechziger Jahre eine historische Phase vorbei, in der die Krisen des Sozialismus noch Möglichkeiten seiner Transformation, wenn auch nur durch Überwindung grundlegender systemimmanenter Strukturen und Herausbildung eines neuen, demokratischen Sozialismustyps, implizierten. Für eine gewisse Zeit erschien allerdings noch Ende der achtziger Jahre – auch mir – die Krise des Sozialismus als Krise des »poststalinistischen Modells«. Dies implizierte die Forderung der Reformsozialisten in allen Ländern nach einem Modellwechsel. In Wirklichkeit handelte es sich zu diesem Zeitpunkt bereits um eine allgemeine Systemkrise, die objektiv die grundlegende, radikale Systemveränderung auf die Tagesordnung setzte. Das hatte wohl auch Michail Gorbatschow nicht erkannt. Die Perestroika war gedacht zur Reformierung und Erneuerung des Sozialismus, sie wurde jedoch zum auslösenden Faktor der Überwindung des sozialistischen Systemverbunds.

Im Herbst 1989 änderte sich in der sogenannten sozialistischen Staatengemeinschaft die Richtung der sich vollziehenden Wandlungen: von Reformen im System zu systemauflösenden Reformen. Innerhalb der gegebenen Strukturen – d. h. der administrativen, bürokratischen Planwirtschaft, dem Einparteiensystem/ Führungsmonopol der kommunistischen Partei, dem demokratischen Zentralismus als durchgängigem staatlichen und gesellschaftlichen Organisationsprinzip – waren die überall anstehenden Wandlungen nicht mehr möglich. Das wurde dann ab dem Herbst 1989 auch in der DDR offensichtlich, von den Reformkräften aber nur allmählich erkannt.

Warum besaßen die realsozialistischen Systeme in den achtziger Jahren keine Perspektive mehr? Warum mündete diese globale Krise des Sozialismus nun in seinen Niedergang und Zerfall? Obwohl eine kritische Gesamtanalyse der Entwicklung des Sozialismus in diesem Jahrhundert – die seine Entstehungsgeschichte, Funktionsweise, Strukturdefekte, historischen Chancen und Alternativen und schließlich seinen Zusammenbruch umfaßt – noch aussteht, kann m. E. zunächst festgestellt werden:

1. Die sozialistischen Länder Europas, darunter die DDR, vermochten sich nicht in moderne, evolutionsoffene Gesellschaften zu wandeln. Sie blieben weitgehend geschlossene Indutriegesellschaften; monopolistisch und zentralistisch strukturiert, antagonistisch gespalten, mit einer weitgehend nivellierten und in sich erstarrten sozialen Struktur, mit geringer sozialer Mobilität und schwachen, noch zurückgehenden Leistungsantrieben und ohne bedeutsame Zivilgesellschaft – deshalb unfähig zur eigenen Reformierung, zum qualitativen Wandel; ja schon zur selbstkritischen

Analyse. Geschlossene Gesellschaften haben aber letztlich keine Perspektive. Natürlich – die realsozialistischen Länder hätten – wenn, wie in der vorangegangenen historischen Entwicklungsphase, weiterhin abgekoppelt von der internationalen Entwicklung – durchaus noch längere Zeit überleben können. Aber gerade diese »Abkoppelung« wurde in den siebziger/achtziger Jahren zurückgenommen, und das erlegte den sozialistischen Ländern geradezu den Zwang zur Öffnung und Modernisierung auf (KSZE, zunehmende internationale Arbeitsteilung, Ansätze von Systemkooperation, technologischer Rüstungswettlauf). Auch eine grundlegende Modernisierung in den gegebenen Strukturen war – trotz manch ehrgeiziger Pläne wie in der DDR – nicht mehr oder nur begrenzt möglich.

2. Die sozialistischen Länder verkörperten schließlich aber auch – entgegen den offiziellen propagandistischen und theoretischen Darstellungen – *keine tragfähige »alternative« gesellschaftliche Entwicklungsrichtung.* Das mußte für die Entwicklung der DDR auf deutschem Boden besondere Folgen zeigen. Es waren gesellschaftliche Ordnungen, in denen die ursprüngliche (also nicht die leninistische) Idee des Sozialismus, daß sich die Menschen selbst eine sozial gerechte, demokratische und solidarische Gesellschaft schaffen sollten, nicht nur nicht eingelöst, sondern ins Gegenteil verkehrt wurde: statt Gemeineigentum mit realer Verfügungsgewalt des Produzenten – Verstaatlichung, Trennung der Produzenten vom Eigentum und Produkt, Kommandowirtschaft; statt Demokratie – Diktatur einer unkontrollierten Führungsschicht; statt einer sozial gerechten und solidarischen Gesellschaft ein durchkonstruiertes System persönlicher Abhängigkeiten; statt freier Entfaltung der Persönlichkeit – Gleichschaltung und Mißachtung der Individualität, Festlegung der Individuen auf ein vorgegebenes Rollenverhalten. Der Sozialismus wurde so immer mehr von oben gelenkt, verordnet und wurzelte nicht in einer breiten Volksbewegung der Mit- und Selbstbestimmung.

Gesellschaftliche Systeme gehen offensichtlich nicht nur dann unter, wenn sie das höchste Niveau des zivilisatorischen Fortschritts nicht erreichen, sondern auch, wenn Mehrheiten sich aus Enttäuschung bewußt abwenden, weil die vorgegebenen Ziele und Ansprüche des Systems nicht eingelöst werden.[11]

Gerade dies trifft auf das Phänomen Sozialismus in unserer Zeit zu. Wo lagen aber die entscheidenden Ursachen und Bedingungen dieser Entwicklung? Sie sind offensichtlich in der Grundstruktur dieses historisch entstandenen, spezifischen Sozialismustyps selbst angelegt und mit ihr engstens verbunden. Ich folge hier dem reproduktionstheoretischen Ansatz der Kritik des »Realsozialismus«, wie er von einigen Sozialwissenschaftlern aus Ostberlin (Humboldt-Universität; BISS) entwickelt wurde. In der Umstrukturierungsphase der DDR-Gesellschaft nach 1945 wurden frühzeitig die Basisinstitutionen moderner kapitalistischer Gesellschaften in mehreren Etappen liquidiert.[12] Im Namen eines »totalen Bruchs« mit dem Kapitalismus und der Schaffung einer völlig neuen, völlig anderen Gesellschaft wurden Markt, Geld, Gewinn, Gewaltenteilung, individuelle politische Grundrechte, Öffentlichkeit, Wettbewerbsstrukturen und die relative Autonomie gesellschaftlicher Bereiche und ihrer Institutionen mechanisch negiert, eliminiert, ohne daß alternative, aber funktional ebenbürtige Äquivalente an ihre Stellen getreten wären. Verstaatlichung, Planwirtschaft, demokratischer Zentralismus wurden niemals solche Äquivalente und konnten es so nicht werden. Die gesamte Entscheidungs- und Verfügungsgewalt über alle Bereiche gesellschaftlicher Reproduktion, die in modernen Gesellschaften – trotz vorhandener und nicht zu unterschätzender Monopolisierungsstrukturen – auf unterschiedliche, miteinander um die ökonomische, politische, geistig-kulturelle Hegemonie konkurrierende bzw. sich wechselseitig kontrollierende Gruppen, Akteure, Institutionen (ungleich) verteilt ist, geriet in die Hände einer kleinen, in sich hierarchich gegliederten Gruppierung.

Die Kehrseite dieser Herrschaft eines »Monosubjekts« ist die Enteignung und amputierte Subjektivität der absoluten Mehrheit der Gesellschaft, ihrer individuellen und kollektiven Basissubjekte; d.h. der *Individuen* als mündige Staatsbürger; der *sozialen Gruppen* und Gemeinschaften als Subjekte des ökonomischen Lebens; der *Parteien, Verbände und Organisationen* als eigenständiger Interessenvertretungen und Träger des politischen Willensbildungsprozesses. Grundprinzipien und Werte eines anderen, demokratischen Gemeinwesens wie gesellschaftlicher Diskurs, Streit und Toleranz, Konsensbildung, Mehrheitsprinzip und Respektierung der Rechte der Minderheiten waren weitgehend eliminiert.

Diese reale gesellschaftliche Enteignung und Entsubjektivierung war Folge *und* Voraussetzung der fortlaufenden Reproduktion der Eigentums- und Machtverhältnisse dieses spezifischen Gesellschaftstyps. Aber dieser Zyklus war keineswegs total, fest geschlossen, widerspruchsfrei. Der Reproduktionszusammenhang von Zentralisation und Enteignung der gesellschaftlichen Basissubjekte trat in der Geschichte des administrativen Sozialismus in verschiedenen Grundvarianten auf.[13] In der DDR dominierte – zumindest zeitweilig und partiell – der Versuch, in diesen Grundzusammenhang vereinzelt solche Elemente einzubauen, auf denen die Entwicklungsfähigkeit moderner Gesellschaften beruht. So erfolgten vereinzelte Schritte zur Entwicklung einer gewissen materiellen Interessiertheit der Individuen, zur wirtschaftlichen Selbständigkeit von Unternehmen oder zu einer begrenzten Öffentlichkeit und partiellen Mitgestaltungsmöglichkeit. Aber eben stets defensiv, partiell, begrenzt und stets nur innerhalb des gegebenen Reproduktionszusammenhangs, seiner Grundstrukturen. Die Tendenzen und Akteure seiner Infragestellung und Auflösung waren aber gerade deshalb nicht nur an der Peripherie, sondern schließlich in den Widersprüchen und Konflikten dieser Grundstrukturen selbst enthalten.

Konnten mit diesem Wirtschafts- und Gesellschaftssystem noch die nachholende Industrialisierung in zurückgebliebenen Agrar-Industrie-Ländern vollzogen, Wirtschaftswachstum und bestimmte sozialpolitische Maßnahmen realisiert werden, so war es letztlich untauglich für die Herausbildung moderner Gesellschaften mit wirtschaftlicher Effizienz, sozialer Lebensqualität, pluralistischer Öffentlichkeit und demokratischer Bürgerbeteiligung. Das heißt aber auch, daß dieser Typ von Sozialismus grundlegend gescheitert ist, nicht »nur« seine Handhabung und konkrete Umsetzung. Geschichte ist wieder als das zu »erkennen«, was sie – von uns mittels Epocheillusionen und striktem Fortschrittsglauben lange Zeit verdrängt – stets war[14], ein konkreter politischer und gesellschaftlicher Prozeß unterschiedlich handelnder Akteure unter vorgefundenen Bedingungen und deshalb im Prinzip offen.

Ende der Geschichte?

Das Ende der »realsozialistischen Systeme« ist aber nicht – wie zu lesen und zu hören ist – das »Ende der Geschichte«; noch nicht einmal schlechterdings ein Sieg des »Westens«, der zum Triumphieren veranlassen könnte. Die westlichen Gesellschaften der Gegenwart haben sich natürlich als moderne, auf jeden Fall aber als innovationsfähige und offene Gesellschaften und damit dem realsozialistischen System als grundlegend überlegen erwiesen. Sie verfügen über unverzichtbare ökonomische, soziale, politische, kulturelle Grundlagen für entwicklungsfähige Gesellschaften überhaupt. An ihnen »vorbei« ist Entwicklung nicht möglich. Doch die wichtige Feststellung einer »überlegenen Gesellschaft« kann heute nicht mehr ausreichen. Die Frage ist die nach der überlebensfähigen und zukunftsträchtigen Gesellschaft.

Neben dem Fortbestehen bestimmter traditioneller sozialer und demokratischer Fragen entstehen zugleich neue, moderne soziale Konflikte in den Arbeits- und Lebenswelten. Risikogesellschaft, Disparitäten der Lebensbereiche, Bedrohung der Lebensumwelt, Lebenschancen als Problem von Option und realen Zugangschancen, die Frage der Sinn- und Identitätsstiftung in den Gesellschaften sind nur Stichpunkte dafür.

Und die neuen globalen Herausforderungen, die sich nun schon als unmittelbare, drängende Konflikte stellen, wirken auf die westlichen Gesellschaften zurück. Wirtschaftswachstum als Grundlage des traditionellen Sozialvertrages und stetig steigender Konsum sind als Antworten da nicht mehr ausreichend. Offensichtlich ist eine Trend- bzw. Tendenzwende innerhalb der Logik bisheriger Entwicklung, der Richtung und Qualität bisherigen Fortschritts erforderlich. Es geht um die schrittweise, transformatorische Herausbildung eines neuen Zivilisations-, Evolutionstyps, auf der Grundlage und nicht durch »Abschaffung« der vorhandenen Qualitäten von Modernität, durch Veränderung der Logik bisheriger Entwicklung. Es geht nicht um die Konstruktion neuer »Antiwelten«, sondern um die Entwicklung dieser einen Welt. Die Frage ist, ob und wie in den westlichen Gesellschaften dies thematisiert und in praktisch eingreifende und verändernde Politik umgesetzt wird. So gesehen könnte, ja sollte der Niedergang und Zerfall der »realsozialistischen Systeme« – befreit vom alten »Freund-Feind-Denken« – auch das Nachdenken über die neuen Herausforderungen in unserer Zeit und über unsere Antworten darauf befördern.

Anmerkungen

1 Z. Brzezinski, *Das gescheiterte Experiment. Der Untergang der kommunistischen Regime*, Wien 1989, S. 233, 239.

2 Vgl. z. B. W. v. Bredow, *Perzeptions-Probleme. Das schiefe DDR-Bild und warum es bis zum Schluß so blieb*, in: *Deutschland-Archiv*, H. 2/1991, S. 147 ff.; H. Jäckel, *Unser schiefes DDR-Bild*, in: *Deutschland-Archiv*, H. 10/1990, S. 1557 ff.

3 Siehe W. Friedrich, *Mentalitätswandlungen der Jugend in der DDR*, in: *Aus Politik und Zeitgeschichte*, 13. April 1990, S. 25 ff.

4 Vgl. W. Süß, *Revolution und Öffentlichkeit*, in: *Deutschland-Archiv*, H. 6/1990, S. 910.

5 Vgl. G.-J. Glaeßner, *Einheit oder Zwietracht? Bundesrepublik – DDR – deutsche Perspektiven*, in: R. Reißig/G.-J. Glaeßner, *Das Ende eines Experiments. Umbruch in der DDR und deutsche Einheit*, Berlin 1991, S. 119 f.

6 Vgl. W. Süß, a. a. O., S. 909.

7 Siehe R. Reißig, *Der Umbruch in der DDR und das Scheitern des realen Sozialismus*, in: *Das Ende eines Experiments*, a. a. O., S. 29 ff.

8 Siehe dazu auch: D. Staritz, *Ursachen und Konsequenzen einer deutschen Revolution*, in: *Der Fischer-Weltalmanach. Sonderband DDR*. Frankfurt am Main 1990, S. 30/31.

9 Vgl. J. Habermas, *Die andere Zerstörung der Vernunft*, in: *Die Zeit*, 10. Mai 1991, S. 63.

10 Ebd.

11 Siehe auch: M. Reimann, *Die Krise in Mittel-Osteuropa*, in: *Das Ende eines Experiments*, a. a. O., S. 63.

12 Vgl. zu den folgenden Ausführungen: F. Adler, *Das »Bermuda-Dreieck« des Realsozialismus: Machtmonopolisierung – Entsubjektivierung – Nivellierung*, in: *BISS-public. Wissenschaftliche Mitteilungen aus dem Berliner Institut für Sozialwissenschaftliche Studien*, Heft 2/1991, S. 11/12.

13 Siehe auch: M. Brie, *Die allgemeine Krise des administrativ-zentralistischen Sozialismus. Eine reproduktionstheoretische Skizze*, in: *Initial*, Berlin H. 1/1990, S. 19 f.

14 Siehe auch: S. Meuschel, *Revolution in der DDR*, in: *Die DDR auf dem Weg zur deutschen Einheit*, Köln 1990.

Gert-Joachim Glaeßner
Am Ende des Staatssozialismus –
Zu den Ursachen des Umbruchs in der DDR

Der Zusammenbruch und Sturz der kommunistischen Systeme in Mittel-Osteuropa kam für alle Beobachter unerwartet, auch wenn viele der Ursachen, die für diese Implosion eines scheinbar unangreifbaren politischen und sozialen Systems verantwortlich gemacht werden können, von westlichen Beobachtern seit langem genau beschrieben worden sind. Dabei war seit 1985, seit dem Beginn von Glasnost und Perestroika in der Sowjetunion, immer deutlicher geworden, daß hier eine welthistorische Weichenstellung vorgenommen wurde. Der einmalige Versuch eines, wie der Putschversuch im August 1991 zeigte, stets gefährdeten, nicht gewaltsam oder gar kriegerisch vollzogenen Übergangs einer Diktatur mit hegemonialem Anspruch zu einem aufgeklärten Autoritarismus und tendenziell zur Demokratie konnte nicht ohne Auswirkungen auf die Länder bleiben, die einmal das »sozialistische Lager« gebildet haben. Die rapiden und z. T. abrupten ideologischen und gesellschaftspolitischen Veränderungen, die, von der Sowjetunion ausgehend, alle anderen sozialistischen Länder seit dem Januarplenum der KPdSU 1987 erfaßt hatten, haben 1989 nachhaltig die innere Ordnung der einzelnen Länder erschüttert und den sozialistischen Staatenverbund auseinanderbrechen lassen. Die Auflösung des Systemverbunds in viele einzelne, nationale und kaum noch vergleichbare Varianten hat die politische Landschaft in Europa fundamental verändert.

Der Kollaps der Systeme sowjetischen Typs in Mittel-Osteuropa war durch zwei Hauptfaktoren bestimmt: die zu dieser Zeit erkennbare Bereitschaft der Sowjetunion, ihren militärischen, politischen und ideologischen *cordon sanitaire* in Mittel-Osteuropa aufzugeben, und die innere Schwäche dieser Systeme, denen es nie gelungen ist, das Erbe des Stalinismus abzuschütteln. Nur weil die Sowjetunion, anders als in vergleichbaren früheren Krisensituationen, darauf verzichtete, diese Entwicklung mit Gewalt zu beenden, war es diesen Ländern möglich, den schwierigen und widerspruchsvollen Weg zur Demokratie einzuschlagen. Ob es gelingen wird, ist noch nicht endgültig abzusehen.

Es ist noch zu früh, um eine eindeutige Antwort auf die Frage zu geben, welches die Motive der sowjetischen Führung waren, diesen Prozeß nicht aufzuhalten. Ebenso wenig wissen wir bisher über das Zusammenwirken äußerer und innerer Faktoren, das zu dieser Krise des »realen Sozialismus« geführt hat. Und schließlich sind unsere bisherigen Erklärungsmodelle für die Tatsache, daß die ehemaligen sozialistischen Länder völlig unterschiedliche Wege eingeschlagen haben, eher dürftig.

Deutlich aber ist, daß es systemstrukturelle Ursachen und nicht ausschließlich kurzfristig entstandene, vorübergehende Krisenerscheinungen waren, die die Systeme des »realen Sozialismus« kollabieren ließen.

1. Strukturdefekte des politischen Systems

Im Verständnis der regierenden kommunistischen Parteien unterschied sich Politik grundsätzlich von parlamentarisch-demokratischen Vorstellungen. Politik wurde von der SED als einheitlich organisierter Prozeß gesehen, in dem die Ziele und der Wille der herrschenden Klasse auf die gesamte Gesellschaft übertragen wurden. Er basierte auf den ideologisch präformierten Erkenntnissen des Marxismus-Leninismus, insbesondere den mit seiner Hilfe vermeintlich gewonnenen Einsichten in die Entwicklungsgesetze der menschlichen Gesellschaft.[1]

Die politische Theorie des Marxismus-Leninismus akzeptierte weder die Eigenständigkeit einzelner Politikbereiche und -felder noch eine Teilung der Gewalten. Da – so die ideologische Begründung – mit der Abschaffung des Privateigentums an den Produktionsmitteln die Ursachen für die antagonistische Klassenspaltung entfallen seien, gebe es zum ersten Mal in der Geschichte der Menschheit wirkliche »Volkssouveränität«, deren Ausdruck Gewalteneinheit, nicht aber Gewaltenteilung sei. Die Verwirklichung der gesellschaftspolitischen Ziele: Sozialismus/Kommunismus bedürfe der vereinheitlichten Anstrengung aller und einer zentralisierten, nach einheitlichen Prinzipien gestalteten Politik.

Zwar gab es auch im politischen System der DDR eine spezifische Form funktionaler Aufgabenverteilung zwischen Partei, Exekutive, Legislative und Judikative, zwischen staatlichen Institutionen und »gesellschaftlichen Organisationen« sowie hierarchisch gestaffelte Kompetenzzuweisungen an die regionalen Untergliederungen (Bezirke, Kreise, Städte und Gemeinden). Allerdings wurde die Prärogative der Partei und ihr prinzipielles Recht, jederzeit in laufende Prozesse einzugreifen, niemals ernsthaft in Frage gestellt.

Das Organisationsgefüge im »realen Sozialismus«, das alle gesellschaftlichen Bereiche umspannte, war Ausdruck einer mechanistischen Konzeption von Politik. Trotz aller Versuche, sich am Muster moderner Organisationsvorstellungen zu orientieren, blieb die marxistisch-leninistische Organisationslehre stets ihrer Herkunft aus geheimbündlerischen Vereinigungen verhaftet und hatte Mühe, sich nach rationalen Kriterien zu organisieren.[2]

Politik war im Verständnis der SED Staatspolitik. Das war nicht selbstverständlich angesichts einer Theorie der Revolution, die sich auf Marx und Engels berief und den Staat als Unterdrückungsinstrument abzuschaffen vorgab.

Die Diktatur des Proletariats, wie sie sich in der Sowjetunion als Diktatur der Partei etablierte und nach dem Zweiten Weltkrieg auf Mittel-Osteuropa ausbreitete, war aber alles andere als ein Schritt zur Abschaffung des Staates – im Gegenteil. Die kommunistischen Parteien bauten einen starken und mit allen Machtmitteln ausgestatteten zentralistischen Staat auf, der ihre Transformationsziele umsetzte.

Der allumfassende Führungsanspruch der Partei schlug sich in einer hyperzentralisierten Struktur des politischen Systems nieder.[3] Politik, Wirtschaft und Verwaltung waren ebenso wie alle anderen gesellschaftlichen Vollzüge einem einheitsstiftenden Prinzip unterworfen: dem »demokratischen Zentralismus«. Mit seiner Hilfe setzten die Parteiführungen ihren Willen innerhalb der kommunistischen Parteien selbst und gegenüber der Gesamtgesellschaft durch. Als Strukturprinzip der gesamten Gesellschaft bestimmte er entscheidend das Verhältnis Staat – Gesellschaft, die Beziehungen der sozialen Gruppen und Schichten untereinander und die Leitung des parteilich verordneten »Klassenbündnisses« durch die Avantgardepartei.

Max Weber[4] hat am Ende des Ersten Weltkrieges in einem Vortrag darauf hingewiesen, daß der Sozialismus aus der »Fabrikdisziplin« erwachsen sei. In der Tat liegt dem Sozialismus leninistischen Typs eine Faszination für großindustrielle und großorganisatorische Lösungen, für fabrikmäßige Disziplin, militärischen Gehorsam, Zentralisation der Entscheidung und Parzellierung der Verantwortlichkeit zugrunde. Die bei Lenin noch erkennbare Spannung zwischen dem Konzept einer rationalen, arbeitsteiligen Organisation und strengen Hierarchievorstellungen reduzierte sich in der Zeit des Stalinismus aber auf eine dogmatisierte Form des demokratischen Zentralismus, die ihre Wurzeln in der »Geheimbundtradition« der Bolschewiki hatte.

»In diesem Zusammenhang ist vor allem an die Hierarchien in Geheimgesellschaften zu erinnern, die maßgeblich vom Grad der Informiertheit, von der Kenntnis des ›Geheimnisses‹ abhängig sind. Die Verhüllung des ›Geheimnisses‹ und die ideologische Verzerrung und ›Enthüllung‹ der Wirklichkeit erzeugen die in allen politischen Geheimbünden bekannte Konspirativität und eine Aufspaltung der Welt in ›gut‹ und ›böse‹.«[5]

Das Instrument dieser Politik- und Organisationsvorstellungen war der demokratische Zentralismus Stalinscher Prägung. Er perpetuierte die dichotomische Struktur der Gesellschaft. Die Partei stand als führende Kraft den Bürgern gegenüber, die Parteiführung ihren eigenen Mitgliedern. Er stellte aber zugleich ein hierarchisches Verhältnis von Partei (bzw. Parteiapparat) und den übrigen Organisationen und Institutionen her, das als strukturelle Konsequenz der Avantgardekonzeption zu kennzeichnen ist, die den Staat und die gesellschaftlichen Organisationen nur instrumentell begreift.

Dies war der entscheidende Strukturdefekt sowjetsozialistischer Systeme. Zwischen dem umfassenden Führungsanspruch der Partei auf der einen und den Anforderungen einer hochkomplexen industriell entwickelten sozialistischen Gesellschaft auf der anderen Seite, die ohne eine strukturelle Differenzierung, die Berücksichtigung von Rationalitäts- und Effektivitätskriterien in der Planung und Leitung und eine minimale Beteiligung der Bürger an den gesellschaftlichen Prozessen nicht auskommen konnte, gab es eine unüberwindbare Kluft. Da die Emanzipation der Gesellschaft gegenüber der Partei und ihren Apparaturen im politischen Denken der kommunistischen Parteien ausgeschlossen war, konnte die funktionale Differenzierung der Systemstrukturen und die Diversifikation von Beratung, Kontrolle und Information nur im Rahmen des bestehenden institutionellen Gefüges oder als revolutionärer Bruch erfolgen.

Der Stalinismus hatte in den sozialistischen Ländern die Entwicklungslinie zum Typus rationaler Herrschaft unterbrochen bzw. zurückgeschraubt und politische Strukturen geschaffen, die weitgehend dem entsprachen, was Max Weber mit dem Begriff »Sultanismus« bezeichnet hat.[6] Er verstand darunter eine Tendenz traditionaler Herrschaft, die zum Patrimonialismus und »im Höchstmaß der Herrengewalt zum Sultanismus« neige. Unter sultanistischer Herrschaft verstand Weber »eine in der Art ihrer Verwaltung sich primär in der Sphäre freier traditionsgebundener Willkür bewegende Patrimonialherrschaft«. Sie sei nicht »sachlich rationalisiert, sondern es ist in ihr nur die Sphäre der freien Willkür und Gnade im Extrem entwickelt. Dadurch unterscheidet sie sich von jeder Form rationaler Herrschaft«.[7] Hierin liegen die Parallelen zu den politischen Systemen des »realen Sozialismus«. Das Spezifikum dieses Herrschaftstyps soll mit dem Begriff »Parteipatrimonialismus« gekennzeichnet werden.[8]

Der Stalinismus etablierte in den sozialistischen Ländern eine Patrimonialbürokratie neuen Typs. Die »Beamten«, die Parteikader, die alle entscheidenden Lenkungs- und Leitungspositionen innehatten, waren ausschließlich dem charismatischen Führer, der Avantgardepartei und der herrschenden Ideologie zu Dienst und Treue verpflichtet. Die Amtstreue der Parteikader war keine sachliche Diensttreue, sondern parteiliche Dienertreue, die ihre Geltungsgründe nicht im Glauben an die Legalität gesetzter Regeln, sondern in der persönlichen Hingabe an die Partei und ihre Führer hatte und die zu verletzen soziale Ächtung und, im schlimmsten Fall, die physische Liquidation bedeutete. Partei und Staat hatten nur ein Ziel: die neue, kommunistische Gesellschaft aufzubauen. Wer sich diesem Ziel entgegenstellte, war ein »Feind«, oder, wie es in der Stalinzeit bezeichnenderweise hieß, ein »Schädling«, der auszumerzen war. Vom humanitären Ideal des Marxismus war wenig übriggeblieben.

Man mag diese Systeme in ihrer Spätphase als totalitär bezeichnen oder nicht, sie haben sich, trotz aller Veränderungen, als extrem autoritäre Regime erhalten, die allen Versuchen widerstanden, sie von innen grundlegend zu reformieren.

Das entscheidende Mißverständnis der westlichen Sozialwissenschaften seit Beginn der 70er Jahre war, daß sie die Erwartung nährten, die Prinzipien rationaler Verwaltung könnten sich in diesen Systemen durchsetzen. Es wurde ein Verfachlichungs-

und Versachlichungsprozeß konstatiert, der notwendigerweise zu einer Überwindung zentraler Paradigmen marxistisch-leninistischer Herrschaftsausübung führen würde.[9] Ein kritischer Rückgriff auf Max Weber hätte möglicherweise einige Umwege vermeiden helfen.[10]

Anders als die Theoretiker des Sozialismus, die Bürokratie als notwendige Begleiterscheinung des Kapitalismus mit zwiespältigem Charakter ansahen, deren despotische Funktion durch die proletarische Revolution beseitigt und deren dirigierende Funktion allmählich durch die Gesellschaft selbst übernommen würde, bestand Max Weber darauf, daß der Sozialismus diese despotische Funktion noch verschärfen werde. Die Webersche Ablehnung des Sozialismus beruhte ganz wesentlich auf seiner Furcht vor einer Gesamtbürokratie, die alle Fragen des gesellschaftlichen Lebens nach einem einheitlichen Willen regelt, die Gesellschaft in ein »Gehäuse der Hörigkeit« sperrt und den Prozeß der Konfliktaustragung und Konsensbildung konkurrierender Teilbürokratien ersetzt durch die Anweisungen einer allmächtigen Zentrale.

Während in der kapitalistischen Gesellschaft das »staatliche und privatwirtschaftliche Beamtentum (der Kartelle, Banken, Riesenbetriebe) als getrennte Körper« nebeneinander stünden – so argumentiert Weber an anderer Stelle – und man durch die politische Gewalt die wirtschaftliche immer im Zaum halten könne, »wären dann beide Beamtenschaften ein einziger Körper mit solidarischem Interesse und gar nicht mehr zu kontrollieren«.[11]

Daß diese Befürchtung sich in den sowjetsozialistischen Ländern bewahrheitet hatte, ist wohl nur schwer zu leugnen. Durch die Vereinigung von staatlichem Eigentum an den Produktionsmitteln und staatlicher Bürokratie entstand eine Herrschaftsstruktur, die grundsätzlich keine konkurrierenden Ziele kannte. Über die Wahrnehmung der Eigentümerfunktion wurde politisch entschieden. Die Eigentümer- und Dispositionsfunktion war in den Händen der politischen Führung konzentriert. Zwar gliederten sich beide hierarchisch-funktional nach unten, sie waren aber keiner Kontrolle unterworfen und öffneten sich nicht gegenüber den Partizipationswünschen der Gesellschaft.[12] Jahrzehntelang wurde der extreme Zentralismus und der Mangel an Demokratie damit gerechtfertigt, daß nur so eine ökonomisch leistungsfähige und sozial gerechte sozialistische Gesellschaft aufgebaut werden könne. In den letzten Jahren wurde offenkundig, daß die realsozialistischen Systeme immer weniger in der Lage waren, die notwendigen Modernisierungsprozesse voranzutreiben.

Die mangelnde Innovations- und Leistungsfähigkeit der Lenkungs- und Leitungsapparate beruhte nicht nur auf einem überzogenen Zentralismus und zu geringen Beteiligungsmöglichkeiten, sondern auch darauf, daß sich die einzelnen Säulen des administrativen Gefüges gegenseitig blockierten und in ihren Möglichkeiten einschränkten. Die rationale gesamtgesellschaftliche Planung durch den Staats- und Wirtschaftsapparat wurde nicht durch die Bürger, sondern durch ein unüberschaubares Dickicht von Anweisungen und Verordnungen, durch bestimmte Anleitungs- und Kontrollmechanismen, Eingriffsmöglichkeiten in die Personalpolitik, unabgestimmte Kurskorrekturen seitens der Partei u. a. verhindert oder zumindest erschwert.

In Anlehnung an ein von Helmut Klages entwickeltes Modell, das die »Verholzung« des Vollzugs politischer Entscheidungen beschreibt[13], läßt sich folgender Zusammenhang aufzeigen: Aufgrund hier nicht darstellbarer Rahmenbedingungen produzierten der oberste Normgeber, das Politbüro, und von dessen Entscheidungen abgeleitet die Volkskammer, der Staatsrat, der Ministerrat eine wachsende Flut von Gesetzen und Verordnungen, die bei den zentralen staatlichen Instanzen, vor allem bei der Wirtschaftsverwaltung und den Planungsbehörden, zu einer »sekundären Absicherungsmentalität«, d. h. dazu führte, die ohnehin schon bestehende Normenflut durch eigene Anweisungen und Verwaltungsvorschriften zu komplettieren.

Bei den nachgeordneten Dienststellen wurden die trotz des Zentralismus noch bestehenden Handlungsspielräume nicht genutzt und eine Strategie der Absicherung nach oben durch Rekurs auf besagte Anweisungen betrieben. Gegenüber dem Bürger zog man sich auf Weisungen der oberen Behörden zurück. Das fiel relativ leicht, da man nicht gezwungen war, die Entscheidungsgründe offenzulegen, und eine Verwaltungsgerichtsbarkeit nicht existierte – in der DDR zumindest nicht. Verdrossenheit und Ohnmacht der Bürger führten dazu, daß selbst die bestehenden bescheidenen Partizipationschancen kaum oder gar nicht genutzt wurden und man sich in die freien Nischen der Gesellschaft zurückzog.

Die in westlichen Gesellschaften üblichen Kontroll- und Korrekturinstanzen existierten nicht. Kurskorrekturen konnten zwar von Stellvertreterorganisationen wie den Gewerkschaften angeregt, letztlich aber nur von der Partei initiiert und vollzogen werden. Schwankungen in der Parteilinie, Parteieingriffe in laufende Prozesse und die ständige Kontrolle der eigenen Tätigkeit durch die Partei verfestigten die Absicherungstendenzen und führten dazu, daß bereits im Entscheidungsprozeß antizipiert wurde, was eventuell an Korrekturen zu erwarten war. Strukturprinzipien wie der demokratische Zentralismus und die doppelte Unterstellung führten zur permanenten Verlagerung der Verantwortung nach oben. Dies verführte erneut zu zentralen Regelungen, und der geschilderte Prozeß schaukelte sich spiralförmig auf.

Das entscheidende systemspezifische Merkmal dieses Prozesses war, daß der dynamisierende und zielgebende Faktor der Politik, die Partei, ihre Ziele nur noch mittels dieser verholzten Strukturen durchsetzen konnte. Da sie sich ihre Einflußnahme und die Chance offenhalten wollte, einen einmal eingeschlagenen Kurs jederzeit zu korrigieren, produzierte sie selbst Unbeweglichkeit und Starrheit, Angst vor eigenen Entscheidungen und die Tendenz, jede noch so kleine und unbedeutende Entscheidung nach oben zu verlagern. Die Apparate waren unfähig zur Innovation. Alle periodisch wiederkehrenden Versuche, die Entscheidungsfreude und Eigenverantwortung zu fördern, scheiterten an der Halbherzigkeit der Partei, die um ihr Entscheidungsmonopol fürchtete.

Angesichts der dynamischen Veränderungsprozesse, denen sich alle sozialistischen Ländern ausgesetzt sahen, erwies sich das Festhalten an überholten Vorstellungen und die Verstärkung der politischen Repression als verhängnisvolle Fehlentscheidung.

2. Zu den Ursachen der Krise

Der Zusammenbruch und Sturz der sozialistischen Systeme hat in weiten Kreisen der westlichen Öffentlichkeit die Haltung bestärkt, daß es sich dabei nur um eine historische Korrektur handele. Die Oktoberrevolution und ihre Folgen erscheinen in der Retrospektive ausschließlich als Abweichung von einer »normalen« Entwicklung moderner Gesellschaften, wie sie in den westlichen Demokratien eingeschlagen worden sei.

Auch wenn man diese Selbstgewißheit nicht teilt, spricht vieles für das Argument, daß der Sozialismus sowjetischen Typs den Funktionsbedingungen einer modernen Gesellschaft nicht entsprach. Er war ein geschlossenes, ein monistisches System mit einer diesseitigen Eschatologie. Der Kommunismus war eine Heilserwartung, die nur erreichbar erschien, wenn alle Glieder der Gesellschaft uneingeschränkt dem Willen der Partei folgten, die für sich in Anspruch nahm, berufener Exekutor der historischen Gesetzmäßigkeiten zu sein. Alle Versuche, Teile dieses geschlossenen Systems aufzubrechen, zu modernisieren, mußten als Widerstand gegen das große historische Ziel erscheinen. Schon gar nicht konnte man die Selbstorganisation und Selbstregulierung gesellschaftlicher Subsysteme zulassen.

Es war dieser Monismus, der letztlich das Ende des Sozialismus herbeigeführt hat. Moderne Gesellschaften sind nicht nach einem einheitlichen Plan steuerbar, es gibt auch keine Blaupause für den geplanten Ablauf der Geschichte. Der Sozialismus als »Zielkultur« blieb den Illusionen des 19. Jahrhunderts mit seinen großen historischen Entwürfen verhaftet.

Angesichts seines Scheiterns darf aber nicht vergessen werden, daß der Sozialismus nach der Oktoberrevolution, trotz ihrer furchtbaren Konsequenzen, über Jahrzehnte ein säkulares Versprechen war. So konnte Alfred G. Meyer Mitte der sechziger Jahre vor dem Hintergrund der inneren Stabilisierung der Systeme sowjetischen Typs und ihres wachsenden Einflusses auf politische Bewegungen in den Ländern der »Dritten Welt« feststellen, daß es keinen Zweifel gebe, »that communist systems have managed to coexist with capitalism, to stabilize themselves, and to become world powers of significance. They have at times evoked wide enthusiasm and are generally succeeding in obtaining widening grass-roots support.«[14]

Zugleich aber deuteten sich bereits in diesen Jahren die Elemente an, die schließlich zum Scheitern des »realen Sozialismus« führten. Die »disintegration of a secular faith« (Richard Löwenthal) hat sich lange angekündigt, doch wurden ihre Vorzeichen nicht richtig gedeutet. Fragt man nach ihren Bedingungsfaktoren, so läßt sich ein Bündel von ökonomischen, politischen, sozialen und kulturellen Ursachen aufzeigen.

Ebenso wie in den anderen sozialistischen Ländern, die 1989 revolutionäre Umbrüche erlebten, zeigte sich auch in der DDR, daß der Sozialismus sowjetischen Typs zu einer Systemreform nicht in der Lage war. Alle dahingehenden Versuche blieben in den Anfängen stecken oder wurden gewaltsam niedergeschlagen. Dafür gibt es eine Vielzahl von Gründen, die hier nicht im einzelnen dargelegt werden können.

Der Kommunismus als Zielkultur, der bis ans Ende der sechziger Jahre – trotz aller Erfahrungen mit dem Stalinismus – eine große Faszination auf das politische Denken in Ost und West ausgeübt hatte, ging immer mehr seiner Ziele verlustig. Nach dem 20. Parteitag der KPdSU 1956, der eine gründliche Abrechnung mit dem Stalinismus in Aussicht stellte, schien eine grundlegende Systemreform möglich. Der Sturz Chruschtchows 1964 beendete Reformbestrebungen in einzelnen sozialistischen Ländern, so auch in der DDR. Als am 21. August 1968 die Truppen des Warschauer Paktes die Systemreform in der Tschechoslowakei gewaltsam niederschlugen, wurde deutlich, daß der Sozialismus sowjetischen Typs noch immer eine hegemoniale Ideologie war, die sich weit von ihren proklamierten Zielen entfernt hatte und zu einer Reform an Haupt und Gliedern nicht fähig war.

Die »Risse im Monolith« (Zbigniew Brzezinski), die bereits mit der »Exkommunikation« Titos 1948 erkennbar und dann am Ende der fünfziger Jahre mit dem Schisma durch die chinesischen Kommunisten offenkundig wurden[15], wurden aber durch diese gewaltsame Intervention nicht dauerhaft gekittet. Der politischen Desintegration folgte unvermeidlich die ideologische.

»A spiritual movement may preserve its world-wide doctrinaire unity so long as . . . it refrains from seeking to exert political power directly. But in a movement constructed on the Byzantine model, where loyalty to the faith and obedience to the state coincide, ideological fragmentation is bound to follow the growth of political pluralism.«[16]

Die Doktrin von der Einheit der kommunistischen Weltbewegung, ihres unvermeidlichen Sieges über den Imperialismus und der historischen Mission der Arbeiterklasse und ihrer marxistisch-leninistischen Partei verlor immer mehr an Glaubwürdigkeit. Auch alle mittelfristigen Identifikationsangebote, wie das Versprechen, die »wissenschaftlich-technische Revolution« werde den sozialistischen Ländern stetiges Wirtschaftswachstum und Prosperität bringen, erwiesen sich als nicht tragfähig. Die mangelnde ökonomische Leistungsfähigkeit und der wachsende technologische Rückstand gegenüber dem Westen (außer in der Rüstung) offenbarten immer deutlicher, daß das System zentraler Planung und Steuerung innovationsfeindlich und unfähig war, sich veränderten Bedingungen anzupassen.

Im sozialen Bereich zeigten sich völlig neue Probleme. Das ideologische Postulat, die von den regierenden kommunistischen Parteien geformten Gesellschaften brächten soziale Verhältnisse hervor, die einen neuen, »sozialistischen Menschen« schüfen, hielt der Wirklichkeit nicht stand.

Vielmehr vollzog sich, in der DDR wie in anderen sozialistischen Ländern, ein kultureller und sozialer Wandel, der von diesen Parteien nicht mehr zu steuern war. Die soziale Struktur der Gesellschaft entwickelte sich anders, als die ideologischen Postulate glauben machen wollten, die soziale Gleichheit als Ziel propagierten, während die Politik de facto sowohl in der Gesellschaft als auch in der unmittelbaren Machtsphäre soziale Differenzierungsprozesse aktiv unterstützte. Auf diese Weise entstanden neue Wertorientierungen und Verhaltensweisen, die mit dem ideologischen Gleichheitspostulat immer deutlicher in Konflikt gerieten.

Als bedeutsamster exogener Faktor sind die Einflüsse internationaler Kultur und Zivilisation zu nennen, die sich im Zeitalter der Massenmedien nicht mehr künstlich fernhalten ließen. Sie verstärkten die kritische Distanz zur offiziellen Politik.

Alles dies trug zu der in der zweiten Hälfte der achtziger Jahre immer deutlicher erkennbar gewordenen Emanzipation der Gesellschaft vom Führungs- und Regelungsanspruch der kommunistischen Partei bei.

3. Revolution oder Konterrevolution?

Kriege und Revolutionen, so meinte Lenin, würden das 20. Jahrhundert bestimmen. Wir haben zwei Weltkriege und einen »Kalten Krieg«, und wir haben 1917 eine vermeintliche Epochenwende erlebt, und ein Ende ist nicht absehbar. Revolutionen waren zumeist von Gewalt bestimmt, die des 20. Jahrhunderts waren es in einem bis dahin unvorstellbarem Maße. Hannah Arendt hat in ihrem Buch *Über die Revolution* geschrieben:

»Die Unterschiede zwischen Krieg und Revolution – daß der Krieg sich auf die Notwendigkeit und die Revolution sich auf die Freiheit beruft, daß der

Akzent des Weltgeschehens sich mehr und mehr vom Ereignis des Krieges auf das der Revolution zu verlagern scheint – dürfen doch nicht verschleiern, daß wir es mit Phänomenen zu tun haben, die historisch in einem sehr engen Zusammenhang stehen. Das sie verbindende Glied ist die Gewalt, und diese Rolle der Gewalt darf um so weniger gering geachtet werden, als sie Krieg und Revolution gleichermaßen als politische Phänomene zu disqualifizieren scheint.«[17]

Die großen Revolutionen des 20. Jahrhunderts, die russische und die chinesische, waren in entscheidendem Maße Folge eines Krieges. Mit der Ausnahme Jugoslawiens war die Errichtung sozialistischer Systeme in Mittel-, Ost- und Südosteuropa die direkte Konsequenz des Aufstiegs der Sowjetunion zur Weltmacht. Sie schuf sich nicht nur einen politischen und militärischen *cordon sanitaire*, wie dies Großmächte traditionell zu tun pflegten, sondern sie formte diese Gesellschaften zugleich nach ihrem ideologischen Bilde um. In keinem dieser Länder, schon gar nicht im östlichen Teil Deutschlands, konnten die kommunistischen Parteien ihre Herrschaft damit legitimieren, daß sie an der Spitze einer siegreichen Revolution gestanden hätten. Gleichwohl muß von revolutionären Umwälzungen gesprochen werden. Sie wurden von außen, durch die Sowjetunion und ihre Parteigänger im Lande, und von oben, durch eine selbsternannte Avantgarde, vollzogen, die sich nie demokratisch legitimierte.

Sigmund Neumann hat 1949 in einem Aufsatz mit dem Titel *The international civil war* Revolutionen als »sweeping fundamental change in political organization, social structure, economic property control and the predominant myth of a social order« beschrieben, die einen grundsätzlichen Bruch mit der bisherigen Entwicklung darstelle.[18] Legt man diese Definition zugrunde, dann war das, was nach 1945 in der Sowjetischen Besatzungszone (SBZ) und nach 1949 in der DDR geschah, durchaus eine Revolution.

Von der alten politischen Ordnung blieb nichts übrig, auch wenn bestimmte Elemente des tradierten Autoritarismus unter anderen ideologischen Vorzeichen überdauerten. Die soziale Struktur der Gesellschaft wurde völlig durcheinandergewirbelt. Alte Eliten wurden durch neue ersetzt, die breite Differenzierung der bürgerlichen Gesellschaft künstlich, mit politischen Mitteln beseitigt. Die Besitzverhältnisse wurden innerhalb von wenigen Jahren fundamental verändert. Schon bei Gründung der DDR, 1949, gab es kein nennenswertes Privatkapital mehr und kein landwirtschaftliches Privateigentum über 50 Hektar. Die Kontrolle über das neue »Volkseigentum« und das genossenschaftliche Eigentum in der Landwirtschaft lag in den Händen einer neuen, von der SED gelenkten Staatsbürokratie (sie entstand ebenfalls, bevor der Staat DDR gegründet wurde). Die tradierten Vorstellungen über das Wesen der sozialen Ordnung wurden skuzessive durch die Ideologie des Marxismus-Leninismus ersetzt. Sicher, dieser Prozeß dauerte Jahre, bis er sein Ziel erreichte: eine »formierte Gesellschaft« nach dem Muster des Sozialismus sowjetischen Typs. Aber die entscheidenden Weichen waren bereits gestellt.

In ihrem einflußreichen Buch *States and Social Revolutions* hat Theda Skocpol darauf hingewiesen, daß soziale Revolutionen sich von Rebellionen, Revolten und politischen Revolutionen dadurch unterscheiden, daß sie »rapid basic transformations of a society's state and class structure« seien. Sie seien »accompanied and in part carried through by class-based revolts from below«.[19] Die empirische Basis ihrer Untersuchung waren die französische, die russische und die chinesische Revolution. Aus dieser Sicht kann von einer sozialen Revolution nur gesprochen werden, wenn die erfolgreiche Transformation von Politik *(polity)* und der sozialen Struktur der Gesellschaft das Ergebnis eines massiven Aufstands einer Klasse und nicht das Werk einer kleinen Elite sind. Ich halte diesen Teil der Argumentationslinie für eine Mystifikation.

Obwohl die sozialistischen Umwälzungen nach 1945 das Werk kleiner politischer »Eliten« waren, die ihren Erfolg nicht ihrer Massenbasis in der eigenen Gesellschaft, sondern der Sowjetunion verdankten, obwohl sie nicht im Zuge einer politischen Revolution an die Macht kamen, sondern, wie in der Tschechoslowakei 1948, durch einen Putsch, durch die Ausschaltung bislang als legitime Vertreter der Nation angesehener politischer Kräfte, wie in Polen 1944/45, oder als Beauftragte der Besatzungsmacht, wie in der SBZ, war das Ergebnis die revolutionäre Umwälzung der alten Gesellschaft. Es war die Fortführung der »Revolution von oben«, wie sie in der jungen Sowjetunion Ende der zwanziger Jahre vorexerziert worden war. Es war ein neuer Typus von Revolution. Es war die Revolution einer selbsternannten Avantgarde, die vorgab, im Interesse und im Auftrag einer revolutionären Mehrheit der Bevölkerung, der Arbeiterklasse, zu handeln.[20] Das Ergebnis der von ihr ausgelösten und in ihrem weiteren Verlauf dirigierten politischen, ökonomischen, sozialen und kulturellen Umwälzung war eine neue Gesellschaft, die freilich einen entscheidenden, am Ende tödlichen Geburtsfehler hatte: Sie war auf Gewalt gegründet, und es gelang der politischen Führung nie, bei der Mehrheit der ihrer Herrschaft Unterworfenen Legitimität zu erlangen.

Die originären sozialistischen Revolutionen fanden nicht, wie Marx prognostiziert hatte, als Aufstand der Arbeiterklasse gegen das Kapital in den entwickelten Ländern Mittel- und Westeuropas, sondern in relativ unterentwickelten Ländern statt. Das Stalinsche Entwicklungsmodell, mit dessen Hilfe die Sowjetunion, mit ungeheuren humanen und sozialen Kosten und mit bisher nicht gekanntem Terror, innerhalb von nur wenigen Jahrzehnten zur zweiten Weltmacht entwickelt wurde, brachte nur einigen der Länder Mittel-Osteuropas, denen es übergestülpt wurde, einen ökonomischen und sozialen Fortschritt, koppelte sie aber alle politisch und kulturell von Europa ab.

Die Umwälzung in den Ländern Mittel-Osteuropas und in der DDR vollzog sich nach dem klassischen Muster von Revolutionen und hatte zugleich eine neue Qualität. Mit Ausnahme von Rumänien haben diese Umbrüche den Kausalzusammenhang von Revolution und Gewalt durchbrochen.

Chalmers Johnson hat in einem Buch, das den sozialen Ursachen von Revolutionen besondere Aufmerksamkeit widmet, auf zwei sich gegenseitig bedingende Ursachen von Revolutionen hingewiesen. Dies sei zum einen der Druck, den ein ungleichgewichtiges soziales System erzeugt: eine Gesellschaft, die sich wandelt und noch mehr Wandel braucht, wenn sie fortbestehen soll.

»Von allen Merkmalen des ungleichgewichtigen Systems trägt eines am unmittelbarsten zur Revolution bei: die Machtdeflation, d. h. die Tatsache, daß in einer Periode des Wandels die Integration eines Systems zunehmend davon abhängt, daß die Inhaber formaler Autoritäts-Status Gewalt einsetzen. Die zweite Gruppe notwendiger Ursachen ist verbunden mit der Qualität des Wandels, der planmäßig ins Werk gesetzt wird, während sich ein System außer Gleichgewicht befindet. Diese Qualität hängt ab von den Fähigkeiten der legitimen Führer. Sind sie unfähig, mit ihrer Politik das Vertrauen nicht-abweichender Handelnder zum System und dessen Fähigkeit zur Resynchronisation lebendig zu erhalten, so kommt es zu einem Autoritätsverlust. Das bedeutet, daß Gewaltanwendung seitens der Elite nicht mehr als legitim angesehen wird; es bedeutet nicht notwendig, daß sofort eine Revolution ausbricht.«[21]

Das Spezifische an den Revolutionen in Mittel-Osteuropa war, daß die Regierenden – aus vielerlei Gründen – nicht mehr in der Lage waren, ihre Machtmittel einzusetzen: Auf die äußere Absicherung ihrer Macht durch die Sowjetunion konnten sie nicht mehr setzen, und Legitimität bei ihrer Bevölkerung hatten sie nie erlangen können. Sie verspielten aber auch das Vertrauen ihrer eigenen Anhängerschaft in ihre Fähigkeit zur »Resynchronisation«.

Zum Mangel an Legitimität trat der Autoritätsverlust der politischen Führung in den eigenen Reihen. Die einstmals machtvollen und schlagkräftigen Parteien Leninschen Typs waren einem inneren Fäulnisprozeß ausgesetzt. Gleichwohl waren vor allem in der DDR die Prinzipien der Parteidisziplin und des »demokratischen Zentralismus« noch so wirksam, daß auch diejenigen, denen die Krisenhaftigkeit der Situation bewußt war, zu offener Opposition gegen die Führung und zum Bruch mit den überlebten Prinzipien nicht fähig waren. Es bedurfte erst des massiven Drucks aus der Gesellschaft, um den inneren Differenzierungsprozeß der Partei voranzutreiben. Im November/Dezember trug dies zwar entscheidend zum erfolgreichen Umbruch bei, es gelang den Reformern aber zu keinem Zeitpunkt, mehr als eine die Ereignisse begleitende Rolle zu spielen.

4. Die abgebrochene Revolution

Im Falle der DDR muß gefragt werden, ob es sich bei dem, was 1989/90 stattfand, tatsächlich um eine Revolution gehandelt hat. Im November noch hatte Jürgen Kuczynski von einer konservativen, den Sozialismus bewahrenden und erneuernden Revolution gesprochen.[22] Diese Auffassung wurde im Herbst 1989 von vielen Menschen in der DDR geteilt.

Aus der Sicht der alten Eliten, die diesen Ausgang ihres gesellschaftspolitischen Experiments immer gefürchtet hatten, war es eine Konter-Revolution – die Wiederherstellung der alten kapitalistischen Ordnung.

Der erste frei gewählte Ministerpräsident der DDR, Lothar de Maizière, sah dies ähnlich. Als Teil eines revolutionären Erneuerungsprozesses ins Osteuropa, der zugleich ein gesamteuropäischer und ein Weltprozeß sei, ziele der Umbruch in der DDR auf die Wiederherstellung einer politischen Ordnung.

»Manche mögen meinen, daß er letztlich konterrevolutionär sei. Nach dieser siebzigjährigen Entwicklung des realen Sozialismus ist aber das Wort ›konter‹, das ›gegen‹, eine Naturnotwendigkeit. Wer Sozialismus faktisch mit brutaler Parteidiktatur, Entmündigung der Gesellschaft, Staatseigentum an den Produktionsmitteln und mit zentralistischem Plandirigismus gleichsetzte, wer glaubte, mit solchen Mitteln eine gerechtere Gesellschaft schaffen zu können, der hat sich so gründlich geirrt, daß hier nur ein entschiedenes ›Kontra‹ möglich ist.«[23]

In der DDR muß von einer *wiederherstellenden*[24] und zugleich von einer *abgebrochenen* Revolution gesprochen werden. Sie wollte den Irrweg eines extremen Autoritarismus, genannt »realer Sozialismus«, beenden und, wie die Nachbarländer, wieder an die freiheitlichen und liberalen Traditionen der westlichen Demokratien anknüpfen. Sie wollte aber, zumindest in ihrer Hochzeit Ende des Jahres 1989, Anfang 1990, auch einen entscheidenden Schritt weitergehen: Das verratene Ideal sozialer Gerechtigkeit sollte mit dem der persönlichen Freiheit versöhnt werden.

Der Umbruch in der DDR war eine abgebrochene Revolution, weil die nationale Frage die politische und soziale Frage sehr schnell überlagerte und kein autonomer Raum für eine eigenständige Entwicklung blieb.

Bei allen Unterschieden haben die Vorgänge in den sozialistischen Ländern und in der DDR im Jahre 1989 auch einige Gemeinsamkeiten mit transitorischen Entwicklungen in anderen Ländern, die ihre Diktaturen abgeschüttelt haben, wie z. B. Griechenland, Spanien, Portugal oder eine Reihe lateinamerikanischer Länder.[25] Die grundsätzliche Alternative lautete Reform oder Bruch. Allerdings gibt es einen entscheidenden Unterschied zwischen bisher bekannten Transitionsprozessen und der Entwicklung in Mittel-Osteuropa und der DDR: Hier brach ein politisches und soziales System zusammen, das sich als Gegenmodell zur bürgerlich-kapitalistischen Gesellschaft etabliert hatte. Den Weg der Reform hatten die alten Eliten verbaut. Bruch bedeutete mehr als einen Wechsel der politischen Führungsgruppen und den Umbau des Institutionensystems, es bedeutete das Ende einer sozial-ökonomischen Ordnung gänzlich anderen Zuschnitts.

Die zweite Besonderheit war, daß der Umbau der ökonomischen, politischen und sozialen Strukturen in einer Zeit erfolgen muß, die durch massive ökonomische Krisenerscheinungen gekennzeichnet ist. Die neuen Eliten in diesen Ländern können nicht, wie die demokratischen Kräfte auf der iberischen Halbinsel Mitte der siebziger Jahre, die Schubkraft eines ökonomischen Booms für die Demokratisierung nutzen.

Ferner erscheint der in der Transition zur Demokratie zumeist unvermeidbare Versöhnungsprozeß zwischen alten und neuen Eliten hier nur bedingt möglich. Die Systemkonfrontation zwischen den westlichen Demokratien und dem »realen Sozialismus« hat gegenseitige Feindbilder und ein Schwarz-Weiß-Denken produziert, die sich tief in den Wertehaushalt der Menschen eingegraben haben.

Selbst diejenigen, die aufgebrochen waren, das Denken in Feindbildern zu überwinden, können sich ihnen nicht völlig entziehen. Als Beispiel sei aus dem *Aufruf für eine eigenständige DDR* vom 26. November 1989 zitiert, der u. a. von Volker Braun, Christa Wolf, Stefan Heym, Dieter Klein, Günter Krusche, Sebastian Pflugbeil, Ulrike Poppe, Friedrich Schorlemmer und Konrad Weiß als Erstunterzeichnern veröffentlicht worden war – von Menschen mit höchst verschiedenen und differenzierten politischen und normativen Positionen, die sich aber in der Absicht fanden, für die Eigenständigkeit der DDR einzutreten. Es gehe darum, »in unserem Land eine solidarische Gesellschaft zu entwickeln, in der Frieden und soziale Gerechtigkeit, Freiheit des einzelnen, Freizügigkeit aller und die Bewahrung der Umwelt gewährleistet sind«. Entweder könne dieser Ausweg aus der Krise des Landes gewählt werden mit dem Ziel, »eine sozialistische Alternative zur Bundesrepublik zu entwickeln«, oder ein anderer, wenig attraktiver:

»Wir müssen dulden, daß veranlaßt durch starke ökonomische Zwänge und durch unzumutbare Bedingungen, an die einflußreiche Kreise aus Wirtschaft und Politik in der Bundesrepublik ihre Hilfe für die DDR knüpfen, ein Ausverkauf unserer materiellen und moralischen Werte beginnt und über kurz oder lang die Deutsche Demokratische Republik durch die Bundesrepublik vereinnahmt wird.«[26]

Hier spiegelt sich eine Befindlichkeit wider, die für die DDR-Gesellschaft in der Umbruchphase nicht untypisch war. Der Aufruf läßt ein dichotomisches Weltbild erkennen, das vom Denken in Systemen geprägt[27] ist und dessen Erklärungsmuster viel mit der Ideologie des Marxismus-Leninismus gemein haben, die die Verfasser dieses Aufrufs ablehnten.

Schließlich können die Rasanz und Tragweite der Transition in Mittel-Osteuropa und der DDR sowie der radikale Bruch mit dem alten System leicht darüber hinwegtäuschen, daß es innerhalb dieses Prozesses auch Elemente einer Systemtransformation gegeben hat. Eine allmähliche Transformation des autoritären Systems zu einer meist nicht genauer präzisierten Form von politischer Demokratie wird häufig von Kräften des alten Regimes formuliert und dient oft dazu, wenigstens Reste ihrer einstigen Macht zu sichern. Die Opposition favorisiert normalerweise einen fundamentalen Bruch mit den alten institutionellen Arrangements und der politischen Ideologie.

Aber dieser Strategie eines klaren und scharfen Bruchs steht, wie Juan Linz bemerkt, oft eine andere gegenüber, die auf einen geregelten Übergang setzt: »Paradoxically, the transition is sometimes made possible by the simultaneous formulation of both positions as postures, for bargaining purposes rather than as final stands.«[28] Um Chaos zu vermeiden, treffen sich beide Positionen, die einen zu schwach, um die Macht zu übernehmen, die anderen nicht mehr stark genug, um ihre Macht mit Gewalt zu verteidigen, am »Runden Tisch«.

5. Nationale oder Verfassungsrevolution?

Die Entscheidung für eine politische Ordnung, die vom alten »realsozialistischen« System bereits als historisch überholt auf den Müllhaufen der Geschichte geworfen worden war, ist, so scheint es, eine Gemeinsamkeit der osteuropäischen Umbrüche gewesen. Sie sind daher durchaus zu Recht als »Verfassungsrevolutionen« bezeichnet worden.[29] Es ging darum, die normativen und institutionellen Konturen der zukünftigen politischen Ordnung zu skizzieren, die in den meisten ehemaligen sozialistischen Ländern mit dem Begriff der »Zivilgesellschaft« umschrieben worden sind.

Zum zweiten ging es bei den Umbrüchen in Mittel-Osteuropa um eine Rekonstituierung dieser Länder als selbständige Nationen – sie waren nationale Revolutionen gegen den jahrzehntelangen sowjetischen Hegemonialanspruch. Beide Aspekte stellten sich für die DDR völlig anders dar.

In der ersten Phase der Transition standen notwendigerweise die Fragen nach der Gestalt der zukünftigen politischen Ordnung im Mittelpunkt. Es war die Zeit der Verfassungspolitik. Ralf Dahrendorf hat m. E. zutreffend darauf hingewiesen, daß dies nur ein

Übergangsstadium sein kann: Demokratie, Bürgerrechte und andere Begriffe hätten zu Recht eine entscheidende Bedeutung gehabt.

»Revolutionen sind [aber] unnormale Zeiten, in denen die normale Politik suspendiert wird. Aber allmählich kehrt die normale Politik zurück. Konstitutionalisten mag das beunruhigen, aber für die Menschen ist das eher eine Wohltat ... Normale Politik ist unordentlicher als Verfassungspolitik, aber sie ist auch näher am täglichen Leben und daher an der Erfahrung der meisten Menschen.«[30]

Was in der Argumentation Dahrendorfs zu kurz kommt, ist die gemeinschafts- und identitätsstiftende Funktion einer Verfassungsdebatte nach langen Jahren der Abwesenheit eines gesellschaftlichen Diskurses über politische Grundfragen. »Normalität« stellt sich nur sehr langsam her. Insoweit ist denen zuzustimmen, die für eine ausführliche Verfassungsdebatte plädieren.

Eine Spezifik in der »deutschen Revolution« ist die Tatsache, daß es möglich war, ohne schmerzhafte Umwege, wie sie in Polen, der ČSFR und Ungarn zu erwarten sind (ganz zu schweigen von der früheren Sowjetunion), den Schritt zur Demokratie zu vollziehen. Während es für die mittel-osteuropäischen Länder noch nicht feststeht, ob ihnen der demokratische Transformationsprozeß gelingt, konnte die DDR Teil einer über vierzig Jahre bewährten politischen Ordnung werden. Mit dem Beitritt zur Bundesrepublik übernahm die ehemalige DDR eine seit Jahrzehnten erprobte Verfassung. Für eine Verfassungsdebatte schien keine Veranlassung zu bestehen.

Jedoch waren die revolutionären Ziele des Herbstes 1989 Anfang 1990 ebenfalls in einem Verfassungstext verankert worden: dem Entwurf des Runden Tisches. Dieser Entwurf hat sich insofern historisch »erledigt«, als die DDR ihren Beitritt zur Bundesrepublik nach Artikel 23 des Grundgesetzes vollzogen hat. Viele der Anregungen des Runden Tisches sind gleichwohl aktuell: Der Entwurf enthielt auch Angebote, in welche Richtung eine zukünftige deutsche Verfassung oder auch ein verbessertes und modernisiertes Grundgesetz gedacht werden könnte – sei es bei der Frage von Staatsbestimmungen, sei es bei der Aufnahme plebiszitärer Elemente.

In einer Situation, die durch erhebliche ökonomische und soziale Probleme des Zusammenwachsens gekennzeichnet ist, kann eine Verfassungsdebatte eine gemeinschaftsstiftende Funktion haben, sie kann aber auch neue Gegensätze produzieren. Ganz sicher eignet sie sich nicht dazu, verlorene Schlachten erneut zu schlagen: sei es mit dem Ziel, die bestehende Verfassungsordnung doch noch zugunsten utopischer Ziele zu verändern, sei es, um den liberalen Geist des Grundgesetzes im Sinne konservativer Ordnungsvorstellungen umzudeuten. In jedem Falle aber gebietet es die Achtung vor der historischen Leistung der DDR-Bürger, sie wenigstens zu fragen, ob sie das Grundgesetz als ihre Verfassung annehmen wollen. Dies ist nur scheinbar mit der Vereinigung über den Artikel 23 des Grundgesetzes geschehen, der für die DDR der schnellstmögliche politische Weg zur Einheit war.

Über Verfassungsfragen haben sich die DDR-Bürger im revolutionären Umbruch des Jahres 1989 und bei ihrer Wahlentscheidung am 18. März 1990 keine Gedanken gemacht. Insoweit ist auch der Verfassungsentwurf des Runden Tisches ein Beleg für die Distanz zwischen Bürgerbewegungen und den transitorischen politischen Institutionen auf der einen und »dem Volk« auf der anderen Seite.

Daß auch nach den Wahlen in der DDR keine breite Verfassungsdebatte zustande kam, hat vielerlei Gründe: den Weg und das Tempo des Vereinigungsprozesses, die Allgegenwärtigkeit täglicher Sorgen und Nöte, gewisse politische Ermüdungserscheinungen. Das enthebt die politischen Akteure aber nicht der Pflicht, das Versprechen von 1949 einzulösen. Ernst Benda hat diesen Aspekt der Debatte hervorgehoben, als er anmerkte:

»Findet... eine Aussprache über die Verfassung der Deutschen statt, so kann eine Chance genutzt werden, die Integrationsfunktion der Verfassung in einer einmaligen historischen Situation zu nutzen. Nie wird die Gelegenheit wiederkehren, das Grundgesetz im Bewußtsein der Deutschen zur Verfassung zu machen, mit der sie sich innerlich verbunden fühlen können, weil sie sich in freier Entscheidung zu ihm bekannt haben. Dies setzt voraus, daß Alternativen geprüft, begründete Verbesserungsvorschläge angenommen und gegenüber kritischen Nachfragen die Bewährung der in langer Staats- und Gerichtspraxis geprüften Regelungen festgestellt wird. Für die Bevölkerung der Bundesrepublik bedarf das Grundgesetz keiner zusätzlichen Legitimation. Es hat in vierzig Jahren gewirkt und ist anerkannt worden. Für die Menschen in der heutigen DDR ist das ganz anders. Sie haben bisher die Wirklichkeit einer Verfassungsordnung noch nicht kennengelernt, die ihnen verzerrt und entstellt übermittelt worden ist. Der offene Dialog enthält eine Chance, Vorurteile und Mißverständnisse und die Ergebnisse einer langen Falschinformation abzubauen. Daher ist der Prozeß der Auseinandersetzung für sich allein schon wichtig.«[31]

Die Entwicklung in der DDR weist schließlich eine weitere Besonderheit auf: sie bedeutete das Ende eines Staates, der sich ausschließlich politisch-ideologisch definieren konnte und die Wiederherstellung eines deutschen Nationalstaates. Diese Entwicklung steht im Brennpunkt divergierender politischer Tendenzen im zentraleuropäischen Raum. Hier treffen nach den Revolutionen in Mittel-Osteuropa unvermittelt zwei konträre Vorstellungen aufeinander. Während die west-europäische Entwicklung zur Integration und zum Bedeutungsverlust der Nationalstaaten tendiert, ist die ost-europäische Entwicklung, ist die Befreiung aus der Umklammerung des sowjetischen Sozialismus untrennbar verbunden mit einem neuen Nationalbewußtsein. Dieser Widerspruch geht mitten durch Deutschland.

Die Bürger der DDR verdanken ihre Freiheit wesentlich den nationalen Bestrebungen in Osteuropa. Ohne den Aufbruch in Polen und Ungarn und ohne die Einsicht der sowjetischen Führung, daß er mit Gewalt nicht aufzuhalten war, hätte es den Umbruch in der DDR nicht gegeben. Ohne (West-)Europa, ohne die Integration der alten Bundesrepublik in das westliche Bündnis und die Europäische Gemeinschaft hätte es keine Zustimmung der westlichen Länder, ohne eine klare Ortsbestimmung des vereinten Deutschland hätte es keine Bereitschaft der vier Alliierten gegeben, die staatliche Vereinigung zu akzeptieren. Über die Art und Weise, wie das vereinigte Deutschland seine nationale Rolle definieren soll, gibt es noch keine Klarheit. Aber ebensowenig wie die ehemalige DDR ihren Sozialismus national legitimieren konnte, kann die neue Bundesrepublik ihre neue nationale Rolle mit dem revolutionären Umbruch im Jahre 1989 legitimieren. Hierin unterscheidet sich das Erbe des gescheiterten sozialistischen Experiments in Deutschland von seinen mittel-osteuropäischen Nachbarn.

Ralf Dahrendorf hat wohl recht, wenn er bemerkt, daß es keinerlei Anzeichen gebe, daß der Prozeß der europäischen Einigung den Nationalstaat im Hinblick auf seine kritischen Aufgaben überflüssig mache. Er sieht sie vor allem darin, daß der Nationalstaat für alle praktischen Zwecke noch immer der Raum sei, in dem die Grundrechte aller Bürger garantiert werden.[32] Die Verfassungsordnung der Bundesrepublik Deutschland bietet dafür alle Voraussetzungen.

Doch die Berufung auf diese Ordnung allein vermag noch nicht die vielfältigen Probleme zu lösen, vor denen das vereinte Deutschland heute und in der Zukunft steht und stehen wird.

Anmerkungen

1 Vgl. *Kleines politisches Wörterbuch*, Berlin (DDR) 1983[4], S. 737f.

2 Auf diesen Zusammenhang hat Peter Christian Ludz in seinem Buch *Parteielite im Wandel. Funktionsaufbau, Sozialstruktur und Ideologie der SED-Führung. Eine empirisch-systematische Untersuchung*, Köln, Opladen 1970[3], S. 25 ff., hingewiesen.

3 Bálint Balla, *Kaderverwaltung. Versuch zur Idealtypisierung der »Bürokratie« sowjetisch-volksdemokratischen Typs*, Stuttgart 1972, S. 267.

4 Max Weber, *Der Sozialismus. Rede zur allgemeinen Orientierung vor österreichischen Offizieren in Wien 1918*, in: ders., *Gesammelte Reden und Aufsätze zur Soziologie und Sozialpolitik*, Tübingen 1988, S. 492 ff. (1. Aufl. 1924).

5 Ludz, *Parteielite*, a. a. O., S. 25.

6 Vgl. dazu: Juan Linz, *Totalitarian and Authoritarian Regimes*, in: Nelson Polsby/Fred Greenstein (Eds.), *Handbook of Political Science*, Vol. III, Reading, Mass. 1975, S. 175-482.

7 Max Weber, *Wirtschaft und Gesellschaft. Grundrisse der verstehenden Soziologie*, Tübingen 1972[5], S. 233 f.

8 Vgl. hierzu: Gert-Joachim Glaeßner, *Ende der Reformen? Bedingungen und Grenzen der Wandlungsfähigkeit sowjet-sozialistischer Systeme am Beispiel der DDR*, in: Deutschland Archiv, 15. Jg. (1982), Nr. 7, S. 700-709.

9 Vgl. u. a.: Ludz, *Parteielite*, a. a. O.; Gordon Schilling/Franklyn Griffiths (Eds.), *Pressure Groups in der Sowjetunion*, Wien 1972; Gert-Joachim Glaeßner, *Sozialistische Systeme. Einführung in die Kommunismus- und DDR-Forschung*, Opladen 1982.

10 Vgl. Max Weber, *Wirtschaft und Gesellschaft*, a. a. O., S. 578.

11 Weber, *Der Sozialismus*, a. a. O., S. 504.

12 Vgl. András Hegedüs, *Sozialismus und Bürokratie*, Reinbek 1981, S. 77.

13 Helmut Klages, *Überlasteter Staat – verdrossener Bürger? Zu den Dissonanzen der Wohlfahrtsgesellschaft*, Frankfurt a. M./New York 1981, S. 149 ff.

14 Alfred G. Meyer, *Communism*, New York 1967[3], S. 200.

15 Richard Löwenthal, *World Communism. The Disintegration of a Secular Faith*, London/Oxford/New York 1964.

Ebd., S. 235.

17 Hannah Arendt, *Über die Revolution*, München 1974, S. 19; vgl. auch: Carl Joachim Friedrich (Ed.), *Revolution*, New York 1966; Samuel Huntington, *Political Order in Changing Societies*, New Haven, CT 1968; Michael S. Kimmel, *Revolution. A Sociological Interpretation*, Cambridge 1990.

18 Sigmund Neumann, *The International Civil War*, in: *World Politics*, 3. Jg. (1949), Nr. 1, S. 333

19 Theda Skocpol, *States and Social Revolutions*, New York 1979, S. 4.

20 Vgl. dazu ausführlich: Gert-Joachim Glaeßner, *Herrschaft durch Kader. Leitung der Gesellschaft und Kaderpolitik in der DDR am Beispiel des Staatsapparates*, Opladen 1977, S. 37 ff.

21 Chalmers Johnson, *Revolutionstheorie*, Köln/Berlin 1971, S. 111.

22 Jürgen Kuczynski, *Konservative Revolution*, in: *Neues Deutschland* vom 8. 11. 1989, S. 4.

23 *Regierungserklärung des Ministerpräsidenten der DDR*, in: *Neues Deutschland* vom 20. 4. 1990, S. 3.

24 Jürgen Habermas spricht von einer »nachholenden« oder »rückspulenden« Revolution; vgl. Jürgen Habermas, *Die nachholende Revolution*, Frankfurt a. M. 1990.

25 Vgl. Juan J. Linz, *Transitions to Democracy*, in: *The Washington Quarterly*, Summer 1990, S. 143 ff.

26 *Aufruf für eine eigenständige DDR* vom 26. November 1989, in: Charles Schüddekopf (Hg.), *Wir sind das Volk! Flugschriften, Aufrufe und Texte einer deutschen Revolution*, Reinbek 1990, S. 240 f.

27 Ralf Dahrendorf bezeichnet das Systemdenken in seinen Reflexionen über die Revolutionen in Osteuropa als »Anfang der Unfreiheit in all ihren Formen«. Vgl. Ralf Dahrendorf, *Betrachtungen über die Revolution in Europa in einem Brief, der an einen Herrn in Warschau gerichtet ist*, Stuttgart 1990, S. 58.

28 Linz, *Transitions*, a. a. O., S. 151.

29 Vgl. Ulrich K. Preuß, *Revolution, Fortschritt und Verfassung. Zu einem neuen Verfassungsverständnis*, Berlin 1990.

30 Dahrendorf, *Betrachtungen über die Revolution*, a. a. O., S. 35 f.

31 Benda, Ernst, *Das letzte Wort dem Volke. Auch die ostdeutschen Bürger müssen sich unsere Verfassung zu eigen machen*, in: *Die Zeit* Nr. 38 v. 14. 9. 1990, S. 13; zur Verfassungsdebatte vgl. Gert-Joachim Glaeßner, *Der schwierige Weg zur Demokratie. Vom Umbruch in der DDR zur deutschen Einheit*, Opladen 1991, S. 135 ff.

32 Dahrendorf (*Betrachtungen über die Revolution*, a. a. O., S. 126 f.) wendet sich mit diesem Argument gegen: Peter Glotz, *Renaissance des Vorkriegsnationalismus?*, in: *Die Neue Gesellschaft/Frankfurter Hefte*, 37. Jg. (1990), Nr. 1, S. 40 ff.

Sigrid Meuschel
Revolution in der DDR
Versuch einer sozialwissenschaftlichen
Interpretation

Eine doppelte Frage soll im folgenden zur Diskussion stehen: Warum brach in der DDR eine Revolution aus, im Gegensatz zu dem langsamen und bedachtsamen Transformationsprozeß, der beispielsweise in Polen und Ungarn (Garton Ash 1989, 1990) bereits früher eingesetzt hatte? Und warum änderte die Revolution in der DDR sehr bald ihre Richtung, warum vollzog sich die »Wende in der Wende« von den Anfängen einer souveränen Gestaltung des politischen Gemeinwesens hin zum Beitritt zur Bundesrepublik? Beides hängt mit den gesellschaftlichen und politischen Strukturen zusammen, die in der DDR im Zuge der mehr als vierzigjährigen Parteiherrschaft entstanden waren. Auf diese Strukturen verweise ich mit dem Begriff der »klassenlosen Gesellschaft«, um so einen Zustand der sozialen Entdifferenzierung hervorzuheben, der sich als bedeutsamer erwies als die sozialen Unterschiede. Diese widerstanden zwar allen Vereinheitlichungsbestrebungen der SED, und die Partei selbst suchte in bestimmten Phasen ihrer Herrschaft immer wieder, gesellschaftliche Ungleichheit und Differenzierung zu erhalten und sogar zu fördern, um die stagnativen Auswirkungen der homogenisierten Strukturen aufzubrechen.[1] Doch die Entdifferenzierung erwies sich als das stärkere Moment.

Klassenlose Gesellschaft, Ständegesellschaft, Organisationsgesellschaft

Der Begriff der »klassenlosen Gesellschaft« ist freilich nicht ohne Ironie gewählt. Es war das erklärte Ziel aller in Ost- und Mitteleuropa herrschenden kommunistischen Parteien – so auch der SED –, eine Gesellschaft der materialen Gleichheit und Gerechtigkeit »aufzubauen«. Sie erklärten, diese Gesellschaft sei das Ziel der Menschheitsentwicklung, und reklamierten ein exklusives Wissen um den Weg zu diesem Ziel. Aus diesem vorgeblich privilegierten Wissen leiteten sie ihr Machtmonopol ab. Die Durchsetzung des Totalitätsanspruchs der Partei, den gesamtgesellschaftlichen Umwälzungsprozeß zu steuern, verlangte nach der Zentralisierung der ökonomischen, politischen und sonstigen gesellschaftlichen Ressourcen, und das hieß Abbau eigenständiger Institutionen und solcher Regelungsmechanismen wie Markt und Recht, Öffentlichkeit und Demokratie. Darüber hinaus fand auch insofern ein machtpolitisch durchgesetzter Entdifferenzierungsprozeß statt, als die Parteiherrschaft die Subsysteme ihrer Eigenständigkeit beraubte, ihre spezifischen Rationalitätskriterien außer Kraft setzte oder politisch-ideologisch überlagerte.[2] Man kann diesen Prozeß als das Absterben der Gesellschaft, nicht des Staates, bezeichnen – als Absterben in einer Vielzahl parteipolitisch gelenkter Organisationen.

Klassenlose, entdifferenzierte Gesellschaft soll mithin keineswegs heißen, es hätte kein Machtgefälle, keine sozialen Unterschiede, Interessendivergenzen oder politische Organisationsförmigkeit der Gesellschaft gegeben. Diese unleugbaren Phänomene zusammengenommen mit dem Immobilismus der Gesellschaften sowjetischen Typs, ihrer wirtschaftlichen Ineffizienz, ihrer die Ökonomie übergreifenden Innovationsunfähigkeit und ihrer zu Teilen traditional anmutenden Ideologie lassen es auf den ersten Blick plausibel erscheinen, von einer »sozialistischen Ständegesellschaft« zu sprechen. Auch der Umstand, daß das Herrschaftssystem (pseudo-)patriarchale Züge trug, dem Weberschen Typus legal-rationaler Bürokratie nicht entsprach und »rationalen Gesetzen der Arbeitsteilung« weniger folgte als den machtpolitischen Imperativen der Machtsicherung, mag eine solche Interpretation nahelegen. Dennoch ist zu bezweifeln, ob sozialistische Gesellschaften als »traditionale Ständeordnungen« im Weberschen Sinne adäquat zu erfassen sind.[3] Ist doch gerade nach Weber das konstitutive Kriterium der ständischen Lage die soziale Wertschätzung (»Ehre«, »Ansehen der Person«), die sich auf traditionsgesättigte Konvention gründet, welche ihrerseits die jeweils spezifische Lebensführung der verschiedenen Stände prägt. Weber begreift Stände als Ausdruck einer »sozialen Ordnung«, einer »Verteilung der ›Ehre‹«[4], wohingegen Gesellschaften sowjetischen Typs unmittelbar politisch konstituiert waren – ein Umstand, der auf die Grenzen einer »traditionalen« Interpretation verweist. Überdies kann Weber die besondere ständische Lebensführung in ihrer Auswirkung auf das ökonomische Verhalten des Standes als Ursache dafür ansehen, daß es einer Ständegesellschaft nicht gelingt, eine moderne Wirtschaftsentwicklung in die Wege zu leiten, weil die ständische Interpretation der Ehre im Gegensatz zu den sachlichen Interessen steht, die den Markt und eine marktregulierte Ökonomie kennzeichnen und beherrschen.[5] Die Modernisierungsblockaden jedoch, die in Gesellschaften sowjetischen Typs die ökonomische Entwicklung, und nicht nur sie, hemmten, lassen sich nicht aus einer traditional intonierten kulturellen Lebensführung erklären, wie dies das Konzept der sozialistischen Ständegesellschaft versucht. Vielmehr war hier die machtpolitisch durchgesetzte Hegemonialstellung einer kommunistischen Partei von Bedeutung, deren Affekt gegen die formale Rationalität des Marktes, des Rechts und der Demokratie sich aus den Defizienzen der kapitalistischen Ökonomie und den Katastrophen der instrumentellen Vernunft im 20. Jahrhundert speiste.

Aufgrund des Primats der Politik, der gesellschaftsstrukturierenden Bedeutung der Partei, ihrer »führenden Rolle« und des Prinzips des demokratischen Zentralismus kann es nicht gelingen, Nomenklatur, Bürokratie und professionellen Mittelstand (die Intelligenz) im Sinne von eigenständigen Ständen und gemäß ihrer sozialen Wertschätzung voneinander abzugrenzen. Sie waren politisch instrumentalisiert, keine »Stände« eigenen Rechts und eigenen Ethos. Dem trägt das Konzept der »Organisationsgesellschaft« Rechnung. Die Hegemonie der Partei und ihre politisch-ideologische Durchdringung der Gesellschaft lagen einerseits der sozialen Entdifferenzierung, der »Vereinheitlichung« der Gesellschaft zugrunde, auch wenn – oder gerade weil – diese vollkommen durchorganisiert war. Andererseits ließ es die organisationsförmige Einbindung aller ökonomischen, politischen und kulturellen Bereiche in ihrer Vielheit und Spezifität zugleich immer wieder zu, daß sich Interessen und subsystemischer Eigensinn bis zu einem gewissen Grade äußern konnten. Nur solche Differenziertheit in übergreifender Entdifferenzierung gewährleistete überhaupt einen funktionierenden Sozialzusammenhang.[6]

Entdifferenzierung und Wende in der Wende

Es ist nun aber eine empirische Frage, ob die Tendenz zur Klassenlosigkeit und Homogenität oder jene zur Differenziertheit die bestimmende war, und meiner These zufolge war es in der DDR die erstgenannte. Die Tendenz zur Klassenlosigkeit war in den jeweiligen Entwicklungsphasen von Politik und Gesellschaft in der DDR in mehr oder weniger starkem Maße gegeben; je nachdem ließen sich Gegentendenzen ausmachen, anders gesagt: Reformbestrebungen, die sich darauf richteten, den Zustand der Entdifferenzierung und des Immobilismus aufzubrechen. Seit den siebziger Jahren setzte sich eine homogene Gesellschaft der Staatsangestellten, der unmittelbar Abhängigen und ökonomisch Unselbständigen durch; der größte Teil der Nomenklatur und Bürokratie bildete da keine Ausnahme. Es bestand zwar soziale Ungleichheit entlang der »Achse Arbeitsteilung«[7]; aber dieser Differenzierung fehlten, um sozial wirksam zu werden, die Verankerung in eigenständigen sozialen Subsystemen und der Rückhalt in ihrer spezifischen Rationalität; überdies waren die Unterschiede der Einkommen eines Großteils der Beschäftigten gering und es herrschte ein hohes Maß von Statusinkonsistenz. Man kann daher von einer breiten »Mittelschicht« aus qualifizierten Arbeitern, mittleren Angestellten und hochqualifizierte Spezialisten sprechen.[8] Die Homogenisierung oder auch Nivellierung, die sich die Partei – ihrem Ziel materialer Gleichheit und Gerechtigkeit entsprechend – als Erfolg zurechnete, kollidierte allerdings mit ihrem anderen Ziel: die Produktivkräfte zu entfalten. Die immer wieder beschworene wissenschaftlich-technische Revolution fand nicht statt, die Gesellschaft erwies sich insgesamt als innovationsschwach.

Homogenität soll nicht heißen, es hätte keine sozialstrukturelle Differenzierung gegeben; doch konnten sich unterschiedliche Interessen und subsystemischer Eigensinn nicht entfalten. Auch das Machtgefälle in Gesellschaften sowjetischen Typs ist nicht zu leugnen. Ganz im Gegenteil wird man sagen können, daß die Macht der Partei und deren Sicherung auf der sozialen Entdifferenzierung beruhten.[9] Der Zugang zu Machtpositionen war letztlich politisch-ideologisch, nach Kriterien der Kaderauswahl, reguliert (Glaeßner/Rudolph 1978, S. 32 ff.), und von der politischen Qualifikation hing wiederum der Zugang zu formellen und informellen Privilegien ab. Überdies war die Gesellschaft von Interessen und Interessenkonflikten durchzogen. Sie kristallisierten sich z. B. um berufliche und demographische Merkmale, doch fehlte die Möglichkeit, sie öffentlich zu artikulieren oder selbständig zu organisieren; auch fielen selbstregulative Medien wie Markt, Recht und Geld als Vermittler eines berechenbaren Interessenverfolgs (nicht gänzlich, aber weitgehend) aus. Die Konflikte blieben daher latent; die Individuen konnten sich nicht zu einheitlichen und politisch handlungsfähigen Gruppen zusammenschließen.

Ein weiterer struktureller Konflikt in Gesellschaften sowjetischen Typs war der Art und Weise geschuldet, in der die Partei die organisatorisch erfaßten, heteronomen Interessen zu befriedigen und mit dem »Allgemeininteresse« zu verbinden suchte. Die parteistaatlich angeleitete Interessenpolitik war nicht in der Lage, die material definierten gesellschaftspolitischen Ziele mit formaler Rationalität zu versöhnen; zugleich aber hätte die Parteiherrschaft, wollte sie im Sinne dieser Ziele effizient sein, formaler Rationalität bedurft. Der Sozialismus sollte eine moderne und gleichwohl nicht instrumenteller Vernunft folgende Alternative zum bürgerlich-kapitalistischen Entwicklungspfad finden; er sollte, um die Bedürfnisse aller befriedigen zu können, Anarchie und Krisenhaftigkeit der kapitalistischen Produktionsweise ebenso überwinden wie das formale Recht und die ihm unterworfene Bürokratie. Deshalb entstand ein Typus der Administration, der mit dem Weberschen Idealtyp recht wenige Gemeinsamkeiten aufwies, so wie es sich insgesamt um eine andere Art des Sozialismus handelte, als Max Weber sie sich vorgestellt hatte.[10] Aber indem der Parteistaat Ökonomie und Gesellschaft als einen auf ein Telos hin planbaren Gesamtzusammenhang dachte und behandelte, blieb gerade er der instrumentellen Vernunft verpflichtet. Überdies waren intermediäre Institutionen und ihre sachverständige Leitung notwendig; die Parteibürokratie mußte sich daher auf eine Kooperation mit Fachleuten und auf das Risiko der partiellen Freisetzung teilsystemischer Handlungslogiken einlassen.[11] Sie verzahnte zwar Fach- und ideologische Bürokratien derart miteinander, daß das ideologisch-materiale Moment das formal-rationale stets dominierte, doch der grundsätzliche Widerspruch blieb bestehen und drohte, sich immer erneut zu aktualisieren: Weil die klassenlose Gesellschaft in jeder Hinsicht abhängig war, hing auch die Verfolgung von Interessen von der jeweiligen Bargaining-Position der offiziellen Organisationen – der Gewerkschaften, Verbände oder Betriebe – ab. Diese wiederum verfügten allenfalls über informellen Einfluß auf die Allokation der Mittel. Da sie Interessen im Rahmen des parteistaatlich Vorgegebenen ausbalancieren und so zur sozialen Befriedung beitragen mußten, standen sie zwischen den Fronten von Partikular- und »Allgemeininteressen«. Obwohl sie sich letztlich immer am übergeordneten Interesse orientierten, so wie die Partei es definierte, war doch nicht ausgeschlossen, daß die Fachbürokratien einen größeren Spielraum für den Sachverstand als notwendig erkannten und forderten. Dies um so mehr, als das informelle Bargaining und seine Resultate die Entscheidungsspielräume der Partei immer weiter einengten.[12]

Aber der entscheidende Strukturkonflikt entstand – jedenfalls in der DDR – nicht zwischen Technokraten und Ideologen, obwohl erstere in den achtziger Jahren angesichts des Immobilismus der SED schier verzweifeln mochten. Vielmehr brachen soziale Konflikte schließlich entlang einer übergreifenden Linie sozialer Ungleichheit auf: entlang der Linie des Antagonismus zwischen Herrschenden und Beherrschten. Sie nahmen – wie in allen Gesellschaften sowjetischen Typs – die Gestalt der Dichotomie zwischen »Gesellschaft« und »Staat«, zwischen »Sie« und »Wir« an.[13] Doch im Unterschied zu Polen und Ungarn hatten sich in der DDR keine hinreichend eigenständigen gesellschaftlichen, politischen oder kulturellen Strukturen herausgebildet, die das Aufbrechen des Antagonismus hätten beschleunigen und von denen eine bewußte Transformation des real existierenden Sozialismus hätte ausgehen können. Die revolutionäre Aktualisierung des Widerspruchs vermochte die »klassenlose Gesellschaft« nicht aus ihrem grundsätzlichen Dilemma zu befreien: War sie im Sozialismus auf zentrale Steuerung verwiesen und reproduzierte sie deshalb ihre Abhängigkeit vom Parteistaat, brauchte und braucht sie, selbst nachdem sie diesen gestürzt hat, eine lange Zeit, um wieder eine eigenständig strukturierte Gestalt anzunehmen. Der Übergang aus der klassenlosen in eine bürgerliche oder in eine zivile Gesellschaft ist daher ein langwieriger und prekärer Prozeß, der seinerseits der Koordination »von oben« bedarf (Staniszkis 1991). Weil es in der DDR nicht einmal neue und allgemein anerkannte politische Institutionen und Eliten gab, die sich – wie in den Nachbarländern – dieser Funktion hätten annehmen können, suchte die

Bevölkerung den Ausweg aus der Revolution, indem sie sich an die Bundesrepublik anschloß.

Revolution und politische Kultur

Haben wir eine mögliche Antwort auf die Frage gefunden, warum die Revolution in der DDR so schnell ihre Richtung änderte, so ist die Frage, warum überhaupt eine Revolution ausbrach und es nicht – wie in Polen oder Ungarn – zu einem langsamen Transformationsprozeß kam, noch unbeantwortet. In der Geschichte der DDR sind zwar immer wieder Versuche zu finden, den Zustand der Entdifferenzierung zu überwinden: sei es das technokratisch motivierte Vorhaben, Ökonomie, Wissenschaft und »sozialistischen Rechtsstaat« von unmittelbar parteipolitischer Prärogative zu entlasten (wenn auch nicht gänzlich aus ihr zu entlassen); sei es das literarische Engagement für die Rückkehr vom Kollektiv zum Individuum; sei es das Eintreten für subjektive Rechte oder der praktische Schritt, sie sich zu nehmen: sich zu versammeln, zu diskutieren, zu demonstrieren und zu organisieren. Aber dennoch ist nicht zu übersehen, daß alle diese Ansätze – bis sie sich in der Revolution des Herbstes 1989 buchstäblich Bahn brachen – verhaltener ausfielen als in vergleichbaren Gesellschaften Mittel- und Osteuropas. Die Gesellschaft der DDR war insgesamt vergleichsweise stabil integriert, und ihr fehlte die kollektive Erfahrung einer widerständigen Praxis ebenso wie die in anderen Ländern immer wieder unternommene Suche nach Wegen, sich sukzessive der parteistaatlichen Hegemonie zu entziehen. Das Scheitern der ungarischen Revolution, des Prager Frühlings oder der Solidarność hatte in den betreffenden Ländern zu Lernprozessen geführt, und aus langjährigen Massen- und Bürgerrechtsbewegungen waren die Kerne einer *civil society* entstanden. Glasnost und Perestroika konnten so als Chance für einen Transformationsprozeß ergriffen werden.

Daß die DDR-Gesellschaft weitaus weniger vorbereitet war und die angestaute Unzufriedenheit sich daher eruptiv zur Geltung brachte, hatte vielfältige Gründe: das besondere deutsch-deutsche Verhältnis beispielsweise, das die Abwanderung Unzufriedener erleichterte, oder den obrigkeitlich organisierten Interessenausgleich, der in der DDR besser funktionierte als in anderen sozialistischen Ländern, und zwar aufgrund ihrer Sozialpolitik. Diese stabilisierte die Gesellschaft der Staatsangestellten durch staatliche Versorgungsleistungen, solange Ressourcen zu verteilen waren. Hinzu kam die Bereitschaft weiter Teile der Intelligenz, gemeinsam mit und im Auftrag der Partei immer erneut nach systemkonformen Mitteln zu suchen, den real existierenden Sozialismus funktionstüchtiger zu machen, seine »Triebkräfte« zu entfalten. Die Friedens-, Ökologie- und Bürgerrechtsgruppen entstanden recht spät und blieben in einem allgemein eher unpolitischen Klima lange gesellschaftlich marginal. Diese Umstände leiten das Augenmerk von den Strukturdefekten des real existierenden Sozialismus ab und auf Spezifika der deutschen politischen Kultur hin. Die These lautet, daß die Parteiherrschaft in der DDR länger Legitimität zu stiften verstand als andernorts.

Die deutsche politische Kultur wird häufig mit dem Hinweis auf die Selbstkonzeption einer sich unpolitisch verstehenden Gesellschaft umschrieben.[14] Der Rekurs auf die unpolitische kulturelle Tradition, innerhalb derer die Bürger das Gemeinwesen nicht nur eher als kulturelle und ethnische Gemeinschaft oder als moralische Anstalt denn als eine von formal-rationalen Medien regulierte, konfliktreiche Gesellschaft begreifen, sondern innerhalb derer auch ein Affekt gegen westlich-kapitalistische Zivilisation, Kosmopolitismus und intellektuelle Ratio vorherrscht, ein solcher Rekurs nützt für die Untersuchung der politischen Kultur der DDR-Gesellschaft indes wenig, wenn nicht zumindest plausible Vermutungen darüber anzuführen sind, wie das Tradierte sich fortsetzen und reproduzieren konnte.

Die substantielle Zielbestimmung der SED-Politik verhieß eine konfliktfreie, harmonische und material-gerechte Gesellschaft, die auf der »politisch-moralischen Einheit des Volkes« und einer prinzipiellen Interessenidentität beruhen sollte. Dieses Telos leitete sich zwar von der rationalen Marxschen Kritik kapitalistischer Unterdrückung und Ausbeutung ab; überdies ging der Kampf der deutschen Arbeiterbewegung nicht primär von der Idee einer sozialen Gemeinschaft, sondern vor allem von der Realität einer konfliktgeladenen Klassengesellschaft aus. Dennoch haftete von Anbeginn dem Entwurf, wie die soziale Problematik zu überwinden sei, die von Helmuth Plessner benannte »Weltfrömmigkeit« an (Plessner 1974, S. 41). Die Versöhnung mit der Moderne gelang der Arbeiterbewegung im Verhältnis zu Wissenschaft und Technik, aber nicht auf der Ebene des Politikverständnisses. Politik galt als Mittel zur Lösung »letzter Fragen«, einer Lösung, welche sodann auch Demokratie als Teil der »Vorgeschichte« obsolet werden ließe; zudem stand politische Praxis unter dem Anspruch, historischen Gesetzmäßigkeiten, die wissenschaftlich zu erkennen seien, zum Durchbruch zu verhelfen. Während die Sozialdemokratie spätestens in der Weimarer Republik sich mit einer dauerhaft heterogenen und kompromißbedürftigen Gesellschaft auseinanderzusetzen begann, beantwortete die Kommunistische Partei solchen »Revisionismus« mit revolutionärer Radikalität. Und auch wenn die KPD/SED, nachdem der Nationalsozialismus zerschlagen war, die kommunistische, harmonische Zukunftsgesellschaft noch nicht zum Ziel ihrer unmittelbaren Programmatik erhob, bot sie doch von Anbeginn ihrer Herrschaft insbesondere der Intelligenz einen Weg aus der Verzweiflung über die desaströsen Folgen der Kapitalverwertung und der vermeintlich totalen Manipulierbarkeit der bloß »formalen« Demokratie an. Bereits der Antifaschismus stand mit seiner für ihn konstitutiven Idee der »Einheit« aller sozialen, kulturellen und politischen Kräfte für die alte Sehnsucht nach einer »Epochenschwelle«, für eine Hoffnung also, die der Nationalsozialismus auf so grauenvolle Art gestärkt hatte.

Darüber hinaus reproduzierte sich gerade auch jenseits des intellektuellen Milieus die herkömmliche unpolitische Haltung ironischerweise durch die parteistaatlich induzierte Überpolitisierung des Lebens. Die penetrante Politik der Mobilisierung der Massen ließ zwar im Verlauf der fünfundvierzigjährigen SED-Herrschaft deutlich nach, doch entfremdeten die Rituale der sozialistischen Demokratie die Bürger nachhaltig von einem politischen Prozeß, an dem sie nun tatsächlich bloß »formal« teilhatten. Je mehr die Gesellschaft zu einer klassenlosen wurde, desto deutlicher schälten sich Tendenzen des Privatismus und der gesellschaftlichen Verantwortungslosigkeit heraus. Im selben Zuge erzwungener gesellschaftlicher Homogenisierung gewannen mystifizierende Interpretationen gesellschaftlicher Totalität an suggestiver Kraft. Auch wenn die moralische Gemeinschaft sich nicht mit der Partei oder mit dem Staat in eins setzte, sondern »uns hier unten« von »denen da oben« abgrenzte, verloren die einzelnen doch den Sinn für soziale Heterogenität und gesamtgesellschaftliche Zusammenhänge. Die soziale Integration verlief über Kleingruppen – Familie, Freundeskreise, Arbeitskollektive – und schottete diese von allem Fremden ab. Andererseits lud gerade die gesellschaftliche Entdifferenzierung dazu ein, Identität in Moralität und in bildungsbürgerlicher Kultiviertheit zu suchen.

Zu gesellschaftlichen Auswirkungen dieser Art, die sozialistische Systeme auch in anderen Ländern hatten, kamen in der DDR noch Effekte hinzu, die sich aus ihrer spezifischen Lage ergaben und die ebenfalls zur Reproduktion des politisch-kulturell Tradierten beitrugen. Aufgrund der deutschen Teilung verfügte die SED-Herrschaft über keine selbstverständliche, unhinterfragbare nationalstaatliche Basis. Sie suchte diesen Nachteil in den ersten Jahren durch eine »nationale Politik« für ganz Deutschland, sehr viel später dann durch Angebote einer DDR-deutschen »nationalen Identität« zu kompensieren. Obwohl sie damit an nicht unbekannte kulturelle Topoi anknüpfte, war diesen doch notwendig zugleich ein sozialistischer Argumentationskern inhärent. Denn nur der Sozialismus konnte aus der Perspektive der Partei als Basis dafür gelten, Deutschland zu vereinen, so wie – später – nur er die Eigenstaatlichkeit der DDR sollte garantieren können. Die SED ließ daher eine besondere Sorgfalt walten, um sozialistische Einstellungen – so wie sie sie verstand – zu fördern.

Die Suche nach einem »Modell DDR« und das Festhalten an dessen unverwechselbar sozialistischem, nicht-westlichen, antibürgerlichen Charakter waren nicht allein Sorge und Ziel einer Parteiführung, die ihre Herrschaft auf Dauer stellen wollte. Der Vorbehalt gegenüber der westlichen Welt saß auch in Teilen der Gesellschaft tief. Das zeigte nicht nur der Aufruf *Für unser Land* vom November 1989; auch die Bürgerrechtsgruppen, die sich seit dem Sommer desselben Jahres offen als politische Opposition organisierten, wollten zumeist nicht »zurück nach Europa«, wie die Bewegungen in den sozialistischen Nachbarländern, sondern konservierten vage Vorstellungen von einem »wahren« – freilich demokratischen – Sozialismus, dessen Konturen jedoch unscharf blieben.

Vorzeichen der Auflehnung

Das Zustandekommen einer gesellschaftspolitischen Koalition für eine Transformation des real existierenden Sozialismus scheiterte in der DDR am Beharrungsvermögen der Parteispitze, an der

Schwäche der innerparteilichen Reformer, die weder innerhalb der SED erfolgreich auf Diskussionen möglicher Veränderungen drängten, noch gar sich an die außerparteiliche Öffentlichkeit wandten, und an der prinzipiellen Loyalität des Großteils der etablierten Intelligenz. Sie alle fürchteten, die sowjetischen, ungarischen oder polnischen Reformvorhaben näherten sich bürgerlich-westlichen Strukturen zu stark an und müßten, auf die DDR übertragen, deren Eigenstaatlichkeit gefährden. Die ersten Konturen einer zivilen Gesellschaft bildeten sich überdies nur sehr spät aus, denn die Friedens-, Ökologie- und Menschenrechtsgruppen waren bis zum Sommer 1989 weitgehend marginal. Das lag nicht allein daran, daß sie sich erst spät ausdrücklich als Opposition verstanden und der Öffentlichkeit als politische Alternative anboten (Knabe 1990). Vielmehr agierten sie als Teil einer Gesellschaft, die sich ihrer kulturellen Tradition gemäß eher unpolitisch begriff und die überdies lange Zeit relativ stabil integriert war. Man kann diesen Umstand als Erklärung dafür ansehen, daß die Revolution in der DDR »so spät kam« und »so schnell ihre Richtung änderte« (Wielgohs/Schulz 1990, S. 24). Wie ich meine, trägt aber die soziopolitische Konstellation insgesamt zur Erklärung dafür bei, warum es überhaupt zu einer Revolution kam.

Weil die Wissenschaften als Medium der Kritik weitgehend ausfielen, war, wer sich über den Zustand der Gesellschaft informieren wollte, in der Regel auf die schöne Literatur oder auf Analysen und Stellungnahmen aus kirchlichen Kreisen angewiesen. Ohne diese Informationsquellen diskreditieren zu wollen, läßt sich doch sagen, daß eine literarische oder religiöse Kritik des Bestehenden anders wirkt als wissenschaftliche Aufklärung, und dies um so mehr in einer Gesellschaft, die weniger zu einem politisch-rationalen als zu einem moralisch-kulturellen Selbstverständnis neigt. Schriftsteller und Theologen fingen die gesellschaftliche Befindlichkeit in ihrer sozialpolitischen Sicherheit, ökonomischen Rückständigkeit, politischen Unmündigkeit und sozialen Enge ein. Sie beschrieben die Situation als Entfremdung von den Arbeits- und Lebensbedingungen, als Schizophrenie zwischen öffentlicher Anpassung und privat geäußerter Unzufriedenheit. Die schöne Literatur erfüllte aufklärende Funktionen, sie war eine »Ersatzinformationsquelle« (Grunenberg 1989, S. 232 f.) für die Leser, die sich ihrer Situation vergewissern wollten und zugleich erfuhren, daß sie mit ihrem Unbehagen offenbar nicht allein waren. Es wurde deutlich, daß Wärme, Solidarität und Geborgenheit längst zum Mythos geworden waren. Wachsender Wohlstand, Technisierung und Normierung der Arbeits- und Lebensbedingungen, Zeit- und Leistungsdruck begannen, die privaten Nischen zu untergraben. Nervosität und Aggressivität, Angst und Sprachlosigkeit, Monotonie und Anonymität, hohe Scheidungsraten und die Doppelbelastung der Frauen ließen die Menschen sich eine zweite Haut überziehen.[15] Gewollt oder unter der Hand geriet die Literatur zur künstlerischen Darstellung der »politischen Kultur einer unpolitischen Gesellschaft« (Hanke 1987): sie schilderte Anpassung, Innerlichkeit und Autoritarismus in der Nischengesellschaft, deren Verhaltenskodex Freundlichkeit forderte – nicht Toleranz oder Verläßlichkeit –, nicht Konfliktbereitschaft. Sie zeichnete eine Gesellschaft, die weder offenen Konflikt noch Kritik noch Öffentlichkeit kannte und mit ihrer Endzeitstimmung, ihrer Rat- und Hoffnungslosigkeit, ihrer Neigung, Gesellschaftsveränderung als Persönlichkeitsentwicklung zu begreifen, aus der deutschen Geschichte nicht unbekannt war. Nicht öffentliche Tugenden kamen zum Vorschein, sondern »Fügsamkeit gegenüber festgeschriebenen Formen politischer Herrschaft«, »Delegation politischer Aktion an ›Befugte‹«, »Rückzug auf Persönlichkeitskultur und private Welt« (Hanke 1987, S. 310, 313 f.).

Die Autoren mochten durchaus hoffen, auf dem Wege der Auseinandersetzung mit Kunst und Literatur würden sich einzelne und Gesellschaft demokratisieren, aber auch diese Hoffnung war in gewissem Sinne ein deutsches Unterfangen, weil sie sich von unmittelbar politisch-demokratischem Engagement fernhielt. Allerdings fühlten sich viele, die sich in alternativen Gruppen engagierten, von der literarischen Kritik der Gesellschaft stimuliert. Im allgemeinen jedoch blieb es eine Kritik, die keine politischen Formen annahm, und dies gilt – ebenso mit Vorbehalt, wenn auch einem anders akzentuierten – für die Analysen und Stellungnahmen aus dem Kreis der evangelischen Kirchen. Sie wurden zwar zunehmend politisch, doch haftete ihnen einerseits ganz überwiegend der Charakter der Stellvertretung an; andererseits bewegten sie sich, ihrer Herkunft gemäß, im religiösen Kontext. Beides ist nicht den Kirchen vorzuwerfen; aber es hatte seine Auswirkung auf die Orientierung und Verhaltensweisen der alternativen Gruppen.

Die Analysen und Stellungnahmen, die teils der innerkirchlichen Diskussion, teils der Verständigung mit dem Parteistaat dienten, waren sehr präzise. Begriff und Beschreibung der »Megapolis DDR« zum Beispiel brachten den Zentralismus und mit ihm die Dominanz der Administration über alle Lebensbereiche ebenso zum Ausdruck wie die Folgen, die sie für Industrialisierung und Urbanisierung hatten: Einsamkeit in den Wohnsilos, Einebnung sozialer Unterschiede, Kommunikationsstörungen, Alkoholismus, Ausländerfeindlichkeit.[16] Die »klassenlose« und »geschlossene Gesellschaft« (Neubert 1986a, S. 157) machte, wie Theologen befanden, »die Menschen krank«. Sie diagnostizierten gemindertes Selbstbewußtsein, Resignation und Perspektivlosigkeit, Verantwortungsscheu unter starkem Anpassungsdruck, Rückzugsneigung in private Schneckenhäuser.[17] Für Konformismus und Obrigkeitsfurcht machten sie überbordende Bürokratie, Amtsmißbrauch und Behördenwillkür ebenso verantwortlich wie die politischen Ansprüche des Parteistaats.[18] Sie kritisierten die Neigung der Bürger, sich einzurichten und an ihrer »Zuschauermentalität« festzuhalten (Schorlemmer 1988, S. 24), aber sie benannten auch die gesellschaftspolitischen Strukturen, die für individuelle Ohnmachtserfahrungen, fehlende Öffentlichkeit, Diskrepanz zwischen öffentlicher und privater Sprache, Mangel an Rechtssicherheit, Zerfall der Familien, Probleme der Alten, Behinderten und Kranken die Verantwortung trugen.[19] Die Schärfe der Diagnosen der evangelischen Kirchen erklärt sich daraus, daß gerade sie sich in den letzten Jahren der SED-Herrschaft mit den Problemen der Gesellschaft konfrontiert sahen. Immer mehr Menschen wollten das Land verlassen und wandten sich an sie, und so benannten sie die Gründe, um den Staat zum Handeln, und das sollte heißen: zu Konzessionen zu bewegen. Die Ausreisewilligen und viele derer, die blieben, waren unzufrieden mit der mangelnden Freizügigkeit, den fehlenden Wahl- und Mitspracherechten, der politischen Aushöhlung des Leistungsprinzips, der allgegenwärtigen Bürokratie, den ökonomischen Engpässen, der Erfolgsrhetorik der Medien und der »Schönfärberei« der Staats- und Parteiführung.[20]

Die Nähe zwischen den kritischen kirchlichen Positionen und denen, die die alternativen Gruppen kurz vor der Revolution einnahmen, war sehr groß. Das ist insofern wenig erstaunlich, als die Kirchen, die einzigen unabhängigen Institutionen im real-existierenden Sozialismus, seit Beginn der achtziger Jahre mehr oder weniger freiwillig und wohlwollend zum Schutzschild der Alternativbewegung wurden, die sich in Gestalt kirchlicher Basisgruppen organisierte.[21] Die Gruppen selbst standen, wenn auch Theologen in ihnen eine bedeutende Rolle spielten, nicht notwendig theologischen Positionen, aber jedenfalls religiösen Haltungen nahe. Das betraf nicht allein zentrale Themen wie die Absage an Geist, Logik und Praxis der Abschreckung – später auch der Abgrenzung. Es galt ebenso für die Sorge um Gerechtigkeit, Frieden und Bewahrung der Schöpfung und für den Wunsch nach Vertrauen, Dialog und rationaler Konfliktlösung in der Gesellschaft und zwischen Gesellschaft und Staat. Dies alles waren Themen, die die Gruppen mit den Synoden und ökumenischen Versammlungen teilten, wenn nicht von ihnen lernten, und die ihnen und ihrer Gesellschaftskritik gleichsam eine »religiöse Legitimität« verliehen (Neubert 1990, S. 705). Die Affinität zur Religion drückte sich aber vor allem in der Suche nach Transzendenz und in einer nahezu rituellen Praxis aus, die sich auf nicht hinterfragbare und unverfügbare Symbole und Werte – Frieden, Gerechtigkeit, Natur – berief.[22] Mit den Meditationen, Friedensandachten und Gottesdiensten, Kerzenmahnwachten und Fastentagen, mit der Bedeutung der Gewaltlosigkeit und des Dona nobis pacem entstand eine »religiöse Kultur des Widerstands« (Neubert 1990, S. 706). Sie prägte sowohl die Form der friedlichen Revolution in der DDR als auch viele ihrer Repräsentanten an den runden Tischen und in den Bürgerkomitees.

Die politische und demokratische Prononcierung, die die Position der Kirchen wie auch der Bürger- und Menschenrechtsgruppen gewannen, entstammte, was letztere angeht, aber auch einem säkularisierten Hintergrund. Wenn man die Vorstellung einer *societé civile* als Reaktion auf eine quasi-absolutistische Herrschaft und als Wiederanknüpfen an die Säkularisierung versteht, als ein Projekt, das gerade deshalb einen öffentlichen Raum für politische Verständigung herstellen und demokratische Verfahren einführen will, weil es in der Politik keine letzten Gründe und unverfügbaren Werte mehr geben soll, dann liegt wohl auf der Hand, daß der religiöse Kontext und kirchliche Schutzraum verlassen werden mußten. Dies taten die alternativen Gruppen – von einer Minderheit abgesehen – erst im Sommer 1989.

Für das lange Zögern gab es mehrere Gründe. Bereits die Re-

produktion religiöser Werthaltungen scherte aus der vorherrschenden Anpassungsbereitschaft aus, opponierte gegen das
ebenso systemspezifische wie verquere gesellschaftliche Leitbild,
ein »glaubwürdiger Schizophrener« zu werden (Grunenberg
1989, S. 228), also eine stabile Balance zwischen öffentlichem
Sich-Einfügen und privatem Vorbehalt zu finden. Diese Verweigerung war um so bemerkenswerter, als sich gerade bei Jugendlichen
noch in den siebziger Jahren sozialistische Überzeugungen und
Wertorientierungen konsolidierten, und zwar sowohl bei jungen
Arbeitern als auch (und mehr noch) bei Studenten.[23] Im allgemeinen galt daher schon einfaches Disengagement, Distanz zu den
offiziellen »gesellschaftlichen« Pflichten, als »Anzeichen für das
politische Verhalten eines Menschen« (Henrich 1989, S. 111). Dies
unterschied die DDR-Gesellschaft nicht von anderen sozialistischen Gesellschaften. Anders war vielmehr, daß Unzufriedenheit,
die sich darüber hinaus artikulierte, entweder auf Subkulturen
oder auf die kirchlichen Institutionen verwiesen blieb, weil sich
weder aus den Fabriken oder Gewerkschaften, noch aus den Universitäten oder der FDJ, noch aus den Verbänden der wissenschaftlichen oder künstlerischen Intelligenz – und schon gar nicht
aus den Parteien – heraus Gegenöffentlichkeiten bildeten und sich
als Bündnispartner anboten. Außerdem gab es nur in der DDR für
Legionen Unzufriedener die Möglichkeit, in den anderen deutschen Staat zu gehen. Von ihr machten vor allem junge Menschen
Gebrauch[24], und zwar nicht die Lethargischen und Unsicheren,
sondern gerade jene, die sich zutrauten, sich selbst in einer fremden und kompetitiven Gesellschaft durchzusetzen.[25]

Im Frühjahr 1989 gab es in der DDR ungefähr 150 alternative
Gruppen; weitere 10 versuchten, die Alternativbewegung überregional zusammenzufassen und zu koordinieren. Die Mehrzahl
ihrer Mitglieder war zwischen 25 und 40 Jahre alt; der Anteil der
Fach- und Hochschulabsolventen war im Gegensatz zu dem der
Arbeiter hoch. Nicht wenige (12%) lebten ohne festes Arbeitsver-
hältnis, entzogen sich den offiziellen Normen also schon in diesem
zentralen Bereich. An die 100 000 beteiligten sich an Aktionen,
2500 gehörten zum Kreis ständig Aktiver, 600 engagierten sich in
»Führungsgremien«, 60 zählte die Stasi zum »harten Kern« (Mit-
ter/Wolle [Hg.], 1990, S. 47 f.). Die staatliche Repressionswelle
des Winters 1987/88 und der Konflikt mit der wachsenden Zahl
derer, die Ausreiseanträge stellten, forcierten die Politisierung.

Der Sprung aus der gesellschaftlichen Marginalität gelang mit den Aktionen während der Kommunalwahlen im Mai 1989 und mit den Protesten gegen die Wahlfälschungen. War die Bevölkerung bereits nachhaltig irritiert, weil die SED jegliche Reformnotwendigkeit leugnete, engen Anschluß an die gleichgesinnten Parteien der ČSSR und Rumäniens suchte und »Dialog« oder »Streitkultur« – denen sie im gemeinsamen Papier mit der SPD zugestimmt hatte – offen desavouierte, konnte sie im Frühjahr das bekannte Wahlritual, das der Parteistaat ihr noch einmal zumutete, mit der veränderten Situation in anderen sozialistischen Ländern vergleichen: In der Sowjetunion fanden geheime Wahlen zum Volksdeputiertenkongreß statt, die mehrere Kandidaten anboten; in Polen und Ungarn verhandelten die Runden Tische über Übergangsformen, an deren Ende freie Wahlen stehen sollten.[26]

Die Situation spitzte sich zu, als SED und Volkskammer für die Massaker in Peking Verständnis zeigten und völlig unbeirrt von den Botschaftsbesetzungen und der Fluchtbewegung des Sommers die Feiern zum 40. Jahrestag der DDR vorbereiteten. Seit dem Frühsommer löste sich die Alternativbewegung aus dem kirchlichen Umkreis[27]; im August und September begannen sich Demonstrationen auszuweiten, die dem »Wir wollen raus« der Ausreisewilligen ihr »Wir bleiben hier« entgegensetzten. Mit der Massenemigration wurden sie zu Massendemonstrationen, die schließlich die Revolution auslösten. Das politische System brach im Oktober/November von den Akteuren völlig unvorhergesehen und vollständig zusammen.[28]

Auf die Möglichkeit, die Macht gemeinsam mit Reformpolitikern der SED zu übernehmen, um diese schließlich abzulösen, war die Opposition in keiner Weise vorbereitet. Nicht nur vertrat sie eine eher informelle Politikauffassung, der Sturz des Regimes kam auch zu schnell. Das Gefühl des Überrumpeltseins war um so größer, als nicht nur die Strukturen des *ancien régime* zerfielen, sondern die DDR obendrein. »Ihr Zusammenbruch kam noch unerwarteter als der Zusammenbruch des Systems.«[29] Er resultierte einerseits aus dem Umstand, daß die revolutionäre Dynamik mit den politisch dominierten Strukturen des real existierenden Sozialismus zugleich die sozioökonomischen Voraussetzungen für demokratisch-sozialistische Reformen zerstörte, die die Akteure der ersten Stunde durchsetzen wollten. Der Zusammenbruch der DDR war andererseits dem Ausgangspunkt der Revolution: der klassenlosen Gesellschaft, geschuldet. Denn im Rahmen der alten, homogenisierten Wirklichkeit hatten sich die sozioökonomischen Strukturen einer neuen Gesellschaft nicht entwickeln können, und auch Vorformen politischer Strukturen waren nicht rechtzeitig genug entstanden, um einen institutionellen Rahmen zu schaffen, innerhalb dessen die Gesellschaft im Umbruch über ihre künftige Gestalt sich hätte auseinandersetzen können und wollen.

Anmerkungen

1 Beispiele dafür sind insbesondere die Reformen der sechziger Jahre, aber auch die Versuche in den achtziger Jahren, soziale Differenzierung als Motor der wissenschaftlich-technischen Revolution zu nutzen. Diese Versuche schlugen sich auch in den wissenschaftlichen Konzeptionen der sozialistischen Gesellschaft und ihrer funktionalen Struktur (Manfred Lötsch) sowie ihrer politischen Organisation (Uwe-Jens Heuer, Karl-Heinz Schöneburg) nieder.

2 Den Ausdruck »klassenlose Gesellschaft« verwendet auch Neubert (1986, S. 157). Krüger (1988) bezeichnet die Ausdifferenzierung sozialer Subsysteme und ihrer spezifischen Rationalität als Kern der Modernität des Kapitalismus, woraus auf seine Kritik am real existierenden Sozialismus – an seiner Entdifferenzierung und seinen Modernisierungsblockaden – zu schließen ist. Auch Meier (1990, S. 8) spricht von einer »klassenlosen Gesellschaft« und meint damit jene ca. zwei Drittel der DDR-Gesellschaft, die den drei »Ständen« der Nomenklatur, der Bürokratie und des professionellen Mittelstands nicht zuzuordnen sind. Er bezweifelt selbst, ob der »rechtlose Vierte Stand« der Arbeiter, Bauern und nichtleitenden Angestellten mit ständischen Kategorien zutreffend zu erfassen ist (ebd. S. 13).

3 So Meier (1990, insbesondere S. 10 ff.), in unmittelbarer Anlehnung an einschlägige Passagen in Webers *Wirtschaft und Gesellschaft*, Bd. I.

4 Haben Stände ihm zufolge »ihre eigentliche Heimat« in der sozialen, so Klassen in der ökonomischen und Parteien in der politischen Ordnung (*Wirtschaft und Gesellschaft*, Bd. II, S. 688).

5 *Wirtschaft und Gesellschaft*, Bd. II, S. 687.

6 Auf das Zusammenspiel zwischen Differenzierung und Entdifferenzierung macht insbesondere Pollack (1990) aufmerksam.

7 So drückt das Manfred Lötsch in seinen Analysen der achtziger Jahre

aus. Die Bezeichnung »Gesellschaft der Staatsangestellten« stammt von Ernst Richert.

8 Tatur (1989, S. 40). Zur Statusinkonsistenz, der fehlenden Korrelation zwischen Arbeit und Leistung, Ausbildung und Beruf, Einkommen und Prestige, in Polen vgl. ebd., S. 37ff.; für Ungarn Mänicke-Gyöngyösi (1989, S. 340). Für die DDR gibt es bislang nur Hinweise auf dieses Problem (Hanf 1990) und neuerdings auch zugängliches Material (*Sozialreport* 1990), aber noch keine soziologischen Analysen.

9 Fehér/Heller/Márkus (1983, S. 125) nennen deshalb die gesellschaftliche Homogenität einen »sekundären Mechanismus«.

10 Weber (1988) unterstellte das Fortbestehen des Marktes und des formalen Rechts; er orientierte sich wohl am Hilferdingschen Generalkartell, als er für den Sozialismus voraussagte, die formal-rationale Bürokratisierung werde zunehmen. Pakulski (1986) schlägt vor, Gesellschaften sowjetischen Typs nicht als *bureaucratic*, sondern als *partocratic systems* zu verstehen. Damit spricht er den Umstand an, daß sozialistische Bürokratien sich nicht primär an Recht und Regelhaftigkeit, sondern an politischen Vorgaben orientierten; daß der Grundsatz, ohne Ansehen der Person zu entscheiden, wenig galt; daß politische und Fachbürokratien in eine mono-organisatorische Struktur integriert waren; daß extra-legale Entscheidungen auch insofern eine Notwendigkeit waren, als Planvorgaben anders nicht zu erfüllen waren usf. Pakulskis Hinweis auf das instrumentelle Verhältnis zum Recht ist besonders wichtig: Die politische Entscheidung war kein funktionales Äquivalent, sondern ein Substitut für Markt und formales Recht; sie diente – wie die Bürokratien – der unmittelbaren Verfolgung der parteipolitisch gesetzten Ziele; und sie war die Antwort auf die Kritik am Rechtsformalismus insgesamt. Während Max Weber befürchtet hatte, im Sozialismus werde die formale Rationalität der Bürokratie und des Marktes politische Handlungsmöglichkeiten weiter einschränken, geschah das gerade Gegenteil: Die politische Prärogative setzte Markt und Recht außer Kraft. – Vgl. für eine analoge Einschätzung des Charakters sozialistischer Bürokratien Rigby (1982).

11 Zur Unterscheidung der Spezialisten des *telos* und der *techné* vgl. Konrád/Szelenyi (1981).

12 Die politische Ordnung, die angetreten war, alles zu verändern und in Bewegung zu versetzen, wurde zunehmend immobil. Das läßt sich aus den immer engeren Reformspielräumen – von 1953 über 1963 bis 1971 – zeigen. So Hartmut Zimmermann 1990 in einem Kolloquium an der Karl-Marx-Universität Leipzig.

13 Dieses in der Geschichte der sozialistischen Länder immer wiederkehrende Konfliktmuster führen Fehér/Heller/Márkus (1983, S. 130) auf den neben anderen sozialen Differenzierungen zentralen Unterschied zwischen *commanded labour* und *labour of commanding* zurück.

14 Vgl. zuletzt Elias (1989); für die DDR Hanke (1987) und Meuschel (1992).

15 Belwe (1988, S. 506 ff.) schildert die zunehmende zwischenmenschliche Entfremdung in der DDR und stützt sich dabei vornehmlich auf literarische Texte.

16 Zur »Megapolis« vgl. Neubert (1986); vgl. auch: Neubert (1988) zur Lage auf dem Land. Zum Alkoholismus (10% der Bevölkerung sind Gewohnheitstrinker, 6% alkoholkrank) vgl. den *Schwerpunktbericht zum Thema Alkoholismus auf der Frühjahrstagung der Landessynode 1988*, Dresden (19.–22. 3. 1988), in: *epd-Dokumentation* 17/88, S. 38. Zur Ausländerfeindlichkeit vgl. die *Ökumenische Versammlung für Gerechtigkeit, Frieden und Bewahrung der Schöpfung*, Dresden (26.-30. 4. 1989), in: *epd-Dokumentation* 21/89, S. 24 f.

17 So Hans-Jürgen Fischbeck auf der Synode der Evangelischen Kirche in Berlin-Brandenburg, Ostberlin (24.-28. 4. 1987), in: *epd-Dokumentation* 25/87, S. 31 f.

18 *Ökumenische Versammlung für Gerechtigkeit, Frieden und Bewahrung der Schöpfung*, Dresden (26.-30. 4. 1989), in: *epd-Dokumentation* 21/89, S. 28.

19 *Ökumenische Versammlung für Frieden, Gerechtigkeit und Bewahrung der Schöpfung*, Dresden (8.-11. 10. 1988), in: *epd-Dokumentation* 6/89, S. 3.

20 Bundessynode in Dessau (16.-20. 9. 1988), in: *epd-Dokumentation* 43/88, S. 49.

21 Laut Bericht der Stasi waren sie seit ihrer Gründung »fast ausschließlich in Strukturen der evangelischen Kirchen eingebunden« und nutzten »die materiellen und technischen Möglichkeiten dieser Kirchen umfassend« (Mitter/Wolle (Hg.) 1990, S. 47). Dies galt, wie der Bericht detailliert beschreibt, für die Friedensbewegung seit der Wende von den siebziger zu den achtziger Jahren, für die Frauen- und Ökologiebewegung seit 1982/83 (ebd., S. 56 ff.). Von der Alternativbewegung, die sich in Form kirchlicher Basisgruppen organisierte, hebt die Stasi Bürger- und Menschenrechtsgruppen wie die Initiative für Frieden und Menschenrechte (seit 1986) ab, weil sie sich außerhalb des kirchlichen Raums bildeten, und sie verweist überdies auf die »spezifischen koordinierenden Funktionen« jener Gruppen, die überregionale Organisationsanstrengungen unternahmen. Dazu gehörten der Fortsetzungsausschuß Konkret für den Frieden (1984), der Arbeitskreis Solidarische Kirche (1986), die Umweltbibliothek (1986), die Kirche von Unten (1988), das Grün-ökologische Netzwerk Arche (1988) und wiederum die Initiative für Frieden und Menschenrechte (ebd. S. 68 ff.).

22 Dies ist die These von Neubert (1985, 1986). Er sieht die Ursachen für die Reproduktion von Religion im Sozialismus in einem unbefriedigten Kommunikationsbedürfnis und – grundsätzlicher – in der »Unabweis-

barkeit des Verlangens nach Gewißheit«, dem Problem der Kontingenzbewältigung also (1985, S. 100).

23 Dieser Trend kehrte sich gegen Ende des Jahrzehnts allmählich, seit Mitte der achtziger Jahre dann rasch um; doch Studenten hielten dem System am längsten die Treue (Friedrich 1990).

24 76,6% der Auswanderer des Jahres 1989 waren unter 40, 51,4% ledige Männer zwischen 18 und 30 Jahren (*Sozialreport 1990*, S. 43).

25 Im Sommer 1989 in der Bundesrepublik befragte Übersiedler gaben zu 72% an, ihr Leben nach eigenen Vorstellungen gestalten zu wollen, 69% beklagten die in der DDR fehlenden oder ungünstigen Zukunftsaussichten (*Sozialreport 1990*, S. 44).

26 Der Stasi berichtete ausführlich über die Unzufriedenheit mit dem Modus der Kommunalwahlen und den Reaktionen der Behörden auf die anschließenden Proteste – die öffentlichen Briefe, Eingaben, Strafanzeigen, die alle ignoriert bzw. für gegenstandslos erklärt wurden (Mitter/Wolle (Hg.) 1990, S. 29 ff. und passim).

27 Vgl. *Analysen, Dokumentationen und Chronik* (1990); *DDR Journal* (1990) und *DDR Journal 2* (1990); Rein (Hg.) 1989; Schüddekopf (Hg.) 1990.

28 Zu den institutionellen Aspekten des Revolutionsverlaufs vgl. Glaeßner 1990.

29 Jens Reich, *SZ* vom 24./25. 3. 1990, S. 12.

Literatur

Analysen, Dokumentationen und Chronik zur Entwicklung in der DDR vom September bis Dezember 1989 (Januar 1990), Bonn

Belwe, K. (1988), *Zwischenmenschliche Entfremdung in der DDR,* in: G.-J. Glaeßner (Hg.), *Die DDR in der Ära Honecker,* Opladen, S. 499 ff.

DDR Journal (1990), *Zur Novemberrevolution, August bis Dezember 1989. Vom Ausreisen bis zum Einreißen der Mauer,* Berlin

DDR Journal 2 (1990), *Die Wende in der Wende, Januar bis März 1990. Von der Öffnung des Brandenburger Tores zur Öffnung der Wahlurnen,* Berlin

Elias, Norbert (1989), *Studien über die Deutschen,* Frankfurt/Main

Fehér, Ferenc/Agnes Heller/György Márkus (1983), *Dictatorship over Needs,* Oxford

Friedrich, W. (1990), *Mentalitätswandlungen der Jugend in der DDR,* in: *Aus Politik und Zeitgeschichte,* 16-17, S. 25 ff.

Garton Ash, T. (1989), *Revolution in Hungary and Poland,* in: *New York Review of Books* (13), S. 9 ff.

Garton Ash, T. (1990), *Eastern Europe: The year of truth*, in: *New York Review of Books* (2), S. 17ff.

Glaeßner, G.-J. (1990), *Vom »realen Sozialismus« zur Selbstbestimmung. Ursachen und Konsequenzen der Systemkrise in der DDR*, in: *Aus Politik und Zeitgeschiche*, 1-2, S. 3ff.

Glaeßner, Gert-Joachim/Irmhild Rudolph (1978), *Macht durch Wissen. Zum Zusammenhang von Bildungspolitik, Bildungssystem und Kaderqualifizierung in der DDR*, Opladen

Grunenberg, A. (1989), *Bewußtseinslagen und Leitbilder in der DDR*, in: W. Weidenfeld/H. Zimmermann (Hg.), *Deutschland-Handbuch. Eine doppelte Bilanz 1949-1989*, Bonn, S. 221ff.

Hanf, Thomas (1990), *Auf der Suche nach Subjektivität. Thesen zum Fortgang der Sozialstrukturforschung in der DDR*, unveröffentlichtes Manuskript, Berlin

Hanke, Irma (1987), *Alltag und Politik. Zur politischen Kultur einer unpolitischen Gesellschaft*, Opladen

Henrich, Rolf (1989), *Der vormundschaftliche Staat. Vom Versagen des real existierenden Sozialismus*, Reinbek

Knabe, H. (1990), *Politische Opposition in der DDR. Ursprünge, Programmatik, Perspektiven*, in: *Aus Politik und Zeitgschichte*, 1-2, S. 21ff.

Konrád, György/Iván Szelenyi (1981), *Die Intelligenz auf dem Weg zur Klassenmacht*, Frankfurt/Main

Krüger, H.-P. (1988), *Die kapitalistische Gesellschaft als die erste moderne Gesellschaft. Philosophische Grundlagen der Erarbeitung einer Konzeption des modernen Sozialismus*, Humboldt-Universität zu Berlin

Mänicke-Gyöngyösi, K. (1989), *Sind Lebensstile politisierbar? Zu den Chancen einer »zivilen« Gesellschaft in Ost- und Mittelosteuropa*, in: R. Rytlewski (Hg.), *Politik und Gesellschaft in sozialistischen Ländern*, Opladen, S. 335ff.

Meier, A. (1990), *Abschied von der sozialistischen Ständegesellschaft*, in: *Aus Politik und Zeitgeschichte*, 16-17, S. 3ff.

Meuschel, S. (1992), *Legitimation und Parteiherrschaft. Zum Paradox von Stabilität und Revolution in der DDR 1945-1989*, Frankfurt/Main

Mitter, Armin/Stefan Wolle (Hg.) (1990), *Ich liebe euch doch alle! Befehle und Lageberichte des MfS Januar – November 1989*, Berlin

Neubert, E. (1985), *Religion in der DDR-Gesellschaft. Nicht-religiöse Gruppen in der Kirche – ein Ausdruck der Säkularisierung?*, in: *Kirche im Sozialismus*, 3, S. 99ff.

Neubert, E. (1986), *Religion in Soziologie und Theologie. Ein Vermittlungsversuch für den Gebrauch des Religionsbegriffes in der DDR*, in: *Kirche im Sozialismus*, 2, S. 71ff.

Neubert, E. (1986), *Megapolis DDR und die Religion. Konsequenzen aus der Urbanisierung*, in: *Kirche im Sozialismus*, 4, S. 155ff.

Neubert, E. (1988), *Eine Woche der Margot Triebler. Zur Soziologie des »schönen und produktiven Dorfes«*, in: *Kirche im Sozialismus*, 3 und 4, S. 102 ff., 148 ff.

Neubert, E. (1990), *Eine protestantische Revolution*, in: *Deutschland Archiv*, 5, S. 704 ff.

Pakulski, J. (1986), *Bureaucracy and the Soviet System*, in: *Studies in Comparative Communism*, 1, S. 3 ff.

Plessner, Helmuth (1974), *Die verspätete Nation*, Frankfurt/Main

Pollack, D. (1990), *Das Ende einer Organisationsgesellschaft. Systemtheoretische Überlegungen zum gesellschaftlichen Umbruch in der DDR*, in: *Zeitschrift für Soziologie*, 4, S. 292 ff.

Rein, Gerhard (Hg.) (1989), *Die Opposition in der DDR. Entwürfe für einen anderen Sozialismus*, Berlin

Rigby, T. H. (1982), *Introduction: Political Legitimacy, Weber and Communist Monoorganizational Systems*, in: T. H. Rigby/F. Fehér (Hg.), *Political Legitimation in Communist States*, London, S. 1 ff.

Schorlemmer, F. (1988), *Wir sitzen oft hinter Barrikaden und tuscheln über andere*, in: *epd-Dokumentation*, 39 a, S. 23 f.

Schüddekopf, Charles (Hg.) (1990), *»Wir sind das Volk!« Flugschriften, Aufrufe und Texte einer deutschen Revolution*, Reinbek

Sozialreport 1990 (1990), hg. v. Gunnar Winkler, Institut für Soziologie und Sozialpolitik der Akademie der Wissenschaften der DDR, Manuskriptdruck

Staniszkis, J. (1991), *Dilemma der Demokratie in Osteuropa*, in: R. Deppe/H. Dubiel/U. Rödel (Hg.), *Demokratischer Umbruch in Osteuropa*, Frankfurt/Main, S. 326 ff.

Tatur, Melanie (1989), *Solidarność als Modernisierungsbewegung*, Frankfurt/Main, New York

Weber, Max (1964), *Wirtschaft und Gesellschaft*, Berlin

Weber, Max (1988), *Der Sozialismus*, <1918>, in: M. Weber, *Gesammelte Aufsätze zur Soziologie und Sozialpolitik*, Tübingen, S. 492 ff.

Manfred Lötsch
Der Sozialismus – eine Stände- oder eine Klassengesellschaft?

Wie man weiß, hat es im Laufe der Zeit viele Versuche gegeben, die offiziell »realer Sozialismus« genannte Erscheinung auf einen stimmigeren Begriff zu bringen. Dabei geht es um weit mehr als um bloße Terminologie. Angesichts des globalen, von Kuba über China und die UdSSR reichenden Kollapses eines Gesellschaftssystems stellt sich die Frage in vergleichbaren Dimensionen: Welcher Art ist diese Ordnung gewesen, wie erklären sich sowohl ihre Dauerhaftigkeit als auch ihr globaler Zusammenbruch?

Politologische Deutungen, dies vorweg, bieten sich dabei wohl auf den ersten Blick an, aber sie können bei näherem Zusehen nicht so recht befriedigen. Gewiß hatte der Sozialismus über Jahrzehnte hinweg eine »stalinistische« Prägung, und angesichts des im August 1991 versuchten Militärputsches in der UdSSR wird man wohl einräumen müssen, daß die auf Stalin zurückgehenden Vorstellungen über Gesellschaft, Staat und Politik bei weitem noch nicht der Vergangenheit angehören. Allerdings ist mit einer solchen Kennzeichnung noch nicht allzuviel gewonnen: Mit dem Namen eines Mannes ist das Wesen einer Gesellschaftsformation nicht hinreichend zu erfassen. Folglich müßte danach gefragt werden, welcher theoretische Vorrat zur Verfügung steht, um dem Problem näherzukommen.

A. Der Sozialismus als Klassengesellschaft

Im eigentlichen marxistischen Verständnis ist eine Klassengesellschaft nicht nur über ihren politischen Überbau zu charakterisieren, sondern als eine Totalität von Basis- und Überbaustrukturen, wobei, welche relative Eigenständigkeit dem politischen und ideologischen Überbau auch immer zukommen mag, abschließende Erklärungen in der gesellschaftlichen Basis, d. h. in der sozialökonomischen Grundverfassung, gesucht werden müssen. Dabei ist zunächst aus dem Umstand, daß es in der »realsozialistischen«

Ordnung eine »Arbeiterklasse« und eine »Klasse der Genossenschaftsbauern« gegeben hat, die Berechtigung, den Begriff »Klassengesellschaft« auf sie anzuwenden, schwerlich abzuleiten, weil (neben anderen Einwänden) das darauf hinausliefe, völlig gegensätzliche Gesellschaftsformationen unter ein und dasselbe sprachliche Zeichen zu pressen, was den Grundregeln wissenschaftlicher Begriffsbildung zutiefst widerspräche. Gewiß könnte man die Formen der politischen Herrschaft als »Klassenherrschaft« bestimmen (womit natürlich nicht die »Herrschaft der Arbeiterklasse« gemeint sein könnte, sondern die eines politischen Machtapparats) – aber dann bleibt immer noch die Frage offen, welcher Art die sozialökonomischen Wurzeln dieser Herrschaftsform gewesen sind, und es würde übersehen, in welchen prinzipiellen Punkten sich diese gesellschaftlichen Verhältnisse von den westlichen Gesellschaften unterscheiden. Es ist praktischer und weit weniger verwirrend, unter »Klassengesellschaft« eine Gesellschaftsformation zu verstehen, in der die Produktionsmittel privates Eigentum sind und in der das Gefüge sozialer Ungleichheit *letztlich* (wie vermittelt auch immer) in der jeweiligen Stellung zum Eigentum an den Produktionsmitteln wurzelt, und für eine Gesellschaft, deren Eigentumsverhältnisse entschieden nicht privatkapitalistisch gewesen sind, eine andere begriffliche Fixierung zu suchen.

Andererseits muß eingeräumt werden, daß auch noch andere Zugänge denkbar sind. »Klassengesellschaften«, könnte man einwenden, müssen nicht notwendigerweise auf dem privaten Eigentum an den Produktionsmitteln beruhen. Klassenbildung und damit auch die Formierung herrschender Klassen ist auch auf anderen und vermittelten Wegen möglich, wenn man von einem allgemeineren und nicht nur aus der Stellung zum Eigentum an den Produktionsmitteln abgeleiteten Klassenbegriff ausgeht. Versteht man beispielsweise im Sinne Max Webers unter »Klassenlage« die »typische Chance

1. der Güterversorgung
2. der äußeren Lebensstellung
3. des inneren Lebensschicksals«[1],

dann kann man durchaus, eben im Hinblick auf Güterversorgung und äußere Lebensstellung, die obere Funktionärsschicht als herrschende Klasse definieren, die dann freilich ihre Klassenlage nicht primär aus ihrer Stellung zum Eigentum an den Produktionsmitteln herleitet, sondern aus ihrer positionellen Stellung im Gefüge von *Macht.* Dies spräche dann freilich nicht gegen die Anwendbarkeit des Klassenbegriffes an sich, sondern gegen dessen (auf Lenin zurückgehende) Einengung auf Eigentumsklassen.[2]

B. Der Sozialismus als geschichtete Gesellschaft

Auf den ersten Blick scheint das Konzept der »sozialen Stratifikation« ganz gut geeignet zu sein, soziale Strukturen des realsozialistischen Typs zu beschreiben. Als Beispiel mag die Schichtung nach Einkommen gelten:

Schichtung der Arbeitnehmerhaushalte 1985
(Anteile in %)[3]

	BRD	DDR
unter 1000 DM/M	0,9	13,3
1000-1400 DM/M	2,1	15,5
1400-1800 DM/M	4,1	28,6
1800-2200 DM/M	7,9	22,7
über 2200 DM/M	85,0	20,0

Während die Einkommensverteilung in der BRD (alt) im Grunde erst hinter der Marke von 2200 DM so recht zu streuen beginnt, ist sie in der DDR (alt) auf eine untere Mitte hin zusammengedrängt: So hatten 15% der altbundesdeutschen Arbeitnehmerhaushalte ein monatliches Haushaltsnettoeinkommen bis 2200 DM – aber 80% in der ehemaligen DDR. Schon in dieser Hinsicht läßt sich die DDR sozialstrukturell als »nach unten hin nivellierte Gesellschaft« definieren, wobei die Einkommensverteilung sozusagen symbolisch für alle wesentlichen Aspekte der Lebensweise steht: Konsumtionsniveaus, Wohnbedingungen[4] usf. waren auf einen unteren Durchschnitt hin nivelliert, wobei sich dieser Nivellierungseffekt in besonderem Maße und auf besonders verhängnisvolle Weise in der Entwicklung der sozialen Schicht der Intelligenz manifestierte: nicht nur hinsichtlich ihrer Lebensbedingungen, sondern in der Gesamtheit der Aspekte ihres sozialen Status. Dafür ein Beispiel: Der Zeitpunkt, zu dem bei mittlerer statistischer Wahrscheinlichkeit akademische Karrieren den durch längere Bildungswege bedingten Einkommensausfall gegenüber der durchschnittlichen Arbeiterkarriere zumindest auf Null ausglichen, lag in der Mitte oder gegen Ende des fünften Lebensjahrzehnts, was bedeutet, daß akademische Karrieren keinerlei finanzielle Attraktivität aufwiesen. Das gleichzeitig mit Aufwand betriebene ideologische Muster von der »herrschenden Arbeiterklasse« (das im übrigen so wirkungslos nicht war) bewirkte gleichzeitig einen über die materiellen Lebensumstände hinausgehenden Status- und Prestigeverfall des Intellektuellen, was unter anderem daran ablesbar ist, daß das *Wörterbuch der marxistisch-leninistischen Soziologie* (1977) den Begriff erst gar nicht enthält.[5]

Alles in allem zielt das Modell der »geschichteten Gesellschaft« eher auf ein strukturelles Kontinuum zwischen »oberer Oberschicht« und »unterer Unterschicht«, während sich die Sozialstruktur des Sozialismus als ein Gefüge von »Blöcken« beschreiben ließe, in dem auf der einen Seite bestimmte Eliten stehen – Machtelite, wissenschaftliche und technologische Elite, bürokratische Elite (als Funktionsorgan der Machtelite), geistig-künstlerische Elite usf. – und auf der anderen Seite die in der Grundtendenz eher nivellierte Masse des Volkes. Von einem Kontinuum sozialer Schichtungen kann jedenfalls kaum die Rede sein.

In dieser Situation, die man auch ein theoretisches Dilemma nennen kann, schlägt nun Artur Meier vor, den Sozialismus als Ständegesellschaft zu definieren. »Die sozialistischen Gesellschaften bauten sich aus mehreren übereinander gelagerten Ständen auf, die in sich nochmals in vielfacher Hinsicht stratifiziert waren.«[6] Die für den Realsozialismus zutreffenden Eigenschaften der Ständegesellschaft sieht Meier im hierarchisch geordneten Sozialsystem, in einer neopatriarchalen und korporatistischen Zwangswirtschaft, in einem durch Befehl und Gehorsam, Herrschaft und Dienerschaft, Obrigkeit und Untertanentum, Nepotismus und Günstlingswirtschaft charakterisierten Mechanismus, dem auf der anderen Seite Defizite in sachbedingter Legitimität und in allen anderen Merkmalen moderner Gesellschaften entsprächen. »Es war die Ständeordnung, die der sozialistischen Gesellschaft ihren inneren Zusammenhalt gab! Aber nicht nur ihre relative Stabilität und erstaunlichen Konsistenz, sondern auch ihren Mangel an Komplexität und Dynamik. Das ist die andere Seite der Medaille.«[7]

Eines ist schon einmal sicher: Dieser Ansatz ist originell und nicht ohne Faszination. Aber er scheint auch nicht frei von Schwachstellen zu sein; die wichtigsten, sozusagen evidenten Einwände sind m. E. diese:

Erstens: Während die soziale Struktur der Ständegesellschaft eher einem Kontinuum glich (von unteren über mittlere bis zu höheren Ständen), ist die des Sozialismus eher durch eine Polarität gekennzeichnet: fraglos im Zugang zu oder im Ausschluß von Macht (worin Dahrendorf seinerzeit *das* entscheidende Kennzeichen der Klassenbildung sah). Eine vom gesamten Volk isolierte Machtelite ist in der Ständegesellschaft undenkbar; im Sozialismus war sie bittere Realität.

Zweitens: Was das weitgehende Fehlen von »Fachauswahl und -kompetenz«, von »rationaler Entscheidung und sachbedingter Legitimität« angeht, so halte ich dies für eine zu weit getriebene und daher nicht haltbare Vereinfachung. Das wird dann ersichtlich, wenn man die Fragestellung sozusagen umkehrt und für einen Moment nicht nach dem Scheitern der DDR fragt, sondern nach ihrem Bestand und ihrer Entwicklung. Es würde zu weit führen, dies hier im Detail ausführen zu wollen – aber auch im allgemeinen dürfte es unbestreitbar sein, daß es in diesem Land nicht nur wirtschaftliche, wissenschaftliche und gesellschaftliche Stagnation gegeben hat, sondern auch Dynamik und Fortschritt. Auf eine Art »Allmacht der Dummheit« ist das Problem nicht reduzierbar, jedenfalls nicht im natur- und technikwissenschaftlichen Bereich und im Bereich des betrieblichen Managements.

Eher besteht das Problem darin, die Ambivalenz der Vorgänge zu entschlüsseln. Während es nämlich auf der einen Seite durchaus primär Kompetenzen waren, die den Aufstieg in wissenschaftlichen und wirtschaftlichen Hierarchien regelten (das »Parteibuch« fungierte als selbstverständliche Pflichtübung), galten in der politischen Hierarchie (innerhalb der Staatsorgane und erst recht innerhalb der Partei*en*) andere Spielregeln: Wohlverhalten, Fähigkeit zur Anpassung, Fähigkeit zur ideologiegeladenen Ausdrucksweise usf. Weder *die* soziale Struktur noch *die* Mechanismen der sozialen Mobilität hat es in dieser Abstraktion gegeben.

Drittens: Meier beschreibt zwei Strukturprinzipien so, als ob sie nebeneinander gelegen und parallel funktioniert hätten: Er spricht in einem Satz einerseits von einer »klaren Demarkationslinie« zwischen Herrschenden und Beherrschten und anderrseits von einem diffizilen, fein abgestuften System von Privilegien, Erwerbschancen usf., welches, wie er völlig zutreffend bemerkt, als Moment der Ständeordnung »der sozialistischen Gesellschaft ihren inneren Zusammenhang gab«[8]. Dieser Widerspruch, den Meier hier eher beiläufig anmerkt, verträgt längeres Nachdenken und trüge vermutlich eine ganze Konferenz: Welche Struktur- und Funktionsprinzipien haben den Sozialismus getragen und welche haben ihn ruiniert? Haben wir es hier mit gegensätzlichen Kräften zu tun oder eher mit Interessen, die sich selbst weniger veränderten als ihr sozialer Kontext?

Viertens: Wenn wir der Frage weiter nachgehen wollen, woran der Sozialismus letztlich scheiterte, dann scheint es, daß die Logik der Phänomene und die kausale Logik zueinander ziemlich quer liegen. Auf der ersten Ebene (der der Phänomene) stellen sich die Dinge in dieser Abfolge dar: Der Öffnung der Grenze in Ungarn und den diversen Botschaftsbesetzungen folgte der Sturz der Mauer in Deutschland (und nicht nur der »Berliner Mauer«). Diese Ereignisse waren in ziemlich eindeutiger Kausalität die Voraussetzungen für die nachfolgenden Entwicklungen: die Wahlen in der noch bestehenden DDR, in denen es schon eindeutig um die Frage »Fortbestehen der (gewandelten) DDR oder Wiedervereinigung?« ging, die Übergangsregierung De Maizière, schließlich das Ende des Staatswesens.

Geht man den *Interessen* nach, die sich in diesen Entwicklungen äußerten, wird man leicht finden, daß es am Ende (über das Intermezzo von Bürgerbewegungen und intellektueller Proteste hinaus) materielle Interessen waren, die den Ausschlag gaben. In Richtung auf bürgerliche Freiheiten, politische Demokratie usf. wäre auch das Staatswesen DDR, wenn auch gründlich verändert, reformierbar gewesen, und folgerichtig kam das Thema »Wiedervereinigung« in den programmatischen Konzepten der Bürgerbewegungen nicht vor. Es dominierte erst, als sich das Massenbewußtsein über intellektuelle Freiheitsforderungen hinausbewegt und sich auf das Verlangen nach wirtschaftlicher Einheit (mit welchen Illusionen auch immer) verlagert hatte.

Damit stellt sich die soziologische Logik etwa folgendermaßen dar: Zuerst ist davon auszugehen, daß die *letztliche* Ursache des Systemzusammenbruches nicht in politischen oder geistigen Bereichen liegt, sondern in ökonomischen. Letztlich war es die Unfähigkeit zur Entwicklung der Produktivkräfte, aus der sich schließlich eine Stagnation in der Entwicklung der materiellen Lebensverhältnisse und sich akkumulierende soziale Spannungen wegen dieser Entwicklung ergaben.

Die in den Jahren nach 1953 (genauer: etwa in den sechziger Jahren) einsetzende relative Stabilisierung der politischen Verhältnisse in der DDR war kein trügerischer Schein. Das in dieser Entwicklungsphase noch dominierende extensive Wirtschaftswachstum (primäre Industrialisierung) führte in der Tat zu positiven Entwicklungen in den alltäglichen Lebensverhältnissen: im Angebot und in der Qualität der Erzeugnisse usf. In dem Maße jedoch, wie auch in der Produktion von Konsumgütern die Fähigkeit oder Unfähigkeit zu technologischem Wandel zum bestimmenden Kriterium wurde, geriet der politökonomische Systemdefekt ins Alltagsbewußtsein: Nicht zufällig galt die eigentümliche Art von Fahrzeugen, wie sie hierzulande angefertigt wurden, im Alltagsbewußtsein immer mehr als Symbol für den Wirtschaftsmechanismus überhaupt.

Vor diesem Hintergrund sind dann auch die verzweifelten Versuche zu deuten, ein objektiv unlösbares Problem doch noch irgendwie zu bewältigen. Auf der einen Seite war klar, daß sich die DDR den globalen Prozessen der Modernisierung (im wissenschaftlich-technisch-technologischen Sinne!) stellen mußte: Ohne Mikroelektronik, Computer, flexible Fertigungssysteme etc. war schon auf absehbare Zeit eine moderne, leistungsfähige Wirtschaft nicht mehr vorstellbar. Auf der anderen Seite wäre dieses Problem, wenn überhaupt im Rahmen des Sozialismus, nur über internationale Arbeitsteilung und Kooperation lösbar gewesen. Aber dafür war der »Rat für gegenseitige Wirtschaftshilfe« (RGW), geradezu ein Sinnbild bürokratischer Herrschaft, nicht eingerichtet; vielmehr gingen seine Bestrebungen dahin, Alleingänge der Mitgliedsländer in Richtung Westkooperation abzublocken. Mit dem Beginn der wissenschaftlich-technischen Revolution läutete somit die Totenglocke des Systems Sozialismus – was, dies sei eingeräumt, der Sozialismus mit der klassischen Ständegesellschaft gemeinsam hatte, die ebenfalls letztlich an ihrer technologischen Innovationsunfähigkeit zerbrach.

In diesem Kontext scheint es dann ziemlich müßig zu sein, darüber zu streiten, welche Begrifflichkeit dem »realen Sozialismus« am angemessensten wäre. Viel wichtiger scheint mir die Frage nach den Zusammenhängen zwischen sozialen Strukturen einerseits und wissenschaftlichen, technischen und technologischen Innovationsdefiziten andererseits zu sein. Selbstverständlich ist die soziale Struktur nicht linear für Innovationsprozesse oder -blockaden verantwortlich, aber auf vermittelte Weise hängen die Dinge doch zusammen.

So trat die Wachstumsschwäche des Systems offen zutage, als global ein anderer Wachstumstyp einsetzte: die intensiv-erweiterte Reproduktion, deren Hauptfaktoren intellektuelle Potentiale und qualitative Wachstumsfaktoren im allgemeinen sind. Was dieses Problem von dem der eigentlichen Ständegesellschaft unterscheidet, ist der völlig andere Typus der zu erklärenden Systemfunktionen. Die Ständegesellschaft beruhte auf dem Typus der einfachen Reproduktion und setzte ihn geradezu voraus. Es waren ihre gewollten Innovations*blockaden* (Zunftgesetze usf.), die ihren Bestand und ihre Stabilität sicherten – während der Sozialismus an seiner Unfähigkeit zur wissenschaftlich-technischen Revolution scheiterte, genauer, an der Unfähigkeit, ihr entsprechende soziale Strukturen sowie wirtschaftliche und politische Entscheidungsstrukturen herauszubilden.

Die damit zusammenhängenden Strukturdefekte lassen sich zusammengedrängt etwa so beschreiben: Auf der einen Seite herrschte eine disfunktionale Gleichheit, auf der anderen Seite disfunktionale Ungleichheit.[9] Ausdrucksformen des erstgenannten Strukturdefekts sind u. a.: nach unten hin nivellierte Lebenslagen der sozialen Schicht der Intelligenz; Statusverluste dieser Schicht; mangelnde oder gänzlich fehlende finanzielle Attraktivität akademischer Bildungs- und Lebenswege[10] usf., während sich der zweite Defekt in solchen Erscheinungen manifestierte wie unangemessenen Einkommen von Inhabern knapper Güter oder Dienste oder (und vor allem) Privilegierungen der politischen Elite. All dies spielte sich dann noch vor dem Hintergrund eines gleichmacherischen Wertesystems ab, das in der Arbeiterklasse die eigentlich produktive Klasse der Gesellschaft sah und »Intelligenz« (als soziale Schicht) systematisch an den Rand der gesellschaftlichen Wertesysteme rückte. Insofern könnte man abschließend wünschen: Wenn der Sozialismus doch wenigstens eine Ständegesellschaft gewesen wäre! Wenn seine strukturellen Elemente (eben die »Stände«) doch die Chance gehabt hätten, sich zu formieren, ihre Interessen zu artikulieren und institutionalisiert zu vertreten! Wenn die hierarchische Dimension des Sozialsystems doch wenigstens fixierten Regeln unterlegen hätte! Aber alle diese wesentlichen Eigenschaften der Ständegesellschaft fehlten völlig.

Die Schwierigkeiten, diese Ordnung formationstheoretisch auf den Begriff zu bringen, haben ihren letzten Grund darin, daß der Sozialismus keine in sich annähernd konsistente Gesellschaftsformation gewesen ist, sondern eine Mischung aus Elementen verschiedenartiger Formationen. Er übernahm

– aus der Ständegesellschaft das hierarchische System der Privilegien und deren ideologischer Legitimationsmuster;

– aus der Sklavenhaltergesellschaft brutale Formen der Machtausübung und -sicherung (Gulag);

– aus der modernen westlichen (kapitalistischen) Gesellschaft versuchte und/oder wirkliche technologische Modernisierungen; und schließlich

– aus der asiatischen Produktionsweise die staatlich-zentralistisch organisierte Mehrarbeit, die Hierarchie von Herrschaftsformen und die intime Verquickung von Macht und Ideologie.

All dies läßt den Schluß zu, daß sich der Sozialismus eben nicht in Analogie zu *einer* geschichtlich zurückliegenden oder noch existierenden Gesellschaftsformation beschreiben läßt, weil seine Eigenart gerade darin besteht, aus Elementen *aller* dieser Formationen auf komplizierte Weise zusammengesetzt zu sein.

Anmerkungen

1 Max Weber, *Wirtschaft und Gesellschaft,* Tübingen 1985, S. 177.

2 *Sozialstruktur der DDR* (Weidig und Kollektiv), Berlin 1988, S. 16.

3 *Sozialunion. Positionen und Probleme,* hg. v. Gunnar Winkler, Institut für Soziologie und Sozialpolitik der AdW der DDR, S. 127.

4 Siegfried Grundmann, *Die Stadt,* Berlin 1984.

5 Manfred Lötsch, *Die Hofierung der Arbeiterklasse war nicht wirkungslos,* in: *Frankfurter Rundschau,* Nr. 266 vom 14. November 1990.

6 Artur Meier, *Die Revolution entläßt ihre Theoretiker,* in: Bernd Giesen/Claus Leggewie, *Experiment Wiedervereinigung,* Berlin 1991, S. 29 f.

7 Ebd., S. 31.

8 Ebd., S. 31.

9 Ingrid Lötsch/Manfred Lötsch, *Soziale Strukturen und Triebkräfte:*

Versuch einer Zwischenbilanz und Weiterführung der Diskussion, in: *Jahrbuch für Soziologie und Sozialpolitik* (1985), Berlin, S. 159 ff.

10 So hatten wir beispielsweise berechnet, daß die statistische Wahrscheinlichkeit für Akademiker, den Einkommensausfall gegenüber Facharbeitern, der aus dem längeren Bildungsweg hervorgeht, wenigstens auszugleichen, besagt, daß dieser Punkt etwa in der Mitte/gegen Ende des vierten Lebensjahrzehnts erreicht wird.

Rainer Weinert
Massenorganisationen in mono-organisationalen Gesellschaften[1]

*Über den strukturellen Restaurationszwang
des Freien Deutschen Gewerkschaftsbundes im Zuge
des Zusammenbruchs der DDR*

1. Einleitung

Noch wenige Wochen vor der »Wende« in der DDR setzte sich der
Freie Deutsche Gewerkschaftsbund (FDGB), die größte Massenorganisation der SED, als »machtvolle« Instanz des SED-Regimes
in Szene. Kurze Zeit später trat der Vorsitzende des FDGB, Harry
Tisch, zurück und wurde verhaftet. Der FDGB verlor in den Monaten des Umbruchs schnell an politischem Gewicht und wurde
schließlich im September 1990 ganz aufgelöst.

Eine atemberaubende Geschichte eines Untergangs, der nach
einer Erklärung verlangt. Hierzu ist es m. E. notwendig, zunächst
die wichtigsten Strukturparameter dieser größten Massenorganisation der SED zu benennen, um darauf aufbauend einige genera-
lisierende analytische Aussagen zu seiner Rolle im Umbruchsprozeß der DDR zu entwickeln.

Die Analysen über den Zusammenbruch der DDR belegen
mehr und mehr, daß diese politische Zäsur nicht »handstreichar-
tig« erklärbar ist, sondern fundierter soziologischer Analysen
bedarf. Dabei sollte nicht aus dem Blick verloren werden, daß
dieser Zusammenbruch kein singulärer Prozeß war, sondern Folge
eines übergeordneten weltgeschichtlichen Prozesses – des Zusammenbruchs kommunistischer Herrschaftssysteme in Mittel- und
Osteuropa.[2] Dieser Zusammenbruch wurde durch eine Lockerung der Außen- und Sicherheitspolitik und deren Doktrin seit
1985 in der Sowjetunion eingeleitet. Der Zusammenbruch der
DDR dürfte deshalb auch nicht auf spezifische endogene Faktoren
reduzierbar sein. Die hier vorgestellten Ergebnisse belegen denn
auch nur eine verstärkte Entlegitimierung des FDGB seit Anfang
der achtziger Jahre, ohne daß diese Entlegitimierungstendenzen
ursächlich für den politischen Umbruch in der DDR waren. *Nach*
Beginn des politischen Umbruchs kann allerdings gezeigt werden,

wie diese Entlegitimierungstendenzen und die Politik des FDGB ihn rasant beschleunigten.

In meinen Ausführungen stütze ich mich auf die institutionssoziologischen Ansätze von Rainer Lepsius[3] und Theo Pirker[4] sowie auf Günther Roth[5], der sich kritisch mit Ansätzen der Weiterentwicklung von Max Webers Herrschaftssoziologie bei der Analyse kommunistischer Herrschaftssysteme auseinandersetzte. Vor diesem theoretischen Hintergrund wage ich die Generalhypothese, daß ein zentraler Strukturparameter im historischen Prozeß der gesellschaftlichen Modernisierung die Ausdifferenzierung autonomer Handlungskontexte mit spezifischen Rationalitätskriterien ist. Für die auf dieser Basis etablierte institutionelle Ordnung ist entscheidend, daß es benennbare Grenzen für die Gültigkeit der jeweiligen Rationalitätskriterien gibt. In der DDR wurde diese pluralistische Entwicklung abrupt unterbrochen und unter dem absoluten Primat des (Partei-)Politischen eine gesellschaftliche Zwangshomogenisierung durchgeführt, die längerfristig zu einer politischen, ökonomischen, sozialen und kulturellen Entlegitimierung und Entdynamisierung des Systems führte. Eine zentrale Rolle bei diesem Homogenisierungsprozeß spielten die Massenorganisationen der SED, die sich aufgrund ihrer tradierten ideologischen Orientierungs- und bürokratischen Organisationsmuster gerade in der Phase des politischen Umbruchs, der »strategischen Reform« (Dahrendorf), als Verfechter der Gegen-Reformation erweisen mußten. Pointiert mit Pirker formuliert heißt das: Das Fehlen bzw. das Unterdrücken intermediär angelegter Institutionen mit relativ hoher Autonomie hat den Zusammenbruch der DDR beschleunigt.

2. Die Funktion autonomer intermediärer Institutionen in der Bundesrepublik Deutschland

Aus Vergleichszwecken ist es zunächst sinnvoll, auf die Funktionen intermediärer Institutionen in der Bundesrepublik einzugehen. Denn in der DDR gab es keine positive Theorie oder Konzeptualisierung von Massenorganisationen der kommunistischen Partei; konstitutiv für deren Selbstverständnis war allerdings immer ihre behauptete politisch-ideologische Superiorität gegenüber bürgerlichen Formen der Interessenvertretung.

Lepsius geht in Anknüpfung an Max Weber in seiner Institutionenanalyse von der Triade Ideen, Interessen, Institutionen aus:

»Interessen sind ideenbezogen, sie bedürfen des Wertbezuges für die Formulierung ihrer Ziele und für die Rechtfertigung der Mittel, mit denen diese Ziele verfolgt werden. Ideen sind interessenbezogen, sie konkretisieren sich an Interessenlagen und erhalten durch diese Deutungsmacht. Institutionen formen Interessen und bieten Verfahrensweisen für ihre Durchsetzung, Institutionen geben Ideen Geltung in bestimmten Handlungskontexten. Der Kampf der Interessen, der Streit über Ideen, der Konflikt zwischen Institutionen lassen stets neue soziale Konstellationen entstehen, die die historische Entwicklung offenhalten.«[6]

Für unser Thema von Bedeutung ist die Tatsache, daß hier im Plural geredet wird: Es geht um die Pluralität gesellschaftlicher Werte, Interessen und Institutionen. Institutionelle Differenzierungen ermöglichen die Unterscheidung von sozialen Handlungskontexten, ihre relative Freisetzung von gesamtgesellschaftlichem Sanktionsdruck und damit die Chance zur Entwicklung sektoraler Wertorientierungen, die durch die relative Autonomie dieser Institutionen abgesichert wird. Die relative Freiheit von äußeren Sanktionen fordert allerdings von den Institutionen die Aufgabe des Anspruchs auf Allgemeingültigkeit ihrer eigenen Wertorientierungen.[7]

Aus der Pluralität gesellschaftlicher Ideen, Interessen und Institutionen resultiert eine Wettbewerbssituation mit den ihr inhärenten Konflikten. Diese Institutionenkonflikte wiederum sind typisch für hochdifferenzierte Industriegesellschaften. Aus der Pluralität der segmentär konkurrierenden Ideen, Interessen und Institutionen und ihren inhärenten Konfliktlagen bezieht das politische System demokratisch verfaßter Industriegesellschaften nicht nur seine Stabilität und Dynamik, sondern auch seine Legitimation.

Ein wesentlicher Bestandteil der Flexibilität dieser Legitimationskonstruktion ist die normative Funktion autonomer intermediärer Institutionen, denn sie müssen gleichzeitig die Rolle als Wahrer, Hüter und Verwalter der jeweiligen sektoralen Wertorientierungen glaubhaft machen, um eine Akzeptanz im politischen System erlangen und behaupten zu können. Intermediäre Institutionen in der Bundesrepublik lassen sich somit auch als Hüter von Wertorientierungen fassen, so z. B. die Gewerkschaften für die der »Einkommenssicherung«, die Arbeitgeberverbände für die des

Privateigentums, das Bundesverfassungsgericht für die der Verfassung usw. Ob und inwieweit die Konkretisierung bestimmter Wertorientierungen im politischen Handeln der Institutionen adäquat erfolgt, unterliegt einer ständigen öffentlichen Debatte, die wiederum Teil der erwähnten Konfliktlage konkurrierender Ideen, Interessen und Institutionen ist.

3. Der FDGB als faktische Zwangsorganisation im SED-Staat

Wenden wir uns unter diesem Aspekt den Massenorganisationen der SED zu, so gilt es zu fragen, welche Funktionen diese »pseudopluralistischen« Zwangsverbände realiter ausgeübt haben. Bevor ich auf die Legitimationskonstruktion der DDR-Gesellschaft und die normative Einbindung der Massenorganisationen eingehe, müssen kurz die für unsere Fragestellung relevanten Strukturparameter des FDGB umrissen werden.

Der FDGB war mit fast 10 Millionen Mitgliedern die größte Massenorganisation der SED, seine Monopolstellung war in der Verfassung der DDR und im Arbeitsgesetzbuch normativ festgelegt. Formal war der FDGB nach der Verfassung der DDR unabhängig, in seiner Satzung erkannte er allerdings den Führungsanspruch der SED an und bekannte sich zum Marxismus-Leninismus als ideologischer Basis seiner Arbeit. Die Geschäftsordnung des Bundesvorstandes des FDGB sah vor, daß die Beschlüsse der SED die vorrangige Grundlage der Arbeit des FDGB darstellten. Die Unterwerfung des FDGB unter die SED wurde routinemäßig dadurch demonstriert, daß das Sekretariat des FDGB seine Sitzungen mittwochs abhielt; erster Punkt der Tagesordnung war immer die Auswertung der Beschlüsse des Politbüros, das jeweils dienstags tagte.[8] Über die Kaderpolitik wurde die Dominanz der SED auf personeller Ebene gesichert. Die Vorsitzenden der Vorstände aller Ebenen waren gleichzeitig qua Amt kooptierte Mitglieder der SED-Parteileitung der gleichen Ebene. Daß es sich beim FDGB um keine autonome Interessenvertretungsinstitution gehandelt hat, geht u. a. aus seinem Aufgabenspektrum und seiner funktionalen Prioritätensetzung hervor: die Festlegung von Löhnen und Arbeitsbedingungen spielte, wenn überhaupt, eine untergeordnete Rolle, vielmehr dominierten eindeutig »quasi-hoheitliche«

Aufgaben der Ideologievermittlung und -kontrolle, denn der FDGB verstand sich, wie die anderen Massenorganisationen auch, als »Schule des Sozialismus«, der Mobilisierung der Arbeitsmoral und -pflicht, der Propagierung des sozialistischen Wettbewerbs und der Verwaltung und Verteilung knapper sozialstaatlicher Güter, z. B. des Ferienangebotes. In der Verfassung war ebenfalls geregelt, daß die Gewerkschaften die Sozialversicherung der Arbeiter und Angestellten leiten und an der »umfassenden materiellen und finanziellen Versorgung und Betreuung der Bürger bei Krankheit, Arbeitsunfall, Invalidität und Alter <teilnehmen>. Der Bundesvorstand des FDGB bzw. sein Sekretariat und Präsidium waren gleichzeitig oberstes Leitungsorgan der Sozialversicherung.«[9]

Bereits aus dieser kurzen Übersicht wird deutlich, daß der FDGB von Partei und Staat übertragene hoheitliche Aufgaben wahrnahm, daß er keine autonome Interessenvertretung war, sondern aufgrund seiner Monopolstellung faktisch eine Zwangsorganisation darstellte, die ihre Monopolstellung und ihr Sanktionspotential für die ideologische und arbeitsmäßige Disziplinierung der werktätigen Zwangsmitglieder einsetzte.[10]

Die den Aufgaben des FDGB inhärente Unterordnung unter die kommunistische Partei, war durch den Marxismus-Leninismus vorgegeben, die Ausgestaltung dieser Unterwerfung ist jedoch historisch geprägt. Schon in der Gründungsphase trafen die unterschiedlichen ordnungspolitischen Vorstellungen von Massenorganisation und unabhängigem Interessenverband aufeinander. Die Entscheidung brachte 1948 die berüchtigte Bitterfelder Funktionärskonferenz, auf der die SED das Konzept der Massenorganisation erzwang. Die Ereignisse um den 17. Juni 1953 zeigten jedoch, daß der FDGB die »werktätigen Massen« noch nicht so im Griff hatte, wie sich die SED das vorstellte.[11] Noch im Jahre 1956, als die DDR nach dem Ungarn-Aufstand mit der Möglichkeit spielte, sogenannte Arbeiterkomitees in den Betrieben einzurichten, um potentiellen Partizipationsforderungen der Beschäftigten zuvorzukommen, warnte die SED den FDGB, sich nicht zu »einer zweiten marxistischen Arbeiterpartei« zu mausern.[12] Die spezifische Wahrnehmung der Aufgabenzuweisung durch den FDGB und die Ausgestaltung des Verhältnisses zur SED ist immer auch das Ergbnis solcher Niederlagen gewesen, in die sich der FDGB immer fügte.

4. Die Funktion von Massenorganisationen in der DDR

Charakteristikum der DDR-Gesellschaft wie aller kommunistischer Herrschaftssysteme ist der absolut gesetzte Primat der (Partei-)Politik. Dies gilt nicht nur für den ökonomischen Bereich, aus dem die Planungs- und Produktionskompetenz erst der Sphäre des Politischen überantwortet und danach bürokratisch exekutiert worden ist, sondern für alle Sektoren einschließlich der individuellen Privatsphäre.

Damit wurde in der DDR etwas zwangshomogenisiert, was in kapitalistisch verfaßten Gesellschaften strukturell und institutionell notwendigerweise getrennt ist. Dort wurde mit der Institutionalisierung der Kapitalrentabilität zum dominanten Kriterium des Wirtschaftens in Unternehmen auch die Arbeitsorganisation diesen Kriterien unterworfen. Aus der hierin angelegten Konfliktlage bildeten sich historisch die Arbeiterbewegung, das Arbeitsrecht und die regulierende Sozialpolitik als verschiedene Differenzierungen des Prinzips der sozialen Sicherheit.[13] In der DDR und anderen kommunistischen Ländern wurden diese institutionellen Differenzierungen zwangshomogenisiert.[14] Rentabilitätsprinzip und das Prinzip der sozialen Sicherheit standen sich nicht mehr als konfliktuelle, institutionalisierte Zielsysteme gegenüber, sondern als Bestandteile eines vereinheitlichten Systems.

Diese politischen Synthetisierungen unterschiedlicher Handlungskontexte verhinderten funktionale Differenzierungsprozesse, wie sie z. B. die Industriestaatlichkeit und Sozialstaatlichkeit erfordern. Gleichzeitig erwuchs aus diesen Vereinheitlichungen die Notwendigkeit, sie ständig neu zu legitimieren. Eine zentrale Instanz dieser erzwungenen Legitimation des Primates der (Partei-)Politik waren die Massenorganisation der kommunistischen Partei. Garant für die Aufrechterhaltung dieser Legitimationskonstruktion war die Nomenklatura als Organisation der Kaderauswahl.[15]

In diesem Zusammenhang ist des öfteren der Versuch unternommen worden, in dem idealtypischen Bürokratiemodell Max Webers ein realtypisch adäquates Abbild der kommunistischen Herrschaftsstrukturen zu sehen.[16] Ohne hierauf näher eingehen zu können, möchte ich doch auf eine für diese Frage wichtige Problemstellung hinweisen: Weber hat das bürokratische Rationalitätskriterium immer vor dem Hintergrund anderer, konkurrierender Rationalitätskriterien gedacht, wenn auch mit imperialistischer Tendenz auf andere gesellschaftliche Segmente. In der DDR hingegen mußte die Generalisierung des Bürokratischen als das alles dominierende Rationalitätskriterium aufgrund des absoluten Primats des Politischen vollzogen werden. Die von Weber befürchtete Herrschaft des Fachbeamten wurde zur Realität. »Wo aber der moderne eingeschulte Fachbeamte einmal herrscht, ist seine Gewalt schlechthin unzerbrechlich, weil die ganze Organisation der elementarsten Lebensversorgung alsdann auf seine Leistung zugeschnitten ist.«[17] Diese »Unentrinnbarkeit« der Bürokratie, wie Weber sie vorhersagte, wurde als »bürokratische Nacht« inszeniert: als Primat der Politik, die eine neue ›generalisierte‹ Beamtenschaft gebar, die Nomenklatura der Partei und der verschiedenen Massenorganisationen.

In dieser Einschätzung stimme ich T. H. Rigby zu, der in Weiterentwicklung der Herrschaftssoziologie Max Webers kommunistische Sozialsysteme als (geschlossene) mono-organisationale Gesellschaften bezeichnet. Und zwar deshalb, weil im Gegensatz zu kapitalistisch verfaßten Gesellschaften nicht verfahrensorientierte politische Rahmenprogramme, die sektoral von den autonomen Handlungsakteuren ausgefüllt werden, vorgegeben werden, sondern alles einem zentralistisch verordnetem Zielerreichungssystem unterliege. Diese Kommando-Strukturen seien darauf ausgerichtet, Aufgaben und Ziele vorzugeben (*goal-achievement*) und normativ durchzusetzen.[18] In Anlehnung an Rigby haben wir es bei den Massenorganisationen der SED mit dirigierenden Institutionen zu tun, die unter der Suprematie der Partei der Gesellschaft Aufgaben vorgeben und diese bürokratisch durchsetzen.

Bei der uns interessierenden Frage nach den Funktionen der Massenorganisationen, soweit diese für den Zusammenbruch von Bedeutung sind, stehen die legitimatorischen Funktionen im Vordergrund des Interesses sowie das Handlungsmuster, das als Äquivalent zur Intermediarität in westlichen Gesellschaften entwickelt wurde.

4.1. Legitimatorische Funktionen der Massenorganisationen der SED am Beispiel des FDGB

Es ist ein Desideratum westlicher Kommunismusforschung, daß Krisen des real existierenden Sozialismus in der Legitimationssphäre entstehen.[19] Die Zusammenbrüche in den osteuropäischen Gesellschaften und der DDR 1989 belegen, wie außerordentlich wichtig bis zum Schluß der schon »zerschlissene ideologische Deckmantel« für die Herrschaftsausübung blieb.[20] Dieser allgemeine Zusammenhang trifft auch für die Massenorganisationen der SED zu; wir thematisieren die Massenorganisationen deshalb unter diesem Aspekt, der für ihren Zusammenbruch zentral ist, und können die anderen Funktionen vernachlässigen.

Der Legitimationsanspruch der DDR stützte sich grundsätzlich auf die behauptete Identität von Arbeiterklasse, Partei der Arbeiterklasse und der Herrschaft dieser Partei, der sich die Massenorganisationen unterwarfen.[21] Damit war von vornherein legitime Institutionenbildung auf *in diesem Sinne* definierte »Klasseninteressen« beschränkt.[22] Autonome Instutionenbildung konnte schon deshalb nicht zugelassen werden, weil dies potentiell eine Anerkennung von Klassen-, Schichten- oder Gruppeninteressen bedeutet hätte, die wiederum eine Verletzung der Legitimationskonstruktion in der DDR zur Folge gehabt hätte und durch das Verbot der Fraktionsbildung extrem tabuisiert war. Die dadurch fehlende Selbstlegitimierung der »Partei der Arbeiterklasse« und deren Massenorganisationen führte zu der Notwendigkeit, den Primat des Politischen ständig auf andere Weise zu legitimieren.

Die politisch-legitimatorische Funktion der Massenorganisationen läßt sich in drei Teilfunktionen untergliedern:

1. Politisch-ideologische Legitimations- und Kontrollfunktionen mit pseudo-alternativer Interessen- und Wertbezogenheit *(Binnen-Legitimation)*; durch die Existenz dieser Massenorganisationen neben Partei und Staat und das formale Festhalten an einem diffus-spezifischen »Interessen-Begriff« wurde zumindest die Möglichkeit alternativer Orientierungen suggeriert. Gleichzeitig lieferte der Marxismus-Leninismus die normative Begründung der Übernahme mehr oder weniger hoheitlicher Aufgaben als eine Art Partei- und Staatsexekutive. Dieser diffus-spezifische Interessenbegriff war in verschiedener Hinsicht notwendig. Vor der Wende in der DDR definierte der FDGB seine Unabhängig-

keit als völlige Unterwerfung unter die Partei, die wiederum diese Unterwerfung als »Kampfgemeinschaft« heroisierte. Nach der Wende war der diffuse Interessenbegriff formale Voraussetzung, damit sich die neue alte FDGB-Nomenklatura als unabhängige Gewerkschaft definieren konnte.

2. Die öffentliche Inszenierung des Massenvertrauens für Partei und Staat bei gleichzeitiger Institutionalisierung des Mißtrauens *(Außen-Legitimation)*. Der Leistungsnachweis, die von der Partei vorgegebenen Aufgaben erfüllt und übererfüllt zu haben, wurde regelmäßig durch eine exzessive Ritualisierung demonstriert. Diese Ritualisierungen waren Kontrollinstrumente für die ideologische Standfestigkeit, »Proben in der Aktion«[23], durch die alle Parteimitglieder und Massenorganisationen gezwungen wurden, immer wieder aufs neue ihre treue Ergebenheit zu den Parteigrundsätzen öffentlich zu bekennen. Hiermit war des weiteren eine permanente Mobilisierung der Mitglieder verbunden und vor allem eine permanente Einübung in die Gültigkeit der sozialistischen Ordnung, des Gehorsams, der militärischen Stärke und der gesellschaftlichen Hierarchisierung in der Hoffnung, durch diese Rituale eine zeitstabile Verhaltensorientierung der Mitglieder zu stiften.

3. Die Massenorganisationen waren zentrale Verteilungsinstanzen für sozialstaatliche Leistungen in einer Mangelgesellschaft, deren Gewährung von politisch-ideologischem Wohlverhalten abhängig gemacht wurde *(Anbieter knapper Sozialstaatsleistungen)*. Die Verfahren der Gewährung dieser Leistungen waren insofern bedeutsam, als sie zumindest eine äußere Verhaltenskonformität erzwangen und eine wichtige Voraussetzung zur Erzielung und Aufrechterhaltung der Binnen- und Außen-Legitimation waren.

4.2. Ideologie-Kontrolle als funktionales Äquivalent von Intermediarität

Wenn in der DDR die Vermittlung zwischen den vorhandenen divergierenden gesellschaftlichen Interessen nicht in Form autonomer Institutionen möglich war, so ist die Frage zu beantworten, welche alternativen generalisierten Handlungsmuster diese Funktion erfüllten.

Durch die Errichtung großer Massenorganisationen entlastete

sich die SED bei der politischen Führung des Landes, ohne Gefahr zu laufen, daß ihre Monopolstellung bezweifelt wurde, da die Massenorganisationen der Partei bei der Exekutive politischer Zielvorgaben und bei der Kontrolle der Zielerreichung bloß assistierten. Sie hatten jedoch einen zentralen Nachteil: Sie behinderten die Verständigung zwischen den Machthabern und den Mitgliedern der Gesellschaft[24] und verschärften so deren Trennung voneinander. Die soziale Kommunikation funktionierte nur von oben nach unten, ohne wirksame, »authentische« Mechanismen der Rückkopplung. In der DDR wurde diese Funktion der Vermittlung und Rückkopplung vorhandener gesellschaftlicher Interessen durch ein engmaschiges Netz der inneren Kontrolle und Spionage ersetzt. Das funktionale Äquivalent von Intermediarität war in der DDR Kontrolle, genauer: Ideologie-Kontrolle. Diese rigide Binnen-Kontrolle und Spionage ist keineswegs auf die Sicherheitsdienste beschränkt gewesen. So gab es beispielsweise beim FDGB ein hochformalisiertes Berichtswesen zur Ideologie-Kontrolle; diese Berichte mußten von der FDGB-Nomenklatura in den Betrieben, Kreisen und Bezirken der DDR regelmäßig erstellt werden, um schließlich an den Bundesvorstand des FDGB geleitet zu werden. Dort wurden die Berichte zu einem republikweiten Ideologie-Kontrollbericht zusammengefaßt und u. a. an das ZK der SED und an das Ministerium für Staatssicherheit weitergeleitet.[25] Dieses Berichtswesen erfüllte drei Funktionen: 1. der politischen Führung Informationen über die politischen Diskussionen in den Betrieben, Kreisen und Bezirken der DDR zu geben; 2. mögliche Konflikte frühzeitig zu identifizieren und zu kanalisieren; 3. abweichende Meinungen individualisiert auszuweisen, so daß sie für selektive Repressionsmaßnahmen genutzt werden konnten.

Die immobilisierende Wirkung dieser Kontrollen und Berichte bestand darin, daß sie als Instrumente zur Unterdrückung von Konflikten dienten, nicht Mittel zu deren Behebung waren. Geäußerte Kritik wurde nicht auf ihre Berechtigung hin analysiert, sondern durchweg als Indiz für ideologische Unzuverlässigkeit gewertet. Als »Konfliktlösung« schlugen die Ideologie-Kontrolleure deshalb regelmäßig eine Intensivierung der politisch-ideologischen Arbeit vor. In diesem Sinne wurde der FDGB von der Mehrheit der Mitglieder immer auch als Disziplinierungsorgan eines monokratischen Staates angesehen, der für die Partei- und

Staatsführung auch Informations- und Kontrollfunktionen aus-
übte.

Eine erste Analyse dieser Kontrollberichte des FDGB in den
zentralen Krisensituationen der DDR ergab folgendes Szenario,
das am Beispiel der »Aberkennung der Staatsbürgerschaft von
Wolf Biermann« im Jahre 1976 nachvollzogen wurde:

>1. Der DDR-Staat reagiert auf politisch als bedrohlich eingeschätzte Ent-
    wicklungen mit staatlichen Willkürakten ...
2. Der FDGB begrüßt diese Maßnahme.
3. Der FDGB instruiert seine Kader, um die ideologische Auseinander-
    setzung in den Betrieben ›offensiv‹ zu führen.
4. Aus den Betrieben gibt es freiwillige und weniger freiwillige Erklärun-
    gen der Zustimmung zu dieser Maßnahme.
5. Die Ideologie-Kontrolleure stellen trotz der überwiegenden Zustim-
    mung ›Aufweichungserscheinungen‹ vor allem unter den Jugendlichen
    und den Intellektuellen fest.
6. Als Ergebnis wird eine Intensivierung der politisch-ideologischen Ar-
    beit vorgeschlagen.«[26]

Am Beispiel der Funktion dieser Ideologiekontrolle kann anschaulich der Unterschied zu westlichen Gesellschaften aufgezeigt
werden. In westlichen Gesellschaften setzen Intermediarität und
institutionelle Autonomie gesellschaftliche Gruppen von gesamtgesellschaftlichem Sanktionsdruck relativ frei, ermöglichen und
intendieren die Pluralisierung von Machtzentren und Gegen-Eli-
ten, während das funktionale Äquivalent in der DDR aufgrund
der Norm des Verbotes der Fraktionsbildung genau das Gegenteil
realisieren mußte: Kontrolle und selektive Repression.

»Fraktionsbildung« bedeutet in der kommunistischen Terminologie autonome Institutionenbildung und taucht deshalb nur als
Norm ihres Verbotes auf. Diese ideologische Basisnorm haben alle
kommunistischen Parteien und Massenorganisationen gemeinsam. Als wir Günter Schabowski im April 1990 am Zentralinstitut
für sozialwissenschaftliche Forschung an der Freien Universität
Berlin befragten, antwortete er hierzu: »Eines der schlimmsten
Vergehen, ja ein Verbrechen, ist die Fraktionsbildung. Diesem Gesetz haben wir uns ja alle unterworfen. Du konntest eher Sodomie
betreiben, als daß du versucht hättest, eine Fraktion hochzuzie-
hen. Das wäre geradezu etwas Unsittliches gewesen.«[27]

Dieses Zitat veranschaulicht sehr einprägsam das eherne Tabu
des Verbots der Fraktionsbildung und seine Gültigkeit im Be-

wußtsein der Nomenklatura. Politisches Handeln autonomer Institutionen setzt immer eine Verletzung dieses Tabus voraus. Glaubwürdig gelang dies deshalb auch nur sehr wenigen alten leitenden Kadern; aber sie mißverstanden autonome Interessenvertretung oft als wilden Aktionismus, der auch in seiner freiwilligen Form nie ganz den Charakter inszenierter Großdemonstrationen verlor.[28]

5. Gründe für den Untergang der Massenorganisationen in der DDR am Beispiel des FDGB

Die Funktionen des FDGB als faktischer Zwangsverband erklären auch im wesentlichen sein rasches Ende in der Phase des politischen Umbruchs. Bezogen auf den hier vorgetragenen institutionellen Ansatz lassen sich zwei Ursachen benennen, die für alle Massenorganisationen der SED zutreffen, und zwei weitere, die spezifische Probleme des FDGB waren.

1. Die Aufgabe des Monopolanspruches der SED im politischen Umbruch der DDR

Die Daseinsberechtigung der Massenorganisationen leitete sich nicht aus der Existenz einer kommunistischen Partei ab, sondern aus deren Parteimonopol und dem damit verknüpften Primat der Politik. Mit dem Verzicht auf dieses Monopol, dem möglichen Absinken der SED zu einer Partei unter anderen, entfielen die politischen und normativen Voraussetzungen für das institutionelle Handeln dieser Massenorganisationen.

2. Die Kategorie der »Krise« im Sozialismus

Der konstruktivistische Systemanspruch der DDR verlangte eine rational gesetzte, wissenschaftlich begründete Legitimation. Gesellschaftliche Widersprüche durften nach diesem Verständnis deshalb nicht strukturell gedeutet werden, sondern nur aus den motivationalen Schwächen einzelner.[29]

Der Konstruktivismus des real existierenden Sozialismus hat auch fundamentale Bedeutung für die Kategorie der ökonomischen Krise. Sind im Kapitalismus Krisen als Abschwung, Depression, Inflation, retardierende Entwicklung Funktionsbedingungen des Systems, bedeutet Krise im Sozialismus eine Abweichung von einem angestrebten Zustand. Der Konstruktivismus sozialistischer Gesellschaften »bewirkt die Verknüpfung der Krise mit der Systemfrage«.[30]

Hajo Riese bezieht diese Erkenntnis nur auf die ökonomische Theorie, sie hat darüber hinaus aber auch eine realgeschichtliche Dimension. Die Unvereinbarkeit des sozialistischen Konstruktivismus mit der Kategorie der (systemgefährdenden) Krise[31] war ja über ihre theoretische Relevanz hinaus im Bewußtsein der Nomenklatura kollektiv verankert. Wir wissen heute, daß die leitenden Kader in der DDR die Realerfahrung der ökonomischen Krise, die schließlich 1989 zu dem bekannten Resultat führte, seit spätestens Anfang der achtziger Jahre hatten. So war es durchaus folgerichtig, daß sich die Kader um Schalck-Golodkowski Anfang der achtziger Jahre Gedanken über ein staatspolitisches Zusammengehen mit der Bundesrepublik machten, als die Gefahr der Zahlungsunfähigkeit der DDR nicht mehr ausgeschlossen werden konnte.

Diese für die DDR bedrohliche Entwicklung erfaßte auch den FDGB. Der ehemalige Leiter der Abteilung Organisation beim Bundesvorstand des FDGB, Wolfgang Eckelmann, hat in einer Fülle von Beispielen[32] die sich verstärkende krisenhafte Entwicklung in der DDR und deren Auswirkungen auf den FDGB dokumentiert.[33]

Aus diesen Aufzeichnungen ergibt sich, daß seit etwa acht Jahren die leitenden Kader eine reale Erfahrung dessen hatten, was normativ nicht sein durfte: der systemgefährdenden Krise im Sozialismus. Diese acht Jahre waren davon geprägt, die ökonomische Krise durch Finanz- und Wirtschaftsmanipulationen notdürftig zu beheben, dennoch führte die politisch-ideologische Stagnation der achtziger Jahre »am Ende zu Wandlungen von unkontrollierbarem Tempo und Tiefgang«.[34] Ende der achtziger Jahre war die Nomenklatura in der DDR eine von diesem Krisenmanagement politisch und ideologisch ausgezehrte Elite, die den demokratischen Ansprüchen der Menschen nichts mehr entgegenzusetzen vermochte.

Ein zentraler Grund für den Zusammenbruch des FDGB scheint mir darin zu liegen, daß der FDGB als faktischer Zwangsverband zu keinem Zeitpunkt von den Beschäftigten in der DDR als authentische Interessenvertretung akzeptiert wurde.

Wollten die Beschäftigten in der DDR z. B. in den Genuß bestimmter Sozialleistungen kommen, mußten sie Mitglieder des FDGB werden und sich den Verbandsritualen unterwerfen. Die internen Berichte des FDGB belegen eindeutig, daß die Beschäftigten in der DDR sich als abhängig Beschäftigte verstanden, ein »Arbeitnehmer-Bewußtsein« hatten und weit davon entfernt waren, sich als »Werktätige« zu definieren, die ansatzweise so etwas wie ein Eigentümer-Bewußtsein an den vergesellschafteten Produktionsmitteln entwickelt hatten.[35]

Vor allem aus diesem internen Grund mußte der FDGB propagandistisch westliche Interessenvertretungsmuster als »Ökonomismus« oder »Nur-Gewerkschaftlertum« abwehren. Denn der FDGB übernahm auch eine wichtige staatliche und wirtschaftsleitende Verantwortung bei der Erfüllung und Überbietung der zentral vom Politbüro beschlossenen Planziele und trat in den Betrieben immer auch als eine Instanz der Legitimierung von Normerhöhungen etwa im Rahmen des sozialistischen Wettbewerbs auf. Zwar hatten die Beschäftigten in der DDR gelernt, sich mit dem FDGB zu arrangieren, aber die Verknüpfung von »Interessenvertretung« und Instanz der Arbeitsmobilisierung ist von ihnen nie völlig akzeptiert worden.

Einer ähnlich prekären Situation sah sich der FDGB als Anbieter knapper Sozialstaatsleistungen ausgesetzt, vor allem beim Angebot attraktiver Ferienaufenthalte. Der staatspolitische Hintergrund seines Feriendienstes war die Tatsache, daß der SED-Staat seiner Bevölkerung das Grundrecht auf Reisefreiheit vorenthielt und diesen Feriendienst als eine Art Kompensation anbot. Der Konflikt zwischen dem Vorenthalten von Grundrechten und dem Anbieten knapper sozialstaatlicher Leistungen als Kompensation ist in der DDR-Bevölkerung immer virulent gewesen – und damit auch seine mögliche Aufhebung. Dieser Zusammenhang spitzte sich in allen Krisensituationen der Geschichte der DDR zu. Die Kritik der Arbeitnehmer in der DDR an dem SED-Staat weist vom Mauerbau 1961 über den Einmarsch Warschauer Pakt-Truppen in die ČSSR 1968 und die Ausweisung Wolf Biermanns 1976 bis zum Jahre 1989 eine Kontinuität folgender drei *issues* auf: Die Kritik an der Einschränkung der individuellen Freizügigkeit und am damit verbundenen Konsumverzicht, politische Kritik am SED-System und die Kritik an der Trennung der Nation. »Mit diesen Forderungen gingen im Herbst 1989 auch die Bürgerbewegungen auf die Straße und erzwangen die Wende in der DDR.«[36]

In diesen Monaten spitzte sich die Forderung nach Freiheit sogar zu auf die nach »Reisefreiheit«. Damit wurde unmittelbar das Selbstverständnis des FDGB als Anbieter knapper sozialstaatlicher Leistungen in Frage gestellt. Das Nicht-Befriedigen grundlegender Bedürfnisse der DDR-Bevölkerung, wie dem nach Reisefreiheit, schuf meines Erachtens sehr früh die Voraussetzung für den Untergang des FDGB.

Letztlich gilt dieser prekäre Zusammenhang auch für das politisch-ideologische Selbstverständnis des FDGB als »Schule des Sozialismus«, nämlich sein Dilemma, einerseits als pseudo-autonomer Interessenverband im sozialistischen System zu fungieren und andererseits staatliche Hilfsinstanz des institutionalisierten Mißtrauens zu sein, die ideologische Kontroll- und Sanktionsfunktionen erfüllte.

4. Die Skandale um den FDGB

Mit dem politischen Umbruch in der DDR wurden gleichzeitig eine Reihe von Skandalen publik, in dessen Mittelpunkt mehrfach der FDGB stand. Durch diese Skandale zog der FDGB von Anfang an die öffentliche Empörung auf sich, ohne sich von diesem Image befreien zu können.

Die Skandalserie begann am 2. November 1989, als Gerüchte über den Hausbau des Vorsitzenden des Zentralvorstandes der IG Metall der DDR in der Presse erschienen, setzte sich über das Publikwerden der luxuriösen Ausstattung der Staatsjagd in Eixen durch Harry Tisch und der 100-Millionen-Mark-Spende des FDGB an die FDJ fort. Schließlich wurden im Panzerschrank des FDGB-Bundesvorstandes zwei Millionen DM gefunden, die von der SED nicht abgeholt worden waren.[37] Der entscheidende Grund für die öffentliche Empörung war nicht der – im Vergleich zu westlichen Maßstäben – bescheidene Luxus, den sich die Mitglieder des Politbüros selbst gewährten, sondern daß die Propa-

gandisten eines asketischen Sozialismus in einer Mangelgesellschaft dieses Modell für ihre eigene Lebensführung ganz offensichtlich verwarfen.

Neben Harry Tischs Jagdgebiet in Eixen richtete sich die Empö-
rung vor allem gegen die 100-Millionen-Spende des FDGB für die
FDJ zur Ausrichtung des Pfingsttreffens. Die Tatsache, daß der
FDGB die FDJ mit 100 Millionen Mark unterstützte, war in der
Öffentlichkeit bekannt, jedoch nicht, aus welchem Fonds des
FDGB die Spende floß. Es stellte sich heraus, daß sie aus dem sog.
Solidaritätsfonds beglichen wurde; der Solidaritätsfonds beim
FDGB sollte dafür verwendet werden, notleidenden Ländern in
der Dritten Welt zu helfen. Diese humanitäre Zweckbestimmung
traf auch bei Nicht-SED-Mitgliedern auf große Resonanz in den
Betrieben, wo diese Beiträge regelmäßig neben den Gewerk-
schaftsbeiträgen erhoben wurden. Die öffentliche Empörung war
deshalb um so heftiger, als bekannt wurde, daß diese Mittel nicht
für humanitäre Maßnahmen verwendet, sondern in einer Art sozialistischer Amtshilfe von der einen Massenorganisation zur anderen verschoben wurden.

Es verwundert auch nicht weiter, daß sich unter der alten
FDGB-Nomenklatura bis heute hartnäckig Gerüchte erhalten,
wonach diese Skandale nicht der Dynamik des politischen Umbruchs zuzuschreiben sind, sondern Teil einer großen Konspiration sind, deren Fäden Günter Schabowski gesponnen hat. Das
Ziel dieser Konspiration sei es gewesen, die öffentliche Empörung
durch gezielte Indiskretionen auf den FDGB zu lenken, um die
SED von eigenen Skandalen zu entlasten.[38] Die Enttäuschung, die
in diesen Äußerungen der alten FDGB-Kader gegenüber der SED
zum Ausdruck kommt, ist die Enttäuschung des ideologischen
»Klassen-Primus« gegenüber der Partei; »Schule des Sozialismus«
zu sein, war nicht nur formale Aufgabenzuweisung für die größte
Massenorganisation der SED, sondern wurde von den *true belie-
vers* im FDGB als ihr Beitrag zur Sicherung der führenden Rolle
der SED gesehen. Der Verzicht der SED auf das Parteimonopol im
Zuge der Wende erscheint in dieser Perspektive nicht als politisch
notwendiger Schritt, sondern als ein opportunistischer Versuch,
die eigene Haut zu retten und gleichzeitig den FDGB in die Rolle
des »Bauernopfers« zu drängen.[39]

In der Öffentllichkeit spielten allerdings nur die Skandale um
den FDGB eine Rolle. Es war die Kombination dieser Skandale mit

der Forderung der Demonstranten nach Reisefreiheit – und die implizite Verknüpfung mit dem FDGB als zwangsverbandlichem Anbieter von DDR-Reisen – und die latent immer vorhandene Neigung vieler »Werktätiger«, den FDGB nicht als authentische Interessenvertretung zu akzeptieren, die eine negativ-syndromatische Entwicklung in Gang setzte, aus der sich der FDGB zu keinem Zeitpunkt befreien konnte – und auch nicht wollte, wie die Kontinuität des politischen Klientelismus belegt.

6. Der FDGB nach der Wende in der DDR: Kontinuität des politischen Klientelismus

Massenorganisation zu sein und unabhängige Gewerkschaft sein zu wollen, war das Dilemma des FDGB, das aufgrund fehlender alternativer Handlungsorientierungen nicht überwunden wurde. Nachdem die SED ihren politischen Führungsanspruch mehr oder weniger aufgegeben hatte, fiel diese Massenorganisation sozusagen auf sich selbst als Apparat zurück und betrieb nur noch eine Absicherung der eigenen Kader, setzte also den traditionellen politischen Klientelismus[40] der FDGB-Nomenklatura fort.

Die Politik des FDGB übernahm nach dem Rücktritt von Harry Tisch und dessen Nachfolgerin Annelis Kimmel[41] das sog. Vorbereitungskomitee, das die Aufgabe hatte, den außerordentlichen Bundeskongreß am 31. Januar und 1. Februar 1990 vorzubereiten.[42] Eine erste Analyse der Politik des Vorbereitungskomitees faßt die Dominanz des politischen Klientelismus dieser neuen alten FDGB-Nomenklatura, die sich in dem Vorbereitungskomitee zusammenfand, so zusammen:

»1. Die Einbindung aktiver Gruppen und oppositioneller Kräfte in programmatische Arbeiten des Vorbereitungskomitees;
2. den Umbau des FDGB zu einem Dachverband, begleitet von einer Politik der sozialen Absicherung der ausscheidenden Funktionäre;
3. die moralische Bewältigung der Skandale und die damit verbundene Entlastung und Entschuldung der Gewerkschaftsapparate durch die Personalisierung von Schuld sowie
4. die rechtliche Absicherung der bestehenden Gewerkschaftsarbeit im Betrieb und in der Gesellschaft, verbunden mit der politischen Bekämpfung von Betriebsräten als unliebsamer Konkurrenz, aber ihrer faktischen Akzeptanz, sobald sie gegründet waren.«[43]

Die Kontinuität des politischen Klientelismus läßt sich an mehreren Beispielen nachweisen, die wichtigsten scheinen mir folgende zu sein:

a. Der Ausschuß zur Untersuchung von Amtsmißbrauch und Korruption im ehemaligen Bundesvorstand des FDGB

Im Zuge des politischen Umbruchs wurden in der DDR beim Ministerpräsidenten, in den Bezirken der DDR und einigen Massenorganisationen Ausschüsse zur Untersuchung von Amtsmißbrauch und Korruption gebildet. Dies geschah auch beim FDGB. Einige dieser Ausschüsse erfüllten in dieser Zeit die Funktionen »moralischer Anstalten« und zogen großes öffentliches Interesse auf sich, allerdings nicht der Ausschuß beim FDGB. Er führte von vornherein ein stiefmütterliches Dasein im FDGB-Apparat, entfaltete keine relevanten Wirkungen und erwies sich auch nicht als eine wichtige Instanz zur Bewältigung der FDGB-Vergangenheit. Strukturelle Defizite des FDGB, vor allem dessen Zwangscharakter wurden personalisiert in der Figur des Vorsitzenden und dessen »sozialistisch-byzantinistischem« Führungsstil (Theo Pirker) zugeschrieben. »Diese im Ergebnis erfolgreiche Personalisierung der Korruption und Schuld schuf die Voraussetzungen dafür, daß die alte Politik des FDGB und auch die alten Strukturen der Industriegewerkschaften undiskutiert und unangetastet blieben. Der Umbau des FDGB und die Stärkung der Einzelgewerkschaften konnte dadurch als eine politisch und moralisch unbelastete Reorganisationsmaßnahme in Angriff genommen werden.«[44]

b. Das Gewerkschaftsgesetz

Schon im Dezember 1989 wurde der Entwurf eines »Gewerkschaftsgesetzes« in den Reihen des FDGB diskutiert, dessen staatsgewerkschaftliche Kontinuität u. a. darin zum Ausdruck kam, daß er ein Vetorecht des FDGB gegenüber dem Parlament enthielt, das erst auf Drängen des DGB gestrichen wurde. Dieses Gesetz entstand aus einer Situation heraus, »als der FDGB im November und Dezember 1989 sowohl von ›unten‹ in den Betrieben als auch von ›oben‹ in der Regierung Modrow Unterstützung wie Arbeits- und Durchsetzungsfähigkeit zu verlieren drohte. In diesem Sinne ist das Gesetz ein Funktionärssicherungsgesetz, das unter Ausnutzung der alten Machtstrukturen des SED-Staates formuliert wurde und nur in dieser Konstellation durchgesetzt werden konnte.«[45] Parallel zu diesen Maßnahmen des politischen Klientelismus liefen propagandistische Feldzüge, die eine Bekämpfung unabhängiger Betriebsräte zum Ziel hatten, die sich in einigen Städten und Betrieben spontan gebildet hatten und eine ernsthafte Gefahr für die FDGB-Kader darstellten.[46]

Ein ähnliches Handlungsmuster des politischen Klientelismus läßt sich in der Behandlung des FDGB-Vermögens aufzeigen.[47]

Die gleichen Orientierungen schlugen auch in der Fortsetzung der traditionellen Rekrutierungspraxis in der Phase des Umbruchs durch. Der FDGB öffnete sich nicht den Oppositionsbewegungen in der DDR oder anderen neuen Eliten, die eine politische Neuorientierung hätten repräsentieren können. Im Gegenteil, die FDGB-Nomenklatura blieb unter sich. Die neuen Vorsitzenden der Einzelgewerkschaften oder die neuen Mitglieder des gewerkschaftlichen Dachverbandes waren auch schon vorher im FDGB aktiv, als Betriebsgruppenleiter großer volkseigener Betriebe, als Akademiker in der Gewerkschaftshochschule Bernau oder als stellvertretende Vorsitzende von Einzelgewerkschaften.[48] Mit der Kontinuität dieser traditionellen Rekrutierungspraxis konnte auch personell keine Neuorientierung glaubhaft gemacht werden.

Gemeinsamer Nenner aller dieser Maßnahmen ist, daß die ehemals stärkste Massenorganisation der SED trotz des formalen Beschlusses, nunmehr eine unabhängige Gewerkschaft zu sein, in ihrem politischen Handeln nicht in der Lage war, die Handlungsmuster einer Massenorganisation der kommunistischen Partei zu überwinden. Statt dessen fiel der FDGB in die Handlungsorientierung zurück, die er beherrschte, die des politischen Klientelismus. Die Kontinuität dieses politischen Klientelismus mußte sich jedoch immer auf die mono-organisationale Struktur der alten DDR-Gesellschaft orientieren, obwohl diese Gesellschaftsstruktur sich bereits im Zusammenbruch befand. Deshalb blieb der FDGB bis zu seinem Ende eine restaurative Institution.

7. Der FDGB als Tocquevillesches »Scheingebilde«

Diese Ausführungen zeigen, daß sich entlegitimierende Tendenzen im FDGB schon seit Anfang der achtziger Jahre feststellen lassen. Gleichwohl hätte die DDR-Gesellschaft mit einem so entlegitimierten FDGB durchaus weiterleben können, wenn die außen- und sicherheitspolitische Einbindung der DDR in den Warschauer Pakt und die zentralen Legitimationsebenen der DDR nach wie vor funktioniert hätten. Da jedoch diese Legitimationsebenen seit 1986 brüchig wurden und sich der Bürgerprotest seit Mitte 1989 verstärkte, mußten die Entlegitimationsprozesse solcher Massenorganisationen wie des FDGB nicht nur offenbar werden, sondern auch den Untergang der DDR beschleunigen, da deren Gesellschaft nunmehr über keine »staatsfähigen« Wertorientierungen, Interessen und Institutionen verfügte.

Einzigartig ist der staatliche Zerfall der DDR und der institutionelle des FDGB nicht. Es gibt gravierendere politische Zäsuren in der Geschichte Europas, die für das Verständnis des Untergangs der DDR und deren Institutionen hilfreich sind. Es geht dabei nicht um einen unhistorischen Analogieschluß, sondern um eine Erklärung für das Erstaunen, das selbst professionelle Beobachter und Analytiker der DDR-Gesellschaft angesichts des rapiden Zusammenbruchs beschleicht. Ungläubig und erstaunt beobachtete Alexis de Tocqueville z. B. den Zerfall der städtischen Institutionen aus dem 13. und 14. Jahrhundert am Vorabend der französischen Revolution. Aber, so beklagte er, ihre Verordnungen waren zwar noch in Kraft, die Institutionen trugen nach wie vor denselben Namen und schienen die gleichen Dinge zu tun; aber ihre Energie und ihre »fruchtbaren Tugenden« waren verschwunden. »Diese alten Institutionen sind gleichsam abgestorben, ohne ihre Form verloren zu haben.« Sie waren nur noch »leere Scheingebilde«.[49] In unserer Terminologie heißt das, daß Institutionen bei ausbleibender Institutionenreform ihre soziale Dynamik einbüßen können und daß dieser Prozeß schleichend verlaufen kann, ohne von der Öffentlichkeit oder den Gelehrten wahrgenommen zu werden. Denn die routinisierte Alltagspraxis gibt nicht unbedingt Aufschluß über den tatsächlichen Zustand der Institutionen, wohl aber unerwartete politische Herausforderungen, denen sich die Institutionen stellen müssen; dann offenbart sich deren tatsächliches Innovationspotential und Durchsetzungskraft. Die

Massenorganisationen der SED, vor allem der Freie Deutsche Gewerkschaftsbund, waren nach der Wende in der DDR zu keinem Zeitpunkt ein Träger politisch-institutioneller Reformen. Im Gegenteil, als sich der FDGB alternativen politisch-institutionellen Handlungsorientierungen konfrontiert sah, wurde er zum Inbegriff des institutionellen Verfalls und des politischen Siechtums, von dem sich die »Werktätigen« der DDR nichts mehr erhofften und abwandten. Es bedurfte aber erst dieses politischen Umbruchs, der Konfrontation mit neuen politischen Handlungsorientierungen, um den FDGB als Tocquevillesches »Scheingebilde« zu erkennen.

Anmerkungen

1 Dieser Beitrag ist eine erweiterte Fassung meines Habilitationsvortrages, den ich am 14. Februar 1991 vor dem Fachbereichsrat Philosophie und Sozialwissenschaften I der Freien Universität Berlin gehalten habe. – Für ihre kritischen Anmerkungen danke ich Franz-O. Gilles, Ingeborg Haag, Hans-Hermann Hertle, Jürgen Kädtler und vor allem Gerhard Otto.

2 Th. Pirker, *Reform und Restauration. Krise und Zerfall kommunistischer Herrschaftssysteme, Berliner Arbeitshefte und Berichte zur sozialwissenschaftlichen Forschung* Nr. 20/1990.

3 M. R. Lepsius, *Interessen, Ideen und Institutionen*, Opladen 1990.

4 Th. Pirker, *Autonomie und Kontrolle. Vorbemerkung zum Phänomen intermediärer regulativer Institutionen*, in: ders. (Hg.), *Autonomie und Kontrolle. Beiträge zur Soziologie des Finanz- und Steuerstaates*, Berlin 1989, S. 7 ff.; ders., a. a. O., 1990.

5 G. Roth, *Politische Herrschaft und persönliche Freiheit. Heidelberger Max Weber-Vorlesungen*, Frankfurt/M. 1987.

6 M. R. Lepsius, a. a. O., S. 7.

7 M. R. Lepsius, *Modernisierungspolitik als Institutionenbildung: Kriterien institutioneller Differenzierung;* zit. nach: M. R. Lepsius, a. a. O., S. 55 ff.

8 Vgl. H.-H. Hertle/R. Weinert, *Die Auflösung des FDGB und die Auseinandersetzung um sein Vermögen. Berliner Arbeitshefte und Berichte zur sozialwissenschaftlichen Forschung* Nr. 45/1991, S. 10ff. In der Fachliteratur spielte der FDGB vor der Wende eine untergeordnete Rolle, die meisten Beiträge sind deskriptiv und/oder zeitgeschichtlich

angelegt, vgl. u. a. U. Gill, *Der Freie Deutsche Gewerkschaftsbund,* Opladen 1989; H. Zimmermann, *Der Freie Deutsche Gewerkschaftsbund,* Berlin 1974; ders., Stichwort *Freier Deutscher Gewerkschaftsbund,* in: *DDR-Handbuch,* Band 1, Frankfurt/M. 1985, S. 459; R. Rytlewski, Stichwort *Deutsche Demokratische Republik,* in: S. Mielke (Hg.), *Internationales Gewerkschafts-Handbuch,* Opladen 1982, S. 385 ff. In der DDR gab es vor der Wende eine offizielle, von Harry Tisch persönlich redigierte *Geschichte des FDGB,* die unter der Leitung von Heinz Deutschland an der Gewerkschaftshochschule in Bernau entstand; vgl. H. Deutschland u. a., *Geschichte des Freien Deutschen Gewerkschaftsbundes,* hg. vom Bundesvorstand des FDGB, Berlin/Ost 1982.

9 Vgl. H.-H. Hertle/R. Weinert, a. a. O., 1991, S. 12. Ulrich Gill unterscheidet bei den Aufgaben, die der FDGB wahrnahm, zwischen Ideologievermittlung, Arbeitsmobilisierung, Sozialen Diensten, Personalheranbildung und betrieblicher Mitwirkung; vgl. U. Gill, a. a. O., S. 332 ff.

10 Aus diesen Gründen halte ich H. Gordon Skillings Ansatz der »interest groups« bei der Analyse des FDGB, aber auch der anderen kommunistischen Massenorganisationen in der DDR, für nicht ergiebig. Die »associational groups«, wie z. B. die Gewerkschaften, spielen bei Skilling auch keine Rolle, sondern die Ebene unterhalb dieser Organisationen. Mit Blick auf die UdSSR meint Skilling, »there is some evidence that the mass organizations, especially the trade-unions, sometimes provide a setting for the expression of a distinctive social group interest« (G. H. Skilling, *Groups in the Soviet Politics: Some Hypotheses,* in: ders./Franklyn Griffiths [eds.], *Interest Groups in Soviet Politics,* Princeton, N.J., 1971, S. 37 f.).

11 »Wir werden Euch schon noch lernen, wie man Gewerkschaftsarbeit durchführt! Das geht nicht so weiter. Das ist unmöglich.« So polterte drohend Walter Ulbricht nach dem 17. Juni 1953 gegenüber FDGB-Funktionären, die nicht von Anfang an die Legende vom »faschistischen Putsch« getragen hatten; zit. nach: W. Eckelmann/H.-H. Hertle/R. Weinert, *FDGB intern. Innenansichten einer Massenorganisation der SED,* Berlin/Ost, S. 36.

12 Vgl. W. Eckelmann/H.-H. Hertle/R. Weinert, a. a. O., S. 52.

13 Vgl. M. R. Lepsius, *Modernisierungspolitik als Institutionenbildung: Kriterien institutioneller Differenzierung,* a. a. O., S. 59.

14 Diesen Prozeß der Zwangshomogenisierung hat Max Weber mehrfach prognostiziert, und zwar als »Durchstaatlichung«. Die jetzt noch getrennte private und öffentliche Bürokratie, die sich gegenseitig in Schach halten könne, werde in einen einzigen »Körper mit solidarischen Interessen« fusioniert und gerate damit faktisch außer Kontrolle. Den Arbeitern und Angestellten sagte er dann eine schlechte Zukunft

voraus, da im Sozialismus jeglicher Machtkampf gegen die nun allein herrschende Bürokratie aussichtslos sei, »weil keine prinzipiell gegen sie ‹die staatliche Bürokratie› und ihre Macht interessierte Instanz angerufen werden kann…« (Max Weber, *Parlament im neugeordneten Deutschland, PS,* S. 332; ders., *Der Sozialismus, SSP,* S. 504.).

15 Vgl. G. Roth, *Charismatischer Führungsanspruch und persönliche Abhängigkeit in der Sowjetunion,* in: ders., a. a. O., S. 71.

16 Balint Balla versuchte mit dem Begriff der »Kaderverwaltung« eine Art Anti-Idealtypus zu entwerfen (B. Balla, *Kaderverwaltung. Versuch zur Idealtypisierung der ›Bürokratie‹ sowjetisch-volksdemokratischen Typs,* Stuttgart 1972). Zum bürokratischen Sozialismus vgl. G. Meyer, *Bürokratischer Sozialismus,* Stuttgart 1977; G.-J. Glaeßner, *Herrschaft durch Kader. Leitung der Gesellschaft und Kaderpolitik in der DDR,* Opladen 1977. Vgl. des weiteren die Kritik, von Günther Roth an der »konventionellen« Anwendung der Weberschen Herrschaftstypen, insbesondere des Idealtypus der Bürokratie, G. Roth, a. a. O., S. 74 ff.

17 M. Weber, *WuG,* S. 835.

18 Vgl. T. H. Rigby, *Introduction: Political Legitimacy, Weber and Communist Mono-organisational Systems,* in: ders./F. Fehér (eds.), *Political Legitimation in Communist states,* London 1982, S. 10 ff. Günther Roth stimmt Rigby darin zu, daß Max Weber »den Unterschied zwischen zwei heute sehr wichtigen Arten der Bürokratien nicht genügend betonte« (G. Roth, a. a. O., S. 68).

19 Für viele vgl. K. v. Beyme, *Ökonomie und Politik im Sozialismus,* München 1975, S. 342 ff.

20 So T. G. Ash, *Ein Jahrhundert wird abgewählt,* München 1990, S. 457 ff.

21 Vgl. M. R. Lepsius, *Nation und Nationalismus in Deutschland;* zit. nach ders., a. a. O., S. 241; ebenso Reinhard Bendix, der meint, die offizielle Theorie des Marxismus-Leninismus habe u. a. die Funktion, »die Herrschaft der Partei einfach als eine Führung der Massen durch ihre eigene Vorhut und in deren eigenen, wahren Interessen ‹zu erklären›« (R. Bendix, *Herrschaft und Industriearbeit,* Frankfurt/M. 1956, S. 460).

22 Vgl. M. R. Lepsius, a. a. O., S. 241.

23 So R. Bendix, a. a. O., S. 459.

24 Vgl. auch: L. Sochor, *Beitrag zur Analyse der konservativen Elemente in der Ideologie des »realen Sozialismus«. Forschungsprojekt »Krisen in den Systemen sowjetischen Typs« Nr. 4,* Köln 1984, S. 19.

25 Diese Erkenntnis ist neu und wurde erst durch einen Zugang zum FDGB-Archiv nach dem Fall der Mauer möglich. Eine systematische Analyse dieser Kontrollfunktion des FDGB, aber auch der anderen Massenorganisationen fehlt bislang. Erste Ergebnisse über die Praxis dieser Ideologie-Kontrolle in der DDR sind enthalten in: W. Eckelmann/H.-H. Hertle/R. Weinert, a. a. O.

26 W. Eckelmann/H.-H. Hertle,/R. Weinert, a. a. O., S. 92.

27 H.-H. Hertle/Th. Pirker/R. Weinert, »*Der Honecker muß weg!*« *Protokoll eines Gesprächs mit Günter Schabowski am 24. April 1990 in Berlin/West*, in: *Berliner Arbeitshefte und Berichte zur sozialwissenschaftlichen Forschung*, Nr. 35/1990, S. 23.

28 Im April 1990 hatte der FDGB Demonstrationen organisiert, auf denen eine Währungsumstellung von 1 : 1 gefordert wurde und die fest im Griff von SED-Claqueuren waren. Am 9. Mai 1990 hatte der Geschäftsführende Vorstand des FDGB abenteuerliche Forderungen aufgestellt (50 Prozent Lohnerhöhungen, 30 Prozent Teuerungszuschlag und Einführung der 38-Stunden-Woche), die der Anlaß für die Intervention des Deutschen Gewerkschaftsbundes war; vgl. H.-H. Hertle/R. Weinert, *Fünf Thesen zur Zukunft der Einheitsgewerkschaft und der Auflösung des FDGB*, in: *Frankfurter Rundschau* vom 14. September 1990.

29 Vgl. K. v. Beyme, a. a. O., S. 320.

30 H. Riese, *Geld im Sozialismus. Zur theoretischen Fundierung des Sozialismus*, Regensburg 1990, S. 133.

31 Krisen im Sozialismus wurden zwar nicht geleugnet, hierzu gab es in den siebziger Jahren in der DDR eine begrenzte Diskussion, die sich jedoch in sehr deutschen sprachlichen Sophistereien, der Unterscheidung von »Widersprüchen« (»Grundwiderspruch«, »Hauptwiderspruch«, »Widerspruch«, »Antagonismus« etc.) und der möglichen Relevanz für die DDR erschöpften; vgl. hierzu: K. v. Beyme, a. a. O., S. 319ff.

32 W. Eckelmann, *Die »Kampfgemeinschaft« zwischen SED und FDGB*, in: ders./H.-H. Hertle/R. Weinert, a. a. O., S. 100ff.

33 Das gilt ebenfalls für die Notizen des ehemaligen Chefredakteurs der *Tribüne*, der Hauszeitung des FDGB; vgl. G. Simon, *Tischzeiten. Aus den Notizen eines Chefredakteurs 1981 bis 1989*, Berlin/Ost, 1990. Sowohl die Aufzeichnungen von Eckelmann als auch die von Simon sind zwar reich an Beispielen und verdeutlichen die syndromatische Entlegitimierung des FDGB in den achtziger Jahren, leiden jedoch darunter, diese strukturellen Defizite in Harry Tisch, dem Vorsitzenden des FDGB, zu personalisieren.

34 R. Dahrendorf, *Betrachtungen über die Revolution in Europa*, Stuttgart 1990, S. 20.

35 Vgl. W. Eckelmann/H.-H. Hertle/R. Weinert, a. a. O., S. 69ff.

36 Vgl. ebd., S. 64.

37 Zur Chronologie der Ereignisse vgl. H.-H. Hertle, *Transmissionsriemen ohne Mission. Der FDGB im Umwälzungsprozeß der DDR. Berliner Arbeitshefte und Berichte zur sozialwissenschaftlichen Forschung* Nr. 21/1990.

38 So z. B. Jürgen Schulze, Organisationssekretär des FDGB-Bundesvor-

standes in Berlin und Leiter des Büros der Vorsitzenden unter Annelis Kimmel, der Nachfolgerin von Tisch; vgl. H.-H. Hertle/R. Weinert, »*Wir haben gedacht, daß wir länger dran sind!*« *Interview mit Annelis Kimmel über ihren Versuch einer Wende der Gewerkschaftspolitik in einem erneuerten Sozialismus, Berliner Arbeitshefte und Berichte zur sozialwissenschaftlichen Forschung* Nr. 31/1990, S. 21 ff. Schabowski wiederum fühlt sich geschmeichelt, daß ihm diese konspirativen Fähigkeiten zugesprochen werden, kann allerdings glaubhaft machen, daß das Politbüro in den Monaten des politischen Umbruchs andere Sorgen hatte; vgl. H.-H. Hertle/Th. Pirker/R. Weinert, a. a. O., S. 31 f.

39 Solche Legendenbildungen halten sich nicht nur unter den alten FDGB-Kadern, sondern auch in der Berichterstattung über den Tisch-Prozeß beim *Spiegel*, vgl. G. Friedrichsen, »*Störrisch, trotzig und unartig*«, in: *Der Spiegel* vom 18. Februar 1991, S. 55 ff.

40 Günther Roth faßt den Begriff Neopatrimonialismus enger als den des politischen Klientelismus. Seine Definition des »partikularistischen Personalismus« ist jedoch auf die funktionierenden Strukturen der ehemaligen kommunistischen Staaten zugeschnitten, so daß wir hier am Begriff des politischen Klientelismus festhalten. Für unsere Thematik ist wichtig, daß der Begriff des Klientelismus in Anlehnung an den archaischen deutschen Wortsinn von den »Schutzherren« und »Schutzbefohlenen« anknüpft, als »auf ideellen und materiellen Interessen beruhende[n] Loyalitätsbeziehungen zwischen einem ›Herrn‹ und seinem persönlichen Stab oder seiner persönlichen Gefolgschaft, und zwar ohne die traditionalistische Legitimation des historischen Patrimonialismus.« Vgl. G. Roth, a. a. O., S. 18.

41 Annelis Kimmel war nur vier Wochen, vom 2. November bis zum 9. Dezember 1989, im Amt; zu ihrer Amtszeit vgl. H.-H. Hertle/R. Weinert, »*Wir haben gedacht, daß wir länger dran sind!*«, a. a. O.

42 Den Vorsitz führte Werner Peplowski von der IG Druck und Papier; zu Peplowski vgl. H.-H. Hertle, »*Die Gewerkschaft hat in der Verharrung gelegen.*« *Interview mit Werner Peplowski über den Wandlungsprozeß des FDGB, Berliner Arbeitshefte und Berichte zur sozialwissenschaftlichen Forschung* Nr. 26/1990.

43 Th. Pirker/H.-H. Hertle/J. Kädtler/R. Weinert, *FDGB: Wende zum Ende. Auf dem Weg zu unabhängigen Gewerkschaften*, Köln 1990, S. 41 ff.

44 Th. Pirker/H.-H. Hertle/J. Kädtler/R. Weinert, a. a. O., S. 46.

45 Ebd., S. 96 f. Ausgerechnet dieses Gewerkschaftsgesetz mit dieser Entstehungsgeschichte dem DGB als eine Art Modell anzudienen (so z. B. H. Deutschland, *Was wird aus dem FDGB? Das neue Gewerkschaftsgesetz in der DDR*, in: *Sozialismus* Heft 3/1990, S. 48 ff.), zeugt von einer völligen Unkenntnis der Geschichte, Struktur und Handlungskonstellationen des Systems der westdeutschen Arbeitsbeziehungen.

46 Über die Bildung unabhängiger Betriebsräte in der ehemaligen
DDR vgl. Th. Pirker/H.-H. Hertle/J. Kädtler/R. Weinert, a. a. O.,
S. 51 ff., sowie J. Kädtler/G. Kottwitz, *Betriebsräte zwischen Wende
und Ende in der DDR. Berliner Arbeitshefte und Berichte zur sozialwissenschaftlichen Forschung* Nr. 42/1990.

47 Vgl. ausführlich hierzu: H.-H. Hertle/R. Weinert, *Die Auflösung des
FDGB und die Auseinandersetzung um sein Vermögen,* a. a. O.

48 Zu den Personen und Ereignissen vgl. H.-H. Hertle, *Transmissionsriemen…,* a. a. O.

49 A. de Tocqueville, *Der Staat und die Revolution,* München 1978,
S. 33.

Johannes Huinink/Karl Ulrich Mayer
Lebensverläufe im Wandel
der DDR-Gesellschaft*

1 Einführung

Das Ende der DDR wurde nach einer, in historischen Maßstäben gerechnet, äußerst kurzen Zeit auf radikale Weise besiegelt. Gemeint ist ihre im nachhinein betrachtet wohl zwangsläufige »Inkorporation« in das gesellschaftliche Gefüge der Bundesrepublik (Mayer 1991). Damit stellt sich die Frage: Was hat diesen Fall so abrupt von der »These« in die »Antithese« befördert?

Die Veränderung der block- und weltpolitischen Lage trug innerhalb der DDR zwar zur Mobilisierung von systemkritischen Kräften bei. Dennoch war es keine innere Revolution, die das DDR-Regime zu Fall brachte.[1] Auch die sozial-reformerischen Gegenentwürfe der Oppositionsbewegungen in der damaligen DDR hatten von Anfang an keine Chance auf Erfolg, obwohl sie zunächst in der Öffentlichkeit große Aufmerksamkeit erlangten. Sie wurden bald von der »Antithese« überrollt.

Als Antwort auf unsere Frage suchen wir daher nach der »Antithese« in der DDR-Gesellschaft, und das heißt nach marktmäßig organisierten Formen einer modernen, bürgerlichen Gesellschaftsverfassung (vgl. Pollack 1990). Wir versuchen das mit einer empirischen Analyse der Struktur und Vielfalt der Lebensverläufe. Erste Befunde weisen darauf hin, daß man keineswegs von einer Uniformität oder durchgängigen institutionellen Steuerung von Lebensverläufen in der DDR sprechen kann. Man kann auf eine beträchtliche Relevanz nicht durch den Apparat kontrollierter bzw. von ihm nicht intendierter Selbststeuerungsmechanismen schließen (vgl. dazu auch Niethammer/v. Plato/Wierling 1991). Deren Bedeutung wird unseres Erachtens in der derzeitigen Diskussion häufig übersehen. Paradoxerweise trugen sie zunächst, ohne das Regime positiv zu unterstützen, zu seiner Stabilität bei. Erst als die staatliche Repression ins Wanken geriet, wurden sie und die mit ihnen verbundenen Erwartungen an das westdeutsche System zu einem mächtigen Motor der Entwicklung.

Wir fragen auch, welche Konsequenzen der Umbruch für die

Lebensverläufe zeitigte und zeitigen wird. Die aktuelle und zukünftige Wohlfahrtssituation und das individuelle Selbstverständnis von Menschen sind in einem erheblichen Maße an Weichenstellungen, Ressourcen, Erfahrungen und Handlungsstrategien gebunden, welche im Verlauf eines Lebens und zum Teil bereits in der Vorgeneration akkumuliert worden sind. Das lehren zumindest Ergebnisse von Lebensverlaufsstudien für den Westen Deutschlands. Was bedeutet dies für die DDR-Bevölkerung unter den Bedingungen des von ihr selbst herbeigeführten abrupten Systemwechsels?

2 Dimensionen der gesellschaftlichen und sozialen Einbettung individueller Lebensverläufe in der DDR

Im Vordergrund der derzeitigen Diskussion steht die Bedeutung des autoritär organisierten Staatsapparates der DDR mit seinen Planungs- und Kontrollorganen, mit seinem Anspruch auf das unbedingte Gestaltungsmonopol der Gesellschaft und des Lebens der Bevölkerung.[2] Die Beschreibung des Systems als (geschlossene) *Organisationsgesellschaft* trifft diesen Sachverhalt vielleicht am besten (Pollack 1990). Im engeren Sinne bezieht sich die hier betrachtete Dimension auf die »*formale*« Struktur dieser Organisationsgesellschaft.

Unbestritten ist, daß die politischen Machtinstanzen mit ihren Institutionen den Lebenslauf der Menschen von der frühen Kindheit über die Schul- und Ausbildungszeit bis ins hohe Alter hinein in allen Bereichen auch im Alltag zu steuern versuchten. Die Beziehung der SED-Herrschaft zum einzelnen ist aber differenzierter zu betrachten, als es zum Beispiel allein die aktuell diskutierte Desubjektivierungsthese (Adler 1991) nahelegen würde. Uns geht es vor allem um den Erfolg der Gestaltung und Absicherung eigener Lebensoptionen unter den spezifischen, kaum beeinflußbaren Randbedingungen, also um die Chance zu individueller Autonomie und um die »informellen« Strukturen der DDR-Gesellschaft. Wir gehen dabei von einer allgemeinen und zwei spezifischen Annahmen zum Verhältnis von Bevölkerung und formalen Strukturen der DDR-Gesellschaft aus[3]:

1. In der DDR als einem modernen Staat war der einzelne faktisch in rechtlicher, politischer und sozialer Hinsicht als individu-

eller Akteur akzeptiert, so stark auch der Widerspruch zu den Vorstellungen des Kollektivismus und der zentralen Steuerung der DDR-Gesellschaft zu sein schien (Pollack 1990). Dieser Sachverhalt ist bedeutsam für das Selbstverständnis von Individuen, die ihre Lebensplanung auch als eigenverantwortlich zu gestalten trachteten.

2. Das institutionelle Gefüge der DDR bildete für den Bürger einen relativ beständigen Rahmen zur Herausbildung individueller Handlungsstrategien, innerhalb dessen man individuellen Orientierungen und Zielen Geltung verschaffen konnte. Gleichzeitig sahen sich die meisten von der Möglichkeit aktiver Partizipation an der Gestaltung der Gesellschaft über das rein ritualisierte »Mitmachen« hinaus entbunden.[4] Diese Konstellation konnte für individuelle Handlungsprozesse eine entlastende Funktion zeitigen (Schröder 1990). Die soziale Absicherung durch die staatliche Sozialpolitik spielte dabei eine wichtige Rolle. Sie setzte Gestaltungskräfte in alternativen Bereichen und Chancen zur Aushandlung von Spielräumen frei. Die nicht-intendierte Folge dieser Politik unter den eher restriktiven gesellschaftlichen Bedingungen war, daß sie die Hinwendung zu den »informellen« Bereichen der Gesellschaft förderte und die nötige Rückendeckung für auf den individuellen Vorteil bedachte Aushandlungsprozesse im Betrieb und mit anderen öffentlichen Institutionen bot. In diesem Sinne wurde sie auch instrumentalisiert. Eine »free rider«-Mentalität bestimmte in vielen Bereichen das Verhältnis von Individuum und Öffentlichkeit (Olson 1985).

3. Der Versuch einer zentralistisch, streng hierarchisch gesteuerten Planung gesellschaftlicher Entwicklung mußte gerade vor dem Hintergrund ihres hohen Anspruches mißlingen (Rottenburg 1991). Damit waren einerseits Willkür und Irrationalität im Entscheidungsverhalten von Instanzen und Repräsentanten des autoritären Apparats Tür und Tor geöffnet. Für individuelle Lebensverläufe bedeutete das, daß bestimmte Weichenstellungen, zum Beispiel bei der Ausbildung oder dem Erwerbsverlauf, einen Moment der Unkalkulierbarkeit behielten. Vor allem aber im Alltag mußte sich solche Willkür auswirken, und zwar gerade da, wo es um die Verteilung besonders knapper Güter ging (Pollack 1990; Schröder 1990). Auf der anderen Seite wurden Marktmechanismen zu einer Kompensation von Planungsdefiziten geduldet oder gar installiert. Sie eröffneten individuelle Chancen der Le-

bensgestaltung, die über das rein passive Nachvollziehen der vorgegebenen Anforderungen hinausgehen konnten. Es gab gute Gelegenheiten zur Revision selbst getroffener Entscheidungen oder staatlicher Weichenstellungen im Lebensverlauf. Aus dem Bewußtsein der Vorläufigkeit von Lebensentscheidungen könnte eine besondere Bereitschaft zur Mobilität als systematischer Teil individueller Handlungsstrategien erwachsen sein.

Die staatliche Politik der Steuerung und Kontrolle hat also die Genese eigenständiger »*informeller Strukturen*« nicht nur nicht verhindern können, sondern in systematischer Weise selbst gefördert. Auch wenn diese Strukturen nicht direkt einen »revolutionären« oder systemgefährdenden Charakter hatten, so stellten sie doch spezifische Erfahrungsbereiche mit einer eigenen Dynamik dar, die selbst zur gesellschaftlich relevanten Größe wurden.[5] Die informellen Bereiche waren eine potentielle Quelle der Selbstbehauptung bzw. Interessen- und Anspruchsartikulation der Bürger des DDR-Staates.

Zunächst denkt man an die *instrumentell geprägten sozialen Beziehungen*, die der Verbesserung der wirtschaftlichen Lage und des individuellen Wohlstands der Beteiligten dienten. Obschon sie im Prinzip durch Regelungslogiken geprägt waren, die an marktmäßig organisierte Strukturen erinnern (Deppe/Hoß 1989), wurden sie von offizieller Seite bis zu einem gewissen Grade stillschweigend geduldet. Wegen ihres Beitrags zur »besseren Befriedigung von Verbraucherwünschen und zur Einkommensverbesserung« hatten sie eine stabilisierende Wirkung (Deppe/Hoß 1989, S. 36). Zu diesem Bereich ist ein Netz gegenseitiger, subsidiär organisierter *Hilfeleistung* zu rechnen. Nicht streng davon abzugrenzen ist das System der »Schattenwirtschaft« oder der von Deppe und Hoß so genannten *zweiten Wirtschaft*. Die genannten Autoren sehen in ihr überwiegend »ein informelles ›Naturaltauschsystem‹«, das in der DDR weniger der Erwirtschaftung eines existenzsichernden Einkommens, sondern eher einer Verbesserung der Dienstleistungs- und Güterallokation der Haushalte diente (Deppe/Hoß 1989, S. 81 f.). Sie konnte auch eine wichtige Quelle sozialer Anerkennung sein. Die Systemlogik sozialstruktureller Differenzierung war immer mehr durch Nivellierung der Entlohnungsstrukturen einerseits (Adler 1991) und selektive Privilegierung andererseits gekennzeichnet (Meier 1990).

Eine weitere Dimension der »informellen« Sphäre bildeten jene sozialen Beziehungen, in denen Individuen einen für ihre individuelle Entwicklung wichtigen Gegenpol zu der formalen Gewalt staatlicher Regelungs- und Kontrollmechanismen ausbilden konnten. Als gesellschaftliche Instanz dafür bot sich, wenn auch nicht ausschließlich, die *Partnerschaft und Familie* an (Nickel 1991).

Es lassen sich eine ganze Reihe weiterer Bereiche abgrenzen, die im obigen Sinne dem »informellen« Bereich der »Organisationsgesellschaft DDR« zuzurechnen wären. In der *Arbeitswelt* konnte unterhalb der Leitungsebenen eine Solidarität spezifischer Art entstehen, die sich in der Bewältigung der alltäglichen Probleme des Arbeitsprozesses bewähren und für den einzelnen soziale Anerkennung sichern konnte, aber auch Grundlage individuellen oder kollektiven Widerstands im Betrieb war (Rottenburg 1991; Voskamp/Wittke 1991). In den *Kirchen* entwickelten sich die Keimzellen politischer Opposition. Sie konnten als relative Freiräume genutzt werden, aber wohl auch nur deshalb, weil die Kirche offiziell keine offensive Politik gegen den Staat betrieb und unterstützte, sondern eher ein Arrangement mit der SED-Macht suchte (Henkys 1989).

In beträchtlichen Teilen der DDR-Realität, so die resümierende These, spielten (quasi-)marktmäßig organisierte soziale und ökonomische Strukturen eine wichtige Rolle. Sie erwiesen sich für die Individuen als effizienter als die Steuerungsmaschinerie des DDR-Staates, die sich aufgrund ihres Totalitätsanspruchs ad absurdum führte und die Entwicklung blockierte. Sich ihr zu entziehen und damit einer drohenden Entmündigung bezogen auf die eigene Lebensführung zu entgehen, mußte daher ein zentraler Antrieb werden.

3 Lebensverläufe in der ehemaligen DDR

3.1 Einige empirische Ergebnisse

Auf der Basis von zwei Vorstudien zu einem Lebensverlaufsprojekt in der ehemaligen DDR wollen wir einzelne Aspekte der Struktur und Gestaltung individueller Lebensverläufe in der DDR genauer beschreiben und unter Berücksichtigung der historischen Besonderheiten charakterisieren.[6]

Beginnen wir mit einer wichtigen Phase des Übergangs ins Erwachsenenalter, der *beruflichen Ausbildung.* Die Praxis der Steuerung und Kanalisierung von Jugendlichen auf vorgegebene, nach dem in der Planung bestimmten berufsspezifischen Bedarf an Facharbeitern und Hochschulabsolventen (Ausbildungsstellenbedarfsplan) festgelegte Ausbildungsstellen läßt zunächst auf eine umfassende staatliche Kontrolle im Bildungs- und Ausbildungsbereich schließen. Kriterien offizieller Klassenquoten und zunehmend auch politischer Loyalität spielten bei der Allokation eine wichtige Rolle.[7]

Die Dynamik individueller Ausbildungskarrieren und der damit einhergehenden beruflichen Plazierungen war aber weitaus stärker, als es diese Praxis vermuten ließe. Das gilt besonders für die Aufbauphase der fünfziger und sechziger Jahre, als der Bedarf an höher- und höchstqualifizierten Kräften groß war. Chancen zur Weiterqualifikation und zur beruflichen Umorientierung konnten aber auch später noch dazu genutzt werden, sich eigenen beruflichen Vorstellungen anzunähern oder einen zuvor verwehrten höheren Schulabschluß zu erlangen.

Männer absolvierten nach unseren Ergebnissen im Durchschnitt mehr als zwei Ausbildungsgänge, und etwa die Hälfte von ihnen wechselte bei einer späteren Ausbildung auch die berufliche Ausrichtung. Bei den Frauen war die durchschnittliche Zahl der Ausbildungen und der Anteil der beruflichen Umorientierungen deutlich geringer. Etwa 10 Prozent der befragten Frauen konnten gar keinen Ausbildungsabschluß erwerben. Die Ausbildungsverläufe waren bei Männern und Frauen sowie in den verschiedenen Jahrgängen unterschiedlich stark mit einer »Aufstiegsmobilität« verbunden.[8]

Ausgesprochene Ausbildungskarrieren absolvierten die Männer der Geburtsjahrgänge 1929-31, die man noch zur Aufbaugeneration der DDR rechnen kann. Vor allem wegen der Abwanderung wichtiger Teile der qualifizierten Erwerbsbevölkerung aus der DDR waren sie stark gefordert. Viele Angehörige dieser Geburtsjahrgänge mußten wegen der Wirren der Kriegs- und Nachkriegszeit zunächst auf eine geregelte Ausbildung verzichten. Die meisten profitierten dann aber in besonderem Maße von den Qualifizierungsoffensiven der fünfziger und sechziger Jahre.[9] Laufbahnen vom Angelernten- oder Facharbeiterstatus zu einem akademischen Abschluß waren daher nicht selten und stellten typische Karriereverläufe in dieser Altersgruppe dar.

Die Zahl der Ausbildungsphasen ging in den jüngeren Jahrgängen offensichtlich nicht zurück. Die Einführung von Ausbildungsgängen wie der Berufsausbildung mit Abitur, wonach mehr als eine Ausbildung die Regel war, war dafür sicher nicht ausschlaggebend. Weiterqualifizierende Abschlüsse waren weiterhin sehr häufig. Durch spätere Zulassungen zum Fachstudium im Anschluß an die erste berufliche Ausbildung zum Beispiel über die NVA oder die Betriebe konnten frühere Einschränkungen bei der Erstausbildung kompensiert werden (vgl. Biermann 1990, S. 60-72). Insgesamt konnte auch deshalb mehr als die Hälfte der heute bis zu 41jährigen Personen in den untersuchten Geburtsjahrgängen ein höheres Ausbildungsniveau als ihre Väter erreichen.

Die jüngsten Befragten, die heute etwa 31jährigen, erreichten mit weiteren Ausbildungen überwiegend mittlere Ausbildungsniveaus mit einem Meister- oder Fachschulabschluß. Geschlechtsspezifische Chancenunterschiede drückten sich nur noch in der beruflichen Ausrichtung der Ausbildungen aus. Die spektakulären intra- und intergenerationalen Mobilitätsprofile der älteren Jahrgänge gehörten nun aber der Vergangenheit an. Ein Teil der nachträglichen Ausbildungen war dagegen mit beruflichen Umorientierungen verbunden, die nicht unbedingt zu einer Höherqualifizierung führten. Sie gingen mit einer Veränderung in der Erwerbstätigkeit einher und reflektierten so sich anbietende Chancen einer Neugestaltung der beruflichen Laufbahn. Häufig schloß sich eine solche Ausbildung an den Wechsel in eine neue berufliche Tätigkeit an. Sie diente dann einer »nachholenden« beruflichen Qualifikation für die Tätigkeit im Rahmen einer neuen Stelle, auf der man zuvor nur angelernt worden war.

Die Menschen aus der ehemaligen DDR haben also auch im Vergleich zur alten Bundesrepublik eine relativ hohe Zahl von Ausbildungsgängen absolviert. Das ist zum Teil einer gezielten Förderung oder auch einer administrativen wie moralischen Verpflichtung zur Weiterqualifikation geschuldet. Glaubt man aber den Angaben der Befragten aus allen Geburtsjahrgängen, so haben viele aus ihrer Sicht durch eigene individuelle Anstrengungen, wenn auch über Umwege, ihr Ziel einer befriedigenden Qualifikation gesucht und gefunden. Auch andere Bereiche der informellen Sphäre spielten dabei eine gewichtige Rolle.

Etwa die Hälfte der befragten Männer und weit mehr als die Hälfte der befragten Frauen konnten sich ihren ursprünglichen

Berufswunsch nicht erfüllen. Die 1929 bis 1931 Geborenen gaben vor allem den Krieg als Grund dafür an, später war es überwiegend die Lehrstellenlage (besonders bei den Mädchen) oder die ablehnende Haltung der Eltern. Die Eltern gaben auch am häufigsten den Ausschlag bei der Entscheidung für die Erstausbildung. Institutionelle Einflüsse verschiedener Art (Vorschlag durch Schule oder Berufsberatung, besondere Förderung des Ausbildungsberufs u. ä.) wurden am zweithäufigsten genannt. Kaum weniger Befragte sahen den Rat von Freunden und Bekannten und schließlich die rein individuelle Entscheidung als ausschlaggebend an. Bei den weiteren Ausbildungen überwog dagegen die Akzentsetzung auf die eigene individuelle Entscheidung über die Angabe betrieblicher und sonstiger institutioneller Faktoren. Einige betonten, daß man mit einer weiteren Ausbildung seiner beruflichen Laufbahn noch einmal eine andere Richtung habe geben wollen. In der Nachbetrachtung schrieb die klare Mehrheit sich so den beruflichen Erfolg, aber auch Fehlentscheidungen im Ausbildungsbereich selber zu.

Dennoch, der Vergleich der jüngeren mit den älteren Befragten deutet schon an: Was vor allem in den ersten drei Jahrzehnten der DDR eher loyalitätsstiftende Wirkung hatte, nämlich weitreichende Weiterqualifizierungschancen, berufliche Umorientierungen mit Aufstiegschancen und Dynamik im Arbeitsleben, dürfte im letzten Jahrzehnt spürbar zurückgegangen sein. Das scheint – so zumindest unsere These (Mayer 1991, S. 91) – zu einer erheblichen, zunächst latenten Unzufriedenheit geführt zu haben.

Das belegen vor allem auch Untersuchungen zum Erwerbsverlauf. Im *Beschäftigungsbereich* gab es gleichfalls eine beträchtliche Fluktuation. Sie war zum Teil historisch bedingt. Zum anderen läßt sie sich unseres Erachtens nur durch die Existenz eines Quasi-Arbeitsmarkts erklären, der zwar nicht durch volle Freizügigkeit gekennzeichnet war, der aber doch hinreichende Chancen zu individueller Stellenwahl bot, freilich ohne daß man dem Risiko einer Arbeitslosigkeit ausgesetzt war. Im Zuge der Liberalisierung (NÖS – Neues Ökonomisches System) waren in den sechziger Jahren offiziell Beschränkungen von Arbeitsplatzwechseln aufgehoben worden (Deppe/Hoß 1989, BMIB 1985). Trotz zahlreicher Regelungen zur stärkeren Kontrolle der Arbeitskräftefluktuation seit den siebziger Jahren haben sich bis zuletzt arbeitsmarktähnliche Strukturen erhalten (Deppe/Hoß 1989; Voigt/Voß/Meck 1987), die in weiten Bereichen alle Merkmale eines Markts der »informellen« Sphäre zeigten. Es gab Informationssysteme öffentlicher und vor allem privater Art, die eine Vermittlung der Nachfrage nach Arbeitskräften seitens der Betriebe leisteten. Das Arbeitskräfteangebot war knapp, die Betriebe konkurrierten daher um Arbeitskräfte. Schlechte Produktions- und Arbeitsbedingungen waren auf der anderen Seite ein Grund für eine erhöhte Bereitschaft zur Mobilität.[10]

Die Männer und Frauen der älteren Geburtsjahrgänge in unserer Untersuchung haben sehr oft ihre Stelle gewechselt, durchschnittlich mehr als viermal. Ihre Erwerbsverläufe waren zunächst überwiegend durch eine stark fluktuative Phase mit vielen Stellenwechseln während der Nachkriegszeit gekennzeichnet. In erster Linie bei den Männern schloß sich dann aber im Zuge der Qualifizierungserfolge eine Phase stetiger beruflicher Aufstiege an. Nicht selten führten sie vom Status des Facharbeiters oder ungelernten Arbeiters bis zu Stellen mit hohen und höchsten Leistungsfunktionen. Dafür gibt es viele nahezu phantastisch anmutende Beispiele in unseren Daten.

Etwa zwei Drittel der Männer und Frauen dieser Jahrgänge äußern sich in einer offenen Beurteilung über ihren Berufsverlauf überwiegend bis ausgesprochen positiv. Sie betonen die Dynamik ihrer Karriere und den Erfolg eigener Initiative. Kritische Nebenbemerkungen, die zum Teil auf Rückschläge und berufliche Belastungen aufmerksam machen, können ihre positive Gesamteinschätzung nicht trüben. Bei einigen dagegen dominieren skeptische Bewertungen etwa mit Bezug auf die Wechselhaftigkeit des Erwerbsverlaufs. Probleme der Nachkriegszeit, aber auch staatliche Einflüsse und institutionelle Mißstände werden in diesem Zusammenhang als Gründe angeführt.

Die fluktuativen Phasen in der Erwerbslaufbahn der älteren Befragten, die als Folge der historischen Situation während der ökonomischen Strukturierungsphase in den fünfziger Jahren typisch waren, fehlten in den jüngeren Geburtsjahrgängen. Aber eine beachtliche Mobilität blieb. Bis heute waren die etwa 41- bzw. 31jährigen Männer und Frauen im Durchschnitt in zwei bis drei Stellen tätig, wobei die Mehrheit nach wie vor auch mindestens einmal ihren Beruf wechselte. Die beruflichen Aufstiegsmöglichkeiten waren aber insgesamt enger geworden.[11] Einige Personen konnten erstmals ihre Qualifikationsanstrengungen nicht mehr im Erwerbsverlauf umsetzen.

Dennoch beklagen sich nur etwa ein Fünftel der Befragten aus den beiden jüngeren Jahrgängen ernsthaft über Einschränkungen der eigenen Möglichkeiten oder Eingriffe durch staatliche Institutionen. Danach gefragt, unter welchen Begleitumständen man den ersten Stellenwechsel vollzogen habe, geben die meisten Personen an, persönlich im Betrieb vorgesprochen zu haben bzw. sich selbst beworben zu haben. Etwa gleich häufig werden weiterhin eine Vermittlung durch Verwandte, Freunde, Bekannte oder Kollegen und eine Vermittlung durch den alten Betrieb bzw. eine Abordnung oder Versetzung genannt. Auch hier haben individuelle Initiative und der informelle Informationsaustausch offensichtlich eine wichtige Rolle gespielt.

Viele der jüngeren befragten Männer und Frauen benutzen jedoch in ihrer Beurteilung des bisherigen Erwerbslebens häufiger Begriffe wie »normal« oder »zufriedenstellend«. Eine gewisse Ernüchterung klingt durch, fehlende Qualifikationschancen werden bemängelt. Kritik an Arbeitsbedingungen taucht auf, aber auch individuelle Entscheidungsfehler werden beklagt. So zeigt sich in den jüngeren Kohorten ein etwas zwiespältiges Bild. Es gibt keine offene Ablehnung, die berufliche Situation zeichnet sich durch eine solide Stabilität aus. Möglichkeiten der individuellen Steuerung beruflicher Wechsel sind vorhanden. Doch wenn sich die Aussichten auf eine dynamische berufliche Karriere verschlechtern *und* man zunehmend mit schlechten Arbeitsbedingungen zu kämpfen hat *und* wenn man dabei auf Möglichkeiten einer demokratischen, öffentlichen Kritik verzichten muß, wenn man also die Ignoranz, mit der die Herrschenden die sich perpetuierende Malaise leugnen, auch noch dulden und ertragen muß, wird die Zunahme einer grundsätzlichen Loyalitätsverweigerung den Verantwortlichen gegenüber nur allzu plausibel.

Auch die *Familie* in der DDR war ein spezifischer Ausdruck des individuellen Umgangs mit den gesellschaftlichen Bedingungen. Bis zuletzt heiratete man in der DDR im Unterschied zu Westdeutschland in sehr jungem Alter und bekam entsprechend früh das erste Kind. Nur ein geringer Anteil der Bevölkerung blieb kinderlos. Das weisen auch unsere Daten aus.[12]

Die Familiengründung war zum Teil instrumentell motiviert –

zumindest was ihren Zeitpunkt anbelangt. Durch die Familiengründung kam man in den Genuß zahlreicher gesellschaftlich garantierter Vorteile. Die Familien wurden seit Mitte der siebziger Jahre durch umfassende sozial- und familienpolitische Maßnahmen unterstützt (Hellwig 1987). Ein wichtiges Ziel dieser Politik war, die Frauen voll in den Arbeitsprozeß einzugliedern. Das wurde erreicht, wie auch unsere Ergebnisse eindeutig belegen können. Die Zeiten, die Frauen wegen der Erziehung der Kinder aus dem Erwerbsprozeß ausstiegen, wurden immer kürzer. Die Freistellungsregelungen gewährten aber den Frauen eine größere Verfügung über die Arbeitszeit, was im Rahmen der privaten Zeitökonomie eine wichtige Rolle spielte. Ein anderes Beispiel dafür, wie individuelles Kalkül zu nicht-intendierten Folgen der Regelungen zur Vereinbarkeit von Beruf und Familie führte, dürfte die hohe Nichtehelichenquote in der DDR gewesen sein. Denn alleinstehende Mütter wurden durch die Gesetzgebung über mehrere Jahre hin in besonderer Weise unterstützt. Auch hatte man als Familie ein Anrecht auf eine in der Größe angemessene Wohnung. Gerade dieser Punkt wurde tatsächlich auch häufig erwähnt, wenn es um die Frage nach den Gründen für den Heiratszeitpunkt ging.

Die These einer ausschließlich instrumentell begründeten Entscheidung zur frühen Ehe und Familie wäre jedoch nicht vereinbar mit anderen, häufig genannten Begründungen des Heiratszeitpunkts. Etwa ein Drittel der Befragten gibt an, sie seien ihrer Meinung nach in dem Alter gewesen, in dem man heiraten sollte. Ein noch größerer Teil drückt einfach den Wunsch nach einer eigenen Familie mit Kindern aus. Hier deuten sich traditionelle und kommunikative Motive zur Familienbildung an.

Familie und Partnerschaft bieten eine zuverlässige Möglichkeit, sich einen auf Intimität und Vertrauen basierenden, privaten Kommunikationsraum zu schaffen. Hier kann man im Prinzip über alles reden. Im persönlichen Dialog kann man sich seiner individuellen Unverwechselbarkeit, seiner Persönlichkeit versichern (Huinink 1991). Wie wichtig die innerfamiliale Kommunikation ist, zeigt sich daran, daß für rund 80 Prozent der Befragten ihr Partner oder ihre Kinder die wichtigsten Ansprechpersonen sind, wenn sie einen Rat in schwieriger persönlicher Lage brauchen. Zwei Drittel der Befragten fühlen sich in ihrer eigenen Persönlichkeit am ehesten von ihrem Partner und ihren Kindern wirklich anerkannt. Aber auch bezogen auf weniger intime Fragen, so bei der Anerkennung persönlicher Leistungen, bei Gesprächen über Probleme am Arbeitsplatz und bei Gesprächen über die wirtschaftlichen und politischen Verhältnisse ist der Partner am wichtigsten.

Ebenso spielt er für die instrumentelle Nutzung sozialer Beziehungen eine größere Rolle als etwa Freunde und Bekannte. Die Familie bzw. Ehe ist bei der Bildung und Stabilisierung von Netzwerken gegenseitiger wirtschaftlicher und organisatorischer Unterstützung, denen die Befragten einen außerordentlich hohen Stellenwert beimessen, von großer Bedeutung.

Ein einschneidender Zugriff des Staates auf die Familie, die als Zentrum der Erziehung der Kinder und Jugendlichen zu »sozialistischen Persönlichkeiten« verstanden werden sollte, ist nicht gelungen. In den Bewertungen des eigenen Familienlebens, die wir in unserer Studie erfragt haben, wird immer wieder die große Bedeutung der innerfamilialen Intimität und Vertrautheit betont. In bezug auf die Erziehung der Kinder wird gleichwohl das staatliche Angebot an Betreuungseinrichtungen und Ferien- und Freizeitmöglichkeiten nahezu uneingeschränkt begrüßt. Einige geben offen zu, sich damit eigene Spielräume geschaffen zu haben. In diesem Zusammenhang wird aber auch sehr oft das Aufwachsen der Kinder mit anderen Kindern, die »kollektive Erziehung«, das Heranführen an das »Gemeinschaftsleben« und die frühe »Selbständigkeit« der Kinder positiv hervorgehoben. Dennoch, die meisten Befragten beklagen die »politische Bevormundung« und »Gleichmacherei«, die Versuche der staatlichen Einflußnahme auf die Erziehungssituation und die Kinder selbst.

Die sozialpolitische Intervention führte also nicht, wie erwünscht, zu einer aktiven Unterstützung der offiziellen Ideologie, sondern sicherte eher den Rückzug der Individuen aus der offiziellen Sphäre ab. Sie förderte die Ausrichtung der Lebensorientierung auf einen relativ entpolitisierten Bereich. Die Familie war insgesamt nicht zuletzt auch deshalb starken Belastungen ausgesetzt, weil es doch galt, die Anforderungen der Arbeitswelt, der Organisation des Alltags und der Befriedigung von Bedürfnissen persönlicher Interaktion miteinander zu vereinbaren. In vielen Fällen bestimmte die Notwendigkeit einer disziplinierten Zeitökonomie den privaten Bereich und das Familienleben. Das wird von vielen Befragten der Pilotstudien bei der Beurteilung ihres

Familienlebens bedauernd vermerkt. Die ganztägige Erwerbstätigkeit beider Partner, die außerhäusliche Betreuung der Kinder und die gesellschaftlichen Verpflichtungen von Kindern und Ehepartnern sind aus ihrer Sicht dafür verantwortlich.

3.2 Schlußfolgerungen

Die empirischen Darstellungen zur Ausbildung und zum Erwerbsverlauf von Menschen unterschiedlicher Jahrgänge in der DDR zeigen, daß zunächst die politische Reorganisation und der notwendige Ausgleich der Qualifikationsverluste durch die Fluchtbewegung bis in die sechziger Jahre hinein massenhafte soziale Aufstiegsprozesse erzwang bzw. ermöglichte, welche vor allem bei den heute über 40jährigen auch der Loyalitätssicherung durch Sicherheit und berufliche Karriere diente. Selbst die Überwindung politischer und anderer Hindernisse in den Ausbildungs- und Berufswegen trug zur Identifikation mit der Gesellschaft bei: Man hat es eben trotzdem geschafft. Daß viele dieser Aufstiege mit Überforderungen hinsichtlich der fachlichen und persönlichen Kompetenzen verbunden waren, ist vielfach belegt. Diese Unzulänglichkeiten wurden aber individuell zugerechnet und waren daher wiederum eher stabilitätsfördernd.

Es gab im System angelegte sowie »nicht-intendierte«, jedoch ebenso systematische Chancen zur Durchsetzung individueller Interessen. Dazu gehörte eine zunehmende Instrumentalisierung staatlicher Regulierungen und Garantien, die zum Beispiel die Rückzugsmöglichkeiten in den informellen Sektor und den familiären Bereich absicherte.

Vor diesem Hintergrund ist es zunächst plausibel, daß der »Zusammenbruch« der DDR nicht die Folge einer inneren sozialen Revolution war. Es gab zum Beispiel keine offenen sozialen Konflikte zwischen gesellschaftlichen Gruppen und daher auch keine Massenerhebungen. Sowie sich die Gelegenheit ergab, erfolgte vor dem Hintergrund der auch über den rein materiellen Bereich hinaus immer stärker beanspruchten Chancen individueller Lebensgestaltung und politischer Repressionsfreiheit, die »Wahl« einer sichtbaren und realistischen Systemalternative.[13]

Warum, so läßt sich durchaus fragen, wurde die Wende gerade auch durch solche Teile der Bevölkerung, wie größere Gruppen der jungen Facharbeiterschicht, maßgeblich initiiert, indem sie der

DDR innerlich und dann durch Massenflucht die Legitimität entzogen? Ging es diesen Gruppen im Vergleich zu anderen ökonomisch nicht relativ gut? Waren ihre Verhaltensspielräume in den Betrieben nicht relativ groß? Waren sie nicht von politischen Repressionen eher wenig betroffen? Wie wir sahen, waren die Chancen der beruflichen Mobilität im Vergleich mit der Elterngeneration und im Verlauf der eigenen Berufslaufbahn begrenzter, als dies in den ersten Jahrzehnten der DDR der Fall war. Da die »Intelligenz« sich zunehmend aus sich selbst rekrutierte und ihren Kindern die besseren Ausbildungsplätze sichern konnte, nahmen Mobilitätschancen weiter ab. Die ökonomischen Zukunftserwartungen tendierten wahrscheinlich zunehmend gerade unter den Gruppen gegen Null, die in den Betrieben, in der eigenen Arbeit sowohl die relative Verschlechterung der Produktionsbedingungen als auch den wachsenden technologischen Rückstand zum Westen mit Händen greifen konnten.

Es ist zwar richtig, daß berufliche Aufstiege in der Regel immer weniger attraktiv waren, weil sie weder aus den angestammten sozialen Milieus herausführten, noch die materiellen Lebensbedingungen wesentlich verbesserten und vor allem mit einem Zuwachs an Kontrolle und Verantwortung mit geringer Gestaltungsfähigkeit verbunden waren. In den zurückblickenden, offenen Beurteilungen des Erwerbsverlaufs seitens der Befragten unserer Studie wurde ein positiver Eindruck dennoch häufig damit begründet, daß »es immer eine Entwicklung gab«, daß sich »die Qualifizierung weiterentwickelt hat«, daß »es immer zum höheren« ging und man »nicht auf einem Niveau« blieb. Da man ja weiß, welch hohen Stellenwert Beruf und Arbeit für die meisten Bewohner der ehemaligen DDR besaßen, spielte die Frage der potentiellen Dynamik im Erwerbsverlauf, die gewiß nicht ausschließlich als Aufstiegsdynamik im westlichen Sinne zu verstehen ist, wohl doch eine besondere Rolle für den einzelnen.

4 Lebensverläufe in der Wende und danach

Die aktuelle und zukünftige Wohlfahrtssituation und die soziale Identität von Menschen sind in einem erheblichen Maße an Weichenstellungen, Ressourcen und Erfahrungen gebunden, welche im Verlauf eines Lebens und zum Teil bereits in Vorgenerationen akkumuliert worden sind. Die Wende zieht nun einen grundlegenden Wandel von Lebensverläufen nach sich. Für etwa die Hälfte unserer Befragten hatte sie eine berufliche Veränderung zur Folge. Von den 28 Männern und Frauen des Geburtsjahrgangs 1929-31 haben 20 in den Vorruhestand gewechselt, nur zwei sind noch erwerbstätig. Zwölf der 73 Befragten der anderen Geburtsjahrgänge sind arbeitslos geworden. Auch sind berufliche Wechsel besonders bei den Frauen überwiegend mit Verschlechterungen verbunden. Im sozialen Bereich wird ein starker Rückgang des Ausmaßes der gegenseitigen Hilfeleistung beklagt. Von der Mehrheit der Befragten wird aber betont, man sei innerhalb der Familie enger zusammengerückt.[14]

Die realen Prozesse der Auflösung der alten ökonomischen Struktur durch den westdeutschen Typ staatlich regulierter Marktwirtschaft lassen vielen kaum eine Chance zur konstruktiven Umorientierung. In bezug auf die lebensgeschichtlichen Schicksale zeichnet sich die Gesellschaftsstruktur der (alten) Bundesrepublik in dreifacher Weise aus. Zum einen wird über den institutionellen Komplex der Schul- und Berufsausbildung in hohem Maße der weitere Gang des Arbeitslebens und der sozialen Stellung vorentschieden. Die skizzierten Befragungsergebnisse legen hier überraschenderweise eine größere Offenheit der Verläufe in der DDR nahe. Zum anderen ist das westliche System der sozialen Sicherung – insbesondere die Leistungen der Alterssicherung – in hohem Maße auf Ansprüche abgestellt, welche durch die Länge der Erwerbsdauer, anrechenbare Ausfallzeiten und die erzielten Arbeitseinkommen bestimmt werden. Das bedeutet, daß die Wohlfahrtssituation im Alter in unmittelbarer Weise mit der Lebensgeschichte verknüpft ist. Wesentliche Ungleichheiten werden ferner über Generationen hinweg vermittelt, u. a. durch Bildungsvererbung, aber auch durch direkte Vermögensübertragungen. In der (alten) Bundesrepublik spielen Vermögensübertragungen nach einer bald 50jährigen Friedenszeit vor allem im Hinblick auf den Besitz an Wohneigentum eine zunehmende Rolle. In einem solchen System wird selbst ein gradueller Wandel der Berufsstruktur vor allem über den Neueintritt junger Erwerbstätiger verarbeitet und weniger durch berufliche Wechsel während des Arbeitslebens. Auch bezogen auf die letztgenannten Sachverhalte bestehen beträchtliche, prinzipielle Unterschiede zu dem früheren System in der DDR.

Was bedeutet dies für die DDR-Bevölkerung unter Bedingungen eines abrupten Systemwechsels? Die institutionellen Grundlagen der Lebensorganisation (soziale Absicherung), die mit dem alten DDR-System verbunden waren, sind verlorengegangen. Akkumulierte Erfahrungen werden daher zumindest zum Teil entwertet, wenn nicht gar zum Hindernis. Eine Neukonstruktion ist prekär. So ist die Situation in der ehemaligen DDR zwei Jahre nach der »Wende«, die verbreitete Perspektivlosigkeit in großen Teilen der Bevölkerung, nicht so sehr die Folge einer über Jahre andauernden Entmündigung und Desubjektivierung der Individuen. Sie ist vor allem Folge der veränderten »Geschäftsgrundlage«, zudem in einer schwierigen ökonomischen Situation, in der die alten Routinen nicht mehr funktionieren und die alten Entscheidungsparameter ihre Relevanz verloren haben. Das gilt um so mehr, als die idealisierten Vorstellungen von Handlungsfreiheit und individuellen Chancen in einer westlichen Marktgesellschaft für viele enttäuscht worden sind. Heute muß die Bevölkerung der alten DDR wahrnehmen, wie zentral die Rahmenbedingungen für ihre alternativen, individuellen Handlungsstrategien gewesen sind, die sie vielleicht erst unter den Bedingungen marktwirtschaftlicher Verhältnisse frei zur Geltung zu bringen glaubten. Heute ist die soziale Absicherung mit der Wende zum marktwirtschaftlichen System gefallen, ohne durch die erhofften Freiheitsspielräume kompensiert zu werden. Die Hoffnungen der meisten DDR-Bürger haben sich als Illusion erwiesen, und die alten Routinen greifen nicht mehr.[15]

Forschungsergebnisse zu den Berufschancen von Vertriebenen und Flüchtlingen haben zudem gezeigt, daß im marktwirtschaftlichen System des Westens selbst unter den Bedingungen eines hohen Wirtschaftswachstums und raschen wirtschaftlichen Strukturwandels Benachteiligungen über das Leben hinweg lange Bestand haben (Lüttinger 1986). Die wirtschaftlichen Umstrukturierungen in den neuen Bundesländern werden dagegen nicht nur zu einer geringen Nachfrage nach Arbeitskräften führen, sondern die angebotenen Arbeitsplätze werden auch in nur geringem Maße den vorhandenen beruflichen Qualifikationen entsprechen.

Wir konnten zeigen, daß ein Großteil der *über 50jährigen* überhaupt nicht mehr auf Dauer in den Arbeitsmarkt integriert wird, sondern zum überwiegenden Teil direkt oder über Phasen der Arbeitslosigkeit in den Vorruhestand abgeschoben wird. Das ist gerade die Generation, die, wie wir oben darlegen konnten, in der Aufbauphase der DDR die rasanten beruflichen Aufstiege erlebte. Sie haben zumindest in der eigenen subjektiven Wahrnehmung diesem Staat einiges zu verdanken, ihnen wird aber auch viel geschuldet. Sie können nun nicht mehr durch eigene Produktivität und Erwerbstätigkeit zu einer Verbesserung ihrer Situation beitragen und sind auf vielfache Weise benachteiligt: durch ihr relativ niedriges Arbeitseinkommen und den daraus resultierenden niedrigen Renten (im Vergleich mit dem Westen, nicht mit der alten DDR), durch den Verlust von Zusatzrenten, durch die geringe Qualität der Wohnungen und die Erhöhung der Mieten und Wohnabgaben. Nicht zuletzt müssen sie mit einer negativen Selbstbewertung ihrer beruflichen Biographie leben, die doch so eng mit der Entwicklung der DDR verbunden war.

Auch bei den *über 40jährigen* wird es – soweit sie freigesetzt werden – nur einem kleineren Teil gelingen, »zweite Karrieren« im Dienstleistungssektor und neu aufgebauten Produktionsbetrieben einzuschlagen. Ihr Schicksal wird entscheidend davon abhängen, in welchem Ausmaß staatliche Beschäftigungspolitik ein Auskommen und einen Rest an beruflicher Identität sichert. Es könnte sehr wohl sein, daß sich in diesen Generationsgruppen, ähnlich wie bei den um 1920 Geborenen nach dem Zweiten Weltkrieg hinsichtlich der politischen Beteiligung ein »Ohne mich«-Syndrom ausbildet.

Die *jüngeren, bereits Erwerbstätigen* werden die neu entstehenden Chancen nutzen können und z.T. auch als politisch Unbelastete im öffentlichen Dienst unterkommen. Zu einem erheblichen Teil werden sie aber auch in die alten Bundesländer abwandern. Gegenwärtig unklar ist die Situation der *Jugendlichen* in oder kurz vor der Ausbildung. Vermutlich ist die Zahl derer, welche keinen Ausbildungsplatz bekommen werden oder ihre Lehre wegen Abwicklung der Betriebe nicht zu Ende führen können, erheblich höher als die offiziell genannten 50 000. Besonders unsicher dürfte aber nicht nur sein, ob diese Jugendlichen einen Ausbildungsplatz erhalten, sondern ob sie danach in den Ausbildungsberufen bleiben können.

Ein nicht unrealistisches Entwicklungsszenario wird daher unterstellen müssen, daß der Umbruch der DDR-Gesellschaft eine Kette »verlorener Generationen« zur Folge haben wird. Diese »verlorenen Generationen« werden in unterschiedlichem Ausmaß einen vierfachen Verlust zu gewärtigen haben: die Rentnergenerationen einen im Vergleich zu den anderen Altersgruppen relativen materiellen Verlust; die älteren, regimenahen Nicht-Arbeiter einen Statusverlust und einen Identitätsverlust und fast alle eine schwerwiegende Qualifikationsentwertung.

Anmerkungen

* Wir danken Martin Kohli und unseren Kolleginnen aus der Projektgruppe für hilfreiche Kommentare und Anregungen.

1 Gewiß wäre die Radikalität des strukturellen Zusammenbruchs des DDR-Systems nicht ohne die fortschreitende Erstarrung des herrschenden SED-Apparats denkbar gewesen.

2 Zur Frage nach den strukturellen Dimensionen der DDR-Gesellschaft liegen mittlerweile eine ganze Reihe von Beiträgen vor, die wir im einzelnen nicht diskutieren wollen (Adler 1991, Pollack 1990, Zapf 1991, vgl. auch Beiträge in diesem Band).

3 Eine Klassifikation unterschiedlicher Reaktionsformen unter der DDR-Bevölkerung findet sich bei Schröder (1990): Er unterscheidet »normative Konformisten« als aktive Träger der SED-Ideologie, »deutlich positionierte Non- bzw. Gegenkonformisten« und »opportune Konformisten«, die die überwiegende Mehrheit ausmachten. Die Charakterisierung dieser letzten Gruppe kommt der Logik der folgenden Argumentation durchaus nahe: Sie »erschienen normativ, lernten mit den Machtstrukturen umzugehen, leisteten ›elastischen‹ Widerstand, nutzten z. T. die bestehenden Verhältnisse für die eigenen Vorteile – materiell und unter Karrieregesichtspunkten, richteten sich ein, bildeten ein massives Kritikpotential in zumeist privaten Freiräumen« (S. 167).

4 Das war sicherlich zwischen den Generationen unterschiedlich. Wichtig war, wieweit sich die Menschen selbst aktiv am Aufbau des Systems beteiligt und sich mit dessen idealistischen Zielen identifiziert hatten. Das gilt wohl vor allem für größere Teile der älteren Bevölkerung, der sogenannten Aufbaugeneration (Niethammer/v. Plato/Wierling 1991).

5 Die Qualifizierung der »informellen« Bereiche als Nischen ist mißverständlich. Sie stellten nicht etwa nur residuale Räume dar, die man, so wie sie zur Verfügung standen, nutzte. Sie waren selbst auch und gerade das Ergebnis aktiver Handlungsstrategien miteinander vernetzter Individuen, wenngleich unter spezifischen gesellschaftlichen Randbedingungen.

6 Im März und Juli 1991 wurden insgesamt 101 Personen, und zwar 52 Frauen und 49 Männer der Jahrgänge 1929-31 (28 Fälle), 1939-41 (26 Fälle), 1951-53 (24 Fälle) und 1959-61 (23 Fälle) zu wesentlichen Bereichen ihres bisherigen Lebensverlaufs befragt. Die Stichprobe wurde, konzentriert auf 14 Orte unterschiedlicher Größe aus verschiedenen Regionen der neuen Bundesländer, nach dem Zufallsprinzip gezogen. Die Verteilung nach dem Schulbildungsniveau sieht wie folgt aus: 35 mit Abschluß 8. Klasse und weniger (vor allem Volksschulabschluß), 46 mit Abschluß 10. Klasse (vor allem Polytechnische Oberschule: POS) und 19 mit Abitur (vor allem Erweiterte Oberschule: EOS).

7 Allerdings ist bislang nicht hinreichend aufgeklärt und in der Wahrnehmung der DDR-Bewohner hochkontrovers, wie insbesondere die politischen Steuerungsmechanismen bei der Zulassung zur EOS sich faktisch über die Zeit verändert haben.

8 Ein Vergleich der Verteilung des ersten mit dem höchsten Ausbildungsabschluß bei Männern und Frauen spiegelt die gesamte Dynamik wider. Während nach der ersten Ausbildung 42 der 49 Männer in der Stichprobe einen Facharbeiterabschluß oder eine geringere Ausbildung hatten, waren es zum Zeitpunkt der Befragung nur noch 16 Männer. Ebenfalls 16 Befragte erreichten einen Meister-, Techniker-, Ingenieurs- oder anderen Fachschulabschluß, die anderen einen Hochschulabschluß (17 Befragte). Von den 52 Frauen hatten nach der ersten Ausbildung 41 höchstens einen Facharbeiterabschluß, zum Zeitpunkt der Befragung waren es immerhin noch 31 Frauen.

9 Hier ist ein Vergleich mit den entsprechenden Jahrgängen in Westdeutschland besonders interessant. Wahrscheinlich haben die westdeutschen Männer und Frauen dieser Generation nur in geringerem Maße durch nachträgliche Qualifizierungsanstrengungen ihre Benachteiligung kompensieren können, als das in der DDR möglich war (Blossfeld 1989).

10 »Im real existierenden Sozialismus ist die immer mehr oder weniger bestehende Neigung zum Betriebswechsel nicht zuletzt auch wesentlicher Ausdruck von allgemeiner Unzufriedenheit, geringer Bindung an den VEB, Wohnungsnot, unbewältigten Konflikten und Protest gegen das politische System« (Voigt/Voß/Meck 1987, S. 97). Auch Deppe und Hoß (1989, S. 68 f.) nennen einige Ergebnisse von Untersuchungen zu Strukturen in der Arbeitskräftefluktuation. Sie sind aber in vielerlei Hinsicht auf Vermutungen angewiesen. Daher können detaillierte Analysen von Erwerbsverläufen wertvolle Aufschlüsse geben.

11 In den jüngsten der befragten Geburtsjahrgänge (1959-61) konnte nur etwa ein Viertel der Männer und Frauen berufliche Aufstiege erreichen. Von den Befragten, die zwischen 1929 und 1931 geboren waren, war das bei weit mehr als der Hälfte der Frauen und fast allen Männern der Fall.

12 Auch die hohen Scheidungszahlen werden von unseren Daten repliziert: 25 der 101 Befragten aller Geburtsjahrgänge haben sich mindestens einmal scheiden lassen. Der hohe Anteil nichtehelicher Kinder in den jüngeren Kohorten finden sich ebenfalls wieder: bei den 1959-61 Geborenen sind 16 von 41 Kindern nichtehelich.

13 Daß das die »Inkorporation« in das westdeutsche System bedeutete, hatte wohl mehr mit ökonomischen Interessenkonstellationen auf beiden Seiten zu tun, als daß eine nationale Wiedervereinigungseuphorie eine ursächliche Rolle gespielt hätte.

14 Schelsky hat dazu die These formuliert, daß dieses Phänomen typisch für Zeiten ökonomischer Not bzw. sozialer Isolierung ist. Er hat versucht, sie am Beispiel der Vertriebenen und Flüchtlinge des Zweiten Weltkrieges zu belegen (Schelsky 1950).

15 Wir haben in unserer Untersuchung gefragt, inwieweit bestimmte Lebensbedingungen besser in der alten DDR oder in der neuen Bundesrepublik gewährleistet waren bzw. sind. Bezogen auf »Wirtschaftliche und soziale Sicherheit«, »Hilfsbereitschaft der Menschen untereinander«, »Schutz vor Kriminalität« und sogar »Gute berufliche Ausbildungsmöglichkeiten« schneidet die alte DDR eindeutig besser ab. Bei der »Versorgung mit Gütern und Waren« ist es umgekehrt. Bemerkenswert ist, daß bei den »Möglichkeiten zur politischen und gesellschaftlichen Einflußnahme« etwa die Hälfte der Befragten keinen Unterschied zwischen der alten DDR und der alten BRD sieht.

Literatur

Adler, F. (1991), *Soziale Umbrüche*, in: R. Reißig/G.-J. Glaeßner (Hg.), *Das Ende eines Experiments*, Berlin, S. 174-218

Biermann, H. (1990), *Berufsausbildung in der DDR. Zwischen Ausbildung und Auslese*, Opladen

Blossfeld, H.-P. (1989), *Kohortendifferenzierung und Karriereprozeß*, Frankfurt/Main

BMIB (Bundesministerium für innerdeutsche Beziehungen) (Hg.) (1985), *DDR Handbuch*, Band 1, 3. Auflage, Köln

Deppe, R./Hoß D. (1989), *Arbeitspolitik im Staatssozialismus. Zwei Varianten: DDR und Ungarn*, Frankfurt/Main

Hellwig, G. (1987), *Frau und Familie. Bundesrepublik Deutschland – DDR*, Köln

Henkys, R. (1989), *Die Evangelische Kirche in der DDR*, in: W. Weidenfeld/H. Zimmermann (Hg.), *Deutschland-Handbuch*, Ulm, S. 193-202

Huinink, J. (1991), *Handlungstheoretische Vorüberlegungen zu einer Funktionsbestimmung von Partnerschaft und Elternschaft in der modernen Gesellschaft*, Manuskript, Berlin

Lüttinger, P. (1986), *Der Mythos der schnellen Integration. Eine empirische Untersuchung zur Integration der Vertriebenen und Flüchtlinge in der Bundesrepublik Deutschland bis 1971*, in: Zeitschrift für Soziologie, 15, S. 20-36

Mayer, K.U. (1991), *Soziale Ungleichheit und Lebensverläufe. Notizen zur Inkorporation der DDR in die Bundesrepublik und ihren Folgen*, in: B. Giesen/C. Leggewie (Hg.), *Experiment Vereinigung*, Berlin, S. 87-99

Meier, A. (1990), *Abschied von der sozialistischen Ständegesellschaft*, in: Aus Politik und Zeitgeschichte, B 16-17/90, S. 3-14

Nickel, H.M. (1991), *Sozialisation im Widerstand? Alltagserfahrungen von DDR-Jugendlichen in Schule und Familie*, in: Zeitschrift für Pädagogik, 37, S. 603-617

Niethammer, L./von Plato, A./Wierling, D. (1991), *Die volkseigene Erfahrung: eine Archäologie des Lebens in der Industrieprovinz der DDR. 30 biographische Eröffnungen*, Berlin

Olson, M. (1985), *Die Logik kollektiven Handelns*, 2. Auflage, Tübingen

Pollack, D. (1990), *Das Ende einer Organisationsgesellschaft: Systemtheoretische Überlegungen zum gesellschaftlichen Umbruch in der DDR*, in: Zeitschrift für Soziologie, 19, S. 292-307

Rottenburg, R. (1991), *»Der Sozialismus braucht den ganzen Menschen«. Zum Verhältnis vertraglicher und nichtvertraglicher Beziehungen in einem VEB*, in: Zeitschrift für Soziologie, 20, S. 305-322

Schelsky, H. (1950), *Die Flüchtlingsfamilie*, in: Kölner Zeitschrift für Soziologie, 3, S. 159-177

Schröder, H. (1990), *Identität, Individualität und psychische Befindlichkeit des DDR-Bürgers im Umbruch*, in: G. Burkart (Hg.), *Sozialisation im Sozialismus*, 1. Beiheft der Zeitschrift für Sozialisationsforschung und Erziehungssoziologie, S. 163-176

Voigt, D./Voß, W./Meck, S. (1987), *Sozialstruktur der DDR*, Darmstadt

Voskamp, U./Wittke, V. (1991), *Aus Modernisierungsblockaden werden Abwärtsspiralen – zur Reorganisation von Betrieben und Kombinaten der ehemaligen DDR*, in: Berliner Journal für Soziologie, 1, S. 17-39

Zapf, W. (1991), *Der Untergang der DDR und die soziologische Theorie der Modernisierung*, in: B. Giesen, C. Leggewie (Hg.), *Experiment Vereinigung*, Berlin, S. 38-51

Heiner Ganßmann
Die nichtbeabsichtigten Folgen einer Wirtschaftsplanung

DDR-Zusammenbruch, Planungsparadox und Demokratie

> Konsequenzen? Wir hatten einen nicht-existenten Plan erfunden, und *sie* hatten ihn nicht nur für wahr und real gehalten, sondern sich auch eingeredet, selber schon lange Teil dieses Plans gewesen zu sein, beziehungsweise sie hatten die Fragmente ihrer krausen Vorstellungen und konfusen Projekte als Teile unseres Plans identifiziert, zusammengefügt nach einer unwiderleglichen Logik der Analogie, der Ähnlichkeit und des Verdachts.
>
> Aber wenn man einen Plan erfindet, und die anderen führen ihn aus, dann ist es, als ob der Plan existierte. Beziehungsweise dann existiert er wirklich (U. Eco, *Das Foucaultsche Pendel*).

I.

Insofern es uns gelingt, genügend Distanz zu laufenden gesellschaftlichen Entwicklungen einzunehmen, die uns immer auch als moralische und politische Individuen betreffen, gibt es wohl kaum einen soziologisch reizvolleren Vorgang als den Zusammenbruch einer gesellschaftlichen Ordnung, wie er in der DDR stattgefunden hat. Die allgemeine Überraschung der »Außenbeobachter« über diesen Zusammenbruch macht klar, wie sehr wir implizit mit Stabilitätsannahmen operieren: Wenn wir nichts Genaues wissen, gehen wir davon aus, daß schon alles so weiter gehen wird wie bisher.

Und wer hat schon Genaueres gewußt? Die DDR hat, insbesondere nachdem die für die meisten linken Intellektuellen sehr schnell vorübergehende Faszination durch Kaderparteimodelle aus der Zeit vor der verlorenen Unschuld der proletarischen Revolution erloschen war, im Westen fast niemand mehr interessiert. Niemand, außer ein paar Experten, die entweder unter dem Langweiler-Vorbehalt standen, bloße Zuarbeit für die offizielle Deutschlandpolitik zu leisten, oder, noch schlimmer, unter dem Verdacht, irgendeiner »nationalen« oder »deutschen« Frage nachzuhängen. Von der DDR der achtziger Jahre als soziologischem Gegenstand, als Gegenstand intellektueller Debatten, ging keine Faszination aus. Auch abgesehen von politisch-moralischen Fragen, den Schwierigkeiten die man mit der realen Desavouierung des Sozialismus als Bewegung zu einer gerechteren Gesellschaft haben mußte, blieb das Problem: Das war alles zu brav, trist, bürokratisch, verbohrt und verbiestert und spießig und faßte sich zusammen in dem schlicht veralteten, vordemokratischen, vorrechtsstaatlichen Politikmodell, das in der DDR bis zum bitteren, aber immerhin gewaltlosen Ende durchexerziert wurde.

Auf dieser Ignoranz aus Desinteresse gründeten sich die erwähnten Stabilitätserwartungen, aber wohl auch darauf, daß man der Mischung aus Preußentum und Kaderdisziplin, die die Politik der DDR zu bestimmen schien, die Duldung eines derart aberwitzigen Chaos[1], als das sich die gesellschaftliche Alltagswirtschaft in der DDR schließlich entpuppte, nie zugetraut hätte. Hier entsteht nun – nicht nur soziologische – Neugier. Bestand des Politbüro aus heimlichen Anarchisten? Oder gab es bei den alten Herren einen kollektiven Black-Out?

Vielleicht läßt sich das Geheimnis des Zusammenbruchs der DDR in der Antwort auf die Frage finden: Warum mußten sich die alten Ordnungskräfte der DDR Chaosakzeptanz antrainieren? Wenn es das Chaos und seine Akzeptanz gab, ist es auch leicht vorstellbar, daß schließlich eine nur marginale Steigerung des alltäglichen, aber notgedrungen akzeptierten Chaos, sein Überschwappen in einen unzulässigen Bereich genügte, um die mit ihm koexistierende Ordnung zu zerstören. Das führt zu Folgefragen. Sind am Ende die alten staatstragenden Kräfte gar nicht deshalb abgesetzt worden, weil die von ihnen angestrebte und durchgesetzte Ordnung so schlecht war, sondern weil sie allenfalls noch eine Pseudo-Ordnung garantieren konnten? Dann wäre es nicht, wie gelegentlich mit Häme vermutet wurde, der Wunsch nach einem tiefergelegten 3er BMW gewesen, der die DDR-Bürger über Ungarn in die BRD trieb, sondern primär die Sehnsucht nach Ordnung?[2] Und erst sekundär die nach ihren Segnungen?

Ich kann diese Fragen nur aufwerfen und insoweit plausibel machen, als ich zeigen möchte, daß die Art der Wirtschaftslenkung in der DDR in der Tat aus systemischen Gründen chaotisierende Wirkungen hatte. Sie waren in mehrerer Hinsicht selbstverstärkend und erhöhten die Labilität der DDR-Ökonomie offenbar so stark, daß eine relativ geringfügige Variation ihrer Randbedingungen (von der Perestroika bis zur Öffnung der ungarischen Grenze) zu Erschütterungen führte, die nicht mehr durch ökonomieinterne Rückkopplungen zu kompensieren waren. Der »Zusammenbruch«, unter dem man sich bei sozialen Systemen ja keinen *sudden death* vorstellen sollte, setzte ein. Ich möchte im folgenden versuchen, anhand zweier Komponenten des Wirtschaftens in der DDR, der Planungsprozesse und der Arbeitsverhältnisse, zu erklären, wie es zu dieser kritischen Labilität kommen konnte.[3]

II.

Gehen wir aus von der Behauptung: Statt Planung gab es in der DDR eine politisch induzierte Chaotisierung der Ökonomie.

Wenn wir Planungsabsicht auf seiten der politischen Führung unterstellen, und das dürfen wir wohl, ohne die Antwort auf die Frage nach den sonstigen Absichten dieser Führung unnötig zu präjudizieren, stellt sich das Problem: Wie kam es, daß die Absicht einer Wirtschaftslenkung mittels Planung die unbeabsichtigte Nebenfolge einer Chaotisierung der Ökonomie hatte? Eine Nebenfolge, die sich nach einer gewissen Zeit zur Hauptfolge mauserte und derart zurückschlug, daß dieses in der DDR ja noch vergleichsweise musterknabenhaft durchgeführte Experiment einer (in epochalen Spannen gesehen) neuen Form der Wirtschaftslenkung im Interesse der »Werktätigen« unrühmlich beendet wurde?

Eine These der demokratischen Linken hierzu lautet: Planung geht nicht ohne Demokratie. Deshalb mußte die Planung mißlingen, solange keine demokratische Partizipation zugelassen war.

Diese These ist zu nett. Sie besagt im Grunde, daß man alle guten Dinge nur gemeinsam und simultan verwirklichen kann. Sie provoziert natürlich die insbesondere von Konservativen wie Mises und Hayek schon seit langem vertretene Gegenthese: Demokratie gibt es nur ohne Planung, oder umgekehrt: Planung geht nur ohne Demokratie. Der linken Behauptung, gesellschaftsweite Planung setze demokratische Partizipation voraus, wird also entgegengehalten, daß Planung im gesellschaftlichen Maßstab nur insoweit realisierbar sei, als es der politischen Spitze gelinge, die

Entscheidungsfähigkeit der unteren Ebenen der Wirtschaftshierarchie, also letztlich der Masse der Individuen, zu eliminieren.

Gesellschaftsweite Wirtschaftsplanung führe deshalb unvermeidlich zur »Kommandowirtschaft«.[4] Zentrale Entscheidungen von oben werden in einer solchen Wirtschaft bruchlos nach unten durchgesetzt. Faktisch bestand diese sogenannte Kommandowirtschaft auch in der DDR zwar eher darin, daß die oberen Hierarchieebenen in einem Trial-and-error-Verfahren immer wieder nach unten ausloten mußten, welche ihrer Konzepte unter welchen Bedingungen mittels welcher Kompromisse überhaupt durchsetzbar waren. Aber die krude Vorstellung von Planung[5] als einer von oben dirigierten Ex-ante-Festlegung von Handlungen wurde nicht nur propagandistisch gestützt, sondern entsprach offenbar auch dem Selbstverständnis des Politbüros. Das ändert dennoch nichts daran, daß es sich um ein Mißverständnis handelte. Per Ukas aus der Zentrale läßt sich nicht planen, jedenfalls nicht auf Dauer. »Auch im realexistierenden Sozialismus kann die Zentrale einer Produktionseinheit nicht einfach eine bestimmte Zielsetzung aufzwingen. Die Übernahme der Planungsaufgabe muß ausgehandelt werden. Würde die Zentrale die Aufgabe einfach anordnen, und sie erweist sich am Jahresende als ›unrealistisch‹, dann fällt dies auf die anordnende Abteilung der Zentrale zurück« (Maier 1987, S. 82).

Die reine Kommandowirtschaft kann es nicht geben und hat es in der DDR nicht gegeben, weil sich die Entscheidungsfähigkeit der unteren Ebenen nicht hinreichend einengen läßt.[6] Der perfekte planerische Durchgriff »von oben« ist nicht möglich. Das System hat, wie Lindblom (1983, S. 117) sagt, »Daumen, wo eigentlich Finger erforderlich sind«. Vor Ort, z. B. im Produktionsprozeß, muß nach wie vor situationsgerecht entschieden werden. Das bedeutet, daß dort zumindest passive Obstruktionspotentiale angesiedelt sind. Da sich diese nicht eliminieren lassen, muß man ihr Wirksamwerden zu verhindern suchen. Ohne ein Minimum von Mitgestaltungsmöglichkeiten der Planung für die unteren Ebenen ist das nicht vorstellbar. Genau diese nicht zu eliminierende Entscheidungsfähigkeit auf den unteren Ebenen soll – gemäß dem konservativen Argument – die Planung wiederum verunmöglichen.

Die Begründung für das derart behauptete Dilemma zwischen Planung und Demokratie wird im sogenannten Planungsparadox zusammengefaßt: diejenigen, die von der Planung betroffen, aber nicht in sie per Willensartikulation einbezogen sind, können auf ihre erwartete Verplanung mit ungeplantem Verhalten reagieren (vgl. Luhmann 1984, S. 636). Wenn Interessengegensätze zwischen Planern und Verplanten bestehen, wird ein den Plan unterlaufendes Verhalten wahrscheinlich. Damit wären schon im Vorlauf die Bedingungen, unter denen geplant wurde, außer Kraft gesetzt. Das Planungsparadox soll also verdeutlichen, daß konträre Interessen und Entscheidungsfreiheit jede Planung ad absurdum führen können: Demokratische, d. h. dezentrale Entscheidungskompetenzen und zentrale Planung schließen sich aus.

Das Argument ist stichhaltig, wenn man nicht an die prästabilierte Harmonie von Interessen glauben mag. Es läßt allerdings die Möglichkeit außer acht, daß die wiederholte Interaktion von Planern und Verplanten durch gesteigerte Reflexivität zur Konvergenz führt. Wie allgemein für Interaktionen als rekursive Prozesse gilt auch für die zwischen Planern und Verplanten, daß sich Erwartungserwartungen und damit institutionalisierte Prozeduren bilden, die die Differenz von Planvorgaben und Planabweichungen zu bestimmbaren Zielwerten konvergieren lassen können. Kontingenz wird nicht ausgeschaltet, aber der Spielraum für Planungsabweichungen wird per Iteration eingeengt. Ein bekanntes Beispiel liefern die Planaushandlungsprozesse, in die die Betriebsvertretungen mit Zielgrößen-»Angeboten« für die Produktion eintreten, die bereits im Hinblick auf erwartete, politisch abgeforderte Aufschläge kalkuliert werden, während die Vertreter der Planungszentrale mit der Vermutung operieren, daß ihre Routineforderungen bereits einkalkuliert sind. Das eigentliche Bargaining findet somit erst nach einem ritualisierten Vorlauf statt, der nichtsdestoweniger den Abstand, der zwischen den deklarierten Zielgrößen beider Seiten besteht, verringert.

Das Argument vom Planungs-Paradox trägt jedoch nicht nur die berechtigte, konservativ-liberale Schlußfolgerung von der Unmöglichkeit der perfekten, zentralistischen Verfügung über soziale Prozesse, sondern verweist zugleich auf den Ort, an dem gesamtgesellschaftlich orientierte Planung auf Probleme stößt: die Interessengegensätze zwischen Planern und Verplanten. Implizit wird mit dem Planungs-Paradox behauptet, daß derartige Interessengegensätze nur marktförmig abarbeitbar sind. Die DDR-Erfahrung, und nicht nur sie[7], scheint dem recht zu geben. Aber diese Erfahrung wurde gewonnen an der Kombination von Planung und diktatorischem bzw. autoritärem politischem System. Sie schließt die Möglichkeit der Kombination von Planung und Demokratie nicht aus. Können Interessengegensätze nicht auch politisch abgearbeitet werden? Besteht nicht gerade darin die Leistung demokratischer Institutionen? Die DDR-Erfahrung hat die Unmöglichkeit von Planung ohne Demokratie bestätigt, aber die Möglichkeit demokratischer Planung nicht widerlegt. Demokratisierung und der Aufbau einer politischen Kultur, in der unterlegene Minderheiten Planungsentscheidungen akzeptieren, eben weil sie demokratisch zustande kamen, sind offenbar notwendige Voraussetzungen für gesamtwirtschaftliche Planung, die ihren Namen verdient.

Gemeint ist mit Planung die Ex-ante-Steuerung des wirtschaftlichen Reproduktionsprozesses. Die Idee, diesen Prozeß zu planen, wurde nicht im Rausch des Aufklärungsdünkels geboren. Gesamtwirtschaftliche Planung sollte all die unliebsamen Überraschungen vermeiden helfen, die – wie die Geschichte des kapitalistischen Wirtschaftssystems gezeigt hat – die profitorientierte Ex-post-Koordination über Märkte immer wieder bereitet: Wachstumseinbrüche, Arbeitslosigkeit, Verelendung, eskalierende Verteilungskonflikte, Verschwendung, ökologische Verwüstung usw. usf. Diese Probleme werden in zeitgenössischen kapitalistischen Ökonomien, zum Teil und mit gemischtem Erfolg, mit mehr oder weniger systemkonformen Mitteln, kompensatorisch oder durch Modifikation der Rahmenbedingungen kapitalistischen Wirtschaftens, angegangen. Dabei kann man auch hier durchaus von Planung sprechen, die, wie schon Schonfield (1965) gezeigt hat, ganz unterschiedliche Formen annehmen kann, von französischer *planification* bis zur gesamtunternehmerischen Strategieausarbeitung im bundesdeutschen Bankensektor. Demgegenüber war und ist die sozialistische Planungsidee radikaler. Sie setzt in der traditionellen Fassung wegen des erforderlichen Eingriffs in die Dispositionsmöglichkeiten von Privateigentümern den Systemwechsel voraus. Er sollte die Ex-ante-Steuerung zu einer einfachen Angelegenheit werden lassen.

Wie sich gezeigt hat, ist Ex-ante-Steuerung jedoch keine einfache Sache. Sie kann gelingen oder nicht. Daß ihr Gelingen aber in jedem Fall an demokratische Beteiligung (als notwendige, aber nicht hinreichende Bedingung) gekoppelt ist, impliziert: Wenn und solange für die informierte Mehrheit die Nachteile einer experimentell erprobten Ex-ante-Steuerung die der Ex-post-Koordination übertreffen, wird diese Mehrheit Planungsversuche beenden wollen. Am Planungsprojekt kann man dann nur ohne Demokratie festhalten.

Die Erfahrung mit dem realsozialistischen Planungs-Typ seit den Anfängen unter Stalin hat dies auf schmerzhafte Weise gelehrt: Die Schwierigkeiten der Ex-ante-Steuerung wurden nicht nur unterschätzt, sondern falsch verortet. Wie um den konservativen Marktapologeten Recht zu geben, bestand die Reaktion auf das Mißlingen erster Planungsversuche darin, eine immer größere Monopolisierung nicht nur der ökonomischen, sondern auch der politischen Ressourcen bei der Zentrale anzustreben. Anfangs mit Terror, später mit sanfteren politischen Mitteln sollten die Entscheidungsspielräume der Wirtschaftsakteure eliminiert werden. Hinzu kam ein Voluntarismus der politischen Spitze. Offenbar war die Versuchung unwiderstehlich, ein sich abzeichnendes Mißlingen von Planungen ad hoc durch politische Intervention (nach dem Feuerwehrprinzip) zu korrigieren.

Auch wenn wir von der dunklen politischen Seite dieser Vorgehensweise abstrahieren, bleibt sie immer noch ökonomisch kontraproduktiv. Durch ad-hoc-Interventionen der Zentrale werden immer wieder »lokale« Eingriffe vorgenommen, ohne daß nach deren »globalen« Folgen gefragt wird. Ressourcen werden – nach der Prioritätenliste der politischen Führung – von einer geplanten Verwendung in eine ungeplante umgelenkt. Dadurch wird die Chance, daß eine Globalplanung konsistent bleibt, wenn sie es je war, jeweils drastisch verringert.

Offenbar hat man auch in der DDR nie gelernt, die Möglichkeit unvorhergesehener und unvorhersehbarer Schwierigkeiten in der Plandurchführung schon bei der Planung selbst durch Bereitstellung von Reserven hinreichend in Rechnung zu stellen. Ad-hoc-Interventionen haben vielmehr immer wieder zu Ressourcenumwidmungen geführt, die bei einfacher, stofflich-gebrauchswertorientierter Planung negative Konsequenzen nach sich ziehen müssen: Elastizitäten gibt es in einer derart geplanten Ökonomie vor allem durch Lagerhaltung und durch technische oder an Bedürfnissen gemessene Substitutionsmöglichkeiten (nicht, wie in Marktsystemen, durch an Preiskalkülen orientierte, schnelle und spontane Umentscheidungen). Da normalerweise Reserven aus »slack« nicht geplant bereitgehalten werden, die

Zentrale vielmehr aus systemischen Gründen »angespannte Pläne« (Keren 1972) vorgibt, führt die politisch-induzierte Ad-hoc-Umwidmung von Ressourcen zu Deckungslücken, zu Planinkonsistenz. Nicht-konsistente Pläne sind per Definition solche, die sich nicht (oder nur zufällig) realisieren lassen. Das bedeutet, daß Ad-hoc-Rettungsversuche einer mißlingenden Planung genau das induzieren, was mit ihrer Hilfe vermieden werden soll: die Nichtrealisierbarkeit des Plans. »Da die Mittel für den tatsächlichen Bedarf der Volkswirtschaft niemals reichten, wurden sie hektisch immer auf neue ›Schwerpunkte‹ gelegt. Neben dem Wohnungsbauprogramm gab es ein Chemieprogramm, ein Pkw-Programm, das kostenaufwendige Mikroelektronik-Programm, ein Programm zur Einführung von Robotertechnik u. a. Die dadurch bewirkte Vernachlässigung ganzer Industriezweige vergrößerte die Disproportionen« (Schabowski 1991, S. 124). Die politisch dennoch immer wieder deklarierte »Planerfüllung«[8] (oder gar Übererfüllung) sieht dann so aus, daß bestimmte Projekte mit hoher Priorität und Sichtbarkeit (klassisch z. B. die beliebte Stahlindustrie) auf Kosten anderer, weniger sichtbarer Bereiche realisiert werden.

Eine solche Wirtschaftslenkung produziert ein ubiquitäres Interesse an Grau- und Schattenzonen der Ökonomie. Sie funktioniert so, daß überall heimliche Ressourcenreservoirs[9] gesucht und angelegt werden, um diejenigen Projekte zu realisieren, die öffentlich vorgezeigt werden müssen. So kann man von oben nach unten oder von unten nach oben Erfolgsmeldungen durchgeben, ohne daß, gemessen am Verhältnis von Ertrag zu tatsächlichem, aber verborgenem Aufwand, Erfolge vorliegen. Ökologischer Raubbau ist eine Implikation, eine andere das merkwürdige Verhältnis von Chaos und Ordnung: Wie in den Städten der DDR die Fahrtrouten der Politprominenz von Neubauten oder gut renovierten Gebäuden gesäumt waren, während der große, aus der Limousine nicht sichtbare Rest vor sich hin verfiel, so gab es offenbar auch in der Wirtschaft schmale Bereiche sichtbarer, vorzeigbarer Ordnung und ein großes, für die offizielle Perspektive nicht-existentes, aber jedem, d. h. auch den Offiziellen, vertrautes Chaos[10] im Hintergrund.

Das Chaos wird bekämpft, der Kampf führt in die Frustration. Die stalinistische Periode war dadurch gekennzeichnet, daß man der Versuchung nicht widerstehen konnte, bei wiederholten und immer wieder mißlingenden Planungsversuchen nicht nur dirigistische Ad-hoc-Eingriffe, sondern weitergehende politische Mittel, letztlich: Gewalt, einzusetzen, um Entscheidungsspielräume »unten«, auf die die Spitze das Mißlingen der Planungen zurückführte, abzubauen (das Kulakensyndrom). Das führte zu Opfern, aber nicht zu verbessertem Wirtschaften. Vielmehr entstand eine Abwärtsspirale, insoweit jene passive Resistenz wuchs, der gegenüber letztlich selbst der Terror machtlos blieb. Der post-stalinistische Verzicht auf den direkten Gewalteinsatz als Mittel zur Plandurchsetzung wurde derart aus der teuer erkauften Einsicht geboren, daß das Mittel nicht zum Ziel führt. Aber auch jenseits des Gewalteinsatzes, dessen Unzweckmäßigkeit mit der Zeit (in der DDR z. B. nach dem 17. Juni 1953) begriffen wurde, gilt noch, daß politische Mobilisierung das Planversagen kompensieren soll.[11] Solche Mobilisierungsmöglichkeiten erschöpfen sich, weil das zugrundeliegende Problem dauerhafter ist als die Handlungsmotive, die in politischen Mobilisierungskampagnen angesprochen werden (sollen). Irgendwann merkt auch ein Esel, daß er die Karotte, die vor seinem Maul baumelt und der er nachjagt, selbst vor sich her trägt. Die Schwierigkeiten der wirklichen Planerfüllung können durch politische Mobilisierung nicht immer wieder überwunden werden. Sie bleiben um so größer, je rigider die Zentralisierung, die Monopolisierung von Entscheidungen an der Spitze durchgeführt werden soll. Denn um so kleiner ist die Wahrscheinlichkeit, daß Plan und ökonomische Wirklichkeit zusammenpassen, und um so eher kann es im Interesse der Verplanten liegen, die Planung zumindest passiv zu unterlaufen. Ersichtlich wird derart eine Logik der Steigerung von Fehlplanungen und entsprechenden Effizienzverlusten, die in den Pfad der Zentralisierung und Vermachtung der Wirtschaft eingezeichnet ist. Sie führt wiederum zu »pragmatischen«, aus der Not geborenen Reformen[12], die regelmäßig eine beschränkte Dezentralisierung von Entscheidungsmöglichkeiten vorsehen. Sobald die Reformen »versagen«, locken die beschriebenen zentralistischen Versuchungen wieder, weil sich die Zentrale das Versagen natürlich nicht selbst zuschreibt, sondern die Fehler dezentral verortet. Es bahnt sich eine Art Zyklus an, der in der DDR zumindest insoweit beobachtbar war, als auf die Dezentralisierungsversuche einer Reformphase (1963-1971) Rezentralisierungen folgten, die im Schachtelgebilde des Mittagschen Kombinatssystems (ab 1976) gipfelten, das eine eigentümliche Mischung aus Autarkiebestrebungen der Kombinate und hierarchischer Durchstrukturierung verwirklichte.[13] Dessen dezentralisierende Reorganisation stand wiederum auf der Tagesordnung der nicht mehr zum Zuge gekommenen, nach-Honeckerschen »Reformer«-Generation.

Zu diesen allenfalls in der Zusammenstellung zu einer Steigerungslogik neuen Überlegungen kommt eine weitere hinzu (die vielleicht auch ein Feld für politisch-historische Forschungen über die DDR öffnet; es gibt m. W. bisher nur Einschlägiges über die Planungsgeschichte in der Sowjetunion, z. B. Zaleski 1971): Politische Spitze und Planer sind nicht identisch. Im Optimalfall könnte eine Planbehörde wunderschöne, konsistente und realistische Pläne ausarbeiten – und wir hören, daß dies keine leichte Aufgabe ist. Die Planziele wären den verfügbaren Ressourcen und Interdependenzen angepaßt, die Aufbauschritte erfolgten koordiniert. Die politische Spitze, die den Plan verabschiedet, hat jedoch (inzwischen) andere Prioritäten als die Planer, sieht die Notwendigkeit bestimmter Koordinationen nicht, hofft auf politisch induzierte Mobilisierungen, muß sich durch größere Erfolge legitimieren usw.[14] Der Plan wird »korrigiert«, aber nicht mehr in der Form, daß er bei veränderten Prioritäten wieder konsistent gemacht wird (oder werden kann). D. h. die Planer wissen von vornherein, daß der verabschiedete Plan nicht realisierbar ist[15], während die politische Spitze, die die Plankorrekturen zu verantworten hat, ein solches Wissen nicht zugeben wird.

Dies war, soweit ich weiß, ein sich regelmäßig wiederholender Vorgang. »In den Plänen klafften von Jahr zu Jahr größere Bilanzlücken. Sie wurden dennoch bestätigt, zur Pflichtauflage für die Produzenten erhoben. Der Plan wies also zum Jahresbeginn hohe Steigerungsraten auf. Das machte sich gut für die Öffentlichkeit. Im Laufe des Jahres wurde er jedoch ›präzisiert‹, das heißt wieder heruntergesetzt, also an die unzureichenden Material- und Grundfondsbedingungen angepaßt. Davon erfuhr die Öffentlichkeit nichts. Am Jahresende gab es dann erfüllte und übererfüllte Pläne, ohne daß ein wesentliches Wachstum gegenüber dem Vorjahr erzielt worden wäre« (Schabowski 1991, S. 125). Stellen wir diesen – nicht offen deklarierten, aber schon bei der ersten sowjetischen Fünfjahresplanung beobachtbaren – Planungsbankrott dem Planungsideal gegenüber. Letzteres beruht auf der – nach wie vor attraktiven – aufklärerischen Idee der Befreiung der Gesellschaft aus einer durch die Naturwüchsigkeit des Wirtschaftens verursachten, insofern selbsterzeugten, Unmündigkeit. Der wissentlich herbeigeführte, aber nicht offen deklarierte Planungsbankrott spricht dieser Idee hohn und desavouiert sie zugleich. Zumindest das hat der real existierende Sozialismus geschafft: Es gibt kaum noch jemanden, der die Idee gesamtwirtschaftlicher Planung nicht mit Ekel von sich wiese.

Ich möchte diesen Tatbetand hier nicht politisch oder moralisch beurteilen. Es geht mir auch nicht darum, die aufklärerische Planungsidee um jeden Preis zu retten. Es kann ja sein, daß die Mises-Weber-Hayek-Luhmann-Tradition recht hat und gesamtwirtschaftliche Planung ein nicht-realisierbarer Traum war und ist. Auf den ersten Blick scheint nämlich die DDR-Erfahrung die These Max Webers (1972, S. 54 ff.) zu bestätigen, daß mit gesamtwirtschaftlicher Planung Rationalitätsdefizite auftreten müßten, weil rationales Wirtschaften nur durch Kalkulation auf Basis effektiver, auf Märkten gebildeter Preise möglich sei. Allerdings könnte Webers These durch die DDR-Erfahrung nur dann als empirisch bestätigt gelten, wenn die dort zu verzeichnende Diskrepanz zwischen propagandistischem Planungsanspruch und tatsächlichem Ad-hoc-Dirigismus selbst durch rationale Planungsversuche erzeugt worden wäre. Daran kann man zweifeln. So läßt sich auch eine weniger weitgehende Lektion aus der DDR-Geschichte ziehen, nämlich die, daß eine Planung nicht gelingen kann, die ihre Grenzen nicht kennt – was impliziert, daß diese ausgelotet und auch sozial kenntlich gemacht werden. Demgegenüber ist die Allmachtsphantasie einer zentralistischen Verfügung über alle relevanten wirtschaftlichen und politischen Ressourcen eine denkbar schlechte Grundlage für Wirtschaftsplanung im gesellschaftlichen Maßstab. Diese Art von Planung zerfällt, früher oder später, im Selbstlauf, insbesondere weil die zugrundeliegende Allmachtsphantasie nicht politisch korrigiert, sondern sogar durch das Auswechseln von als Versagern geschaßten Führungskadern institutionalisiert wird.

Die politische Spitze der DDR hat – so die Antwort auf die eingangs aufgeworfene Frage –, um die Fiktion der flächendeckenden Wirtschaftsplanung aufrechtzuerhalten, um nicht selbst den Bankrott ihres politischen Leitprojekts[16] eingestehen zu müssen, sehenden Auges das Nebeneinander von mit übergroßem Aufwand gebauten Prestigeobjekten, die den Erfolg der Planwirtschaft sichtbar machen sollten, und zerstörerischem Chaos in deren wirtschaftlicher, sozialer und »natürlicher« Umwelt toleriert.[17]

Das Beispiel der DDR verdeutlicht so eine wesentliche Funktion von Demokratie – in dem minimalen Sinne einer periodisch gegebenen Möglichkeit, die bestehende Regierung abzuwählen – in bezug auf Planung. Es mag sein, daß Demokratie im Sinne von Planungsbeteiligung die Wirtschaftslenkung mittels Planung nicht unproblematischer gemacht hätte, z.B. weil demokratische Verfahren notorisch langsam sind. Deshalb kann Demokratie – wie oben erläutert – nur eine notwendige, aber keine hinreichende Bedingung für Planarbeit sein. Die genannte Funktion von Demokratie hingegen, das Verhalten einer Regierung über die Erwartung ihrer Abwählbarkeit zu steuern, hätte wohl dazu geführt, daß das Experiment flächendeckender Wirtschaftsplanung von »oben« abgebrochen worden wäre, sobald sein Mißlingen offenkundig war. Damit wäre vielleicht für ein künftiges, anderes Planungsexperiment mehr Raum geblieben, als wir uns heute vorstellen können. Das Experiment wird wiederum keine Kopfgeburt sein, sondern eines, zu dem die Probleme der kapitalistischen Ökonomien hintreiben. Diese Probleme (ökologische Zerstörung, Arbeitslosigkeit usw.) verschwinden trotz der scheinbaren Alternativlosigkeit des Kapitalismus nicht. Vermutlich wird es bei ihrer Bewältigung nicht ohne gesamtwirtschaftliche Planung gehen. Aus der DDR-Erfahrung können wir lernen, daß solche Planungen auf demokratisch ermittelte Zielvorgaben eingestellt werden müssen und daß sie einen experimentellen Charakter insofern haben, als es nicht darum gehen kann, hinter der Illusion totaler, zentraler Verfügung über Wirtschaftsprozesse herzuhecheln, sondern um ein demokratisch kontrolliertes Ausloten von Planungshorizonten, die sich tendenziell, mit wachsender Erfahrung, wachsenden Informations- und Kommunikations- und Partizipationsmöglichkeiten, erweitern.[18]

III.

Kommen wir zu den realsozialistischen Arbeitsverhältnissen und benutzen wir zu deren besserem Verständnis eine typisierende

Skizze der kapitalistischen Regulierung der Arbeitsverhältnisse als Kontrastfolie. Für kapitalistische Ökonomien gilt, daß der Ankauf der zeitlich beschränkten Disposition über eine Arbeitskraft für sich genommen noch nicht viel über Art und Ausmaß der effektiven Arbeitsleistung besagt. Der Arbeitsvertrag regelt den Arbeitsprozeß nicht hinreichend. Neuere Analysen und Modellierungen kapitalistischer Arbeitsverhältnisse in den USA (vgl. Bowles/Gintis 1990) gehen davon aus, daß gewinnmaximierende Unternehmen deshalb darauf angewiesen sind, durch alle möglichen Mittel (Lohnbildungsformen, betriebliche Sonderleistungen, Kontrollen) die Arbeitskräfte über ein von ihnen freiwillig gewähltes Niveau der Arbeitsverausgabung hinaus zu mobilisieren. Die entscheidende Rolle spielt dabei letztlich die Entlassungsdrohung, auch wenn sie nur virtuell bleibt. Deren Wirksamkeit variiert mit Konjunkturlage und Beschäftigungsniveau, also mit der Schwierigkeit, nach der Entlassung einen andern Arbeitsplatz zu finden. Sie variiert des weiteren mit dem Abstand des aktuell erzielten Lohneinkommens zum erwarteten Alternativeinkommen nach der Entlassung, wobei sozialstaatliche Sicherungen (Arbeitslosenunterstützung) eine zentrale Rolle spielen. Schließlich hängt die Wirksamkeit der Entlassungsdrohung auch ab von durch das Einzelunternehmen manipulierbaren Faktoren: einerseits von den Formen und der Dichte der Überwachung der Arbeitsleistungen und der Wahrscheinlichkeit der Entlassung bei ungenügenden Arbeitsleistungen; andererseits von den Formen der Lohnfindung, von betriebsspezifischen Sonderleistungen, Senioritätsprivilegien etc., die den Abstand des aktuellen Einkommens vom erwartbaren Alternativeinkommen (sozusagen die Fallhöhe bei Entlassung) beeinflussen. Samuel Bowles und diverse Koautoren haben die »costs of job loss«, die erwarteten Kosten des Arbeitsplatzverlustes, empirisch und theoretisch als diejenige Größe beschrieben (vgl. Bowles/Gordon/Weisskopf 1983, S. 88 f.), die die Wirksamkeit der Entlassungsdrohung und damit das effektive Arbeitsverhalten maßgeblich bestimmt. Je höher die (immer relativen) erwarteten Kosten und das Risiko des Arbeitsplatzverlustes sind, um so angestrengter werden sich die Lohnabhängigen um ein den Unternehmererwartungen entsprechendes Arbeitsverhalten bemühen.

Was kann uns diese, zunächst auf die kapitalistische Ökonomie der USA bezogene Beschreibung eines auf der Entlassungsdrohung beruhenden Systems der Arbeitsextraktion im Hinblick auf die Arbeitsverhältnisse in der DDR lehren? Gab es eine Analogie zu diesem Zusammenhang in der DDR-Wirtschaft? Wohl allenfalls in dem Bereich, den man im Kapitalismus Vollbeschäftigungsniveau nennt. Arbeitslosigkeit durfte es nicht geben. Wegen der Beschäftigungsgarantie war die Entlassungsdrohung unwirksam. Das Risiko des Arbeitsplatzverlustes war extrem niedrig, also konnten auch dessen Kosten das Arbeitsverhalten nicht beeinflussen. Soweit es keine anderen negativen Sanktionsmöglichkeiten für unerwünschtes Arbeitsverhalten gab (von politischer Ächtung von Faulenzern bis zur Kriminalisierung von Saboteuren), standen die Betriebe vor der Wahl, entweder den Beschäftigten selbst die Bestimmung des Arbeitsleistungsniveaus zu überlassen oder mit positiven Anreizen zu operieren. Schon allein weil die DDR-Führung lange Zeit unter der Parole vom Einholen und Überholen die offensive Systemkonkurrenz mit dem kapitalistischen Westen propagierte und entsprechend ehrgeizige Pläne vorgab, waren positive Anreize nötig, um bei den »Werktätigen« ein Leistungsniveau zu stimulieren, das die Planerfüllung[19] gewährleistete. Zwei Arten von Anreizen sind unterscheidbar: die Mobilisierung von politischen und moralischen Ressourcen (Typ Stachanow-Bewegung) oder materielle Vergütungen. Wenn man Berichten aus der späten DDR vertrauen darf, reagierten die meisten Werktätigen im Hinblick auf die Dauerversuche von Partei und Staat, moralische und politische Anreize einzusetzen, nur noch mit abgeklärter Passivität. Es blieb also die Möglichkeit, die wir vom Kapitalismus kennen: der Lohnanreiz.

Aus vielen sozialistischen Ländern ist eine Variante des Witzes bekannt, der treffsicher das Dilemma ausdrückt, in das die realsozialistischen Ökonomien mit dem Versuch geraten sind, das von »oben« gewünschte Arbeitsverhalten durch Lohnanreize zu stimulieren: »Der Staat tut so, als würde er uns bezahlen, und wir tun so, als würden wir arbeiten.« Damit wird das Endergebnis des folgenden Vorgangs dargestellt: Wenn die zusätzlichen Kosten, die zur Leistungsmobilisierung mittels Lohnanreizen aufgebracht werden, höher sind als der Wert der auf diesem Wege erzielten Produktionszuwächse, lassen sich die zusätzlichen Lohnkosten auf Dauer nicht tragen. Die einfachste »Lösung« des Kostendeckungsproblems besteht auch im Sozialismus in der, in diesem Fall zurückgestauten Inflation. Den erhöhten Geldlöhnen steht kein erhöhtes Konsumgüterangebot gegenüber. Das Preisniveau steigt zwar nicht, wie bei der Normalinflation. Aber vom zusätzlichen Geld kann man sich nichts kaufen. Es liegt in Erwartung eines attraktiven Konsumgüterangebotes in der Sparkasse. Aufgrund derartiger Erfahrungen bauen die Werktätigen eine sozialismusspezifische »Geldillusion« allmählich ab. Damit verlieren Geldlohnsteigerungen ihre Wirkung als Arbeitsanreize. Das Leistungsniveau löst sich ab von Geldlohnvariationen, es wird selbstbestimmt im Sinne einer von den Werktätigen – unter allen möglichen Gesichtspunkten – als akzeptabel angesehenen Arbeitsanstrengung.[20] Zudem besteht die Möglichkeit, in eine sich selbst propellierende Abwärtsspirale zu geraten, insoweit die Werktätigen ihre Arbeitsleistung nach einer subjektiv definierten Äquivalenz der Bezahlung anpassen: wenn die Kaufkraft der Löhne sinkt, sinkt auch die Arbeitsleistung.

Es gibt nun Mechanismen, die verhindern, daß sich eine Wirtschaft wie die der ehemaligen DDR aus einem solchen Passivitätsdilemma durch das historisch erprobte Normalmittel, nämlich durch verschärfte Disziplinierung, befreien kann. Zunächst und vor allem wäre hier die »*Exit*«-Option (Hirschman 1970) der Lohnabhängigen zu nennen. Damit meine ich nicht nur das Verlassen des Landes, das ja in der DDR von 1961 bis zur Öffnung der ungarischen Grenze für die meisten kaum möglich war, sondern auch das Abtauchen in die informelle Ökonomie, das z. B. die Form annehmen konnte, daß mehr Energien in die Privatarbeit nach Feierabend als in die offizielle Berufsarbeit gingen. Interessanter ist aber folgender Zusammenhang: die Flexibilität, die eine kapitalistische Ökonomie durch monetär stimulierte Marktanpassungsprozesse gewinnt, kann eine zu straff geplante Ökonomie eigentlich nur dort gewinnen, wo sie über »generalisierbare« Ressourcen verfügt. Damit meine ich solche Ressourcen, die nicht derart engen stofflichen, technischen oder konsumtiven Beschränkungen unterliegen wie normale Güter: Aus Rohstahl kann man keine Porzellanaffen machen. In kapitalistischen Ökonomien ist es das Geld, das den Einzelwirtschaften als solche generalisierbare Ressource dient, obwohl man gesamtwirtschaftlich denselben stofflich-technischen Beschränkungen unterliegt wie in einer Planwirtschaft. Was bleibt dort als generalisierbare Ressource? Arbeitskräfte. Sie sind in weiter gezogenen Grenzen als normale Güter flexibel einsetzbar; mit zusätzlich mobilisierten Arbeits-

kräften lassen sich viele Probleme des betrieblichen Ablaufs überbrücken, die andernfalls nur durch (ebenfalls verbreitete) komplizierte Lagerhaltungs- und Naturaltauschprozesse zu lösen sind.
Z. B. stellt man eben viele Dinge, die eigentlich von Zulieferern
kommen müßten, im Betrieb selbst her (das oft beklagte Problem
ineffizienter Fertigungs»tiefe« in den DDR-Betrieben). Damit jedoch die Arbeitskräfte als generalisierbare Ressource funktionieren, muß die Betriebsleitung für jenes Maß an »gutem Willen«
sorgen, das die Werktätigen wenigstens in dringenden Fällen so
weit aktiv werden läßt, daß die Erfüllung der wichtigsten außen-
kontrollierten Betriebsziele einigermaßen gewährleistet bleibt.
Schroffe Disziplinierungsmaßnahmen sind dazu nicht angetan.
Sie führen nur zu (noch mehr) Passivität und damit zu verminderten Dispositionsmöglichkeiten über Arbeitskraft in ihrer Qualität
als generalisierbare Ressource.

Ersichtlich wird im Vergleich zur kapitalistischen Konstellation
des von der Entlassungsdrohung bestimmten Arbeitsverhältnis-
ses, daß die Werktätigen in der DDR in der Tat Intensität und
Niveau der Arbeitsverausgabung weitgehend selbst – nach eigenen
Interessen – bestimmen konnten. Gerade diese partielle Selbstbestimmung war eine wichtige Komponente der Lebensqualität in
der DDR. Aber sie hatte recht hohe Kosten, im wesentlichen in
Form eines geringeren materiellen Reichtums. Auf Grundlage dieser Arbeitsverhältnisse wurden einerseits alle Vorstellungen der
sozialistischen Tradition illusionär, in der Systemkonkurrenz mit
auf strikter Disziplinierung der Arbeitskräfte, auf Produktivitäts-
steigerungen und Akkumulation getrimmten kapitalistischen
Ökonomien nicht nur mithalten, sondern sogar gewinnen zu können. Andererseits bestand in der DDR-Bevölkerung offenbar
keine hinreichende Klarheit über den Zusammenhang von selbst-
bestimmtem Arbeitsverausgabungsniveau und niedriger Produktivität, so daß in der spezifisch deutsch-deutschen Konstellation
die jederzeit mögliche, genaue Beobachtung des Konsumgüter-
ausstattungsgefälles zwischen West und Ost bei Abstraktion von
den Unterschieden zwischen den (nicht so genau beobachtbaren)
Arbeitsverhältnissen zu eigenartigen Fehleinschätzungen führen
mußte. Wenn das Reichtumsgefälle allein der Systemdifferenz und
nicht auch der Differenz des eigenen Arbeitsverhaltens zugerechnet wurde, dann galt der Reichtum des Westens als etwas, was
kostenfrei (ohne eigene, dauerhaft erhöhte Arbeitsanstrengung)

durch Systemwechsel zu haben war. Vielleicht fiel deshalb die Option für den Systemwechsel so viel leichter, als es viele, nicht nur westliche Beobachter erwartet hatten?

IV.

Wenn diese Überlegungen einigermaßen zutreffend sind, ist die DDR-Ökonomie – was ihre endogenen Bedingungen angeht – an einer inkompatiblen Mixtur von Demokratiemangel, traditionellen sozialistischen Leitideen und entsprechenden Planungs- und Lenkungsmethoden gescheitert, nicht einfach am Planungsparadox. Einerseits konnte der programmatische sozialistische Anspruch, wonach die arbeitenden Menschen auf allen Ebenen in den Planungsprozeß einbezogen werden sollten, nicht erfüllt werden, solange Entscheidungsspielräume »unten« als Störfaktoren galten. Damit konnte die ehrgeizige Planung nur noch dirigistisch von oben, notfalls mit Zwangsmitteln durchgehalten werden, die »unten« zu passiver Resistenz führten. Andererseits war die Anwendung von kapitalismusanalogen Disziplinierungsmethoden zur Erzielung eines erwünschten Arbeitsverhaltens nicht nur durch die sozialistische Ideologie verstellt, sondern auch durch die mehr oder weniger heftigen Anstrengungen, das permanente Planversagen lokal durch Mobilisierung der generalisierten Ressource Arbeitskraft zu kompensieren. In dieser Konstellation hatten die unmittelbaren Produzenten ironischerweise gerade deshalb eine große, wenngleich passive Macht, weil die Planung so schlecht war, wie sie war.

Kommen wir zum Schluß noch einmal auf die historische Großkonstellation. Was haben wir vom realsozialistischen Planungsversuch in der DDR zu halten? Es war ein folgen-, aber vielleicht wenigstens auch ein lehrreicher Fehlschlag. Auf die Dauer kann man nicht gegen eine widerwillige Bevölkerungsmehrheit anplanen, selbst wenn es die Bevölkerung nicht gerade an Autoritätsfixierung mangeln läßt. So läßt sich der eingangs zitierte Gedanke aus Ecos Roman einer Lektoratsverschwörung umdrehen: *Aber wenn man einen Plan macht, und die andern führen ihn nicht aus, dann ist es, als ob der Plan nicht existierte. Beziehungsweise, dann existiert er wirklich nicht. Jedenfalls nicht mehr.*

1 Mit »Chaos« meine ich systemisch erzeugte Unordnung. Wie es in der DDR auf einer kognitiven Ebene hergestellt wurde, illustriert folgendes Beispiel: »Ein Betrieb überbot in einer Erzeugnisnomenklatur seinen Monatsplan. Am 2. Arbeitstag des neuen Monats wurde ihm in dieser Position rückwirkend der Plan für den Vormonat so erhöht, daß er vom ›Übererfüller‹ zum ›Untererfüller‹ wurde. Gleichzeitig wurde er beauflagt, diese ›Untererfüllung‹ exakt zu begründen und eine ›Abbaukonzeption‹ für die Planrückstände zu erarbeiten und einzureichen. Dies galt für die daran Beteiligten zwar als belastende, nichtsdestoweniger jedoch ›normale‹, weil handlungsrational logische Arbeitsaufgabe, der man sich – wenn auch vielleicht zähneknirschend – stellte. Es verstand sich von selbst, daß als Grund für die ›Planuntererfüllung‹ nicht die rückwirkende Planerhöhung, sondern vielmehr ›objektive und subjektive‹ Probleme im eigenen Verantwortungsbereich zu benennen waren, für deren umgehende Beseitigung man sofort alle notwendigen Maßnahmen einleitete« (Marz 1990, S. 148).

2 »Flucht in geordnete Verhältnisse« – so beschreibt laut *Die Zeit* vom 8. 3. 1991 ein Eisenacher seinen Umzug nach Hessen.

3 Die folgenden Überlegungen sind empirisch nicht hinreichend abgesichert. Ich unterstelle typische realsozialistische Wirtschaftsverhältnisse und suche nach endogenen Gründen ihrer Erosion. Erst wenn die dargelegten Entwicklungssequenzen in ihrer Logik plausibel sind, lohnt sich ihre empirische Unterfütterung. Auf die oft besprochene Innovationsunfähigkeit der DDR-Wirtschaft (vgl. Maier 1987 u. v. m.) gehe ich nicht ein. Kapitalistische Ökonomien (oder solche, die mit ihnen konkurrieren wollen) müssen dauernde Innovationsfähigkeit generieren. Warum aber sollten auch für nicht-kapitalistische Wirtschaftssysteme *endogene* Probleme aus der Abwesenheit von (Produkt- oder Prozeß-)Innovationen entstehen?

4 »A command economy is one in which, as a rule, the individual firm produces and employs resources primarily by virtue of specific directives (commands, targets) received from higher authorities« (Grossman 1966, S. 206).

5 »Bei der Planung werden vorausschauend die Aufgaben und Ziele der Wirtschaftsentwicklung und *das künftige Handeln* der Werktätigen festgelegt« (Fülle 1975, S. 38, Hervorhebung H. G.).

6 Die idealtypische Vorstellung einer »Kommandowirtschaft« ist also irreführend: »an ›absolute command economy‹, the complete centralization of decisions in the production sector (let alone in the household sector), is an impossibility. Something must be left to local initiative and dispersed decision making« (Grossman 1966, S. 227f.).

7 Die Tatsache, daß sich praktisch alle Wirtschaften sowjetischen Typs

auflösen, sobald sie nicht mehr mit Mitteln politischer Repression zusammengehalten werden, deutet darauf hin, daß es in der Tat nicht nur DDR-spezifische Probleme waren, die zum Zusammenbruch der DDR-Wirtschaft geführt haben. Vergleiche zwischen verschiedenen RGW-Ländern, die ja unterschiedliche Reformversuche gemacht und unterschiedliche politische Entwicklungen durchlaufen haben (man vergleiche nur die Häufigkeit von Regierungswechseln in Polen und in der DDR), könnten Aufschluß darüber geben, inwieweit diese Reformen vor der entscheidenden Schwelle der Installation wirksamer Mechanismen zur »planförmigen« Abarbeitung von Interessengegensätzen steckenblieben.

8 »Der Plan wurde in jedem Fall erfüllt, auch dann, wenn er nicht erfüllt wurde« (Maier 1987, S. 20). Die Absurdität der Beschreibung reflektiert die Verunsicherung, die politisch oktroyierte Realitätsdefinitionen erzeugen.

9 Zur »Ökonomie der geheimen Reserven« vgl. Lohmann 1985, Kap. 4 und 5. Solche Reserven benötigte selbst die Spitze, sie konnte und mußte sich aber, privilegiert wie sie nun einmal war, die Geldform und dadurch den Zugriff auf den Weltmarkt leisten: »Mittag schuf sich mit dem Unternehmen von Schalck-Golodkowski einen persönlichen Außenhandelsapparat. Sein Zweck bestand darin, eine Valutareserve in Milliardenhöhe anzulegen, die schnellen Zugriff gestatten sollte, falls es in der rasselnden DDR-Wirtschaft ... zu ernsten Produktionsausfällen käme« (Schabowski 1991, S. 125).

10 Als Beleg dafür, daß das Chaos allen vertraut war, können die folgenden Sinnsprüche aus dem DDR-Alltag gelten (die Sammlung stammt von Lutz Marz): »Wir kennen die Aufgabe nicht, aber wir bringen das Doppelte«, »Staatliche Planaufgabe heißt: Überbieten, ohne zu erfüllen«, »Spare mit jeder Sekunde, jedem Gramm und jedem Pfennig, koste es was es wolle«, »Es ist immer alles klar, aber keiner weiß Bescheid«, »Jeder macht, was er will, keiner macht, was er soll, und alle machen mit«, »Wir wissen nicht, was wir wollen, aber das wollen wir mit ganzer Kraft«. Schließlich: »Die typische Durchsetzungsform des Planes ist das Chaos«.

11 »Das DDR-System war auf der Ebene des konkreten Betriebs nur der Form nach ein Kommandosystem; in der Durchsetzung des tatsächlichen Gestaltungszugriffs auf die Produktion blieb es schwach. Dieser Sachverhalt erweist sich vor allem auch an der Politisierung der Produktion. Was als Ergebnis normaler Organisationstätigkeit der Leiter nicht durchgesetzt werden konnte, versuchte man durch politische Kampagnen zu erreichen – die Partei sprang in die Bresche« (Voskamp/Wittke 1990, S. 24).

12 »Reformen sind ein endemisches Phänomen im Sozialismus« (Przeworski 1990, S. 154).

13 Auf der Planungsebene wurde weiter an der Zentralisierung gearbeitet: »Im Jahre 1984 wurden für den Volkswirtschaftsplan von ca. 600 bilanzierenden Organen 4575 MAK- <d. h. Material-, Ausrüstungs- und Konsumgüter-, H. G.> Bilanzen erarbeitet. Mit ca. 2200 Bilanzen (. . .) wurde über dreiviertel der Produktion zentral entschieden. Es ist davon auszugehen, daß die zu Anfang der siebziger Jahre begonnene Erhöhung der zentral bilanzierten Positionen kontinuierlich auf den heute erreichten Stand angewachsen ist« (Meyer 1987, S. 131 f.).

14 »In den Beratungen <zum Volkswirtschaftsplan 1990 und zum neuen Fünfjahresplan 91-95, H. G.> sind im Politbüro schon schlimme Dinge passiert. Da war klar, daß die Luft raus war. Da regierte nicht mehr der Sachverstand, sondern nur noch subjektive Vorstellungen. Man kann doch nicht per Zuruf beschließen: Wir erhöhen das Nationaleinkommen um 0,5 Prozent – aber so was wurde da gemacht. Es war allen klar, daß wir über unsere Verhältnisse lebten, daß wir die Verschuldung abbauen mußten. Aber immer wenn dazu Vorschläge kamen von Gerhard Schürer . . . <Leiter der Plankommission, H. G.>, dann wurden sie zurückgewiesen – unter anderem mit dem Vorwurf, daß man so die Konterrevolution in der DDR hervorrufen könnte« (Interview mit A. Schalck-Golodkowski in *Die Zeit* vom 11. 1. 1991).

15 Interessanterweise war – Schabowski (1991, S. 121-129) zufolge – der Chefplaner Schürer das einzige Politbüromitglied der Ära Honecker, das gegen die voluntaristische Wirtschaftspolitik protestierte.

16 Das im übrigen in der Rede vom »ökonomischen Gesetz der planmäßigen, proportionalen Entwicklung der Volkswirtschaft« (so z. B. Fülle 1975, S. 34) des Sozialismus gar nicht mehr als politisches Projekt kenntlich gemacht, sondern gegen Kritik immunisiert werden sollte durch eine Beschreibung, die der Planung den Status eines Quasi-Naturgesetzes andichtete. Daß sich politische Willkür hinter deklarierten Pseudo-Gesetzmäßigkeiten versteckt, gehört zur stalinistischen Erblast.

17 Interessant wäre hier eine weitere Differenzierung: Was für die politische Spitze als Chaos erscheint, muß für die Akteure vor Ort keines sein, weil sich selbstorganisierte Netzwerke herausbilden, die kompensatorisch eine »Ordnung zweiter Ordnung« im offiziell verordneten Chaos einziehen. In bestimmten Bereichen (z. B. bei der Abzweigung von Material für Eigenproduktion) schien jedenfalls das Chaos friedlich mit einer inoffiziellen Ordnung zu koexistieren, in der sich die Individuen als Nutzenmaximierer im Eigeninteresse an bestimmte Regeln hielten. Ein Zusammenbruch käme dann erst zustande, wenn diese Kompensation nicht mehr möglich wäre. (Auf diesen Zusammenhang hat F. Neidhardt in der Diskussion des Referats hingewiesen, aus dem der vorliegende Text entstand.)

18 Konzeptionelle Überlegungen zu einer diesen Aufgaben entsprechenden ökonomischen Theorie finden sich bei A. Lowe (1965).

19 Voskamp/Wittke (1990, S. 24 f.) beschreiben die entsprechende Kompromißbildung zwischen Arbeitern und Meistern als »Planerfüllungspakt«, wobei offenbar (mitunter fiktive) Überstunden als Prämien eingesetzt wurden.

20 Dieses freiwillige Arbeitsleistungsniveau ist natürlich abhängig von Einstellungen, von Arbeitsbedingungen usw. Es muß nicht konstant sein.

Literatur

Bowles, S./Gordon, D./Weisskopf, T. (1983), *Beyond the Waste Land*, Garden City

Bowles, S./Gintis, H. (1990), *Umkämpfter Tausch*, in: *Prokla 81*, S. 8-65

Fülle, H. (1975), *Leitung und Planung der Volkswirtschaft*, Berlin

Grossman, G. (1966), *Gold and the Sword: Money in the Soviet Command Economy*, in: H. Rosovsky (Hg.), *Industrialization in Two Systems*, New York 1966, S. 204-236

Hayek, F. A. (1935) (Hg.), *Collectivist Economic Planning*, London

Hirschman, A. O. (1970), *Exit, Voice, Loyalty*, Cambridge, Mass.

Keren, M. (1972), *On the Tautness of Plans*, in: *Review of Economic Studies*, Vol. 39, S. 469-486

Lindblom, C. E. (1983), *Jenseits von Markt und Staat*, Frankfurt/Main

Lohmann, K. E. (1985), *Ökonomische Anreize im Staatssozialismus*, Diss. FU Berlin

Lowe, A. (1965), *On Economic Knowledge*, New York (dt.: *Politische Ökonomie*, Frankfurt/M. 1968)

Luhmann, N. (1984), *Soziale Systeme*, Frankfurt/M.

Maier, H. (1987), *Innovation oder Stagnation*, Köln

Marz, L. (1990), *Implosion und Stagnovation*, in: *Prokla 80*, S. 135-149

Meyer, C. (1987), *Instrumente der Planung und der Informationsgewinnung*, in: Bundesministerium für innerdeutsche Beziehungen (Hg.), *Materialien zum Bericht zur Lage der Nation im geteilten Deutschland 1987*, Bonn, S. 127-135

Przeworski, A. (1990), *»Warum hungern Kinder, obwohl wir alle ernähren könnten?« Irrationalität des Kapitalismus – Unmöglichkeit des Sozialismus*, in: *Prokla 78*, S. 138-171

Schabowski, G. (1991), *Der Absturz*, Berlin

Schonfield, A. (1965), *Modern Capitalism*, Oxford

Voskamp, U./Wittke, V. (1990), *Aus Modernisierungsblockaden werden Abwärtsspiralen*, in: *Sofi-Mitteilungen Nr. 18*, Göttingen, S. 12-30
Weber, M. (1972), *Wirtschaft und Gesellschaft*, 5. Aufl., Tübingen
Zaleski, E. (1971), *Planning for Economic Growth in the Soviet Union, 1918-1932*, Chapel Hill

Karl-Dieter Opp
DDR '89
Zu den Ursachen einer spontanen Revolution[*]

Trotz der umfangreichen Literatur über die Revolution[1] in der DDR im Jahre 1989 ist die Frage, warum es dazu kommen konnte, noch nicht befriedigend beantwortet. Wenn z. B. behauptet wird, die Unzufriedenheit in der DDR sei eine Ursache für die Revolution gewesen, dann ist zu fragen, warum die Proteste nicht bereits früher auftraten, da hohe Unzufriedenheit nicht erst im Oktober 1989 bestand. Die Unzufriedenheits-These kann auch nicht erklären, warum die Proteste anstiegen, als die staatliche Repression, eine wichtige Ursache der Unzufriedenheit, im Oktober 1989 zurückging. Wenn weiter die Ausreisewelle oder die Politik Michail Gorbatschows als Ursache der Revolution angegeben werden, bleibt die Frage offen: Warum sollte sich ein einzelner Bürger an Protesten beteiligen, wenn andere Bürger das Land verlassen oder weil ein sowjetischer Politiker 1985 eine neue Politik einführte? Die Antwort, daß dadurch die Unzufriedenheit der Bürger weiter anstieg, führt nicht weiter, denn die Unzufriedenheits-These ist ebenfalls mit Problemen behaftet. Wie kann die Revolution in der DDR erklärt werden? Diese Frage steht im Mittelpunkt der folgenden Überlegungen. Dabei wird zunächst die Entwicklung der Proteste skizziert; sodann wird eine Erklärung vorgeschlagen, die von einem individualistischen sozialtheoretischen Ansatz ausgeht.

I. Die Entwicklung der Proteste in der DDR

In der DDR hat es seit ihrem Bestehen immer wieder in kleinerem Ausmaß Proteste der verschiedensten Art gegeben. Diese bestanden erstens aus einzelnen kleineren Demonstrationen. Die Anzahl solcher Demonstrationen und die Anzahl der Teilnehmer nahmen ab Mai 1989 zu. Am 7. 5. 1989 fand in der DDR eine Kommunalwahl statt, deren Ergebnisse offensichtlich gefälscht waren. Nach dem 7. 5. erfolgten mehrere Demonstrationen gegen diese Wahl-

Tabelle 1: Die Anzahl der Teilnehmer an den Montagsdemonstrationen in Leipzig

Datum	Niedrigste Schätzung	Höchste Schätzung	Mittlere Schätzung
25. 9. 89	5 000	8 000	6 500
2. 10. 89	15 000	25 000	20 000
9. 10. 89	70 000	70 000	70 000
16. 10. 89	> 100 000	120 000	> 110 000
23. 10. 89	150 000	300 000	225 000
30. 10. 89	200 000	500 000	350 000
6. 11. 89	400 000	500 000	450 000
13. 11. 89	150 000	200 000	175 000
20. 11. 89	> 100 000	200 000	> 150 000
27. 11. 89	200 000	200 000	200 000
4. 12. 89	150 000	150 000	150 000
11. 12. 89	100 000	150 000	125 000
18. 12. 89	150 000	150 000	150 000

Quellen: *Fischer Weltalmanach* 1990; Schneider 1990; Tetzner 1990; Wimmer et al. 1990; Zimmerling und Zimmerling 1990, Folgen 1 bis 3; *Spiegel Spezial* 1990; *Zeit Magazin* vom 29. 12. 89.

fälschungen. Seit Ende September 1989 wuchs die Anzahl der Demonstrationen und der Teilnehmer sprunghaft. Beispielhaft sei die Anzahl der Teilnehmer an den Montagsdemonstrationen auf dem Karl-Marx-Platz in Leipzig genannt. Diese Demonstrationen fanden nach den Friedensgebeten, die seit 1982 in der Nikolai-Kirche gehalten wurden, statt. Die Demonstrationen in Leipzig waren der Ausgangspunkt für die Revolution in der DDR und sind deshalb von besonderem Interesse. An der Montagsdemonstration am 4. 9. nahmen ca. 800 bis 1200 Personen teil. Die Entwicklung ab dem 25. 9. ist in *Tabelle 1* dargestellt.[2]

Alle Demonstrationen vor dem 9. Oktober wurden unverzüglich von Sicherheitskräften beendet oder behindert, z. B. durch Festnahmen von Demonstranten. Die Demonstration am 9. Oktober 1989 war die größte Demonstration in der DDR seit dem 17. Juni 1953 und die erste Demonstration, die nicht von der Staatsmacht aufgelöst wurde. Auch in anderen Städten der DDR fanden an diesem Tag Demonstrationen statt, allerdings mit erheblich weniger Teilnehmern. Die Demonstrationen in Leipzig und fast alle anderen Demonstrationen waren gewaltlos. Alle Demonstrationen waren illegal. Sie wären nur dann legal gewesen, wenn sie angemeldet und genehmigt worden wären. Beides war jedoch nicht der Fall.

Neben Demonstrationen bestand eine zweite Form des politischen Engagements gegen das SED-Regime in der Gründung oder in dem Aufruf zur Gründung von Oppositionsgruppen. So trafen sich am 13. 8. im Gemeindesaal der Bekenntniskirche in Berlin-Treptow etwa 400 Angehörige verschiedener Oppositionsgruppen; am 26. 8. wird zur Gründung einer sozialdemokratischen Partei und am 9./10. 9. zur Gründung des Neuen Forum aufgerufen.

Opposition gegen das SED-Regime erfolgte drittens dadurch, daß einzelne Gruppen – z. B. Künstler, kirchliche Gruppen oder Betriebsgruppen – Erklärungen, offene Briefe oder Petitionen verfaßten und zu verbreiten versuchten, die Forderungen nach Reformen an das SED-Regime enthielten.

Eine vierte Form der Opposition bestand in »Abwanderung« (Hirschman 1970). Diese Alternative wurde seit Mai 1989 (Beginn des Abbaus des ungarischen Grenzzaunes zu Österreich am 2. Mai) von einer wachsenden Zahl von DDR-Bürgern als Reaktion auf die politische und wirtschaftliche Situation in der DDR genutzt.

Alle Formen des Protests – Demonstrationen, Gründung von Oppositionsgruppen, Abfassen von Erklärungen und Abwanderung – mehrten sich im Laufe des Jahres 1989.

II. Ein Erklärungsmodell politischen Protests

1. Theoretische Grundlagen

Will man Erklärungen vermeiden, in denen lediglich einzelne Faktoren wie die Unzufriedenheit der Bevölkerung oder die Ausreisewelle ohne nähere Begründung als Ursachen behauptet werden, empfiehlt es sich, einen Erklärungsansatz zu verwenden, der Informationen darüber enthält, welche Variablen generell für Protest von Bedeutung sein könnten.

Ein solcher allgemeiner Erklärungsansatz politischen Protests, der gegenwärtig weitgehend akzeptiert wird, ist die *Perspektive der Ressourcen-Mobilisierung*.[3] Die grundlegende Idee dieser Perspektive ist, daß diejenigen Akteure im politischen Prozeß ihre Ziele realisieren, denen es gelingt, in relativ hohem Maße Ressourcen zu mobilisieren, die insbesondere aus der Unterstützung durch gesellschaftliche Gruppen bestehen. Gemeinsames Handeln einer relativ großen Anzahl von Personen »is rarely a viable option because of lack of resources and the threat of repression. ... When deprived groups do mobilize, it is due to the interjection of external resources« (Jenkins/Perrow 1977, S. 250).

Ohne Zweifel waren für die Entstehung der Proteste in der DDR die evangelische Kirche und Oppositionsgruppen von Bedeutung. Das Ansteigen der Proteste kann jedoch nicht dadurch erklärt werden, daß es den Bürgern gelang, in steigendem Maße Ressourcen zu mobilisieren. Die Aktivitäten der Kirche und kirchlicher Gruppen haben sich im Laufe des Jahres 1989 nicht verändert. Oppositionsgruppen wie das Neue Forum wurden erst ab August 1989 gegründet und waren nicht in der Lage, die Bürger zur Teilnahme an Demonstrationen zu mobilisieren. Typisch für die Revolution in der DDR ist vielmehr, daß sich eine zunehmende Anzahl von Bürger engagierte, ohne Kontakte zu einem Netzwerk Protest unterstützender Organisationen zu haben und obwohl sie einem übermächtigen staatlichen Akteur gegenüberstanden, der in der Vergangenheit alle Bürgerproteste erfolgreich unterdrückt hatte und bei dem alle nur denkbaren externen Ressourcen konzentriert waren.

Die umfassenden Bürgerproteste entstanden vielmehr *evolutionär*: Sie waren das ungeplante und unvorhergesehene Ergebnis der *spontanen Kooperation* einer wachsenden Anzahl einzelner Bürger, die sich in einer ähnlichen Situation befanden, wie noch im einzelnen gezeigt wird. Um Proteste dieser Art erklären zu können, müssen die Ideen der Ressourcenmobilisierungs-Perspektive erweitert werden: Es muß gezeigt werden, wie sich bei einem gegebenen minimalen Ausmaß von Ressourcen, über die Akteure verfügen, Proteste spontan entwickeln können, ohne daß sich die Ressourcen-Ausstattung der Akteure ändert.

Für die Erklärung derartiger evolutionärer Prozesse hat sich insbesondere der individualistische sozialtheoretische Ansatz als brauchbar erwiesen.[4] Grundlage ist eine Theorie, die die individuellen Entscheidungen der Akteure unter Berücksichtigung ihrer gesellschaftlichen Situation erklärt. Eine solche Theorie ist die Wert-Erwartungstheorie, eine Version des Modells rationalen Handelns, die im folgenden angewendet wird. Gemäß dieser Theorie führen Personen eine Handlung aus, wenn sie deren Konsequenzen insgesamt relativ positiv bewerten (d.h., wenn die Handlung mit hohem Nutzen und geringen Kosten verbunden ist) und wenn sie mit dem Auftreten dieser Konsequenzen relativ sicher rechnen (d.h., wenn die Auftrittswahrscheinlichkeit der Handlungskonsequenzen relativ hoch ist).[5]

Wendet man diese Theorie zur Erklärung der Proteste in der DDR an, dann sind zwei Fragen zu beantworten: 1. Welches waren die Handlungskonsequenzen, die für die Proteste von Bedeutung waren? 2. Wie und aufgrund welcher Ursachen änderten sich welche Handlungskonsequenzen (d.h. ihre Bewertungen und/oder Auftrittswahrscheinlichkeiten)? Diese Fragen sind so zu beantworten, daß nicht nur die Änderungen im Ausmaß der Proteste erklärt werden können, sondern darüber hinaus zwei weitere Tatbestände: Warum hatten die Proteste ihren Ursprung in Leipzig und nicht an anderen Orten? Warum verliefen die Proteste gewaltlos?

2. Bedingungen für die Bürgerproteste

Die empirische Forschung über Proteste und soziale Bewegungen hat gezeigt, daß generell Proteste durch eine bestimmte Gruppe von Handlungskonsequenzen, die im folgenden dargestellt werden, relativ gut erklärt werden können.

Für die politische Beteiligung eines Bürgers an Protesthandlungen ist erstens das Ausmaß seiner *Unzufriedenheit mit den wirtschaftlichen und politischen Verhältnissen* – wir sprechen im folgenden der Einfachheit halber generell von »politischer Unzufriedenheit« – von Bedeutung. Allerdings ist die Wirkung der politischen Unzufriedenheit auf Protest davon abhängig, 1. inwieweit ein individueller Akteur glaubt, mittels Protest zur Herstellung von Kollektivgütern beitragen zu können, 2. inwieweit er glaubt, daß die Gruppe von Personen, die an den Protesten teilnimmt, Erfolg haben wird, und 3. inwieweit er glaubt, daß Erfolg nur zustandekommt, wenn sich jedes Mitglied einer Gruppe beteiligt. Politische Unzufriedenheit wirkt multiplikativ mit diesen Faktoren, die zusammenfassend als *wahrgenommener politischer*

Einfluß, durch Proteste bestimmte politische Ziele erreichen zu können, bezeichnet werden. Unzufriedenheit wirkt um so stärker, je größer der wahrgenommene politische Einfluß ist.[6]

Ein weiterer Faktor, der politische Beteiligung beeinflußt, sind erwartete *staatliche Sanktionen*. Empirische Untersuchungen haben gezeigt, daß staatliche Sanktionen politischen Protests erstens einen Abschreckungseffekt haben. Je sicherer sie erwartet und je negativer sie von einem Individuum bewertet werden, desto kostspieliger sind sie, und je größer die Kosten einer Handlung sind, desto seltener wird sie ausgeführt. Darüber hinaus führen staatliche Sanktionen jedoch auch zu Solidarisierungseffekten: Sie erhöhen die positiven Anreize für Protest. Dies ist z. B. dann der Fall, wenn Personen, die sich engagieren und staatlichen Sanktionen ausgesetzt waren, in hohem Maße positive soziale Sanktionen erfahren. Je stärker die staatlichen Sanktionen sind, desto stärker überwiegt ein Abschreckungseffekt (vgl. im einzelnen Opp/Roehl 1990a, 1990b, mit weiter Literaturhinweisen).

Internalisierte Normen sind nicht nur für soziales Handeln generell, sondern auch für politisches Engagement und insbesondere für die Teilnahme an Protesten von Bedeutung.[7] Die Art solcher *Protestnormen* beeinflußt die Art politischen Engagements. Wenn z. B. die Bürger eines Landes im allgemeinen nur gewaltfreie Formen des politischen Engagements für moralisch gerechtfertigt oder sogar geboten halten, dann ist in höherem Maße mit gewaltfreien Aktionen zu rechnen, als wenn Gewalt prinzipiell als eine berechtigte Form politischen Engagements gilt. Normen sind situationsspezifisch. Ein Bürger wird z. B. dann gewaltfreie Aktionen nicht für geboten halten, wenn diese mit einem hohen Risiko verbunden sind oder aussichtslos erscheinen.

Empirische Untersuchungen haben gezeigt, daß die Beteiligung an Protesten in hohem Maße von *Anreizen der sozialen Umwelt* abhängt, z. B. von Erwartungen, die Bezugspersonen äußern, oder von erwarteten positiven Sanktionen durch Freunde und Bekannte.[8] Quellen solcher Anreize sind insbes. politische Gruppen. Von der sozialen Umwelt gehen nicht nur positive, sondern auch negative Anreize für Protest aus.

Die Äußerung positiver oder negativer Anreize der sozialen Umwelt bei politischem Engagement ist situationsspezifisch. So dürften häufig gewaltsame Formen von Protest negativ sanktioniert werden. Es ist weiter anzunehmen, daß dann, wenn die

Kosten für Protest in Form staatlicher Repression sehr hoch sind, politisches Engagement negativ sanktioniert wird: Der »Preis« wird als zu hoch angesehen. Erst wenn die staatliche Repression nicht allzu stark ist, werden negative informelle Sanktionen für Protest zurückgehen und positive Sanktionen ansteigen.

Will man die Entwicklung von Protest in einer Gruppe erklären, dann ist die *Verteilung* der genannten Anreize in der betreffenden Gruppe von Bedeutung. In der Literatur wurde z. B. die Rolle sog. *politischer Unternehmer* betont (vgl. Frohlich/Oppenheimer/Young 1971; Frohlich/Oppenheimer 1978, Kap. 4; Popkin 1988; White 1988). In diesem Zusammenhang bezeichnen wir als politische Unternehmer Personen, für die die Anreize für Engagement besonders groß sind. Politische Unternehmer sind für die Entstehung und Entwicklung von Protest oft deshalb von Bedeutung, weil sie einen Teil der Kosten von Protest (z. B. für die Organisation von Demonstrationen) übernehmen und für andere Bürger positive Anreize bereitstellen (z. B. durch Appellieren an Protestnormen). Konkret gehören vor allem Mitglieder von Oppositionsgruppen zu den politischen Unternehmern. Wir deuteten bereits an, daß bei der Entstehung der Proteste in der DDR politische Unternehmer kaum eine Rolle gespielt haben.

In der Forschung über politischen Protest wird normalerweise nicht davon ausgegangen, daß die Bürger das Verlassen eines Landes als eine Reaktion auf die Unzufriedenheit mit der wirtschaftlichen und politischen Situation in Betracht ziehen. Für Bürger der DDR ist dagegen aufgrund der Rechtslage, nach der sie auch Bürger der Bundesrepublik sind, und aufgrund der gemeinsamen Sprache ein Überwechseln in die Bundesrepublik im Prinzip unproblematisch. Darüber hinaus ist die Übersiedlung aufgrund der politischen und wirtschaftlichen Situation in der Bundesrepublik im Prinzip attraktiv. Die Alternative »Abwanderung« war zwar im Jahre 1989 durch Ausreiseanträge oder auch ab Mai 1989 (Beginn des Abbaus des ungarischen Grenzzaunes zu Österreich am 2. Mai) direkt über andere Ostblockländer, in die man legal reisen konnte, möglich, jedoch mit hohen Kosten verbunden: Bei Ausreiseanträgen war mit langen Wartezeiten zu rechnen, wenn überhaupt die Erteilung einer Ausreisegenehmigung erwartet wurde; der Zeitpunkt der Genehmigung war ungewiß und es mußte mit verschiedenen repressiven Maßnahmen staatlicher Instanzen während der Bearbeitungszeit gerechnet werden. Aufgrund der

Grenzsicherungen war nur in sehr eingeschränktem Maße und mit Lebensgefahr ein direktes Verlassen des Landes ohne Billigung der Behörden möglich. In jedem Falle mußten beim Verlassen des Landes soziale Beziehungen abgebrochen und alle Vermögenswerte zurückgelassen werden. Die Kosten der Abwanderung waren also relativ hoch. Für die meisten Bürger kam deshalb das Verlassen des Landes nicht in Betracht. Entsprechend halten wir es für gerechtfertigt, wenn im folgenden nicht versucht wird zu erklären, warum Bürger »Abwanderung« anstelle von »Widerspruch« gewählt haben.

Damit sind die Faktoren beschrieben, die aufgrund der Ergebnisse bisheriger Forschung die wichtigsten Determinanten für die Entstehung politischen Protests sind. Ich gehe davon aus, daß diese Faktoren auch für die Entstehung der Proteste in der DDR von Bedeutung waren. Entsprechend ist als nächstes zu fragen, wie sich diese Faktoren im Laufe des Jahres 1989 verändert haben.

III. Die Veränderung protestfördernder Faktoren im Jahre 1989

Im folgenden wird zuerst die Situation zu Beginn des Jahres 1989 beschrieben. Sodann wird gezeigt, wie sich die in dieser Situation wirksamen Anreize für Protest nach dem 7. Mai 1989 verändert haben. Die Art der Veränderungen wird in *Tabelle 2* zusammengefaßt. Die kausalen Prozesse, die im folgenden beschrieben werden, faßt *Abbildung 1* zusammen.

1. Die Situation zu Beginn des Jahres 1989

Die Zufriedenheit der Bürger eines Landes hängt von dem Ausmaß ab, in dem ihre Nachfrage nach Gütern des täglichen Bedarfs, nach dem Zustand ihrer physischen Umwelt und nach freien Entscheidungsmöglichkeiten befriedigt wird. In der DDR wurden diese Güter in geringem Maße angeboten. Eine repräsentative Umfrage im Januar 1990, in der die Zufriedenheit der DDR-Bürger mit den verschiedensten Tatbeständen ermittelt wurde, zeigte generell ein hohes Ausmaß an Unzufriedenheit in allen genannten Bereichen (Winkler [Hg.] 1990). Die umfassende Unzufriedenheit

Tabelle 2: Veränderungen der Ursachen für die Proteste in der DDR

Faktoren	Bis Mai 1989	Ab Mai 1989 bis 9. Okt.	Ab 10. Okt. bis Ende 1989
	Zeitraum		
Unzufriedenheit	hoch	hoch	steigt (zu geringe Dynamik des Wandels)
Wahrgenommener Einfluß	gering	steigt	steigt zunehmend
Staatliche Sanktionen	hoch	sinken oder bleiben (chinesische Lösung)	liegen nicht mehr vor
Protestnormen	gering	steigen	steigen zunehmend
Positive soziale Anreize	gering	steigen	steigen
Negative soziale Anreize	hoch	sinken	sinken
Politische Unternehmer	wenige	steigen (Bildung neuer Gruppen)	
Handlungs- alternativen	eingeschränkte Mobilität	geringere Ein- schränkungen	ab 9. Nov. offene Grenzen
Makroereignisse:	Beginn der Liberalisierung Osteuropas (Polen, Un- garn, UdSSR)	Zunehmende Liberalisierung (Tsche- choslowakei, Bulgarien, Rumänien, erweiterter Reiseverkehr), Beendigung der Demokratie- bewegung in China	

der DDR-Bürger zeigt sich auch an den Losungen, die auf Trans- parenten bei den Demonstrationen zu lesen waren (Schneider [Hg.] 1990). Hier wurden insbesondere das Ausmaß der Über- wachung durch die Stasi, die nicht vorhandenen politischen Wahlmöglichkeiten und die Beschränkungen der Reisefreiheit the- matisiert.

Das Ausmaß der Unzufriedenheit hängt u. a. davon ab, mit wel- chen Gruppen man sich vergleicht. Die Bürger der DDR vergli-

Abbildung 1: Der Prozeß der Revolution in der DDR 1989

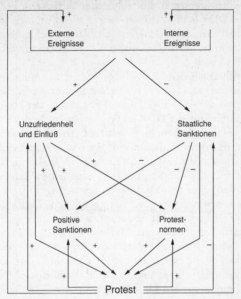

Anmerkung: Pfeile symbolisieren kausale Beziehungen; ›+‹ bedeutet einen positiven, ›–‹ einen negativen kausalen Effekt.

chen ihre Situation vor allem mit den Bürgern der Bundesrepublik. Dies ist aus folgenden Gründen zu erwarten: Erstens besteht eine gemeinsame Sprache und zweitens eine gemeinsame Geschichte und Kultur bis 1945; drittens existieren in der Bundesrepublik die von den DDR-Bürgern nachgefragten Güter in hohem Maße; viertens sind die DDR-Bürger über die Situation in der Bundesrepublik durch die Möglichkeit der meisten von ihnen, Westfernsehen zu empfangen, relativ gut informiert. Die relative Unzufriedenheit im Vergleich zu der wirtschaftlichen und politischen Situation der Bundesrepublik dürfte relativ groß gewesen sein.

Hinsichtlich der wirtschaftlichen Situation wird ein Bürger der DDR auch die gegenwärtige mit der vergangenen und mit der in Zukunft zu erwartenden Situation im eigenen Land vergleichen.

Selbst ein niedriges Versorgungsniveau wird als wenig deprivierend angesehen, wenn z. B. eine zukünftige Verbesserung erwartet wird. In der DDR hat sich jedoch – wie in allen Ostblockländern – die wirtschaftliche Versorgung im Zeitablauf verschlechtert, und es war auch nicht abzusehen, daß sich die Situation verbessern würde.

Vermutlich haben viele DDR-Bürger ihre Situation auch mit der Situation anderer Länder des »realen Sozialismus« verglichen, insbesondere mit der der Sowjetunion. Hinsichtlich der politischen Verhältnisse dürfte in der DDR im Vergleich zu anderen Ostblockländern ebenfalls in hohem Maße relative Unzufriedenheit bestanden haben, da dort Demokratisierungsprozesse stattfanden. Insgesamt dürfte also die Unzufriedenheit der DDR-Bürger sowohl mit den politischen als auch mit den wirtschaftlichen Verhältnissen zu Beginn des Jahres 1989 relativ groß gewesen sein.

Zu diesem Zeitpunkt war der wahrgenommene *Einfluß*, durch politisches Engagement eine Änderung der Situation erreichen zu können, gering: Aufgrund der Macht einer einzigen Partei, die politische Reformen strikt ablehnte und die politische Opposition unterdrückte, dürfte eine Änderung der Situation durch Engagement generell relativ unwahrscheinlich erschienen sein. Dies gilt auch im Hinblick auf den Einfluß, den, aus der Sicht der Bürger, Oppositionsgruppen oder die Kirche auf Reformen haben konnten (Heinze/Pollack 1990; Pollack 1990).

Die *erwarteten staatlichen Sanktionen* waren zu Beginn des Jahres 1989 relativ hoch. Politisches Engagement, das sich gegen die herrschende Politik richtete, war mit scharfen Sanktionen belegt. Opposition gegen das Regime war mit Verhaftung, Gefängnis, beruflicher Degradierung bzw. Nicht-Beförderung und Nicht-Vergabe von Ausbildungsplätzen verbunden. Von den Sanktionen waren auch unmittelbare Familienangehörige (Kinder, Ehepartner) und zum Teil Freunde betroffen.

Nicht nur die Schwere der Sanktionen spielte eine Rolle, sondern auch die Sicherheit, mit der Sanktionen erwartet wurden. Es gab ein ausgebautes Spitzelsystem. So wurden in Hochhäusern Besucher notiert. Darüber hinaus sorgte ein umfassender Sanktionsapparat (Staatssicherheitsdienst, Volkspolizei) dafür, daß Demonstrationen und andere öffentliche Protesthandlungen unterblieben bzw. wenn sie stattfanden, unverzüglich aufgelöst wurden.

Vor der Liberalisierung in der UdSSR konnte bei größeren politischen Aktionen mit Interventionen von Truppen des Warschauer Pakts gerechnet werden (Beispiel: 17. Juni 1953). Obwohl vermutlich die DDR-Bevölkerung im Jahre 1989 nicht mehr Interventionen auswärtiger Truppen bei Protesten erwartet hatte, wurde von vielen Bürgern eine »chinesische Lösung« befürchtet: Das SED-Regime bewertete die Niederschlagung der Proteste in China positiv. Entsprechend konnte damit gerechnet werden, daß auch in der DDR allgemeine Unruhen niedergeschlagen würden, wie dies auch in der Vergangenheit der Fall gewesen war. In einer Situation, in der in hohem Maße staatliche Repression bei politischem Protest zu erwarten war, dürften keine *Protestnormen* wirksam gewesen sein: Protestnormen gelten nicht für Situationen, in denen mit hohen Sanktionen zu rechnen ist und in denen Engagement aussichtslos erscheint.

Bei den hohen erwarteten Kosten und der geringen Erfolgsaussicht politischen Engagements waren *positive soziale Anreize* für Protest vermutlich gering: In einer solchen Situation dürften Angehörige von Oppositionsgruppen, Freunde und Bekannte kaum politisches Engagement gefordert oder bestärkt haben. Eher dürften die *negativen sozialen Anreize* für Protest überwogen haben: Man wird z. B. den Freund oder Ehemann von Protesten abzubringen versuchen, wenn dadurch die berufliche Karriere oder der Studienplatz aufs Spiel gesetzt wird und wenn der Protest aussichtslos erscheint. *Politische Unternehmer* in Form von Mitgliedern einer Reihe von Oppositionsgruppen existierten zwar, sie waren jedoch, wie bereits gesagt, aufgrund der hohen Kosten der Teilnahme an Protesten nicht in der Lage, auch nur einen Teil der Bevölkerung zu mobilisieren (Heinze/Pollack 1990).

2. Die Veränderung der Situation nach dem 7. Mai 1989

Die beschriebene Situation änderte sich ab Mai 1989 durch zwei Arten von Ereignissen: 1. externe Ereignisse, d. h. bestimmte Entscheidungen von Drittländern, und 2. interne Ereignisse, d. h. bestimmte Entscheidungen der politischen Instanzen der DDR. Gemäß dem hier angewendeten Erklärungsmodell sind solche *Makroereignisse nur dann von Bedeutung, wenn sie die individuellen Determinanten politischen Handelns beeinflussen*, da Proteste Aktionen individueller Akteure sind. Somit ist zu fragen:

1. Welche Makroereignisse traten ab Mai 1989 auf? 2. In welcher Weise veränderten diese Ereignisse die Nutzen und Kosten politischen Protests auf der individuellen Ebene?

Folgende *externe Ereignisse* führten zu einer Veränderung protestfördernder Anreize ab Mai 1989: *1.* Die Liberalisierung in anderen Ostblockländern schreitet fort. So beginnen am 2. Mai ungarische Grenzsoldaten mit der Niederreißung der Grenzbefestigungen an der Grenze zu Österreich. *2.* Am 4. Mai erfolgt eine erste große Demonstration auf dem Platz des Himmlischen Friedens in Peking; am 3. und 4. Juni wird die Demokratiebewegung in China durch staatliche Repression beendet. *3.* Ab 15. Juli haben Bürger der DDR in verschiedenen Botschaften der Bundesrepublik (Budapest, Prag, Ost-Berlin) Zuflucht gesucht, um das Land zu verlassen. Es beginnt die Fluchtwelle aus der DDR, als Ungarn und die Tschechoslowakei Ausreisewillige aus der DDR in die Bundesrepublik weiterreisen lassen.

Welche Wirkungen hatten die beschriebenen Ereignisse auf die früher behandelten Determinanten politischen Protests? Beginnen wir mit der Ausreisewelle. Die objektiv vorliegenden Möglichkeiten zum Verlassen der DDR wurden von den Bürgern wahrgenommen und von einer steigenden Anzahl von DDR-Bürgern genutzt. Dies dürfte dazu geführt haben, daß die Bürger, die in der DDR blieben, das DDR-Regime in Schwierigkeiten sahen: Die große Zahl der Aussiedler führte faktisch zu verstärkten Problemen in einer Vielzahl gesellschaftlicher Bereiche, z. B. in der Wirtschaft und hier insbesondere im Dienstleistungsbereich und in der medizinischen Versorgung. Die Bürger haben vermutlich erwartet, daß aus der Sicht des Regimes eine Liberalisierung nötig wurde, um den Exodus zu beenden oder zu vermindern. Dies führte bei den Bürgern im Laufe des Jahres 1989 zu weiterer Unzufriedenheit und zu einer Erhöhung des wahrgenommenen Einflusses, durch persönliches Engagement politische Veränderungen herbeiführen zu können. Durch die Schwierigkeiten des DDR-Regimes aufgrund der Aussiedler wurden von den Bürgern vermutlich auch geringere staatliche Sanktionen erwartet: Ein Regime, das sich in Schwierigkeiten befindet, wird die Repression vermindern.

Die zunehmende Liberalisierung in Polen und Ungarn dürfte die gleichen Effekte gehabt haben: Sie hat die relative Unzufriedenheit der DDR-Bürger mit dem SED-Regime erhöht und die DDR-Bürger in dem Glauben bestärkt, daß sich das Regime langfristig einem Reformkurs nicht mehr verschließen kann und daß damit auch die Chance, durch eigenes Engagement etwas ändern zu können, steigt und die Repression abnimmt.

Andererseits hatten viele DDR-Bürger ohne Zweifel Angst vor einer »chinesischen Lösung«, da diese von dem SED-Regime ausdrücklich gebilligt wurde. Vermutlich wurde eine solche Lösung jedoch mit der Zunahme der Protestbewegung im Jahre 1989 als immer unwahrscheinlicher angesehen. Dafür spricht auch, daß eine immer größere Anzahl von Personen durch Resolutionen Reformen forderten, ohne dafür sanktioniert zu werden.

Zu den *internen Ereignissen*, die protestfördernde Anreize im Laufe des Jahres 1989 erhöhten, gehörten vor allem die offensichtlichen Fälschungen der Ergebnisse der Kommunalwahlen, die am 7. Mai stattgefunden hatten. Dieses Ereignis erhöhte die Unzufriedenheit der Bevölkerung mit dem Regime. Dies galt auch für die Feierlichkeiten zum 40jährigen Bestehen der DDR am 7. Oktober, bei denen die »Errungenschaften« des Sozialismus in der DDR gepriesen wurden, obwohl die Diskrepanzen zwischen den Behauptungen des Regimes über die Leistungen des Sozialismus in der DDR und der Realität immer offenkundiger wurden.

Diese Situation – steigende Unzufriedenheit, steigender politischer Einfluß und sinkende erwartete Repression – hatte folgende Konsequenzen: *1.* Protestnormen waren in stärkerem Maße anwendbar. Man wird sich in immer stärkerem Maße zu politischem Engagement verpflichtet fühlen, wenn die Unzufriedenheit und der zu erwartende Erfolg steigen und wenn das erwartete Risiko politischen Engagements sinkt. *2.* Dieselben Bedingungen dürften dazu geführt haben, daß positive soziale Anreize für die Teilnahme an Protesten sich vermehrten und negative soziale Anreize sich verminderten.

Entsprechend konnte man im Laufe des Jahres die beschriebene Zunahme der Demonstrationen und anderer Protesthandlungen erwarten. Diese Proteste dürften wiederum die genannten Anreize verändert haben: Die Bürger haben in immer höherem Maße damit gerechnet, daß das zunehmende Engagement dem Regime Reformen abnötigen mußte: Wenn das Ausmaß von Protest immer weiter ansteigt, dann kann sich ein Regime, das seiner Ideologie entsprechend die Interessen der Bevölkerung vertritt, langfristig den Wünschen »seiner« Bürger nicht widersetzen. Dies wird ein Bürger selbst dann annehmen, wenn sich die SED-Führung in einer Vielzahl von Verlautbarungen jeglichen Reformen verschließt. Die Proteste erhöhten also den wahrgenommenen persönlichen politischen Einfluß und verminderten die Furcht vor Sanktionen. Gleichzeitig haben die Bürger der DDR vermutlich auch durch die steigende Anzahl politischer Gruppen, die sich während des Jahres 1989 etablierten, zunehmend geglaubt, daß gemeinsamer Protest Erfolg haben könnte.

Die Zunahme der Proteste dürfte auch bei einer steigenden Anzahl von Bürgern dazu geführt haben, daß zunehmend eine Verpflichtung zum Engagement wahrgenommen wurde: Je mehr Bürger sich für politische Änderungen einsetzen, bei deren Realisierung man auch selbst profitiert, desto weniger kann man es akzeptieren, nichts zu tun.

Die Proteste in der DDR vermehrten sich nach dem 9. Oktober noch einmal. Dies ist insbesondere damit zu erklären, daß am 9. Oktober zum ersten Mal staatliche Repression ausblieb. Die Kosten der Teilnahme sanken also beträchtlich. Darüber hinaus dürften die Erwartungen von politischen Veränderungen nach dem 9. Oktober relativ hoch gewesen sein. Diese Veränderungen gingen jedoch relativ langsam vor sich, so daß die politische Unzufriedenheit wegen der geringen Dynamik des Wandels weiter stieg.

Diese Überlegungen zeigen, daß der Veränderungsprozeß der Anreize sukzessiv vonstatten gegangen ist: Bestimmte externe und interne Veränderungen zu einem bestimmten Zeitpunkt erhöhten protestfördernde Anreize; diese führten vermehrt zu Protest. Dies hatte wiederum die Konsequenz, daß die protestfördernden Anreize bei den Bürgern weiter stiegen. Die dadurch zunehmenden Proteste provozierten interne Ereignisse wie z. B. die Änderung des Sanktionsverhaltens der Regierung. Neue externe Ereignisse traten auf, die sicherlich auch durch die Proteste in der DDR beeinflußt wurden. Es erfolgte eine erneute Veränderung der protestfördernden Anreize usw. Wie dieser Prozeß *genau* ablief, wird nicht zu klären sein, da hierfür ausreichende Informationen über die Veränderungen der von den Akteuren wahrgenommenen Handlungskonsequenzen für eine Vielzahl von Zeitpunkten im Laufe des Jahres 1989 erforderlich sind. Diese Informationen sind nicht mehr zu beschaffen. Man kann also nur feststellen, *daß* ein Prozeß der beschriebenen Art stattgefunden hat, wie er in *Abbildung 1* dargestellt wurde.

IV. Der Prozeß der Revolution

Wenn sich auch die protestfördernden Anreize im Laufe des Jahres 1989 in der beschriebenen Weise verändert haben, so wird damit noch nicht erklärt, wie das Verhalten einer Vielzahl von Personen in der Weise koordiniert wurde, daß Demonstrationen an bestimmten Orten und Zeiten, z. B. Montag abends auf dem Karl-Marx-Platz in Leipzig, stattfanden. Bisher folgt aus unseren Überlegungen nur, daß generell im Jahre 1989 in der DDR das Ausmaß von Protest stieg. Im folgenden sollen vier mögliche Prozesse diskutiert werden, die dazu geführt haben könnten, daß die Individuen, deren Bereitschaft zu Protesten relativ hoch war, gemeinsam demonstrierten.

Es wäre erstens möglich, daß die Demonstrationen von einer

Person oder Gruppe organisiert wurden. Viele Demonstrationen in westlichen Ländern kommen in dieser Weise zustande. Ein solches *Organisations-Modell* trifft für die Demonstrationen in der DDR nicht zu. Allein schon die Bekanntmachung der Zeit und des Ortes für eine Demonstration wäre von staatlichen Institutionen verhindert worden.

Die Demonstrationen könnten zweitens so zustande gekommen sein, daß zunächst eine Gruppe oder ein Komitee einen Ort und Zeitpunkt festlegte, an dem eine Demonstration stattfinden sollte. Diese Gruppe gab die Information an andere Personen oder Gruppen weiter mit der Aufforderung, andere Personen über Zeit und Ort der geplanten Demonstration zu informieren, an der Demonstration teilzunehmen und andere zu bitten, ebenfalls die genannte Information und Aufforderung weiterzugeben. Ein solches *Mikromobilisierungs-Modell* hat mit dem Organisations-Modell gemeinsam, daß die Demonstration geplant ist. Die Weitergabe der Information an potentielle Teilnehmer erfolgt jedoch bei dem Mikromobilisierungs-Modell dezentral, so daß die Kosten der Informations-Übermittlung gering sind. Da keine Organisation von Demonstrationen erfolgt, entfallen die damit zusammenhängenden Kosten. Auch ein solches Mikromobilisierungs-Modell entspricht nicht den Tatsachen. Es gab, wie gesagt, keine Gruppe oder Instanz, die die Demonstrationen in der DDR geplant hat.

Beide Modelle setzen voraus, daß einzelne Personen oder Gruppen die Demonstrationen geplant haben. Dies wird in den beiden folgenden Modellen nicht vorausgesetzt. Das *Schwellen-Modell* geht davon aus, daß dann, wenn einzelne Personen bestimmte Handlungen wie z. B. die Teilnahme an einer Demonstration ausführen, die Ausführung der betreffenden Handlungen für andere weniger kostspielig wird.[9] Der Prozeß der Teilnahme an den Demonstrationen hätte dann so verlaufen können: Zunächst nehmen Personen teil, für die der (Netto-)Nutzen der Teilnahme an Demonstrationen sehr hoch ist. Dadurch sinken die Kosten der Teilnahme für eine bestimmte Anzahl anderer Personen so stark, daß für diese die Schwelle für die Teilnahme erreicht wird. Diese Personen werden bei der nächsten Demonstration ebenfalls teilnehmen. Die größere Anzahl von Teilnehmern führt dazu, daß wiederum für eine andere Gruppe von Personen die Teilnahme-Schwelle erreicht wird usw.

Ein solcher Prozeß kann die Zunahme der Proteste bis zum 6. November erklären, wenn man die mittleren Schätzungen zugrunde legt (vgl. *Tabelle 1*). Der Rückgang der Teilnehmer nach dem 6. November kann jedoch nicht erklärt werden. Lassen wir einmal dahingestellt, ob die Annahmen, auf denen das Schwellen-Modell beruht, zutreffen. Der entscheidende Mangel des Schwellen-Modells besteht darin, daß nicht erklärt werden kann, wie die Proteste koordiniert wurden. Es wird vielmehr *vorausgesetzt*, daß die Proteste zumindest beim erstenmal irgendwie koordiniert werden. Es kann dann angenommen werden, daß die Teilnehmer der jeweils folgenden Protestaktionen sich genau wie die Teilnehmer der vorangegangenen verhalten.

Das Schwellen-Modell ist also ungeeignet, die Koordination individuellen Handelns zu erklären. Die zentrale These dieses Modells trifft jedoch für die Proteste in der DDR zu, wie wir bereits sahen und wie noch im einzelnen gezeigt wird: Die (erwarteten) Kosten der Teilnahme für den einzelnen sind um so geringer, je größer die (erwartete) Anzahl der Teilnehmer ist. Die Veränderung der Proteste in der DDR im Jahre 1989 kann jedoch keineswegs allein durch diese Kosten erklärt werden, wie unsere vorangegangenen Ausführungen bereits deutlich gemacht haben.

Für die Erklärung der Koordination der individuellen Entscheidungen erscheint ein Modell am plausibelsten, das als *spontanes Kooperations-Modell* (oder, gleichbedeutend, als spontanes »Koordinations-Modell«) bezeichnet werden soll. Gleichförmiges Verhalten einer großen Anzahl von Personen kommt oft dadurch zustande, daß diese Personen weitgehend isoliert voneinander gleiche Entscheidungen treffen, weil sie sich in einer gleichartigen Situation befinden. Als sich z. B. am Abend des 9. November aufgrund der in den Medien verbreiteten Erklärung von Günter Schabowski über die sofortige Ausreisemöglichkeit von DDR-Bürgern in den Westen Tausende von DDR-Bürgern an der Bornholmer Straße in Ost-Berlin versammelten, geschah dies deshalb, weil viele Bürger gleichartige Präferenzen hatten (Reisefreiheit bzw. Besuch von West-Berlin) und weil sie gleichartige Informationen hatten, nämlich über die Erklärung Schabowskis und über die Existenz eines Übergangs zu West-Berlin an der Bornholmer Straße. Sicherlich haben sich viele Personen auf ihrem Weg zur Bornholmer Straße an dem Verhalten anderer orientiert – sie werden vermutlich bemerkt haben, daß andere Personen ebenfalls zur

Bornholmer Straße gingen. Die Tatsache jedoch, daß eine große Anzahl von Personen zur gleichen Zeit zur Bornholmer Straße ging oder fuhr, zeigt, daß es sich um Entscheidungen handelte, bei denen sich die Bürger meist nicht an dem Verhalten anderer orientierten. Dies schließt nicht aus, daß mehrere Personen – z. B. ein Ehepaar – eine gemeinsame Entscheidung darüber herbeiführten, ob sie zur Bornholmer Straße gehen sollten oder nicht.

Die Demonstrationen in der DDR im Herbst 1989 waren eine spontane Kooperation einer Vielzahl von Bürgern. In allen Berichten über diese Demonstrationen wird immer wieder betont, daß sie von niemandem organisiert waren. Wie kam diese spontane Kooperation zustande?

Gehen wir davon aus, daß Bürger der DDR, z. B. in Leipzig, in hohem Maße bereit sind, ihrer Unzufriedenheit durch bestimmte Formen des Protests (z. B. durch gewaltlose Demonstrationen) Ausdruck zu geben. Dabei wollen sie die Kosten des Protests in Form staatlicher Sanktionen möglichst gering halten.

Weiter nehmen die Bürger an, daß zwar eine bloße Ansammlung von Menschen von den Sicherheitskräften bereits als Protest gewertet und sanktioniert werden könnte. Sie gehen jedoch davon aus, daß man bei einer Ansammlung von Menschen Protest in einer Weise äußern kann, bei der das Risiko staatlicher Sanktionen gering ist, z. B. durch Sprechchöre.

In dieser Situation kann ein gemeinsamer Protest nur dann zustande kommen, wenn mehrere Bürger gleichzeitig entscheiden, zur gleichen Zeit an denselben Ort zu gehen. Dies wird dann der Fall sein, wenn jeder vermutet, daß viele andere Bürger zu einer bestimmten Zeit an einen bestimmten Ort kommen. Wenn solche Erwartungen bestehen, findet eine stillschweigende Koordination des Verhaltens (Schelling 1960, S. 54-58) statt. Dabei ist weder eine Verabredung noch eine Organisation oder Mobilisierung erforderlich. Es findet also eine spontane Kooperation der Bürger in Form eines gemeinsamen Protestes statt.

Bei einer solchen Entscheidung, zu einem bestimmten Zeitpunkt einen bestimmten Ort aufzusuchen, wird die Anzahl der Personen, die man an dem betreffenden Ort erwartet, folgende Rolle spielen: Wenn man nur sehr wenige Personen erwartet, ist das Risiko staatlicher Sanktionen sehr gering; denn dann wird der Aufenthalt auf dem betreffenden Platz nicht als Protest gewertet werden. Man kann sich ja aus sehr unterschiedlichen Gründen an dem betreffenden Platz aufhalten. Je größer die Anzahl der Personen ist, desto eher wird zwar die Ansammlung als Protest gewertet, desto geringer werden jedoch die Bürger auch das persönliche Risiko einschätzen. In jedem Falle wird ein Bürger bei einer Verhaftung immer sagen können, er habe nur einen Spaziergang in die Stadt machen wollen. Wenn sich ein Bürger also entscheidet, zu dem betreffenden Ort zu einem bestimmten Zeitpunkt zu gehen, dann wird er vermuten, daß das Risiko, schwerwiegenden staatlichen Sanktionen ausgesetzt zu sein, gering sein wird.

Wie kamen nun die Erwartungen der Bürger zustande, an einem bestimmten Ort und zu einem bestimmten Zeitpunkt viele andere Bürger zu treffen? Wenn man in Städten mit einem klar definierten Stadtzentrum viele Personen treffen will, dann wird man auf die vorhandenen großen Plätze in diesen Städten gehen. Für Bürger der Stadt Leipzig ist ein solcher Treffpunkt der Karl-Marx-Platz und die umliegenden Straßen (einschließlich des Rings, der den Karl-Marx-Platz berührt). Die Nikolai-Kirche liegt in der Nähe dieses Platzes. Leipziger Bürger wußten, daß in der Nikolai-Kirche seit 1982 an jedem Montag von 17 bis 18 Uhr Friedensgebete stattfanden. Diese Information hatte sich durch persönliche Kommunikation, aber auch aufgrund von Berichten in den westlichen und östlichen Medien verbreitet. Auch wenn die Berichte östlicher Medien wie der *Leipziger Volkszeitung* die Montagsgebete negativ bewerteten, so konnte man ihnen doch die Information entnehmen, daß diese Gebete stattfanden. Es war bekannt, daß die Besucher der Friedensgebete wenigstens zum Teil beim Verlassen der Nikolai-Kirche über den Karl-Marx-Platz gehen würden. Wenn also ein Bürger in Leipzig seiner Unzufriedenheit Ausdruck verleihen wollte, dann lag es nahe, an Montagen am späten Nachmittag zum Karl-Marx-Platz zu gehen.

Der folgende Auszug aus einer Rundfunk-Reportage (Schneider 1990, S. 17) illustriert die beschriebenen Prozesse spontaner Kooperation am Beispiel der Montags-Demonstrationen des 25. 9. und 2. 10.: »Um 5 Uhr zum Gebet ist sie (die Nikolai-Kirche in Leipzig – KDO) überfüllt, wie schon seit Wochen. Wir warten draußen, mit Hunderten im Kirchhof und vielen in der Grimmaischen Straße. Es liegt was in der Luft, ein seltsames Gefühl unausgesprochener Gemeinsamkeit ... Glocken schlagen 6 Uhr abends. Die Kirche leert sich ... Gegen dreiviertel 7 beginnt sich der Kern der Menge zu bewegen, läuft los, raus in die Fußgängerzone Grimmaische Straße. Keiner zu erkennen, der anführt, rüber zum Karl-Marx-Platz, zwischen Gewandhaus und Oper. Und plötzlich: Dort sind es ein paar tausend. Zuschauer reihen sich ein, die Straße wird überflutet. Autos müssen anhalten … Am 2. Oktober war alles wie eine Woche zuvor. Nur waren es dreimal soviel Leute, diesmal auch ältere. Man wußte schon, wo's langgeht, man wußte schon, was zu rufen war: ›Wir bleiben hier!‹ und zum ersten Mal ›Wir sind das Volk!‹«

Der »spontane« Charakter der Demonstrationen in Leipzig wird von einem Teilnehmer (persönliches Gespräch) so ausgedrückt: Es gab keinen Kopf der Revolution. Der Kopf war die Nikolai-Kirche und der Körper das Stadtzentrum. Es gab nur eine Leitungsebene: montags um 17 Uhr die Nikolai-Kirche.[10]

Dies bedeutet nicht, daß die Friedensgebete geplant waren mit dem Ziel, eine Revolution oder umfangreiche Proteste herbeizuführen. Die Friedensgebete wurden 1982 vielmehr als ein Diskussionsforum ins Leben gerufen (vgl. im einzelnen Feydt et al. 1990). Die Bedeutung, die sie für die Revolution erhielten, war weder geplant noch erwartet. In anderen Städten der DDR gab es ebenfalls klar definierte Stadtzentren mit großen Plätzen, auf denen man erwarten konnte, andere zu treffen, z. B. in Ost-Berlin den Alexanderplatz.

Das spontane Kooperations-Modell impliziert nicht, daß jeder Bürger völlig allein entschied, zum Stadtzentrum zu gehen. Wie Berichte von Leipziger Bürgern zeigen (Neues Forum Leipzig 1990), fand zwar in gewissem Ausmaß eine Mikromobilisierung statt, indem man Freunde bat, mit in die Stadt zu gehen. Diese Mikro-Mobilisierung erreichte jedoch nicht den Umfang, der von dem beschriebenen Mikromobilisierungs-Modell postuliert wird.

Das spontane Kooperations-Modell kann nicht nur erklären, wie die Demonstrationen zustande kamen, es kann auch erklären, warum die Proteste im Zeitablauf zunächst zunahmen. Da, wie wir zeigten, im Zeitablauf die individuellen Anreize für Protest zunahmen, stieg auch die Bereitschaft zur Teilnahme an Protesten in der Bevölkerung. Entsprechend war zu erwarten, daß sich eine immer größere Anzahl von Bürgern entschloß, die genannten Plätze aufzusuchen.

Ein weiterer Faktor dürfte zu einer gewissen Eigendynamik der Proteste geführt haben: Die Demonstrationen wurden soziale Ereignisse und erhöhten damit die Anreize, an weiteren Demonstrationen teilzunehmen.

Wie ist es zu erklären, daß die Proteste ab November 1989 zurückgingen (vgl. *Tabelle 1*)? Es ist zu vermuten, daß nach der Öffnung der Grenzen am 9. November und aufgrund vorangegangener Ereignisse (z. B. des Rücktritts Honeckers) insbesondere die politische Deprivation in hohem Maße zurückging. Dadurch verminderten sich auch andere Anreize für Protest (vgl. *Abbildung 1*): Protestnormen waren in geringerem Maße anwendbar, und positive soziale Anreize für Proteste verminderten sich.

V. Der Ort der Revolution

Wir haben bisher die Veränderung der Anreize für Protest in der DDR generell beschrieben. Es ist jedoch kaum realistisch anzunehmen, daß zu Beginn des Jahres 1989 diese Anreize in allen Orten und bei allen gesellschaftlichen Gruppen gleich waren und daß sie sich in gleicher Weise verändert haben. So dürfte die Unzufriedenheit mit dem Zustand der Umwelt in Bitterfeld größer als in Ost-Berlin gewesen sein. Um zu erklären, warum die Proteste zuerst in Leipzig entstanden, ist zu prüfen, ob hier die genannten Bedingungen für Proteste in besonders hohem Maße vorlagen.

Zunächst waren die genannten strukturellen Möglichkeiten für spontane Kooperation in Form der regelmäßig stattfindenden Montagsgebete und der bekannten Treffpunkte in Leipzig besonders günstige Voraussetzungen für spontane Demonstrationen, die in anderen Städten nicht vorlagen. Vermutlich waren diese strukturellen Möglichkeiten die entscheidenden Determinanten für die Vorreiter-Rolle von Leipzig bei den Demonstrationen.

Hinzu kommt, daß die Unzufriedenheit der Leipziger Bürger besonders hoch war (vgl. z. B. Hofmann/Rink 1990). Hierfür waren zunächst mehrere Ereignisse in der Vergangenheit von Bedeutung. So kam es im Jahre 1968 zu Protesten, weil die Universitätskirche auf dem Karl-Marx-Platz im Stadtzentrum abgerissen wurde. Im Juni 1989 erfolgten Polizei-Einsätze und Verhaftungen, weil ein Straßen-Musikfestival stattfand, das von den Behörden verboten worden war (Lieberwirth 1990). Diese Ereignisse dürften sowohl die Unzufriedenheit älterer als auch jüngerer Leipziger Bürger mit dem SED-Regime generell erhöht haben.

Weiter hatte Leipzig unter allen Großstädten die höchste Umweltbelastung, eine besonders schlechte Altbausubstanz und Versorgungslage. Da Leipzig Messestadt war, hatten viele Leipziger

Bürger Kontakt mit Bürgern der Bundesrepublik. Dies galt nicht nur für Leipziger Geschäftsleute, sondern auch für andere Leipziger Bürger, die wegen der geringen Hotelkapazität Zimmer vermieteten. Diese Kontakte dürften die relative politische und wirtschaftliche Unzufriedenheit erhöht haben.

VI. Die Gewaltlosigkeit der Demonstrationen

An den Protesten in der DDR waren in hohem Maße Angehörige der Kirchen beteiligt. Von diesen wurde immer wieder Gewaltlosigkeit für jegliche Art von Opposition gefordert. Die Gewaltlosigkeit der Demonstrationen könnte also in der christlichen Ethik, die bei den kirchlichen Teilnehmern internalisiert war, ihre Wurzel haben. Wenn auch unter der großen Zahl der Teilnehmer an den Demonstrationen insgesamt nur wenige Angehörige der Kirchen waren, so könnten diese ebenfalls in hohem Maße Gewaltlosigkeit als Norm internalisiert haben.

Selbst wenn dies der Fall war, fragt es sich, ob dies für eine Erklärung der Gewaltlosigkeit ausreicht: Normen werden oft übertreten. Dies erschien bei den Demonstrationen aus folgendem Grunde in besonders hohem Maße wahrscheinlich: Bei hoher Unzufriedenheit besteht eine verbreitete Reaktion in Aggressivität und damit in Gewalt, insbesondere dann, wenn man Vertretern der Quelle jahrzehntelanger Frustration gegenübersteht. Die Erklärung der Gewaltlosigkeit durch internalisierte Normen reicht also nicht aus.

Es ist vielmehr anzunehmen, daß diejenigen, die sich engagierten, nur durch gewaltlose Formen des Engagements ihre politischen Ziele glaubten erreichen zu können. Erstens konnte nur bei gewaltlosen Demonstrationen mit der Unterstützung anderer Bürger und des unmittelbaren sozialen Umfeldes gerechnet werden. Zweitens konnte aus der Sicht der Bürger das Regime nur bei Gewaltlosigkeit zur Erfüllung der Forderungen der Bürger gebracht werden, da ja nach offizieller Ideologie das Regime die Interessen des Volkes vertritt. Drittens hätte man bei gewaltsamen Aktionen der Regierung und den Sicherheitskräften eine Rechtfertigung zum Einschreiten und zur gewaltsamen Beendigung der Proteste und der Reformbewegung gegeben: Das SED-Regime hätte die Oppositionellen zutreffend als Randalierer und Kriminelle bezeichnen können. Eine derartige Stigmatisierung gewaltloser Demonstranten würde auf die Dauer unglaubwürdig. Während der Demonstrationen schließlich bestand bei den Bürgern die Befürchtung, durch gewaltsame Handlungen das Eingreifen der Sicherheitskräfte zu provozieren. Die Gewaltlosigkeit ist also dadurch zu erklären, daß sie als die wirksamste Strategie zur Erreichung politischer Ziele angesehen wurde.

Die Gewaltlosigkeit der Proteste ist schließlich auch dadurch zu erklären, daß vor und während der Demonstrationen starke soziale Anreize wirksam waren, die Gewalt verhinderten: Es wurde bei den Friedensgebeten und während der Demonstrationen von einer Vielzahl von Personen immer wieder zu Gewaltlosigkeit aufgerufen. Darüber hinaus wurde Gewalt physisch verhindert: Bürger schirmten z. B. in Leipzig bei der Demonstration am 9. Oktober das Gebäude der Staatssicherheit vor möglichen Eindringlingen oder Beschädigungen ab.

VII. Diskussion

Die hier vorgeschlagene Erklärung wirft eine Reihe von Problemen auf, die abschließend diskutiert werden sollen. Zunächst fragt es sich, inwieweit die vorangegangene Erklärungsskizze empirisch zutrifft. Soweit keine Quellen genannt wurden, sind die vorangegangenen Ausführungen mit den Berichten einer Vielzahl von DDR-Bürgern, mit denen ich gesprochen habe, und mit publizierten Berichten über die Ereignisse in der DDR im Jahre 1989 (vgl. insbesondere Bohley et al. 1989; Lieberwirth 1990; Neues Forum Leipzig 1990) vereinbar. Diese Daten sind zwar kein harter Test der vorgeschlagenen Erklärung, verleihen ihr jedoch Plausibilität.

Eine weitere Frage, die bisher nicht behandelt wurde, ist, was die vorangegangenen theoretischen Überlegungen *nicht* erklären. Hierzu gehört der genaue Zeitpunkt der Demonstrationen und die genaue Anzahl der Teilnehmer bei den einzelnen Demonstrationen. Bei der Formulierung von Modellen, die diese Sachverhalte erklären können, müßten sehr spezifische Annahmen getroffen werden, insbesondere über die genaue Verteilung der genannten Variablen in der Bevölkerung und über die genauen Effekte interner und externer Veränderungen. Solche Modelle können zwar mangels Daten vermutlich niemals geprüft werden, sie sind jedoch theoretisch interessant, da sie eine Antwort auf die Frage erlauben könnten, unter welchen Bedingungen *generell* spontane Kooperation in Form gemeinsamen politischen Handelns in Diktaturen zustande kommt.

Die vorangegangene Analyse vernachlässigt eine wichtige Frage: Warum hat das SED-Regime nicht in anderer Weise reagiert und z. B. die chinesische Lösung gewählt? Um den Rahmen dieses Aufsatzes nicht zu überschreiten, konnte diese Frage nicht behandelt werden. Dies ist jedoch legitim, da bei der Erklärung der Proteste, die Gegenstand dieses Aufsatzes waren, die Reaktionen des SED-Regimes als gegeben betrachtet werden konnten.

Die vorangegangenen Überlegungen dürften schließlich für potentielle Revolutionäre von Bedeutung sein. Sie zeigen, daß tiefgreifende Änderungen einer Wirtschafts- und Sozialordnung nicht nur durch Terror und Gewalt erreichbar sind. Unter welchen Bedingungen *generell* spontane Revolutionen ohne Gewalt auftreten, bedarf jedoch einer weiteren Analyse, die in diesem Rahmen nicht geleistet werden konnte.

Anmerkungen

* Dieser Aufsatz entstand im Rahmen eines Forschungsprojekts, das von der Deutschen Forschungsgemeinschaft gefördert wird und das der Verfasser zusammen mit Prof. Dr. Peter Voß (Leipzig) durchführt. Ich möchte der Deutschen Forschungsgemeinschaft für die finanzielle Unterstützung und Herrn Voß für wertvolle Hinweise danken.

1 Der Begriff der Revolution wird in der Literatur unterschiedlich verwendet. Ob man die Veränderungen in der ehemaligen DDR im Jahre 1989 als Revolution bezeichnet, hängt von der Definition dieses Begriffs ab. Da sich die Bezeichnung »Revolution« für die Ereignisse in der DDR eingebürgert hat, erscheint es zweckmäßig, diesen Begriff auch im folgenden zu verwenden. Dabei soll als »Revolution« die Änderung einer gesellschaftlichen Ordnung, die nicht durch politische Wahlen zustande kam, bezeichnet werden. Bei dieser Definition ist es also unerheblich, ob die gesellschaftlichen Veränderungen durch Gewalt oder friedlich zustande kamen. Wenn auch diese Definition von »Revolution« präzisierungsbedürftig ist, so steht doch außer Frage,

daß es sich bei den Ereignissen in der DDR um die »Änderung einer generellen Ordnung« und somit um eine Revolution handelte.

2 Über die Anzahl der Teilnehmer an den Montagsdemonstrationen zwischen dem 4. 9. und dem 25. 9. liegen keine Schätzungen vor.

3 Vgl. hierzu die klassischen Darstellungen dieses Ansatzes bei McCarthy/Mayer 1973, 1977; Oberschall 1973; Tilly 1978. Eine gute Zusammenfassung gibt Jenkins 1983. Zur Kritik siehe insbesondere McAdam 1982.

4 Die Erklärung evolutionär entstandener oder »spontaner« Kooperation wird als »invisible hand explanation« bezeichnet (Ullmann-Margalit 1978; Vanberg 1984).

5 Siehe etwa Ajzen/Fishbein 1980; Ajzen 1988; Feather 1982. Zur Erklärung von Protestverhalten wurde dieses Modell ebenfalls bereits angewendet, vgl. Klandermans 1984; Muller 1979; Opp 1986, 1989; Opp/Roehl 1990; Finkel/Muller/Opp 1989.

6 Zu einer ausführlicheren Darstellung und einer empirischen Überprüfung dieser Hypothesen vgl. im einzelnen Finkel/Muller/Opp 1989.

7 Vgl. etwa Marwell/Ames 1979; Muller 1979; Opp 1986, 1989; Riker/Ordeshook 1968, 1973.

8 Vgl. z. B. Klandermans 1984; Knoke 1988; Opp 1986, 1989; Mitchell 1979; Muller/Opp 1986; Tillock/Morrison 1979; Useem 1980; Walsh/Warland 1983.

9 Vgl. hierzu insbesondere die von Mark Granovetter entwickelten Überlegungen, z. B. Granovetter (1978, 1986). Prosch/Abraham (1991) beschreiben die Annahmen des Schwellen-Modells ausführlich und wenden es zur Erklärung der Proteste in der DDR an.

10 Diese Darstellung wird auch durch eine Reihe weiterer Quellen bestätigt: Vgl. neben den umfangreichen Berichten in dem genannten Buch von Schneider (1990) insbesondere Döhnert/Rummel (1990); Neues Forum (1990); Tetzner (1990).

Literatur

Ajzen, Icek (1988), *Attitudes, Personality, and Behavior*, Milton Keynes

Ajzen, Icek/Fishbein, Martin (1980), *Understanding Attitudes and Predicting Social Behavior*, Englewood Cliffs, N. J.

Bohley, Bärbel/Fuchs, Jürgen/Havemann, Katja/Henrich, Rolf/ Hirsch, Ralf/Weißhuhn, Reinhard (1989), *40 Jahre DDR. Und die Bürger melden sich zu Wort*, Berlin

Döhnert, Albrecht/Rummel, Paulus (1990), *Die Leipziger Montagsdemonstrationen*, in: Jürgen Grabner/Christiane Heinze/Detlef Pollack

(Hg.), *Leipzig im Oktober. Kirchen und alternative Gruppen im Umbruch der DDR. Analysen zur Wende*, Berlin, S. 147-158

Feather, N. T. (Hg.) (1982), *Expectations and Actions: Expectancy-Value Models in Psychology*, Hillsdale, N. J.

Feydt, Sebastian/Heinze, Christiane/Schanz, Martin (1990), *Die Leipziger Friedensgebete*, in: Jürgen Grabner/Christiane Heinze/Detlef Pollack (Hg.), *Leipzig im Oktober. Kirchen und alternative Gruppen im Umbruch der DDR. Analysen zur Wende*, Berlin, S. 123-135

Finkel, Steven E./Muller, Edward N./Opp, Karl Dieter (1989), *Personal Influence, Collective Rationality and Mass Political Action*, in: *American Political Science Review*, 83, S. 885-903

Fischer-Weltalmanach (1990), *Sonderband DDR*, Frankfurt/M.

Frohlich, Norman/Oppenheimer, Joe A. (1978), *Modern Political Economy*, Englewood Cliffs, N. J.

Frohlich, Norman/Oppenheimer, Joe A./Young, Oran R. (1971), *Political Leadership and Collective Goods*, Princeton, N. J.

Granovetter, Mark (1978), *Threshold Models of Collective Behavior*, in: *American Journal of Sociology*, 83, S. 1420-1443

Granovetter, M. (1986), *Economic Action and Social Structure: The Problem of Embeddedness*, in: *American Journal of Sociology*, 91, S. 481-510

Heinze, Christiane/Pollack, Detlef (1990), *Zur Funktion der politisch alternativen Gruppen im Prozeß des gesellschaftlichen Umbruchs in der DDR*, in: Jürgen Grabner/Christiane Heinze/Detlef Pollack (Hg.), *Leipzig im Oktober. Kirchen und alternative Gruppen im Umbruch der DDR. Analysen zur Wende*, Berlin, S. 82-90

Hirschman, Albert O. (1970), *Exit, Voice, and Loyalty. Responses to Decline in Firms, Organizations, and States*, Cambridge, Mass.

Hofmann, Michael/Rink, Dieter (1990), *Der Leipziger Aufbruch 1989. Zur Genesis einer Heldenstadt*, in: Jürgen Grabner/Christiane Heinze/Detlef Pollack (Hg.), *Leipzig im Oktober. Kirchen und alternative Gruppen im Umbruch der DDR. Analysen zur Wende*, Berlin, S. 114-122

Jenkins, J. Craig (1983), *Resource Mobilization Theory and the Study of Social Movements*, in: *Annual Review of Sociology*, 9, S. 527-553

Jenkins, J. Craig/Perrow, Charles (1977), *Insurgency of the Powerless: Farm Worker Movements (1946-1972)*, in: *American Sociological Review*, 42, S. 249-268

Klandermans, Bert (1984), *Social Psychological Expansions of Resource Mobilization Theory*, in: *American Sociological Review*, 49, S. 583-600

Knoke, David (1988), *Incentives in Collective Action Organizations*, in: *American Sociological Review*, 53, S. 311-329

Lieberwirth, Steffen (1990) (Hg.), *Wer eynen spielmann zu tode schlaegt ... Ein mittelalterliches Zeitdokument anno 1989*, Leipzig

Marwell, Gerald/Ames, Ruth E. (1979), *Experiments on the Provision of Public Goods. I. Resources, Interest, Groups Size, and the Free-Rider Problem*, in: American Journal of Sociology, 84, S. 1335-1360

McAdam, Doug (1982), *Political Process and the Development of Black Insurgency 1930-1970*, Chicago/London

McCarthy, John D./Mayer, N. Z. (1973), *The Trend of Social Movements in America: Professionalization and Resource Mobilization*, Morristown, N. J.

McCarthy, John D./ Mayer, N. Z. (1977), *Resource Mobilization and Social Movements*, in: American Journal of Sociology, 82, S. 1212-1241

Mitchell, Robert C. (1979), *National Environmental Lobbies and the Apparent Illogic of Collective Action*, in: Clifford S. Russell (Hg.), *Collective Decision Making. Applications from Public Choice Theory*, Baltimore/London, S. 87-136

Muller, Edward N. (1979), *Aggressive Political Participation*, Princeton, N. J.

Muller, Edward N./Opp, K.-D. (1986), *Rational Choice and Rebellious Collective Action*, in: American Political Science Review, 80, S. 471-489

Neues Forum Leipzig (1990) (Hg.), *Jetzt oder nie – Demokratie. Leipziger Herbst '89*, Leipzig/München

Oberschall, Anthony (1973), *Social Conflict and Social Movements*, Englewood Cliffs, N. J.

Opp, Karl-Dieter (1986), *Soft Incentives and Collective Action. Participation in the Anti-Nuclear Movement*, in: British Journal of Political Science, 16, S. 87-112

Opp, Karl-Dieter, in Zusammenarbeit mit Hartmann, Peter und Petra (1989), *The Rationality of Political Protest. A Comparative Analysis of Rational Choice Theory*, Boulder, Colorado

Opp, Karl-Dieter/Roehl, Wolfgang (1990a), *Der Tschernobyl-Effekt. Eine Untersuchung über die Ursachen politischen Protests*, Opladen

Opp, K.-D./Roehl, Wolfgang (1990b), *Repression, Micromobilization and Political Protest*, in: Social Forces, 69, S. 521-548

Pollack, Detlef (1990), *Ursachen des gesellschaftlichen Umbruchs in der DDR aus systemtheoretischer Perspektive*, in: Jürgen Grabner/Christiane Heinze/Detlef Pollack (Hg.), *Leipzig im Oktober. Kirchen und alternative Gruppen im Umbruch der DDR. Analysen zur Wende*, Berlin, S. 12-25

Popkin, Samuel (1988), *Political Entrepreneurs and Peasant Movements in Vietnam*, in: Michael Taylor (Hg.), *Rationality and Revolution*, Cambridge, S. 9-62

Prosch, Bernhard/Abraham, M. (1991), *Die Revolution in der DDR. Eine strukturell-individualistische Erklärungsskizze*, in: Kölner Zeitschrift für Soziologie und Sozialpsychologie, 43, S. 291-301

Riker, William H./Ordeshook, Peter C. (1968), *A Theory of the Calculus of Voting*, in: *American Political Science Review*, 65, S. 25-42

Riker, William H./Ordeshook, P. C. (1973), *An Introduction to Positive Political Theory*, Englewood Cliffs, N. J.

Schelling, Thomas C. (1960), *The Strategy of Conflict*, Cambridge, Mass.

Schneider, Wolfgang (Hg.) (1990), *Leipziger Demontagebuch*, Leipzig/Weimar

Tetzner, Reiner (1990), *Leipziger Ring. Aufzeichnungen eines Montagsdemonstranten, Oktober 1989 bis 1. Mai 1990*, Frankfurt/M.

Tillock, Harriet/Morrison, D. E. (1979), *Group Size and Contributions to Collective Action: An Examination of Olson's Theory Using Data from Zero Population Growth Inc*, in: *Research in Social Movements, Conflicts and Change*, 2, S. 131-158

Tilly, Charles (1978), *From Mobilization to Revolution*, New York

Ullmann-Margalit, Edna (1978), *Invisible-Hand Explanations*, in: *Synthese*, 39, S. 263-291

Useem, Bert (1980), *Solidarity Model, Breakdown Model, and the Boston Anit-Busing Movement*, in: *American Sociological Review*, 45, S. 357-369

Vanberg, Viktor (1984), *Unsichtbare-Hand Erklärung und soziale Normen*, in: Horst Todt (Hg.), *Normengeleitetes Verhalten in den Sozialwissenschaften*, Berlin, S. 115-147

Walsh, Edward J./Warland, R. H. (1983), *Social Movement Involvement in the Wake of a Nuclear Accident: Activists and Free Riders in the TMI Area*, in: *American Sociological Review*, 48, S. 764-780

White, James W. (1988), *Rational Rioters: Leaders, Followers, and Popular Protest in Early Japan*, in: *Politics and Societies*, 16, S. 1-34

Wimmer, Micha/Proske, Ch./Braun, S./Michalowski, B. (1990), *Wir sind das Volk. Die DDR im Aufbruch. Eine Chronik in Dokumenten und Bildern*, München

Winkler, Gunnar (Hg.) (1990), *Sozialreport 90. Daten und Fakten zur sozialen Lage in der DDR*, Berlin

Zimmerling, Zeno/Zimmerling, Sabine (Hg.) (1990), *Neue Chronik der DDR. Folge 1 bis 5*, Berlin

Jan Wielgohs/Marianne Schulz
Von der »friedlichen Revolution«
in die politische Normalität

Entwicklungsetappen der ostdeutschen Bürgerbewegung

Haben die im Umfeld der evangelischen Kirchen agierenden sozialethischen Gruppen vor dem Herbst 1989 nur in sehr geringem Maße sozialwissenschaftliche Beachtung erfahren (Neubert 1985; Knabe 1988; Pollack 1989), so ist die Protestbewegung der DDR mit dem gesellschaftspolitischen Umbruch in Mittelosteuropa verstärkt in das Blickfeld ost- und westdeutscher Soziologie und Politikwissenschaft geraten.[1] Das Tempo der politischen Entwicklung hat die betreffende Forschung jedoch erneut in Verzug gebracht. Noch sind die Entstehung und die Entfaltung der Bürgerbewegung kaum systematisch aufgearbeitet, da gehört die große Protestbewegung längst der Geschichte an. Geblieben sind zunächst verschiedene Bewegungsorganisationen, ein schmales Bewegungsmilieu sowie ein Wählerpotential für Bündnis 90/Grüne von etwa einer halben Million Bürger/innen, d. h. eine per Definition (Raschke 1987, S. 24) offenbar schon weitgehend institutionalisierte Bewegung.

Die gesamtgesellschaftlichen Entwicklungstendenzen, die den DDR-spezifischen makrosozialen Kontext für die Entstehung des Milieus der sozialethischen Gruppen seit Ende der siebziger Jahre sowie die Entfaltung der Bürgerbewegung im Herbst 1989 kennzeichneten, sind mehrfach beschrieben und soziologisch bzw. gesellschaftstheoretisch auch unterschiedlich interpretiert worden (Neubert 1989; Pollack 1989; Wielgohs/Schulz 1990; Meuschel 1991). Sie lassen sich zusammenfassend als eine bürokratisch deformierte Modernisierung der Industriegesellschaft charakterisieren, deren irreversibler Krisenverlauf durch eine vorwiegend politisch induzierte wechselseitige Reproduktion wirtschaftlicher Disproportionalität und sozialstruktureller Regression (Hanf 1991, S. 77 f.) gekennzeichnet war. In der Struktur der Themen, die von den sozialethischen Gruppen der achtziger Jahre wie von der Bürgerbewegung des Herbstes 1989 artikuliert wurden, spiegeln sich die wesentlichen Konfliktlinien (Brand 1990, S. 10 f.), die diesen Krisenverlauf prägten und damit zugleich den Charakter der Protestbewegung kennzeichneten, wider. Die Thematisierung globaler Gefährdungspotentiale (militärische Rüstungsdynamik, Umweltzerstörung, Unterentwicklung) sowie patriarchalischer Geschlechterbeziehungen und der Marginalisierung von Minderheiten zu »Randgruppen« verweist auf systemübergreifende und -indifferente Folgen der Modernisierung von Industriegesellschaften. Hubertus Knabe hat daher zu Recht die Untersuchung der sozialethischen Gruppen der DDR in den Kontext der Forschungen zu den »neuen sozialen Bewegungen« gestellt (Knabe 1988). Die Entstehung von Gruppen, die sich vor allem mit der Kritik der Menschenrechtssituation in der DDR befaßten, und die zunehmende Einforderung von demokratischen Grundrechten in der zweiten Hälfte der achtziger Jahre waren in erster Linie ein Ausdruck des Konflikts zwischen den partizipatorischen Ansprüchen weit über das Gruppenmilieu hinausreichender Bevölkerungskreise einerseits und den Spezifika bürokratischer Herrschaft in den Gesellschaften sowjetischen Typs andererseits. In dieser Hinsicht standen die politisch alternativen Gruppen der DDR auch im Kontext der mittelosteuropäischen Dissidenz. Aber auch diesbezüglich scheint der Konfliktstoff von globalerer Natur zu sein. Hierfür sprechen zumindest die mit der »Wende« und den Verhandlungen der »Runden Tische« um den Verfassungsentwurf in den Vordergrund gerückte Kritik der Bürgerbewegung an den Defiziten der repräsentativen Demokratie und des Parteienparlamentarismus sowie die Versuche, konkrete Menschenrechtsarbeit fortzusetzen und international auszuweiten. Insgesamt scheint uns daher der Bezug der ostdeutschen Bürgerbewegung und ihrer Vorläufer zu den »neuen sozialen Bewegungen« fundamentaler zu sein als der zu den spezifisch osteuropäischen Oppositionsbewegungen. So waren in der DDR sowohl innerhalb als auch außerhalb des Gruppenmilieus deutlich stärkere Ansätze einer neuen Frauenbewegung (Hampele 1991, S. 221 ff.) erkennbar als in den meisten osteuropäischen Ländern. Zum anderen wurden nationale Emanzipationsansprüche gegenüber sowjetischer Hegemonie, wie sie für die Opposition in Polen, der CSSR und Ungarn von erheblicher Bedeutung waren, nur in wenigen DDR-Gruppen thematisiert und nach außen so gut wie gar nicht artikuliert.

Im vorliegenden Beitrag unternehmen wir den Versuch, den bisherigen Verlauf der ostdeutschen Bürgerbewegung, soweit sie im wesentlichen durch den Namen Bündnis 90/Grüne repräsentiert wird, in seinen unterschiedlichen Phasen – Latenz- bzw. Entstehungsphase, Formierung und Entfaltung, Institutionalisierung bzw. relative Marginalisierung – zu systematisieren. Wir betrachten diese Bewegung als eine soziale Bewegung im Sinne der Definition Joachim Raschkes:

»Soziale Bewegung ist ein mobilisierender kollektiver Akteur, der mit einer gewissen Kontinuität auf der Grundlage hoher symbolischer Integration und geringer Rollenspezifikation mittels variabler Organisations- und Aktionsformen das Ziel verfolgt, grundlegenderen sozialen Wandel herbeizuführen, zu verhindern oder rückgängig zu machen« (Raschke 1987, S. 21).

Unser Anliegen ist es, Kontinuitäten und Brüche zwischen den verschiedenen Entwicklungsphasen aufzuzeigen, wobei wir zum Teil auf ein von Piotr Sztompka vorgeschlagenes Strukturmodell (ideelle, normative, organisatorische und Gelegenheitsstruktur) für die Beschreibung sozialer Bewegungen zurückgreifen (Sztompka 1987). Dabei konzentrieren wir uns auf markante Veränderungen in der Binnenstruktur der Bürgerbewegung. Eine Analyse der Entwicklung des betreffenden gesellschaftlichen Kontextes gehört nicht zum unmittelbaren Anliegen dieses Textes.

Zwischen Gegenkultur und Opposition
Ziele und Motive im alternativen Gruppenmilieu

Ende der achtziger Jahre war eine relativ ausgebildete ideelle und normative Struktur innerhalb des Gruppenmilieus erkennbar. Das Bedürfnis nach freier, unreglementierter Kommunikation, der Wille, einen selbstbestimmten Beitrag zur Lösung der globalen Probleme und zur Veränderung der bedrückenden Verhältnisse im eigenen Land zu leisten, und das Streben nach Autonomie gegenüber jeglicher Art etablierter Institutionen bildeten die hauptsächlichen Motive für das Engagement in den Gruppen. Verbreitet war die Auffassung, daß wünschenswerter gesellschaftlicher Wandel ohne grundsätzliche Veränderung des eigenen individuellen Lebensstils kaum möglich ist (Pollack 1989, S. 129 ff.). Thematische Arbeit mit dem Ziel der Aufklärung sowie symbolische Aktionen in der Öffentlichkeit waren die überwiegenden Handlungsformen. Das Selbstverständnis der meisten Gruppen war eher das einer Gegenkultur als das einer politischen Opposition. In der

Mehrheit waren die Gruppen »kulturorientiert statt machtorientiert, basisdemokratisch statt zentralistisch, reaktiv statt offensiv, sie thematisieren eher Einzelthemen und -konflikte als globale Politikstrategien« (Knabe 1990, S. 23). »Gerechtigkeit«, »Frieden« und »Natur« markierten die allgemein anerkannten, nicht mehr hinterfragten Werte (Neubert 1985, S. 36).

Seit Mitte der achtziger Jahre, zunehmend nach dem Übergriff der Staatssicherheitsorgane auf die Umweltbibliothek bei der Berliner Zionsgemeinde im November 1987, setzte eine spürbare Politisierung in den Gruppen ein, in deren Zuge sich die Thematisierung von Menschenrechtsfragen verstärkt mit konkreter Menschenrechtsarbeit und öffentlichen politischen Aktionen verband (Liebknecht-Luxemburg-Demonstration 1988, Kommunalwahlen 1989). Insoweit die für die meisten Gruppen leitenden Ideen in politische Zielvorstellungen umformuliert wurden, bestand weitgehender Konsens in dem Bestreben nach Herstellung einer differenzierten Öffentlichkeit und Überwindung der totalitären Herrschaftsverhältnisse. Darüber hinausgehend, das heißt die Konturen künftiger Gesellschaftsentwicklung betreffend, war eher eine diffuse Heterogenität zu verzeichnen. Dominant waren – zumeist in reformsozialistischer Sprache artikulierte – Vorstellungen von einem alternativen, an den globalen Problemen orientierten Weg jenseits der in Ost und West bestehenden Systeme, die aber konzeptionell bzw. programmatisch nur in wenigen Gruppen ausformuliert wurden. Anzutreffen war des weiteren das – in bewußter Ablehnung traditioneller linker Politikauffassungen und dementsprechend holistischer Gesellschaftsstrategien formulierte – Bekenntnis zu »offenen Konzepten« (Templin 1991, S. 23). Wenngleich im Diskurs der bewegungsinternen Öffentlichkeit der reformsozialistische Horizont kaum überschritten wurde, waren Zielorientierungen am westeuropäischen Gesellschaftstyp latent, aber nur vereinzelt vorhanden. Die Mehrheit der Gruppen war eher alternativ-antikapitalistisch orientiert.

Für die weitgehende Abstinenz gegenüber konstruktiven Gesellschaftskonzepten oder Reformprogrammen lassen sich wohl verschiedene Gründe anführen. Zum einen war angesichts der scheinbar stabilen Machtverhältnisse in der DDR und eingedenk der Einleitung der sowjetischen Reformpolitik für die oppositionellen Gruppen in einem möglichen Reformprozeß eher die Rolle

einer kritischen Opposition gegenüber einer widerwillig reform-
kommunistischen Elite zu erwarten als die konzeptionsbildende
Führungsrolle in einer »Revolution von unten«. Dies korrespon-
dierte mit der ohnehin verbreiteten Ablehnung machtpolitischer
Orientierungen. Ein weiterer Grund dürfte in dem eher sozialethischen als gesellschaftstheoretischen Zugang zu Politik liegen,
wie er insbesondere für die in christlichen Traditionen verankerten
Gruppen charakteristisch war (repräsentativ hier der Arbeitskreis
»Absage an Praxis und Prinzip der Abgrenzung«, aus dem später
die Bürgerbewegung Demokratie Jetzt hervorging. Vgl. Neubert
1990, S. 54 ff.). Diesem Zugang entspricht die Formulierung normativer Ansprüche an Politik aus der Betroffenenperspektive
mehr als das für linksintellektuelle Traditionen charakteristische
Streben nach theoretisch begründeten Gesellschaftskonzepten
auf der Basis analytischer Kleinarbeit. Insofern letztere sich überwiegend in einem fluiden, außerkirchlichen Reformpotential zu
artikulieren suchten, spielte die Auseinandersetzung mit betont
linken bzw. marxistischen Politikauffassungen in der Entstehungsphase der DDR-Bürgerbewegung eine erheblich geringere
Rolle als in den neuen sozialen Bewegungen der Bundesrepublik.
Hier liegen vermutlich einige der Wurzeln für die heutigen Ver-
ständigungsschwierigkeiten zwischen den ostdeutschen Bürgerbewegungen und den westdeutschen Grünen.

Neben der Stiftung integrationsbildender Symbole (Schwerter
zu Pflugscharen, Mahnwachen, Friedensgebete und -andachten,
Fastenaktionen) hat sich der Einfluß protestantischer Kultur besonders auffallend in der normativen Struktur der Bewegung geltend gemacht. Hinsichtlich ihrer Bedeutung für den Umbruch im
Herbst 1989 sind hier vor allem zwei Aspekte hervorzuheben: Da
ist zum einen »Gewaltlosigkeit« als Norm politischer Auseinandersetzung, deren Praktizierung im Herbst 1989 von erheblicher
Ausstrahlungskraft war und der »friedlichen Revolution« einen
nahezu mythischen Nimbus verlieh (Neubert 1990, S. 67 f.). Der
andere Aspekt bezieht sich auf den Modus kollektiver Meinungs-
bildung. Die Beteiligung zahlreicher Gruppen am »Konziliaren
Prozeß der Kirchen und Christen der DDR für Gerechtigkeit,
Frieden und Bewahrung der Schöpfung« hat zweifellos dahinge-
hend normbildend gewirkt, daß Konsensverfahren, in denen Min-
derheitenpositionen Berücksichtigung finden, gegenüber reduk-
tionistischen Abstimmungsverfahren bevorzugt wurden. Hier

dürften auch die später in der Bürgerbewegung formulierten Demokratievorstellungen normativ verwurzelt sein, in denen dem Begriff des »Runden Tisches« mehr als nur die Rolle eines in Ausnahmesituationen in Kauf zu nehmenden Instruments zur Krisenbewältigung beigemessen wird.

Vernetzungseffekte
Organisatorische Strukturbildung in der entstehenden Bürgerbewegung

Die Entwicklung der organisatorischen Struktur der Bürgerbewegung in ihrer Entstehungsphase war im wesentlichen durch zwei Faktoren geprägt: erstens durch die Grenzen, die seitens des Staates gesetzt waren und weder eine Formierung nonkonformistischer Strömungen außerhalb des kirchlichen Raumes noch die Ausbildung formalisierter Organisationsstrukturen mit offen politischen Ambitionen innerhalb des Gruppenmilieus zuließen; zweitens durch die starken Autonomiebestrebungen in den Gruppen, denen eine weitgehende Ablehnung zentralisierter und verbindlicher Strukturen entsprach.

Die wichtigste, weil relativ stabile strukturelle Basis der entstehenden Bewegung bildeten die in den evangelischen Gemeinden angesiedelten offenen Friedenskreise, die sich zumeist in thematische Gruppen gliederten. Innerhalb dieser wiederum existierten mitunter noch verschiedene Projektgruppen (Poppe 1988, S. 69).

Die Gruppen waren von informellem Charakter, es gab keine Mitgliedschaften und keine formalisierten Hierarchien. Die Grenzen zwischen den Gruppen waren fließend, Mitarbeit in verschiedenen Gruppen war durchaus normal. Insgesamt waren die internen Gruppenstrukturen durch eine Art »permanente Labilität« gekennzeichnet. Wenngleich die Mehrheit der Gruppen relativ kontinuierlich arbeitete, war diese Kontinuität oftmals bedroht durch Frustrationserfahrungen mit den geringen Wirkungsmöglichkeiten sowie durch gruppeninterne Spannungen. Gruppenauflösung, Gruppenspaltung, Themenwechsel oder Gruppenwechsel kennzeichneten die diskontinuierlichen und zugleich treibenden Momente der organisatorischen Strukturbildung des Gesamtmilieus auf dieser Ebene. Selbstverständigung und Selbsthilfe insbesondere in Frauengruppen und Minderheitengruppen, thematische Arbeit und Aktionen mit dem Ziel der Aufklärung vor allem in den Umweltgruppen, Organisation von Solidaritätsaktionen in den Dritte-Welt-Gruppen waren die vorherrschenden Handlungsformen. Aktionistische Gruppen blieben bis 1989 in der Minderheit. Kontakte zwischen verschiedenen Gruppen waren eher sporadisch und unverbindlich. Kooperative Kontakte zur »Außenwelt« suchten im wesentlichen nur die Umweltgruppen (Kühnel/Sallmon-Metzner 1991, S. 173).

Eine neue Qualität in der organisatorischen Struktur zeichnete sich ab Mitte der achtziger Jahre ab. Sie war gekennzeichnet durch überregionale Vernetzungsprozesse, in deren Verlauf sich unter Nutzung der kirchlichen Infrastruktur auch Ansätze zu »Bewegungsinstitutionen« herausbildeten. Die Bildung eines Netzes von Umwelt- und Friedensbibliotheken, regelmäßige Veranstaltungen (Friedenswerkstätten, Frauentreffen und -feste, der Jenaer Mittwochstee für Lesben, Frauentag im Rahmen evangelischer Kirchentage, Öko-Seminare u. a. m.) sowie vor allem die Entwicklung einer Samisdat-Presse (*Grenzfall*, *Friedrichsfelder Feuermelder*, *Umweltblätter*, *Arche Nova*, *Kontext*, *Frau anders* usw.) sind hier zu nennen.

Mit der Bildung überregionaler Netzwerke (Frauen für den Frieden 1982, Solidarische Kirche 1984, Kirche von unten 1987, INKOTA, Grünes Netzwerk Arche 1987) wurde die thematische Ausdifferenzierung der entstehenden Bewegung spürbar forciert. Mit Hilfe der kirchlichen Infrastruktur (offene Arbeit) wurden zudem auch überregionale Vernetzungen zwischen Homosexuellengruppen und Frauengruppen realisiert.

Seit 1983 bestand das Netzwerk »Konkret für den Frieden«, in dessen Rahmen ein jährliches Treffen aller Basisgruppen veranstaltet und ein »Fortsetzungsausschuß« gewählt wurde und das mit der thematischen Ausdifferenzierung der Friedensbewegung zunehmend die Funktion eines »Netzwerkes über Netzwerken« (Neidhardt) erhielt. 1988 erfaßte »Frieden konkret« DDR-weit 325 Gruppen unterschiedlicher thematischer Orientierung (Poppe 1988, S. 68)[2], unter denen Umweltgruppen den zahlenmäßig größten Anteil ausmachten. Am Beispiel des Streits um die Gründung des Grünen Netzwerks Arche (Kühnel/Sallmon-Metzner 1991, S. 177 f.) deutete sich bereits in der Frühphase der Bewegung der Konflikt zwischen unterschiedlichen Organisationskonzepten und Politikauffassungen an, der dann im Herbst 1989 in der Bürgerbewegung offen ausbrechen sollte und bis heute die internen Diskussionen bestimmt. Wenngleich also die Bildung solcher Netzwerke zum Teil heftig umstritten blieb und ihnen aufgrund der verbreiteten Ablehnung zentralisierter Strukturen kaum mehr als informative, bestenfalls koordinierende Kompetenzen zugestanden wurden, war sie für die Entwicklung des Handlungspotentials von nicht zu unterschätzender Bedeutung. Vor allem in den Umweltgruppen hat sie zu einer spürbaren Professionalisierung beigetragen. Zudem ist zu vermuten, daß die überregionalen Vernetzungsprozesse die Position der Gruppen gegenüber der Kirche gestärkt und vermittelt über das Medium Kirche (Kirchentage) den Zugang zu einer zwar begrenzten, aber doch über das eigene Milieu hinausreichenden Öffentlichkeit erweitert haben.

Von entscheidender Bedeutung für die Entwicklung des politischen Potentials war die Entstehung von Gruppen, die sich durch die Thematisierung von Menschenrechtsfragen mehr oder weniger explizit als politische Opposition artikulierten. Für Berlin sind hier insbesondere die Initiative für Frieden und Menschenrechte (1985), die Gruppe »Gegenstimmen« (1986) und der Arbeitskreis für »Absage an Praxis und Prinzip der Abgrenzung« zu nennen. In diesen Gruppen, in denen in unterschiedlichem Maße sowohl konkrete Menschenrechtsarbeit als auch kontinuierliche thematische – zum Teil theoretische – sowie publizistische Arbeit geleistet wurde, wirkten Menschen aus verschiedenen Städten mit, die oftmals zugleich auch in unterschiedlichen Friedenskreisen bzw. -gruppen tätig waren. Insofern bildeten sie ebenfalls eine spezifische Netzwerkstruktur, von der maßgebliche Impulse zur Politisierung der sozialethischen Gruppen in der zweiten Hälfte der achtziger Jahre ausgingen. Hier konzentrierte sich zugleich ein Kreis von Personen, die im August und September 1989 als Initiatoren der politischen Mobilisierung und organisatorischen Entfaltung der Protestbewegung wirkten.

Bis Mitte 1989 hatte sich somit eine Gesamtstruktur des im Milieu der sozialethischen Gruppen angesammelten alternativen Protestpotentials herausgebildet, deren Substrukturen in einem den äußeren Wirkungsbedingungen entsprechend konsistenten Verhältnis zueinander standen:

– Die variable, dezentrale und informelle organisatorische

Struktur behinderte die Ausbildung fester interner Hierarchien, Abhängigkeits- und Machtverhältnisse und bot einen integrationsbildenden Raum zur Entwicklung einer thematisch und ansatzweise auch richtungsspezifisch differenzierten ideellen Struktur. Dieser Zusammenhang von Integration und Differenzierung ermöglichte jene Sozialisierungseffekte, die ein latentes Bewegungsgeschehen am Rand der offiziellen Gesellschaft über ein Jahrzehnt am Leben hielten.

– Mit der Entstehung überregionaler Netzwerkstrukturen und Ansätzen zu »Bewegungsinstitutionen« wurden die Differenzierungsprozesse forciert sowie die im Herbst 1989 einsetzende politische und organisatorische Pluralisierung der sich entfaltenden Oppositionsbewegung »vorbereitet«. Die Vernetzung förderte zugleich die Konzentration und Qualifizierung einer milieuinternen Elite, von der 1989 die Initiative zur internen und externen politischen Mobilisierung ausging.

Entfaltung und strukturelle Formierung der Bürgerbewegung

Hinsichtlich unseres Anliegens, markante Veränderungen in der Binnenstruktur der Bewegung nachzuzeichnen, lassen sich in der Entfaltung und Formierung der Bürgerbewegung Teilprozesse unterscheiden, in deren Verlauf die einzelnen Substrukturen in Bewegung gerieten, womit sich zugleich ihr ursprünglich konsistenter Zusammenhang auflöste und ein neues Verhältnis zwischen ideeller, normativer, organisatorischer und Gelegenheitsstruktur herausbildete. Als solche Teilprozesse verstehen wir die »bewegungsinterne« Mobilisierung, die »äußere« Mobilisierung sowie die Profilierung der Bürgerbewegung im Zuge ihrer Ausdifferenzierung und unter dem Druck von Gegenbewegungen.

Ausgangspunkt der internen Mobilisierung war die Neuformierung der politischen Elite des Gruppenmilieus (Personen, die zuvor in den genannten Menschenrechtsgruppen tätig waren, Initiatoren der themenorientierten Netzwerke sowie seit langem in das Leben der sozialethischen Gruppen involvierte Pfarrer und kirchliche Mitarbeiter) zu Initiativgruppen für die Gründung verschiedener oppositioneller Vereinigungen oder Plattformen im Sommer 1989. Pfarrer und kirchliche Mitarbeiter waren vor allem in den Gründerkreisen des Demokratischen Aufbruchs (DA) und der Sozialdemokratischen Partei (SDP) zu finden, Angehörige der Initiative Frieden und Menschenrechte (IFM) waren an der Gründung des Neuen Forums (NF), der SDP und von Demokratie Jetzt (DJ) beteiligt, Mitglieder der Gruppe »Gegenstimmen« gehörten zu den Initiatoren der Vereinigten Linken (VL), des Neuen Forums sowie später der Grünen Partei (GP). Der Initiativkreis »Demokratie Jetzt« rekrutierte sich hauptsächlich aus dem Arbeitskreis für »Absage an Praxis und Prinzip der Angrenzung«. Der Gründung der Grünen Partei Anfang November 1989 war die Bildung einer »Grünen Liste« innerhalb des Neuen Forums vorausgegangen, die maßgeblich von Aktivisten des Netzwerkes Arche und von Stadtökologen aus der Gesellschaft für Natur und Umwelt (GNU) initiiert worden war. Den Auftakt für die interne Mobilisierung gab der Aufruf von Mitgliedern des Arbeitskreises für »Absage an Praxis und Prinzip der Abgrenzung« am 13. August 1989 in der Berliner Bekenntniskirche, »eine oppositionelle Sammlungsbewegung zur demokratischen Erneuerung der DDR ins Leben zu rufen« (Fischbeck 1990, S. 2). Die eigentliche Initialwirkung ging jedoch vom Gründungsaufruf des Neuen Forums *Aufbruch 89 – Neues Forum* (9. September 1989) aus. Die Gründungsaufrufe erreichten im August und September vor allem die kirchliche Öffentlichkeit und lösten damit zunächst die Mobilisierung in den kirchlichen Friedenskreisen und sozialethischen Gruppen engagierter (und durch sie tangierter) Menschen und ihre Gruppierung um die neu entstandenen Initiativkreise aus. Damit wurde zugleich die Auflösung der bisherigen Gruppenstrukturen und die Bildung von der evangelischen Kirche unabhängiger oppositioneller Organisationsstrukturen eingeleitet.

Die organisatorische Aufsplitterung der Oppositionsbewegung schon in ihrer Gründungsphase wurde bislang vor allem auf persönliche Animositäten sowie Differenzen zwischen verschiedenen Gruppen zurückgeführt (Knabe 1990, S. 26). Aktivisten der Opposition verweisen zudem auf eine gezielte Spaltungsstrategie seitens des Staatssicherheitsdienstes. Beide Faktoren spielten sicher keine geringe Rolle. Rückblickend spricht dennoch vieles dafür, daß diese frühe organisatorische Aufsplitterung auch ihre eigene Rationalität hatte. Zum einen wurden damit die schon zuvor latent vorhandenen Differenzen hinsichtlich der programmatischen Präferenzen (sozialdemokratisch: SDP, DA / radikaldemokratisch:

NF, DJ, IFM / linkssozialistisch: VL / radikalökologisch: Grüne)
sowie der organisationspolitischen Konzepte (»geordnete« forma-
lisierte Organisationsstruktur: SDP, DA, GP / offene Sammlungsbewegung: NF, DJ, VL) manifest. Zum anderen wurde
damit die Austragung der ohnehin bestehenden Konflikte aus einer informellen Diskussions- und Streitkultur in eine quasi institutionalisierte Form von Verhandlungsprozessen überführt, die zu
funktionsfähigen Kompromissen zwang und abgestimmtes gemeinsames Handeln gegenüber dem Regime erst ermöglichte. Das
Verhandlungsgremium war die ständige Kontaktgruppe zwischen
den verschiedenen Gruppierungen der Opposition, die mit der
Gemeinsamen Erklärung vom 4. Oktober 1989 (Rein 1989,
S. 122) erstmals an die Öffentlichkeit trat und in der Folgezeit den
zentralen Runden Tisch von oppositioneller Seite vorbereitete.

Der Aufbruch der allgemeinen Protestbewegung (äußere Mobilisierung) im Umfeld des 40. Jahrestages der DDR wies der jungen
Opposition eine politische Rolle zu, auf die sie kaum vorbereitet
war. Mit der gleichermaßen von den Oppositionsgruppen wie von
den Initiativen der Rockmusiker, Schriftsteller und Theaterschaffenden sowie vereinzelten betrieblichen Initiativen (Rein 1989,
S. 150ff.) erhobenen Forderung nach Herstellung einer demokratischen Öffentlichkeit (»Dialog«) befand sich die Opposition in
Übereinstimmung mit der Mehrheit der protestierenden Bevölkerung. Das Auftreten verschiedener Organisationen, deren Namen zum Teil schon unterschiedliche programmatische Orientierungen andeuteten, mit oppositionellen Forderungen, die noch
vorherrschend in reformsozialistischer Terminologie formuliert
wurden, hatte zumindest folgende Effekte:

– Die Diffamierung der Protestbewegung als »antisoziali-
stisch« erschien von vornherein als unglaubwürdig, was eine Ge-
genmobilisierung der ohnehin zerrütteten SED zusätzlich erschwert und die verspätete Mobilisierung des innerparteilichen
Reformpotentials gegen die SED-Führung begünstigt haben
dürfte.

– Über die Forderung nach demokratischer Öffentlichkeit und
freien Wahlen hinaus bot die Opposition in Anbetracht des rasanten Autoritätsverfalls aller offiziellen Institutionen (mit Ausnahme der Kirchen) bereits differenzierte Identifikationsmuster
für die aufbrechende Protestbewegung. Damit wirkte sie zum einen mobilisierend, zum anderen konnte das in sich plurale Pro-

testpotential zumindest teilweise organisatorisch gebunden und angesichts der Ausstrahlung vorgelebter Gewaltlosigkeit auch diszipliniert werden.

Somit war der Opposition unerwartet eine politische Führungsrolle zugefallen, die sie zur Änderung ihrer bisherigen Strategie zwang. Liefen die ursprünglichen Vorstellungen darauf hinaus, zunächst durch eine Art »Mobilisierung gesellschaftlichen Bewußtseins« einen öffentlichen Diskurs über die Entwicklungsperspektiven des Landes einzuleiten und die als relativ stabil angesehene Staatsmacht zum »Dialog« zu zwingen, so fand sich die Opposition nun in der Situation, mehr als beabsichtigt auch machtpolitisch agieren zu müssen. Der Aufbau handlungsfähiger Organisationsstrukturen rückte damit, eher als erwartet, auf die Tagesordnung.

Die organisatorische Entfaltung der Bürgerbewegung

Die verschiedenen Gruppierungen reagierten mit unterschiedlichen organisationspolitischen Konzepten. Während die Aktivisten der SDP, des Demokratischen Aufbruchs und der Grünen Partei gezielt ihre Parteigründung vorbereiteten bzw. den Aufbau geordneter Parteistrukturen betrieben, blieben die Initiatoren des Neuen Forums, von Demokratie Jetzt und der Vereinigten Linken weitgehend bei ihren ursprünglichen Konzepten parteioffener, basisdemokratisch verfaßter und vorwiegend thematisch arbeitender Sammlungsbewegungen. Insbesondere innerhalb des Neuen Forums, das bis Anfang November 1989 mit 200000 eingeschriebenen Anhängern zur mit Abstand stärksten und sicherlich auch populärsten oppositionellen Vereinigung herangewachsen war, erwies es sich zunehmend als problematisch, den Zusammenhang von horizontaler und vertikaler Dynamik in der Organisationsentwicklung zumindest in einem Maße funktional zu gestalten, das ein effizientes Handeln der Gesamtbewegung ermöglicht hätte. Innerhalb weniger Wochen hatte sich im Zuge politischer Selbstorganisation ein nahezu flächendeckendes DDR-weites Netz von Basisgruppen herausgebildet; allein in Berlin existierten Ende November mindestens 80 thematische und 26 territoriale Gruppen (Schulz 1991, S. 20). Auf lokaler Ebene erfolgte eine Vernetzung der Basisgruppen unterschiedlicher oppositioneller

Vereinigungen in Form von Bürgerkomitees, Untersuchungskommissionen, unabhängigen Betriebsratsinitiativen, Arbeitsgruppen kommunaler Runder Tische usw. Die inhaltliche Vorbereitung von Entscheidungen, die das Handeln der zentralen Gremien auf gesamtstaatlicher Ebene – insbesondere am zentralen Runden Tisch – betrafen, verlief großenteils in den überregional vernetzten und oftmals zentralisierten thematischen Arbeitsgruppen und somit an der territorialen Basis weitgehend vorbei (Schulz 1991, S. 34). Der durch die rasante Erosion des staatlichen Machtgefüges ausgelöste Entscheidungs- und Handlungsdruck forcierte die Verselbständigung zentraler Gremien, was den Widerstand »der Basis« gegenüber dem »autonom agierenden Machtzentrum« hervorrief (Schulz 1990, S. 34). Die in der enorm angewachsenen, äußerst heterogenen Mitgliedschaft quasi erweiterte Reproduktion der schon im Milieu der sozialethischen Gruppen dominanten, basisdemokratischen und antizentralistischen Doktrin begünstigte die weitere Kultivierung eines »gestörten Verhältnis<ses> zur Macht« (Poppe 1990, S. 3) und erwies sich letztlich als Hemmschuh für ein dem eingetretenen Machtvakuum angemessenes effizientes Handeln der gesamten Bürgerbewegung und ihrer zentralen Gremien. Noch im Dezember 1989 dominierte im Neuen Forum die Ablehnung jeglicher Hierarchisierung und Zentralisierung sowie der Profilierung von Berufspolitikern innerhalb der Organisation, wurden den gewählten Sprecherräten kaum mehr als Informations- und Koordinierungskompetenzen zugestanden. Beispielhaft für die Wirkung solchen Politikverständnisses sei hier nur die Antwort des NF-Landessprecherrates auf den Aufruf des Neuen Forums Karl-Marx-Stadt (heute: Chemnitz) vom 6. Dezember 1989 zu einem politischen Generalstreik zitiert, nach welcher ein solches Mittel »erst nach einer landesweiten Diskussion an der Basis angewendet werden sollte« (vgl. Schulz 1991, S. 27 ff.).

Die hier am Beispiel des Neuen Forums skizzierten Tendenzen der Organisationsentwicklung trafen mit einigen Abstrichen und Besonderheiten auch auf die anderen basisdemokratischen Bewegungen zu, waren dort aber aufgrund der weitaus geringeren Anhängerschaft und der weniger exponierten Rolle innerhalb der Protestbewegung nicht von solcher gesellschaftlichen Relevanz.

Die wichtigsten Tendenzen der Organisationsentwicklung in der durch das Neue Forum dominierten Bürgerbewegung bis zum

Höhepunkt ihrer Mobilisierung können folgendermaßen zusammengefaßt werden:

1. Bis Ende November, Anfang Dezember 1989 hatte sich ein handlungsfähiges, DDR-weites und organisationsübergreifendes Netz an Basisstrukturen herausgebildet, das eine wirksame Kontrollinstanz bzw. eine »gebremste« Gegenmacht gegenüber der Staatsmacht auf kommunaler Ebene darstellte.

2. Vertikale Verselbständigungsprozesse innerhalb der einzelnen Organisationen und die formelle wie informelle Vernetzung ihrer Führungseliten ermöglichten ein weitgehend koordiniertes, wenngleich nicht immer transparentes Handeln der organisierten Opposition auf zentralstaatlicher Ebene, dessen Effizienz insbesondere bezüglich der Machtfrage aufgrund dominanter basisdemokratischer Prinzipien und überkommener Skepsis gegenüber machtpolitischen Ambitionen nicht voll entfaltet werden konnte.

3. Das Konzept der programmatisch offenen und basisdemokratisch verfaßten Sammlungsbewegung erwies sich somit zugleich als mobilisierend und handlungsbeschränkend. Es produzierte nachhaltige Erfahrungen gewaltfrei praktizierter Volkssouveränität und Bürgerkompetenz und ermöglichte in der konkreten gesellschaftspolitischen Situation die zumindest teilweise erfolgreiche Etablierung einer »Doppelherrschaft« (Schulz 1990, S. 25 ff.).

Akzentverschiebung
Programmatische Profilierung nach der »Wende«

Die deutliche Zurückhaltung hinsichtlich einer klaren Thematisierung der Machtfrage zu einem Zeitpunkt, als die Mobilisierung der Protestbewegung ihren Höhepunkt erreichte, auf der Leipziger Montagsdemonstration der Ruf »Neues Forum an die Macht!« ertönte und der Zusammenbruch der alten Machtstrukturen schon unaufhaltsam war, muß als einer der wesentlichen internen Faktoren für den im Dezember 1989 einsetzenden Resonanzverlust der gesamten Bürgerbewegung gewertet werden. Ein weiterer lag bekanntlich in ihrem programmatischen Profil.

Nachdem die Durchsetzung der gemeinsamen Forderung der Oppositions- und Volksbewegung nach Herstellung einer demokratischen Öffentlichkeit und Abhaltung freier Wahlen absehbar geworden und mit der Grenzöffnung die Vereinigung Deutschlands als Ausweg aus der Krise der DDR-Gesellschaft in den Horizont des Denkbaren gerückt war, setzte der eigentliche öffentliche Diskurs um die Entwicklungsperspektiven des Landes ein. Programmatische Profilierung ging einher mit formaler Organisationsbildung, Spaltung der Herbstopposition und organisatorischer Entfaltung der bisher parteipolitisch nicht oder nur unglaubwürdig abgedeckten Orientierungen vor allem im liberalen und konservativen Spektrum. Während sich in der SDP und im DA in freilich unterschiedlicher Weise die programmatische Orientierung an der westdeutschen Wirtschafts- und Gesellschaftsordnung sowie auf die deutsche Vereinigung durchsetzten, rückten – begleitet von Abspaltungen (Deutsche Forumpartei) und zahlreichen, teils prominenten Abwanderungen – im Neuen Forum, in der Grünen Partei, bei Demokratie Jetzt, in der IFM, in der VL sowie im neugegründeten Unabhängigen Frauenverband (UFV) die »alten«, aus dem Milieu der sozialethischen Gruppen der achtziger Jahre überkommenen, »neuen« Themen in den Vordergrund ihrer nunmehr öffentlichen programmatischen Profilbildung, wobei die Befreiung von reformsozialistischer Begrifflichkeit in sehr unterschiedlichem Maße angestrebt und bewältigt wurde. Unter dem Druck der sich rasant verstärkenden Orientierung auf eine zügige Eingliederung der DDR in die Bundesrepublik profilierte sich die Bürgerbewegung zu einer neuen, eigenständigen politischen Bewegung, indem sie – auf personell erheblich erweiterter Basis und in neuen organisatorischen Strukturen – ihre Vorstellungen von direkter Demokratie sowie die Themen der »neuen sozialen Bewegungen« situationsspezifisch zur Geltung zu bringen suchte. Die Tatsache, daß sich die programmatische Profilierung unter den Bedingungen des Wahlkampfes vollzog, hat die Programmentwicklung mehrfach geprägt. Zum einen zwang sie dazu, die Arbeit an diesen Themen zu forcieren, zu professionalisieren und sie in den konkreten Kontext des gesellschaftlichen Umbruchs zu stellen. Zum anderen veranlaßte sie die politischen Vereinigungen der Bürgerbewegung zu dem Versuch, sich zugleich als Verteidiger der sozialen Interessen großer Bevölkerungsgruppen zu profilieren, in denen sie selbst sozialstrukturell kaum verankert waren. Zwar konnte auch dieser Versuch die im Vorfeld der Volkskammerwahlen einsetzende Marginalisierung der neuen Bewegung nicht aufhalten, aber er zeugt von einem Verständnis dafür, daß die Formulierung alternativer politischer Ziele nur in dem Maße an gesellschaftlicher Relevanz gewinnen kann, in dem sie in mehrheitlich akzeptable und realisierbare sozialpolitische Konzepte eingebunden wird.

Mit der formalen Gründung politischer Vereinigungen im Sinne des Wahlgesetzes im Januar und Februar 1990 hatte die Entfaltung der Bürgerbewegung auf politischer Ebene ihren Höhepunkt erreicht. Die Ergebnisse ihrer Strukturentwicklung in dieser Phase lassen sich folgendermaßen zusammenfassen:

– Die Identität der ostdeutschen Bürgerbewegung definiert sich über einen organisationsübergreifenden Grundkonsens hinsichtlich der leitenden Werte, der in der Tradition der sozialethischen Gruppen der achtziger Jahre liegt und sie in den ideellen Kontext der neuen sozialen Bewegungen stellt. Seinen Ausdruck findet er in einer weitgehenden Analogie der politischen Ziele. Diese antizipieren in den Konzepten des ökologischen Umbaus der Industriegesellschaft, der Entfaltung direkter Demokratie, der Entmilitarisierung Europas, der Überwindung patriarchalischer Strukturen, der multikulturellen Gesellschaft usw. die Utopie einer »solidarischen Gesellschaft mündiger Bürger«; sie werden in den nicht unumstrittenen Programmen der einzelnen Organisationen im wesentlichen nur mit unterschiedlicher Schwerpunktsetzung formuliert. Konfliktträchtige Differenzen betreffen in erster Linie die ideologischen Formen, in denen diese Grundwerte politisch umformuliert werden, wobei ausdrücklich linke Traditionen in eine randständige Position geraten sind.

– Innerhalb der Bürgerbewegung sind – ebenfalls in weitgehender Anknüpfung an die thematischen Differenzierungen im Milieu der sozialethischen Gruppen – mehrere separate Organisationen entstanden, deren Binnenstrukturen, wenngleich in unterschiedlichem Maße, durch die Dominanz basisdemokratischer Prinzipien und starke Autonomiebestrebungen einer politisch und weltanschaulich weiterhin pluralen Basis gekennzeichnet sind. Diese organisationspolitische Differenzierung, die nicht nur entlang der unterschiedlichen thematischen Schwerpunktsetzung verlief, war in der Umbruchphase von ambivalenter Wirkung. Sie erwies sich als effiziente organisatorische Form, die mit unterschiedlicher Wertigkeit belegten Themen in relativ kurzer Zeit auszuformulieren und unter den spezifischen Bedingungen des Umbruchs der DDR-Gesellschaft mit entsprechendem Nachdruck in den öffentlichen Diskurs einzubringen. Sie war zugleich der Ausgangspunkt für eine Entwicklung, in deren Zuge die Konflikte zwischen den sich verselbständigenden Interessen der einzelnen Organisationen und ihrer Eliten sowohl den programmatischen Grundkonsens als auch das bisherige normative Gefüge der Bewegung zu unterminieren begannen.

Institutionalisierung und Parlamentarisierung
Die Bürgerbewegung in der strukturellen Krise

Die Volkskammerwahlen vom 18. März 1990 leiteten eine neue, bis heute nicht abgeschlossene Phase im Entwicklungsverlauf der Bürgerbewegung ein, die im Hinblick auf ihre Rolle im weiteren Transformationsprozeß der DDR-Gesellschaft als relative Marginalisierung angesehen werden muß. Hatte schon die Entscheidung der Wähler den Bürgerbewegungen eine randständige Rolle in der parlamentarischen Opposition zugewiesen, so wurde die damit einsetzende politische Marginalisierung noch zusätzlich durch die spezifische parlamentarische Konstellation in der ersten frei gewählten Volkskammer forciert. Angesichts der Bildung einer Großen Koalition, die sich auf eine stabile Zwei-Drittel-Mehrheit stützen konnte, und der sich daraus ergebenden exponierten Rolle der PDS auf seiten der Opposition sah sich die Fraktion Bündnis 90/Grüne in eine Position gedrängt, die es ihr – außer bei der Auflösung des Ministeriums für Staatssicherheit – nicht mehr ermöglichte, aus dem Parlament heraus öffentlich wahrnehmbare und für die Gestaltung des Vereinigungsprozesses relevante politische Akzente zu setzen. Möglichkeiten einer konstruktiven Opposition blieben weitgehend verschlossen. Die parlamentarische Rolle der Bürgerbewegung wurde somit zwangsläufig und entgegen den eigenen Ambitionen auf Protestfunktionen reduziert.

Die folgenden Wahlen des Jahres 1990 wiesen markanterweise den Trend auf, daß die Bürgerbewegungen um so weniger Stimmen erzielten, je höher die zur Wahl stehende legislative Ebene lag (Wielgohs 1991, S. 367 ff.).

Mit der Entstehung eines pluralistischen Parteiensystems im Vorfeld der Volkskammerwahlen, der beginnenden Neuformierung der Gewerkschaften sowie der Entfaltung einer neuen Struktur von Interessenverbänden (Berufs-, Verbraucher-, Mieter-,

Wohlfahrtsverbände usw.) wurde eine Vielzahl der zuvor von der Bürgerbewegung besetzten mobilisierungsfähigen Themen absorbiert. Der zunehmende Druck der sozialökonomischen Transformationsprobleme drängte zudem – die Wahlergebnisse waren dafür der eindeutige Beleg – die authentischen »neuen« Themen der Bürgerbewegung an den Rand öffentlichen Interesses. Nach dem 18. März 1990 hat die Bürgerbewegung nur noch zweimal gesamtgesellschaftlich relevante Mobilisierungseffekte erzielt: Hinsichtlich des Umgangs mit dem Erbe der Staatssicherheit sowie in der Auseinandersetzung um den Abtreibungsparagraphen 218.

Ihre »äußere« Mobilisierungsbasis hatte sich auf ein quasi normales Maß reduziert. Zugleich setzte mit dem für die Bürgerbewegung enttäuschenden Wahlergebnis ein rapider Mitgliederrückgang ein, der die einzelnen Organisationen in unterschiedlichem Maße betraf, vor allem aber auf Kosten des Neuen Forums ging. Obgleich uns präzise Angaben über die Mitgliederbewegung kaum vorliegen, dürfte die Mitgliederzahl der sechs Organisationen insgesamt derzeit 20 000 kaum überschreiten. Beide Faktoren, die Reduzierung der äußeren Mobilisierungsbasis und die rückläufige Mitgliederbewegung haben die für die weitere Strukturentwicklung kennzeichnenden Prozesse – die Parlamentarisierung und Institutionalisierung der Bewegung – nachhaltig beeinflußt:

– Mit Ausnahme der VL, die inzwischen eine nahezu bedeutungslose Existenz am Rand der Bürgerbewegung führt, haben sich nach mehr oder minder heftigen organisationsinternen Auseinandersetzungen alle politischen Vereinigungen dazu entschlossen, sich an den Wahlen des Jahres 1990 in unterschiedlichen Listenvereinigungen zu beteiligen. Angesichts der sinkenden Mitgliederzahlen beschränkten sich die Aktivitäten der Organisationen im Jahre 1990 damit weitgehend auf die Vorbereitung von Wahlen. Nach diesen Wahlen ist die Bürgerbewegung derzeit in allen Stadtkreisen der ehemaligen DDR, in 74 Prozent der Kreisstädte, in 47 Prozent der kreisangehörigen Städte, 9 Prozent der Gemeinden, in vier Ländern und Berlin sowie auf Bundesebene parlamentarisch vertreten (vgl. Wielgohs 1991, S. 370 ff.), sie stellt rund 1800 Abgeordnete in örtlichen Volksvertretungen, etwa 850 Kreistags-, 38 Landtags- und acht Bundestagsabgeordnete. Auf einen Abgeordneten entfallen damit weniger als zehn Mitglieder. Die Ressourcen aller Organisationen werden zum überwiegenden Teil durch parlamentarische Arbeit absorbiert.

– Während einflußreiche Strömungen innerhalb des Neuen Forums in dieser Entwicklung hauptsächlich eine Einschränkung ihrer Wirkungsmöglichkeiten im außerparlamentarischen Raum sahen, wurde für die mitgliederschwachen und in der Öffentlichkeit weniger bekannten Organisationen wie Demokratie Jetzt und die IFM parlamentarische Repräsentanz zunehmend zu einer Bedingung ihres politischen Überlebens. Die Fusionsbestrebungen zwischen Ost- und Westgrünen brachten eine zusätzliche Dimension in die divergierende Interessenkonstellation zwischen den verschiedenen Organisationen der Bürgerbewegung. Nicht programmatischer Konsens, sondern widersprüchliche Interessenlagen der einzelnen Organisationen und ihrer Eliten dominierten folglich die Verhandlungen um Wahlbündnisse, die sich weitgehend auf das Aushandeln der Listenplatzverteilung, des Namens für das Wahlbündnis sowie programmatischer Kompromißformeln beschränkten.

Parlamentarisierung und Institutionalisierung führten unter den gegebenen äußeren Bedingungen zu einer Strukturkrise sowohl auf ideeller und normativer als auch auf organisatorischer Ebene:

1. Mit dem auf allen Ebenen realisierten Anspruch auf parlamentarische Repräsentanz hat sich die Bürgerbewegung über die politische Umbruchphase hinaus als politische Bewegung etabliert und dementsprechenden programmatischen Anforderungen ausgesetzt. Für die Vertretung in der Volkskammer als Übergangsparlament oder Abwicklungsinstitution war es in der beschriebenen marginalen Situation der Fraktion Bündnis 90/Grüne ausreichend, Grundpositionen zur Deutschlandpolitik und Protest gegen die konkreten Modalitäten der staatlichen Vereinigung zu artikulieren. Mit der Einführung der Währungsunion und dem Beitritt der DDR zur Bundesrepublik war diese staatspolitische Ausnahmesituation beendet. Parlamentarische Repräsentanz kann nun für die Bürgerbewegung auf Dauer nur identitätsstiftend wirken, wenn allgemeine sozialethische Werte und politische Ziele in eine realitätsbezogene Programmatik umformuliert werden, die überdies zumindest potentiell auch den Formzwängen parlamentarischer Mechanismen (vgl. Klotzsch/Könemann/Wischermann/Zeuner 1989, S. 189ff.) gemäß umsetzbar wäre. Einmal abgesehen davon, daß die Bereitschaft zur Anpassung an parlamentarische Mechanismen in der Basis der Bürgerbewegung nicht unumstrit-

ten ist, hat es infolge der von Wahl zu Wahl schrumpfenden Ressourcen sowie des beschriebenen Charakters der Wahlbündnisverhandlungen seit dem Volkskammerwahlkampf kaum noch erwähnenswerte programmatische Entwicklungen gegeben. Das heißt, unterhalb der Ebene allgemeiner Wertorientierungen befindet sich die Bürgerbewegung derzeit in einem programmatischen Vakuum, das sich in mehrfacher Hinsicht demotivierend und desintegrierend auswirkt. Zum einen wurde die angesichts der verlorenen Illusionen sowie der relativen politischen Wirkungslosigkeit der Volkskammerfraktion Bündnis 90/Grüne ohnehin schon verbreitete Skepsis gegenüber dem Sinn parlamentarischer Mitarbeit oberhalb der kommunalen Ebene durch die programmatischen Defizite noch zusätzlich erhärtet. Zum anderen begünstigt die fehlende programmatische Grundlage die Tendenzen zur Verselbständigung des Handelns der Führungseliten und zur Herausbildung von Monopolstellungen, was angesichts weitverbreiteter basisdemokratischer Ansprüche organisationsinterne Legitimationsdefizite und eine sukzessive Erosion der normativen Strukturen mit sich brachte. Der gegenwärtige mentale Zustand der Bürgerbewegung bewegt sich so zwischen Herbstnostalgie, alltagspolitischer Pragmatik und programmatischer Orientierungssuche.

2. Auch auf organisatorischer Ebene befindet sich die Bürgerbewegung zur Zeit in einer Strukturkrise. Auf die kontraproduktive Wirkung der sich verselbständigenden Organisationsinteressen der einzelnen politischen Vereinigungen vor allem hinsichtlich der programmatischen Entwicklung haben wir bereits hingewiesen. Aber auch in sich selbst wird die derzeitige organisatorische Struktur zunehmend disfunktional. Im Kontext der Konstituierung der neuen Bundesländer haben sich alle politischen Vereinigungen der Bürgerbewegung in Form von Landesverbänden neu strukturiert. Mit Ausnahme Mecklenburg/Vorpommerns ist die Bürgerbewegung in allen neuen Landtagen einschließlich des Berliner Abgeordnetenhauses in unterschiedlichen Bündniskonstellationen vertreten. Die Landtagsfraktionen bilden seitdem den wichtigsten parlamentarischen Bezugspunkt für die Basisgruppen der einzelnen Organisationen in den jeweiligen Ländern, was zwangsläufig mit einem Funktionsverlust für ihre zentralen Gremien einhergeht. Die Existenz mehrerer seperater Organisationen auf Länder- und Republiksebene steht somit in keinem konsistenten Verhältnis

mehr zu den in ihrer Basis dominanten politischen Handlungsbezügen. Zudem geraten vor allem die kleineren Vereinigungen zunehmend auch finanziell in existentielle Schwierigkeiten.

Die Parlamentarisierung der Bürgerbewegung hat somit ein Stadium erreicht, das ihre bisherige organisatorische Struktur grundsätzlich in Frage stellt und ihre Vereinigung auf die Tagesordnung setzt. Mit dem am 29. Juni 1991 in Berlin-Buch verabredeten Vorhaben, im September 1991 das Neue Forum, die Bürgerbewegung Demokratie Jetzt und die IFM zu einer politischen Organisation »Bündnis 90« zu vereinen, die auch den Anforderungen des Parteiengesetzes gerecht wird, bahnt sich zumindest eine vorläufige Lösung der organisatorischen Strukturkrise an.

Resümee

Die gegenwärtige Krise der ostdeutschen Bürgerbewegung ist das Resultat sowohl ihrer mehr als zehnjährigen internen Entwicklung als auch der rasanten Veränderungen ihres gesellschaftlichen Kontextes seit dem Herbst 1989. Die kollektive Identität des Milieus der sozialethischen Gruppen der achtziger Jahre definierte sich zum einen über eine abstrakte Wertegemeinschaft, zum anderen über das Bewußtsein eines gemeinsamen, äußerlich zugewiesenen gesellschaftlichen Status – den einer ausgegrenzten und durch staatliche Repression existentiell bedrohten Gegenkultur. Unter diesen Bedingungen entwickelten sich konsistente Binnenstrukturen, die Raum für interne Differenzierungs- und Pluralisierungsprozesse boten, zugleich den Bestand des Gesamtmilieus sicherten und die Herausbildung des personellen und strukturellen Potentials zur Formierung und Entfaltung einer handlungs- und mobilisierungsfähigen Oppositionsbewegung im Herbst 1989 ermöglichten. Mit dem Zusammenbruch des politischen Systems und der Pluralisierung der DDR-Gesellschaft begannen dann die schon lange latenten internen Differenzen und Konfliktfelder die weitere Entwicklung der Bürgerbewegung zu dominieren. Ideelle, normative und organisatorische Struktur verloren an Mobilisierungsfähigkeit und Effizienz, als die gesellschaftspolitische Neuordnung zum konkreten Gegenstand programmatischen Wettbewerbs und politischen Handelns wurde.

Die Perspektive der ostdeutschen Bürgerbewegung ist nach wie vor offen. Ihre wesentliche Ausdifferenzierung vollzieht sich in zwei Richtungen:

1. Durch die Institutionalisierung alternativer bzw. gegenkultureller Milieus im intermediären Bereich (lokale Bürgerinitiativen, Verbände, soziale und kulturelle Alternativprojekte, Umweltinstitute, Verlage und Zeitungen usw.). Insbesondere einflußreiche Strömungen innerhalb des Neuen Forums sehen die Perspektive der Bürgerbewegung in der Etablierung von Netzwerken zwischen solchen »Bewegungsinstitutionen«, um innovativen Impulsen aus diesem Bereich politische Geltung zu verschaffen. Fraglich ist allerdings, ob die Basisinitiativen und -institutionen derartiger Bestrebungen bedürfen.

2. Durch die Bildung »wählbarer politischer Vereinigungen«, die in der Tendenz zwangsläufig die Form politischer Parteien annehmen. Die beabsichtigte Fusion der drei Bürgerrechtsorganisationen zu einer einheitlichen politischen Vereinigung »Bündnis 90« kann vor allem zu höherer organisatorischer Effizienz führen und die politische wie parlamentarische Präsenz auf Länderebene stabilisieren. Eine über die gegenwärtige Legislaturperiode hinausreichende parlamentarische Präsenz und politische Relevanz auf Bundesebene hängt von verschiedenen Faktoren ab. Selbst wenn es gelingen sollte, trotz des konfliktbeladenen Verhältnisses zu den Grünen eine politische Konstruktion auszuhandeln, die beiden gemeinsam die Überwindung der Fünf-Prozent-Hürde bei den nächsten Bundestagswahlen ermöglicht, bliebe das Bündnis 90 in die allgemeine Krise verstrickt, in der sich das gesamte Reformpotential des neuen Deutschland befindet (vgl. Wiesenthal 1991). Ob dieses sich den innovativen Impulsen der ostdeutschen Bürgerbewegung zu öffnen und eigene zu entwickeln vermag, bleibt nach dem Bundesparteitag der Grünen in Neumünster zumindest fraglich.

Anmerkungen

1 Vgl. *Berliner Informationstreffen über Arbeiten zu oppositionellen Bewegungen und Parteien in der DDR*, in: *Forschungsjournal Neue Soziale Bewegungen* 3 (1990), Marburg, S. 87-90.

2 Detlef Pollack schätzt die personelle Basis der sozialethischen Gruppen auf 10 000 bis 15 000 Menschen (Pollack, 1990, S. 9). Ehrhart Neubert spricht mit Rückgriff auf entsprechende Staatssicherheitsberichte von 2500 politischen Aktivisten in ca. 160 Gruppen. In diesen Angaben sind aber das Sympathieumfeld sowie die Homosexuellen-, Frauen- und Behindertengruppen nicht berücksichtigt (Neubert 1990, S. 62).

Literatur

Brand, Karl-Werner (1990), *Massendemokratischer Aufbruch im Osten: Eine Herausforderung für die NSB-Forschung*, in: *Forschungsjournal Neue Soziale Bewegungen* 3/90, Marburg, S. 9-16

Fischbeck, Hans-Jürgen (1990), *Kulturrevolutionäre Gedanken nach vorn – mit Rückspiegel*, in: *Demokratie Jetzt* 2/90, Berlin, S. 2-4

Hampele, Anne (1991), *Der Unabhängige Frauenverband. Neue Frauenbewegung im letzten Jahr der DDR*, in: Müller-Enbergs/Schulz/Wielgohs (Hg.), *Von der Illegalität ins Parlament. Werdegang und Konzept der neuen Bürgerbewegungen*, Berlin 1991, S. 221-282

Hanf, Thomas (1991), *Modernisierung der Gesellschaft als strukturelles Problem*, in: *Berliner Journal für Soziologie*, Sonderheft 1991, S. 73-82

Klotzsch, Lilian/Könemann, Klaus/Wischermann, Jörg/Zeuner, Bodo (1989), *Zwischen Systemopposition und staatstragender Funktion: Die Grünen unter dem Anpassungsdruck parlamentarischer Mechanismen*, in: Dietrich Herzog/Bernhard Weßels (Hg.), *Konfliktpotentiale und Konsensstrategien. Beiträge zur politischen Soziologie in der Bundesrepublik*, Opladen 1989, S. 180-215

Knabe, Hubertus (1988), *Neue soziale Bewegungen im Sozialismus. Zur Genesis alternativer politischer Orientierungen in der DDR*, in: *Kölner Zeitschrift für Soziologie und Sozialpsychologie* 40, S. 551 ff.

Knabe, Hubertus (1990), *Opposition in der DDR. Ursprünge, Programmatik, Perspektiven*, in: *Aus Politik und Zeitgeschichte*, Bonn B 1-2, S. 21-32

Kühnel, Wolfgang/Sallmon-Metzner, Carola (1991), *Grüne Partei und Grüne Liga. Der geordnete Aufbruch der ostdeutschen Ökologiebewegung*, in: Müller-Enbergs/Schulz/Wielgohs (Hg.), *Von der Illegalität ins Parlament*, a. a. O., S. 166-220

Meuschel, Sigrid (1991), *Wandel durch Auflehnung – Thesen zum Verfall bürokratischer Herrschaft in der DDR*, in: *Berliner Journal für Soziologie*, Sonderheft 1991, S. 15-28

Neubert, Ehrhart (1985), *Religion in der DDR-Gesellschaft. Zum Problem der sozialisierenden Gruppen und ihrer Zuordnung zu den Kirchen*

(1985), in: Detlef Pollack (Hg.), *Die Legitimität der Freiheit*, Frankfurt/M. 1990, S. 31-40

Neubert, Ehrhart (1989), *Gesellschaftliche Kommunikation im sozialen Wandel. Auf dem Weg zu einer politischen Ökologie* (Juli 1989), in: Detlef Pollack (Hg.), *Die Legitimität der Freiheit*, a. a. O., S. 155-202

Neubert, Ehrhart (1990), *Eine protestantische Revolution*, Berlin

Nullmeier, Frank/Raschke, Joachim (1989), *Soziale Bewegungen*, in: Stephan von Bandemer/Göttrik Wewer (Hg.), *Regierungssystem und Regierungslehre*, Opladen 1989, S. 249-272

Pollack, Detlef (1989), *Sozialethisch engagierte Gruppen in der DDR. Eine religionssoziologische Untersuchung* (Juni 1989), in: Detlef Pollack (Hg.), *Die Legitimität der Freiheit*, a. a. O., S. 115-154

Poppe, Ulrike (1988), *Das kritische Potential der Gruppen in Kirche und Gesellschaft* (1988), in: Detlef Pollack (Hg.), *Die Legitimität der Freiheit*, a. a. O., S. 63-80

Poppe, Ulrike (1990), *Warum haben wir die Macht nicht aufgehoben… Rede von Ulrike Poppe zur Verleihung des Martini-Preises '90*, in: *Bündnis 2000* 1/90, Berlin, S. 3

Raschke, Joachim (1987), *Zum Begriff der sozialen Bewegung*, in: Roland Roth/Dieter Rucht (Hg.), *Neue soziale Bewegungen in der Bundesrepublik Deutschland*, Bonn 1987, S. 19-29

Rein, Gerhard (1989), *Die Opposition in der DDR. Entwürfe für einen anderen Sozialismus*, Berlin

Schulz, Marianne (1991), *Neues Forum. Von der illegalen Opposition zur legalen Marginalität*, in: Müller-Enbergs/Schulz/Wielgohs (Hg.), *Von der Illegalität ins Parlament*, a. a. O., S. 11-104

Sztompka, Piotr (1987), *Soziale Bewegungen: Strukturen in Statu Nascendi* (Deutschsprachige Übersetzung aus: *The Polish Sociological Bulletin*, No. 2/1987, S. 5-26), Manuskript am Institut für Soziologie der Humboldt-Universität zu Berlin

Templin, Wolfgang (1991), *Der unsichere Weg der Bürgerbewegungen zu offenen Konzepten*, in: *INITIAL* 2/91, Berlin, S. 30-35

Wielgohs, Jan/Schulz, Marianne (1990), *Reformbewegung und Volksbewegung. Politische und soziale Aspekte im Umbruch der DDR-Gesellschaft*, in: *Aus Politik und Zeitgeschichte*, Bonn B 16-17, S. 15-24

Wielgohs, Jan (1991), *Die Vereinigungen der Bürgerrechts-, Ökologie- und Frauenbewegungen im Wahljahr 1990*, in: Müller-Enbergs/Schulz/Wielgohs (Hg.), *Von der Illegalität ins Parlament*, a. a. O., S. 367-382

Wiesenthal, Helmut (1991), *Gestaltung ohne Mehrheit? Zur Eröffnungsbilanz der Reformkräfte im neuen Deutschland*, in: *Forschungsjournal Neue Soziale Bewegungen* 4/91, Marburg, S. 9-24

Detlef Pollack
Religion und gesellschaftlicher Wandel

Zur Rolle der evangelischen Kirche im Prozeß
des gesellschaftlichen Umbruchs in der DDR

Es kommt mir an dieser Stelle nicht auf eine Analyse der Ursachen des gesellschaftlichen Umbruchs in der DDR an[1], sondern auf eine Untersuchung des Beitrages, den die evangelischen Kirchen zu diesem Umbruch leisteten. Vielfach wird behauptet, daß die Wende von den Kirchen ausgegangen sei[2], daß sie die »friedliche Revolution« vorangetragen hätten[3] und sich die Wende aus ihrem Freiraum heraus angebahnt hätte.[4] Einige sprechen sogar von einer »protestantischen Revolution«[5] bzw. von einer »Revolution der Protestanten«.[6] Um zu bestimmen, welche Berechtigung solchen Aussagen zukommt, ist es erforderlich, von den Verhältnissen vor der Wende auszugehen. Erst wenn man die gesellschaftlichen Verhältnisse vor dem Zusammenbruch des realsozialistischen Systems und die Rolle, die die Kirche in diesen gespielt hat, analysiert, kann man erkennen, in welchem Maße und auf welche Weise die Kirche zu diesem Zusammenbruch beigetragen hat.

1. Die Gesellschaftsstruktur der DDR

Die Geschichte der DDR war die Geschichte eines ständigen Ringens um Stabilität. Ob es sich nun um die politische Krise von 1953, um die mit der Ausweisung Biermanns einsetzende Polarisierung der Kulturszene 1976 oder um die wirtschaftlichen Engpässe der letzten Jahre handelte – immer wieder war die SED dazu herausgefordert, unter Aufbietung aller Kräfte den Bestand des realsozialistischen Systems zu sichern. Die permanente Sorge der Partei- und Staatsführung um ihren Machterhalt oder – wie sie es ausdrückte – um die allseitige Stärkung der DDR war durchaus begründet, fehlte es ihr doch an demokratischer Legitimation. Aufgrund dieses Mangels pendelte ihre politische Taktik ständig zwischen Repression und Integration hin und her. Kam der Anwendung repressiver Mittel die Aufgabe zu, die Bevölkerung auf

Linie zu halten und abweichende Bestrebungen überhaupt nicht erst zuzulassen, so diente die Einbeziehung aller in die Gestaltung der Gesellschaft der Steigerung der wirtschaftlichen Leistungsfähigkeit des Systems. Mit beiden Methoden zielte die SED auf die Durchsetzung ihres Führungsanspruchs. Auch wirtschaftlicher Erfolg bedeutete eine Stärkung der Herrschaftsverhältnisse des Systems, ja er war wohl das wichtigste Mittel zur Kompensation der fehlenden politischen Legitimation. Da aber der Einsatz repressiver Mittel zur Machtsicherung die Leistungsbereitschaft der Bevölkerung minderte und dadurch zu einer Drosselung des Wirtschaftswachstums führte, stand gerade das Streben nach Machterhaltung der Erhaltung der Macht im Wege.

Dieselbe negative Dialektik kennzeichnete das Verhältnis des einzelnen zur Gesellschaft. Wollte der einzelne berufliche Aufstiegschancen wahren, gesellschaftliche Anerkennung erlangen oder seine Handlungsmöglichkeiten erweitern, war er gezwungen, sich den politisch-ideologischen Vorgaben des Systems anzupassen. Nur wenn er mitmachte, hatte er eine Chance, mit systemverwalteten Leistungen (seien es nun finanzielle Leistungen, Statusanhebungen oder Inklusionsmöglichkeiten) versorgt zu werden. Gerade sein Drang zur Selbstverwirklichung machte ihn in besonderem Maße von dem Unterdrückungssystem abhängig.

Es war also der enge Zusammenschluß von Individuum und Gesellschaft, der die Fähigkeit zur gesellschaftlichen Evolution behinderte. Das heißt nicht, daß es in der DDR nicht den Willen zur Entwicklung einer eigengeprägten Individualität gab. Das gesellschaftlich engagierte Individuum stieß in seinen gesellschaftlichen Aktivitäten nur eben immer wieder auf politisch gesetzte Grenzen, so daß es sich zunehmend zurückzog und resignierte.[7]

Ein ähnlich enger Zusammenschluß begegnet uns, wenn wir das Verhältnis der Ebene der Institutionen und Organisationen zur Ebene der Gesamtgesellschaft betrachten. Auch hier war die Eigenständigkeit der gesellschaftlichen Institutionen und Organisationen durch die Dominanz der politisch gesteuerten Gesamtgesellschaft eingeschränkt und dadurch deren Entwicklungsfähigkeit behindert. Es wäre aber falsch, das Vorhandensein relativ selbständiger Institutionen überhaupt zu bestreiten und die DDR als eine nahezu unstrukturierte Gesellschaft zu behandeln.[8] Im Gegenteil: Die DDR war gerade durch die Gegenläufigkeit von funktionaler Differenzierung und politisch induzierter Homogenisierung gekennzeichnet. Immer wieder drängten fachlich orientierte Kräfte auf die Durchsetzung von bereichsspezifischen Effizienzgesichtspunkten. Allerdings konnten auch sie ihre Interessen nur verwirklichen, wenn sie ihre Institutionen den Vorgaben der Partei weitgehend anpaßten. Durch alle Bereiche der Gesellschaft, durch alle Institutionen, ja durch jeden einzelnen zog sich der Widerspruch zwischen politisch-ideologischen Gleichschaltungs- und bereichsspezifischen Verselbständigungstendenzen, zwischen Autonomieanspruch und Anpassungszwang. Die Frage, die sich daraus ergibt, lautet nun natürlich, warum dieser Widerspruch nicht offensiv ausgetragen, sondern stets zugunsten der Einheitsgesellschaft entschieden wurde.

Der Grund für diesen Sieg der Politik über alle anderen gesellschaftlichen Teilsysteme, sei es nun Wirtschaft, Recht, Kultur oder Wissenschaft, liegt meines Erachtens in der Abgeschlossenheit des Systems. Aufgrund der Geschlossenheit der Grenzen konnte niemand das System durch Austritt in Frage stellen. Die Erhöhung der Abwanderungsbarrieren verhinderte die Entwicklung internen Widerspruchs.[9] Da keiner weggehen konnte, mußte jeder mitmachen. Für die Herrschenden hatte das zur Folge, daß sie alle ihre Entscheidungen treffen konnten, ohne auf die Wünsche und Bedürfnisse der Bevölkerung Rücksicht nehmen zu müssen. Sie erfuhren niemals offene Kritik. Deshalb ging ihnen aber auch das gesellschaftliche Kritik- und Innovationspotential, das sie für den Erhalt ihrer Herrschaft hätten gut gebrauchen können, verloren, und es kam zu Modernisierungsverzügen in allen Teilen der Gesellschaft. Neben Repression und Homogenisierung war es also vor allem die Abschottung des Systems, die seine Fähigkeit zum Wandel beeinträchtigte. Entdifferenzierung, Repression und Abgrenzung bedingten sich wechselseitig.

Andererseits war die Gesellschaft differenzierter und komplexer, als es das politisch getragene System zulassen wollte. Da die individuellen und teilsystemspezifischen Interessen und Bestrebungen über die Einschränkungen, die das System setzte, ständig hinausgingen, sich aber institutionell nicht voll verwirklichen konnten, kam es zur Ablagerung einer diffusen Masse unstrukturierter oder nur schwach strukturierter gesellschaftlicher Komplexität, die sich vor allem als permanente Unzufriedenheit mit dem offiziellen System und in Form eines angepaßten Ausweichverhaltens zeigte. Neben der in strenge Vorgaben eingezwängten Wirtschaft entstand eine Schattenwirtschaft, neben dem regulierten und strangulierten Markt ein Schwarzmarkt, neben der kontrollierten und gesteuerten Öffentlichkeit eine zweite Öffentlichkeit, neben der administrierten Kulturlandschaft eine Subkultur. Offizielle und inoffizielle Wirklichkeit trieben weit auseinander.[10] Ihre Differenz trat gewissermaßen an die Stelle der funktionalen Differenzierung, deren Entwicklung in der DDR-Gesellschaft stark eingeschränkt war.

2. Die Rolle der evangelischen Kirchen in der DDR vor der Wende

Wie stellte sich nun die evangelische Kirche auf das System des administrativen Sozialismus ein? In den fünfziger Jahren ging die Kirche an den Stellen, an denen ihre Handlungsmöglichkeiten eingeschränkt wurden, vor allem auf dem Feld der Jugendarbeit, auf Konfrontation. Sie verließ sich dabei auf ihren Mitgliederbestand – immerhin gehörten 1950 noch 81,6 % der DDR-Bevölkerung der evangelischen Kirche an, nur 8 % waren konfessionslos – und auf die allgemeine Unbeliebtheit des Systems. Diesen Machtkampf mit dem Staat hat die Kirche verloren. 1964 war der Mitgliederbestand der evangelischen Kirche um ein Viertel geschrumpft, die Konfirmation als volkskirchlicher Ritus zusammengebrochen und an ihre Stelle die Jugendweihe getreten. Offensichtlich besaß die Kirche doch nicht eine so starke Verankerung im Volk, wie ihre Vertreter angenommen hatten.

Daraus zog sie den Schluß, daß es für die Sicherung der kirchlichen Arbeit darauf ankomme, den Anschluß an die Gesellschaft wiederzugewinnen. Offenheit für die Welt wurde zum handlungsleitenden Stichwort. Man definierte sich als »missionarische Gemeinde«[11], als »Kirche für andere«[12], als »Kirche im Sozialismus«.[13] Auf diese Weise hoffte man, die inzwischen offenbar gewordene Kluft zur Gesellschaft überwinden zu können.

Das war nicht einfach. Die Kirche war die einzige nicht in den offiziellen Staatsaufbau einbezogene Institution. Sie stand am weitesten außerhalb des Systems des demokratischen Zentralismus und war deshalb wie keine zweite Institution geeignet, die Rolle der politisch zwar nicht vorgesehenen, von weiten Kreisen der Bevölkerung gleichwohl gewünschten Opposition zu übernehmen. Gerade aufgrund ihrer desintegrierten Stellung war die Kirche aber vor allem daran interessiert, sich Zutritt zur Gesellschaft zu verschaffen. Sie strebte nach staatlicher Anerkennung, denn nur so konnte sie ihre Handlungs- und Wirkungsmöglichkeiten sicherstellen. Keinesfalls wollte sie wie in den fünfziger Jahren wieder als Klassenfeind behandelt und aus dem gesellschaftlichen Zusammenhang ausgegrenzt werden. Deshalb war sie bereit, mit dem sozialistischen Staat Frieden zu schließen und ihn als rechtmäßig zu respektieren.[14] Natürlich hatte die Kirche nach wie vor Vorbehalte gegenüber der Rechtsstaatlichkeit und Demokratiefähigkeit des sozialistischen Systems. Indem die evangelischen Kirchen in der DDR sich 1969 von der EKD trennten und sich als »Kirche im Sozialismus« definierten, nahmen sie Abschied von ihrer alten Hoffnung auf Einführung der bürgerlich-parlamentarischen Demokratie auch im Osten Deutschlands und akzeptierten das sozialistische System als ihren gesellschaftlichen Wirkungsraum. Die Formel »Kirche im Sozialismus« ist eine Abschieds- und eine Loyalitätsformel[15] und damit gewissermaßen der Beitrag der Kirchen zu ihrer Aufnahme in die Organisationsgesellschaft DDR.

Im nachhinein läßt sich sagen, daß sich diese Tributzahlung der Kirche an den Staat gelohnt hat. Seit Gründung des Bundes der evangelischen Kirchen in der DDR, genauer seit 1971[16], kam es schrittweise zu einer Verbesserung der kirchlichen Arbeitsmöglichkeiten. Kirchen und Gemeindezentren durften neu gebaut werden, Kirchentage durchgeführt werden, die finanzielle Unterstützung der diakonischen Einrichtungen wurde den staatlichen Sätzen gleichgestellt, die Zusammenarbeit zwischen Christen und Marxisten zur Staatsdoktrin erhoben. Den Höhepunkt dieser Entwicklung bildete der Empfang des Vorstandes der Konferenz der Kirchenleitung durch den Vorsitzenden des Staatsrates am 6. März 1978.[17] Die Bedeutung dieses Treffens lag nicht so sehr in der Klärung einzelner Sachfragen wie in der gesellschaftlichen Aufwertung der Kirchen, die damit verbunden war. Von der staatlichen Seite erhielten die Kirchen als Kirchen im Sozialismus die Möglichkeit zur Mitwirkung an der Gestaltung der sozialistischen Gesellschaft eingeräumt. Damit wurden sie offiziell als ein gesellschaftlich bedeutsamer Faktor anerkannt, der nicht mehr zu bekämpfen, sondern mit dem auf lange Zeit zu rechnen war und der im Sozialismus seine Heimat finden sollte. Und tatsächlich setzte im Leben der Christen und Kirchen bald eine Normalisierung ihres Verhältnisses zur Gesellschaft ein.

Die Aussagen des 6. März waren jedoch keine rechtlichen Festlegungen, so daß Unsicherheiten bestehenblieben. Bei allen staatlichen Zusagen und Unterstützungen handelte es sich um Gnadenakte des souveränen Staats, die jederzeit zurückgenommen werden konnten. Die Kirchen blieben angewiesen auf das Wohlwollen der staatlichen und parteiamtlichen Stellen. Daraus erklärt sich das große Interesse, das die Kirchen an einem konstruktiven und vertrauensvollen Verhältnis zum Staat hatten. Nur in einer entspannten, sachlichen Atmosphäre hatten die kirchlich vorgetragenen Bitten – etwa um die Gewährung von Baukapazitäten oder die Genehmigung von kirchlichen Veranstaltungen – Aussicht auf Erfolg. Auch für die Kirchen galt also, daß sie in dem Maße, wie sie sich um die Sicherstellung gesellschaftlicher Wirkungsräume bemühten, in die Abhängigkeit von der zentralistischen Administrationshierarchie gerieten.

Das für eine auf Öffentlichkeitswirksamkeit bedachte Kirche erforderliche Zusammenspiel mit parteiamtlichen, staatlichen und sicherheitsdienstlichen Stellen hat der Kirche schon früh den Vorwurf des Opportunismus eingetragen. Bereits in den siebziger Jahren aber hat die Kirchenleitung es verstanden, gegenzusteuern und sich die Freiheit zur Kritik zu bewahren. Sie machte sich frei von der Fixierung auf das Selbstverständnis des Systems, das nur Freunde oder Feinde kannte, und versuchte, ihren eigenen Prinzipien zu folgen. »Weder von Sozialisten«, sagte Heino Falcke, »noch von Antikommunisten können wir es uns nehmen lassen, unsere Gesellschaft im Licht der Christusverheißung zu verstehen... Christus befreit aus der lähmenden Alternative zwischen prinzipieller Antistellung und unkritischem Sich-vereinnahmenlassen zu konkret unterscheidender Mitarbeit.«[18] Das heißt, die evangelische Kirche war bereit, sich den Handlungsbedingungen des Systems zu unterstellen. Sie verzichtete darauf, sich abzusondern – wie die katholische Kirche –, und rief ihre Mitglieder dazu auf, Verantwortung zu übernehmen. Aber sie meldete gegenüber staatlichen Entscheidungen auch Widerspruch an, übte Kritik und mahnte immer wieder die Erneuerung der gesellschaftlichen Verhältnisse an. Es war die Orientierung an ihrem traditionellen Auftrag, am Auftrag zur Verkündigung des Evangeliums, der ihr, wenn sie nicht völlig unglaubwürdig werden wollte, die unkritische Anpassung an das System verbot und sie dazu verpflichtete, sich eine gewisse Selbständigkeit zu bewahren.

Aufgrund dieser begrenzten Autonomie wurde die Kirche für viele zu einem Ort aufrichtiger Kommunikation, kritischer Öffentlichkeit und angstfreien Dialogs, zu einem Ort, an dem im Gegensatz zur Gesellschaft Pluralismus zugelassen war und Demokratie – zum Beispiel in den Synoden – geübt werden konnte, an dem die eigene Individualität nicht versteckt werden mußte, sondern ausgelebt werden durfte und an dem über die Ökumene sich sogar eine die geschlossenen Grenzen überschreitende Weltoffenheit erreichen ließ. Die Kirche war gewissermaßen ein offiziell zugelassener Freiraum vom offiziellen Gesellschaftssystem, in welchen die politisch alternativen Gruppen und oppositionellen Kräfte, die Friedens-, Umwelt- und Dritte-Welt-Gruppen einwandern und das tun konnten, was gesellschaftlich ausgeschlossen war. Die Kirche bot ihnen Schutz vor dem Zugriff des Staates und darüber hinaus ein in die Gesellschaft hineinwirkendes Artikulationsforum. Das konnte sie aber nur, weil sie sich nach außen hin gleichzeitig den Mindestanforderungen des Staates beugte.

Genau auf dieser Zwischenstellung zwischen Anpassung und Alternativität, zwischen Opportunismus und Opposition beruhte die gesellschaftliche Wirksamkeit der evangelischen Kirchen. Die Anpassung sicherte ihnen die Wahrnehmung einer ganzen Reihe öffentlicher Wirkungsmöglichkeiten: die Betreibung eigener Zeitungen, eigener Verlage, die Unterhaltung von Krankenhäusern, Pflege- und Altersheimen, die Veranstaltung von Gemeinde- und Kirchentagen, die Gestaltung kirchlicher Rundfunk- und Fernsehsendungen und nicht zuletzt die Möglichkeit, im Bedarfsfalle bei staatlichen Dienststellen vorzusprechen. Ihre Unangepaßtheit verschaffte ihr ein immer größeres Sympathieumfeld[19] und wirkte vor allem auf gesellschaftskritisch eingestellte DDR-Bürger attraktiv. Weder auf ihren Opportunismus noch auf ihren Oppositionsgeist konnte sie verzichten, wollte sie nicht Gefahr laufen, entweder als Klassenfeind kriminalisiert oder als SED-höriges Transmissionsinstrument gemieden zu werden.

Gerade aufgrund ihrer Zwischenstellung zwischen Loyalität und Widerspruch geriet die Kirche aber auch zwischen die Fronten und drohte, sich in einer übermäßigen Kräfteanspannung zu zerreiben. Von den in die Kirche eingewanderten politisch alternativen Gruppen wurde sie gedrängt, sich zum Vorreiter der gesellschaftlichen Erneuerung zu machen, die ja auch von vielen in der Gesellschaft gewünscht wurde. Sie solle auf dem Platz des Protestes zu finden sein, mit dem Bischof in der ersten Reihe. Die Staats- und Parteiführung dagegen mahnte die Kirche, den Bogen nicht zu überspannen, sich nicht in staatliche Angelegenheiten einzumischen und staatsfeindlichen Bestrebungen keinen Raum zu gewähren.[20] Gegenüber dem Staat versuchte sie, die Forderungen der Gruppen vorzubringen, und trat bei staatlichen Übergriffen schützend für deren Rechte ein.[21] Gegenüber den Gruppen versuchte sie, mäßigend zu wirken, und warb um Verständnis für die staatliche Seite. Indem sie versuchte, zwischen den Fronten zu vermitteln, wurde sie zum Austragungsfeld der gesellschaftlich nicht zugelassenen Widersprüche. Weil sie eine Art Freiraum in der durchorganisierten Einheitsgesellschaft bildete, prallten in ihr die ansonsten unterdrückten Gegensätze aufeinander. Die Kirche wurde gewissermaßen zum Spiegelbild des ansonsten unsichtbar gehaltenen Widerspruchs zwischen offizieller und inoffizieller Dimension der Gesellschaft und damit zum Abbild der wirklichen Gesellschaft.[22]

Da die gesellschaftlichen Widersprüche im Raum der Kirche aber nicht unterdrückt werden mußten, sondern artikuliert werden konnten, nahm die Kirche für die Gesellschaft stellvertretende Funktionen wahr[23] und entwickelte sich zu einer Art Gegeninstitution zum offiziellen Gesellschaftssystem, zu einer Institution des Inoffiziellen oder des Widerspruchs zwischen Offiziellem und Inoffiziellem. Beanspruchte in der organisierten Einheitsgesellschaft nur eine Weltanschauung Gültigkeit, so herrschte im Raum der Kirche politischer und teilweise sogar weltanschaulicher Pluralismus. War die Entwicklung von Realismus, rationaler Argumentation, Dialog und Individualität innerhalb des Gesellschaftssystems behindert, so wurde sie innerhalb der Kirche befördert. Blieb im staatlichen Bereich die Honorierung individueller Leistungen und die Wahrnehmung von grenzüberschreitender Weltverantwortung weitgehend aus, so besaßen innerhalb der Kirche Arbeitsethos und Verantwortung für die Schöpfung einen hohen Stellenwert. Die Kirche wurde gewissermaßen zum Anwalt der bürgerlichen Gesellschaft, sofern man mit dieser Pluralismus, Demokratie, Individualismus, Rationalismus, Herrschaft des Leistungsprinzips und Universalismus verbindet, und damit zum Anwalt der Modernisierung und des gesellschaftlichen Wandels.

Dies hat nicht zu einer Umkehrung der Abwärtsentwicklung der kirchlichen Mitgliedschaft geführt. Zählten sich 1970 noch über 40% zur evangelischen Kirche, so waren es 1980 noch etwa 29% und 1988 etwa 23% (= 3,7 Mill.).[24] Das verwundert, denn wenn die DDR-Gesellschaft tatsächlich durch die Gegenläufigkeit von Homogenisierungs- und Differenzierungsprozeß gekennzeichnet war und die Kirche als Anwalt der Modernisierung fungierte, dann müßte sich das ja in irgendeiner Weise in einer größeren Nähe zur Kirche derer, die für Differenzierung eintraten, niederschlagen. Der Grund dafür, daß dies nicht der Fall war, sondern der Abwärtstrend weiter anhielt, dürfte zum einen darin liegen, daß viele Sympathisanten der Kirche und Besucher von kirchlichen Veranstaltungen nicht bereit waren, ihr Interesse an der Kirche bis zum Kircheneintritt fortzuführen, zum anderen aber vor allem darin, daß die Kirchen auch in den siebziger und achtziger Jahren aus der offiziellen Gesellschaftskonstruktion der DDR weitgehend ausgegrenzt waren, daß Kirchenzugehörigkeit die Aufstiegschancen stark behinderte und sich Kirche für viele einfach nur noch als abseitige Größe darstellte. Das zeigt, in welch hohem Maße Religion auf ihre gesellschaftliche Anerkennung und Integration angewiesen ist und in welch hohem Maße ihre Funktionstüchtigkeit leidet, wenn ihr der gesellschaftliche Konsens entzogen wird.[25]

Allerdings ist darauf hinzuweisen, daß es immerhin zu einem Retardieren des Entkirchlichungsprozesses kam.[26] Dem entsprechen andere positive Entwicklungstendenzen innerhalb des kirchlichen Lebens. So nahm der Anteil der getauften an den geborenen Kindern seit Ende der siebziger Jahre wieder leicht zu. Der Prozentsatz der Christenlehrekinder im Verhältnis zu den getauften Kindern erhöhte sich in demselben Zeitraum auffällig. Der Gottesdienstbesuch ging seit Ende der siebziger Jahre nur noch leicht zurück, und bei der Christvesper stiegen sogar die Besucherzahlen. Interessant ist außerdem, daß die Zahl der Austritte seit Mitte der siebziger Jahre um etwa 75% zurückging. Daß die Kirchenmitgliederzahlen dennoch sanken, hing vor allem mit dem hohen Überschuß der Gestorbenen gegenüber den Getauften zusammen. So ist es also doch nicht ganz unberechtigt, gewisse Aufwärtsentwicklungen innerhalb des dominanten Abwärtstrends festzustellen und von leichten Positionsgewinnen für die Kirche zu sprechen.

Dies ist natürlich nicht nur und vielleicht nicht einmal vorrangig auf die Alternativität der Kirchen zum Gesellschaftssystem zurückzuführen, sondern wohl vor allem auf die in den siebziger Jahren zu beobachtende Liberalisierung und Humanisierung des Gesellschaftssystems selbst. Es war dies die Zeit der Einbindung der osteuropäischen Staaten in den KSZE-Prozeß, vermehrter Ost-West-Kontakte, verbesserter Reiseregelungen. Seit Ende der siebziger Jahre erfolgte eine verstärkte Hinwendung zur eigenen Geschichte und Tradition, zu humanistischen Werten und damit eine Aufweichung des ideologischen Schematismus. Ebenfalls in dieser Zeit läßt sich eine Veränderung im Wertebewußtsein beobachten: Pflichtgefühl und Konsumdenken verlieren, soziale Beziehungen, Individualität und Sinnfragen gewinnen an Bedeutung.[27] An dieser mehrdimensionalen Entspannung des gesellschaftlichen Klimas haben auch die Kirchen partizipiert, zu ihr haben sie aber auch beigetragen (Stichwort: Lutherehrung). Auch hier also bestätigt sich wieder die Gültigkeit der These, daß die Wirkungsmöglichkeiten der Kirche auf ihrer Einpassung in das System und ihrer Alternativität zum System gleichzeitig beruhten.

3. Kirche im Umbruch

Wenn die Kirche, wie ich behauptet habe, Anwalt der Modernisierung war, war sie dann auch der Motor des gesellschaftlichen Umbruchs im Herbst 1989? Aufs Ganze gesehen muß man sagen: nein. Ihre Strategie war auf Ausgleich und Verständigung gerichtet, nicht auf Umwälzung und Veränderung der Machtverhältnisse. Dahinter standen natürlich die Erfahrungen, die die Kirche in den fünfziger Jahren mit dem Machtanspruch des Staates hatte machen müssen. Daß die Partei vor Gewalt nicht zurückschrecken würde, wenn es gälte, ihre Führungsrolle zu behaupten, davon war die Kirche fest überzeugt. Aber nicht nur sie. Alle hielten das System ja für unangreifbar. Wenn sich etwas bewegen ließe, dann nur mit der SED, nicht gegen sie – das war der Grundsatz nicht nur der Kirchen, nicht nur der Blockparteien, der Künstler und Wissenschaftler im Lande, sondern auch der Politiker in den westlichen Demokratien. Selbst viele der gesellschaftskritischen Gruppen erkannten den Führungsanspruch der SED an und wollten

nichts weiter als den Dialog mit ihr, die Schaffung von Öffentlichkeit, mehr Information und mehr Partizipation an den gesellschaftlichen Entscheidungsprozessen, eben eine Demokratisierung des ansonsten nicht hinterfragten Sozialismus. Während
diese Gruppen aber die Demokratisierung häufig durch Provoka-
tionen der Staatsmacht und die Öffentlichkeit aufrüttelnde Aktionen erzwingen wollten, setzte die Kirche mehr auf Konfliktein-
dämmung und vermittelnde Gespräche hinter geschlossenen
Türen und nahm insofern sogar eine gesellschaftsstabilisierende
und integrative Funktion wahr. Beide aber waren sich einig darin,
daß man die Verhältnisse prinzipiell nicht ändern könne und daß
man dennoch – sei es um seiner gesellschaftskritischen Ideale willen oder aus Gründen der christlichen Hoffnung – nicht aufgeben
dürfe.[28]

Diese Haltung hielten Kirche und Basisgruppen bis in den September 1989 hinein aufrecht. So zeigte sich die Kirche in einer an
den Staatssekretär für Kirchenfragen übermittelten *Meinungsbil-
dung zu Anfragen im Zusammenhang mit der Kommunalwahl* am
7. Mai 1989 zwar »erschrocken über die beobachteten Unstimmig-
keiten bei der Auswertung der Wahl« und äußerte sich »besorgt
darüber, daß Resignation erneut bestätigt werden könnte«. »Diesen Weg dürfen wir nicht weitergehen«, mahnte sie. Dann aber gab
sie dafür die Begründung: »Denn es geht um das gerechte und
friedliche Zusammenleben in unserer Gesellschaft. Autorität und
Stabilität des Staates brauchen Durchschaubarkeit und Wahrhaf-
tigkeit.« Und beschwichtigend setzte sie hinzu: »Übertriebene
Aktionen oder Demonstrationen sind kein Mittel der Kirche.«[29]

Als es nach dem Massaker auf dem Platz des Himmlischen Friedens in Peking zu einem Klagetrommeln von etwa 20 bis 30 Jugendlichen in der Dresdener Kreuzkirche kam, den zusammen-
laufenden Massen der Zutritt zur Kirche von der Polizei verwehrt
wurde und zahlreiche Passanten polizeilich zugeführt wurden,
versuchte die Kirche einerseits mit den trommelnden Jugendlichen
ins Gespräch zu kommen und sie in eine Fürbittandacht zu inte-
grieren, andererseits setzte sie sich bei der Polizei für die Zuge-
führten ein und rechtfertigte das Handeln der Jugendlichen. Sie
hätten ihrer Trauer um die Toten Ausdruck verleihen wollen, sie
hätten nicht provozieren, sondern die Menschen zum Nachdenken bewegen wollen. Außerdem protestierte sie gegen die Verletzung des Rechts auf ungehinderten Zutritt zur Kirche. Es habe

sich nicht um eine Gefährdung der öffentlichen Ordnung und Sicherheit gehandelt, sondern um einen Vorgang in der Kirche.[30]

Dieselbe geschmeidige Unnachgiebigkeit zeigte die Kirche bei den Auseinandersetzungen um die Durchführung der Friedensgebete in der Leipziger Nikolaikirche. Die staatliche Seite forderte die Absetzung der Friedensandachten und drohte damit, die Genehmigung für den Kirchentag, der Anfang Juli in Leipzig stattfinden sollte, zurückzuziehen. Der Kirchentagsausschuß verwies darauf, daß die Absetzung der Friedensgebete nicht in seinen Kompetenzbereich fiel, der Landesbischof machte auf die das internationale Ansehen der DDR schädigenden Auswirkungen aufmerksam, die eine Absetzung der Friedensgebete nach sich ziehen würde, und verwies im übrigen ebenfalls darauf, daß nicht er, sondern allein der örtliche Gemeindekirchenrat über die Fortführung der Friedensgebete zu entscheiden hätte; die Leipziger Superintendenten mißbilligten politische Demonstrationen als »Form des Zeugnisses der Kirche«, bekannten sich aber zu der Verpflichtung, sich »für alle Menschen einzusetzen, die in innere oder äußere Not oder in Gefangenschaft geraten sind«[31], der Gemeindekirchenrat schließlich erklärte, es handele sich bei den Friedensgebeten um eine rein kirchliche Veranstaltung, deren Abhaltung rechtlich garantiert sei. Die Kirche erwies sich als unbequem und schwer zu beherrschen, unter anderem auch aufgrund ihres internen Pluralismus und ihrer strukturellen Differenzierung, aber sie hielt sich bedeckt. Gerade weil sie dem staatlichen Druck nicht nachgab und sich dennoch an die geltenden Rechtsvorschriften hielt, konnte sie zum Kristallisationspunkt des Protestes werden. Aus den Kirchen entwickelten sich im September und Oktober die Demonstrationen, aus ihrem Raum kamen die Oppositionsgruppierungen. Sie selbst aber definierte sich ausdrücklich nicht als Opposition.[32]

Nach der Öffnung der österreichisch-ungarischen Grenze und der Massenflucht von Tausenden von DDR-Bürgern Anfang September, als sich das politische Klima im Lande in rasantem Tempo veränderte, als die alternativen Gruppen aus dem Raum der Kirche auswanderten und sich zu selbständigen Oppositionsgruppierungen in Alternative zur SED formierten und die Massenproteste in Leipzig von Montag zu Montag anschwollen, wurde der Ton kirchlicher Kritik am Staate zwar deutlich fordernder[33], aber nach wie vor war die Kirche weit entfernt davon, sich zum Vorreiter der nun von vielen als dringend erforderlich empfundenen Erneuerung der Gesellschaft zu machen. Noch am 2. Oktober, als es bereits 15 000 waren, die in Leipzig demonstrierten, sagte der Prediger im Friedensgebet in der Nikolaikirche, er halte Demonstrationen zum jetzigen Zeitpunkt als Mittel zur Verbesserung des politischen Klimas für wenig hilfreich[34], was ihn im übrigen nicht hinderte, nach dem Gottesdienst selber mitzumarschieren – ein Hinweis auf die Schärfe der Differenz zwischen offizieller und inoffizieller Dimension der Gesellschaft, hier ausgedrückt in der Differenz zwischen Rolle und Person. Und noch am 9. Oktober – da waren es 70 000, die in Leipzig auf die Straße gingen – bat Superintendent Johannes Richter die Besucher des Friedensgebetes in der Thomaskirche, auf dem kürzesten Wege nach Hause zu gehen.[35] Erst als der befürchtete polizeiliche Großeinsatz ausblieb und die staatlichen und parteiamtlichen Stellen langsam zur Politik des Dialogs übergingen, wanderte die bisher innerhalb der Kirche geführte Kommunikation in die Gesellschaft ein. Da wurden die kirchlichen Forderungen nach Reisefreiheit, realistischer Berichterstattung und Reformen übernommen, da wurden Theologen aufgrund ihrer kommunikativen Kompetenz und ihrer Artikulationsfähigkeit zu Bürgervertretern, Gesprächsvermittlern und Oppositionsführern und die Kirchen zu Orten von Bürgerversammlungen. Beim Übergang von der offiziell ausgegrenzten, diffusen Komplexität der Gesellschaft, die sich bislang nur als privater Unmut gezeigt hatte, zur zugelassenen Öffentlichkeit gewann die Kirche entscheidenden Einfluß auf die Bewegung, denn vor allem sie war es, die der Protestbewegung Sprache und Struktur verlieh, ihre ersten Sprecher stellte und ihr die Argumente lieferte. Sie war es, die die verschiedenen Positionen miteinander ins Gespräch brachte, bis hin zur Organisation Runder Tische auf allen Ebenen und in allen Regionen der DDR. Die Differenzierung der Gesellschaft, die sich bislang nur in unbestimmter Form im inoffiziellen Raum gezeigt hatte, wurde nun offiziell.

Der Übergang von der Unterdrückung des Protests zum Dialog und die damit wachsende Bedeutung der Kirche werden anhand der Dresdener Ereignisse Anfang Oktober noch einmal schlaglichtartig deutlich. Noch am 3./4. Oktober, als durch Dresden die Züge mit Ausreisenden von Prag nach Bayern rollten und es zu Massendemonstrationen am Dresdener Hauptbahnhof kam, waren die kirchlichen Mitarbeiter um Superintendent Christof Ziemer den Ereignissen nahezu hilflos ausgeliefert. Zwar versuchten sie, einzelne aufgebrachte Demonstranten zu beruhigen und einigen Wütenden und Verzweifelten Hoffnung zuzusprechen. Bedeutsamer als ihr Wirken war aber das der Polizei, die teilweise rücksichtslos gegen Passanten und Demonstranten vorging. Die von der Polizei ausgeübte Gewalt löste in der Dresdener Bevölkerung eine Empörung aus, die selbst die Eltern und Großeltern der geprügelten Jugendlichen auf die Straße trieb. Am Abend des 8. Oktober, als wieder eine Einkesselung der Demonstranten drohte, die Polizei jedoch einlenkte, war es Superintendent Christof Ziemer, der mit der Polizei verhandelte. »Sie bat mich«, berichtet er, »wir sollten auseinandergehen, und da sagte ich, dazu müsse die Polizei sich zurückziehen und die Ketten öffnen. Ich habe das durch die Megaphone gesagt, und während ich noch redete, wurden die Ketten aufgelöst«.[36] Noch am selben Abend wurde unter Vermittlung der Kirche eine Bürgeraussprache für den nächsten Tag im Rathaus vereinbart. Kommunikation statt Gewalt.

Man hat oft gesagt, die Kirche hätte den friedlichen Charakter des Umbruchs bewirkt. Das ist falsch. Umgekehrt: Erst als die staatliche Seite auf Gewaltanwendung verzichtete, konnte sie mit dem ihr eigenen Mittel, dem Wort, öffentlich wirksam werden. Die Demonstrationen endeten friedlich, nicht nur in Dresden, sondern einen Tag später auch in Leipzig, weil die Polizei ihre Kräfte zurückzog. Warum aber setzte sie sie nicht ein? Das zu erklären, ist das eigentlich schwierige Problem.

Die Erklärung liegt meines Erachtens darin, daß es zum einen innerhalb der Partei von den Bezirksbehörden bis zum Politbüro zu einem Differenzierungsprozeß kam, der die Partei in Befürworter und Gegner der Gewaltanwendung spaltete und damit ihre Handlungsfähigkeit schwächte. Zum anderen fehlte die Unterstützung der geplanten Militäraktion durch Moskau. Die Zentrale in Berlin fällte zwar noch die Entscheidung zur Niederschlagung der Konterrevolution in Leipzig und anderswo[37], delegierte die Durchführung dieser Entscheidung dann aber in den Verantwortungsbereich der örtlichen Organe.[38] Da die Spitze des hierarchisch gegliederten Einheitssystems in Moskau ausfiel, besaß das zentralistische System jedoch nicht mehr seine frühere Durchschlagskraft. Es hätte nun in der Kompetenz der unteren Funktionäre gelegen, die geplante Militäraktion eigenverantwortlich durchzuführen. Da sie darauf nicht vorbereitet waren, konnten die lange Zeit unterdrückten Differenzierungsprozesse Raum gewinnen und sich gegen das Einheitssystem durchsetzen. Offenbar war keiner der unteren Funktionäre bereit, ohne fortlaufende Anweisungen der Zentrale für die geplante Gewaltanwendung die Verantwortung zu übernehmen.

Möglicherweise hat dazu auch ein Wechsel im gesellschaftlichen Klima in der DDR beigetragen. Während in den sechziger Jahren der Hinweis auf den allgegenwärtigen Klassenfeind noch ausreichte, um jede Repressionsmaßnahme gegen die eigene Bevölkerung zu rechtfertigen, hatte dieses duale Weltdeutungsschema in den siebziger und achtziger Jahren zunehmend seine Plausibilität verloren. Der KSZE-Prozeß, die internationalen Beziehungen zu den Staaten des angeblichen Klassenfeinds, die Hinwendung zu traditionellen und humanistischen Werten, der Dialog mit der westdeutschen SPD und nicht zuletzt der Aufbau eines konstruktiven Verhältnisses zu der bisher als reaktionär bezeichneten Kirche hatten zu diesem Klimawechsel beigetragen. Sollte dieser Klimawechsel den Verzicht auf die chinesische Lösung mit beeinflußt haben, dann hätte auch die evangelische Kirche einen indirekten Anteil am Umbruch in der DDR, und zwar deshalb, weil sie sich nicht wie die katholische Kirche herausgehalten hat, sondern bereit war, in den Dialog zu treten, sich auf den staatlichen Gesprächspartner einzulassen und ihn in seinem Selbstverständnis beim Wort zu nehmen. Sie war es, die ihn immer wieder auf seine humanistische Verpflichtung, seine Friedensverantwortung und seine Rechtsprinzipien hin angesprochen hat.[39] Die Anerkennung solcher Werte wie Gewaltlosigkeit, Gerechtigkeit, Freiheit war – nicht zuletzt auch aufgrund der Wirkungen der sozialistischen Propaganda selbst – in der Bevölkerung der DDR und in den Reihen der SED tief verwurzelt. Auch in der DDR gab es so etwas wie eine zivilreligiöse Akzeptanz von ethischen Idealen, Normen und Werten. Daraus erklärt sich der massive Protest in der Bevölkerung gegen die Rechtfertigung des Pekinger Massakers in den Zeitungen[40] und die Empörung über die polizeiliche Gewaltanwendung im eigenen Lande. Und auch der Ruf »Keine Gewalt«, mit dem die Demonstranten nicht nur die Polizei, sondern vor allem sich selbst ermahnten, erklärt sich daraus.

Aber wie hoch man die Bedeutung zivilreligiöser Elemente für den Umbruch in der DDR auch immer ansetzt, nicht die Anerkennung von Idealen hat den Umbruch bewirkt. Ideale in die Wirklichkeit umzusetzen, war in den erstarrten Gesellschaftsverhältnissen vor der Wende unmöglich, ja undenkbar. Vielmehr war es die Öffnung der österreichisch-ungarischen Grenze, die den Anstoß zur Wende gab. Mit der Öffnung des geschlossenen Systems entwickelte sich die Protestbewegung innerhalb des Systems. Die Abwanderung Tausender brachte den internen Widerspruch hervor. Als sich aber mit den Demonstrationen völlig neue Handlungsmöglichkeiten ergaben, als die Partei einlenkte, Reformen versprach, die Medien für die freie Diskussion öffnete und in der Zeitung ehrliche und kritische Worte zu lesen waren, da kam es bei vielen zu einem inneren und äußeren Aufbruch. Was man schon nicht mehr für möglich gehalten hatte, trat auf einmal ein. Man konnte frei seine Meinung sagen, man konnte seine Unzufriedenheit publik machen, man konnte demonstrieren. Es schien auf einmal möglich, das System zu verändern, ja zu kippen. Von vielen wurde diese Neueröffnung von Zukunft und Lebensmöglichkeiten als Befreiung, als Erlösung, als unbeschreibliche Freude erfahren. Verschüttetes kam wieder hoch: »Ich kann es nicht glauben«, »es ist unvorstellbar«, »mir kommen die Tränen«, »daß ich das noch erleben darf«, waren Worte, die immer wieder gesagt wurden.[41] Der Eintritt des Unvorstellbaren bedeutete ein Transzendieren bisheriger Wirklichkeitshorizonte. Die Erfahrung der Transzendenz wurde aber nicht als Religion, sondern mit Humor verarbeitet. »Mein Vorschlag für den 1. Mai, die Führung zieht am Volk vorbei«, »Visafrei bis Hawaii«, »Jetzt geht es nicht mehr um Bananen, sondern um die Wurst«, so lauteten die Parolen der Demonstranten. Wenn es richtig ist, was Kierkegaard sagt, daß Humor Religion inkognito anbietet, dann muß man sagen, daß die Wende in der DDR eine verborgene religiöse Dimension besaß. Es war keine protestantische Revolution, wie man behauptet hat; es war der Zusammenbruch eines künstlich aufrechterhaltenen Systems, dem auch der Protestantismus mehr oder weniger hilflos ausgeliefert war. Aber es hätte vielleicht eine protestantische Revolution werden können – einige Voraussetzungen dazu waren gegeben.

1 Dies habe ich versucht in *Das Ende einer Organisationsgesellschaft: Systemtheoretische Überlegungen zum Umbruch in der DDR*, in: *Zeitschrift für Soziologie 19*, 1990, S. 292-307.

2 Carl Friedrich von Weizsäcker bezeichnete das Auftreten Gorbatschows und das Wirken der evangelischen Kirche in der DDR als die beiden entscheidenden Faktoren, die den Umbruch bewirkt hätten (*ARD* 20. 12. 1989).

3 Werner Leich, *Der geistliche Auftrag der Kirche und seine politischen Auswirkungen*, in: *Glaube und Heimat* vom 19. September 1990, S. 1 f.

4 Jörg Swoboda (Hg.), *Die Revolution der Kerzen: Christen in den Umwälzungen der DDR*, Wuppertal 1990, S. 6.

5 Gerhard Rein, *Die protestantische Revolution 1987-1990: Ein deutsches Lesebuch*, Berlin-West 1990.

6 Ehrhart Neubert, *Die Revolution der Protestanten*, in: *Nach der Wende: Wandlungen in Kirche und Gesellschaft. Texte aus der Theologischen Studienabteilung beim Bund der Evangelischen Kirche in der DDR* (hg. von Rudolf Schulze), Berlin-West 1990, S. 23-50.

7 Das Individuum entwickelte sich außerhalb der Öffentlichkeit im Privaten. Das sieht man, wenn man einmal die verwahrloste Außenansicht der Häuser mit der gut ausgestatteten Inneneinrichtung der meisten Wohnungen vergleicht. Aber bei begrenzter Außenwirkung und Außenstützung kann das Individuum natürlich nur eine begrenzt komplexe Struktur ausbilden.

8 Dazu neigt Sigrid Meuschel, die die DDR als eine »klassenlose« bzw. »egalitäre« Gesellschaft bezeichnet. Damit übersieht sie die in der DDR vorhandene Institutionalisierung von gruppenspezifischen Interessen (Parteien, Nationale Front, Gewerkschaften, Kulturbund, Schriftstellerverband, Verband bildender Künstler, Verband der Film- und Theaterschaffenden usw.), den hohen Organisationsgrad der Sozialstruktur (Betriebe, Parteien, Verwaltung, Militär, Universitäten, Schulen usw.) sowie die Tendenzen zur funktionalen Differenzierung (Politik, Wirtschaft, Wissenschaft, Medizin, Recht usw.) und gibt ein nivelliertes Bild von der Gesellschaft. Die Gesellschaft hatte eines ihrer auffälligsten Kennzeichen jedoch darin, daß sich die vorhandenen fach- und bereichsspezifischen Differenzierungstendenzen nicht frei entfalten konnten, sondern immer wieder politisch unterdrückt wurden, so daß sich durch die gesamte Gesellschaft der Widerspruch zwischen politischen Homogenisierungsbestrebungen und teilsystemspezifischen Autonomiebestrebungen zog. Nur aus der Existenz dieser jahrzehntelang unterdrückten gesellschaftlichen Spannungen läßt sich der dramatische Verlauf des Umschwungs in der DDR erklären. Vgl. Sigrid

Meuschel, *Überlegungen zur Revolution in der DDR*, in: *Politikwissenschaftliche Aspekte von Krise, Revolution und Transformation der DDR: Materialien des Kolloquiums vom 27. September 1990* (hg. von E. Wurl), Leipzig 1990, S. 24-32, hier S. 24 ff.; ebenso den *Bericht zur XXIII. DDR-Forschertagung* von Manfred Jäger, in: *Deutschland Archiv* 22, 1990, S. 1449-1454.

9 Diese Feststellung steht im Gegensatz zu der These Albert O. Hirschmanns (*Abwanderung und Widerspruch: Reaktionen auf Leistungsabfall bei Unternehmungen, Organisationen und Staaten*, Tübingen 1974), daß Verschärfung der Abwanderungsbarrieren den internen Widerspruch herausfordere.

10 Ich greife damit auf eine Unterscheidung zurück, die Karl Otto Hondrich als Differenz von sozialer Oberwelt und Unterwelt bezeichnet hat (Karl Otto Hondrich, *Oberwelten und Unterwelten der Sozialität*, in: *Persönlichkeit, Familie, Eigentum: Grundrechte aus der Sicht der Sozial-. und Verhaltenswissenschaften* [hg. von Ernst-Joachim Lampe], Opladen 1987, S. 136-156; ders., *Die andere Seite sozialer Differenzierung*, in: *Sinn, Kommunikation und soziale Differenzierung: Beiträge zu Luhmanns Theorie sozialer Systeme* [hg. von Hans Haferkamp und Michael Schmid], Frankfurt/M. S. 275-303).

11 Vgl. insbesondere die Aufsätze von Werner Krusche, *Das Missionarische als Strukturprinzip*, in: ders., *Schritte und Markierungen: Aufsätze und Vorträge zum Weg der Kirche*, Berlin-Ost 1972, S. 109-124 sowie: *Die Kirche für andere: Der Ertrag der ökumenischen Diskussion über die Frage nach Strukturen missionarischer Gemeinden*, in: op. cit. S. 133-175.

12 Vgl. Heinrich Rathke, *Kirche für andere – Zeugnis und Dienst der Gemeinde: Vortrag vor der Bundessynode 1971 in Eisenach*, in: *Kirche als Lerngemeinschaft: Dokumente aus der Arbeit des Bundes Evangelischer Kirchen in der DDR* (hg. vom Sekretariat des Bundes der Evangelischen Kirchen in der DDR), Berlin-Ost 1981, S. 173-186; Heino Falcke, *Christus befreit – darum Kirche für andere: Hauptvortrag bei der Synode des Kirchenbundes in Dresden 1972*, in: ders., *Mit Gott Schritt halten: Reden und Aufsätze eines Theologen in der DDR aus zwanzig Jahren*, Berlin-West 1986, S. 12-32.

13 Vgl. die von Manfred Punge und Ruth Zander zusammengestellte Quellensammlung, *Zum Gebrauch des Begriffes Kirche im Sozialismus* (hg. von der Theologischen Studienabteilung beim Bund der Evangelischen Kirchen in der DDR), *Information und Texte* 15, Berlin-Ost 1988.

14 So schon im Kommuniqué von 1958: »Ihrem Glauben entsprechend erfüllen die Christen ihre staatsbürgerlichen Pflichten auf der Grundlage der Gesetzlichkeit. Sie respektieren die Entwicklung zum Sozialismus und tragen zum friedlichen Aufbau des Volkslebens bei« (*Bund der*

Evangelischen Kirchen in der DDR: Dokumente zu seiner Entstehung,
ausgewählt und kommentiert von Reinhard Henkys, Witten 1970,
S. 50 f.). Deutlicher noch die Stellungnahme der Bischöfe der evangelischen Landeskirchen in einem Brief an den Staatsratsvorsitzenden:
»Als Bürger eines sozialistischen Staates sehen wir uns vor die Aufgabe
gestellt, den Sozialismus als eine Gestalt gerechteren Zusammenlebens
zu verwirklichen« (*Kirchliches Jahrbuch für die Evangelische Kirche in
Deutschland 1968*, Gütersloh 1970, S. 181).

15 Vgl. Manfred Falkenau, *Kirchliche Sozialisation: Fragen zur Sozialge-
stalt der Gemeinde in der gesellschaftlichen Wirklichkeit der DDR*, in:
»ausser der reihe« 1974/1984 (hg. von der Theologischen Studienabteilung beim Bund der Evangelischen Kirche in der DDR), Berlin-Ost
1984, S. 2-8.

16 Den Umschlagpunkt in der staatlichen Kirchenpolitik bezeichnet die
Rede von Paul Verner vor der CDU 1971 in Burgscheidungen (Paul
Verner/Gerald Götting, *Christen und Marxisten in gemeinsamer Ver-
antwortung*, Berlin-Ost 1971).

17 Die Ergebnisse dieser Begegnung sind dokumentiert in: *Kirche als
Lerngemeinschaft*, a. a. O. (vgl. Anm. 12), S. 211-221.

18 Heino Falcke, *Christus befreit – darum Kirche für andere*, a. a. O.
(Anm. 12), S. 23.

19 Manfred Stolpe, *Kirche »1985« und 2000 – Sammlung, Öffnung, Sen-
dung: Ein Gespräch mit Günter Wirth zum 80. Geburtstag von D.
Günter Jacob*, Berlin-Ost 1986, S. 14 ff.

20 Werner Jarowinsky, *Erklärung beim Treffen mit Bischof Leich am 19. 2.
1988*, in: *epd Dokumentation* 43/1988, S. 61-65.

21 Vgl. Günter Krusche, *Gemeinden in der DDR sind beunruhigt: Wie soll
die Kirche sich zu den Gruppen stellen*, in: *Lutherische Monatshefte* 27,
1988, S. 494-497; jetzt auch in: *Die Legitimität der Freiheit: Politisch
alternative Gruppen in der DDR unter dem Dach der Kirche* (hg. von
Detlef Pollack), Frankfurt/M. 1990, S. 57-62.

22 Die inoffizielle Seite der DDR versuchte die bundesdeutsche DDR-
Forschung vor allem über eine Analyse der DDR-Belletristik zu er-
schließen; vgl. etwa: Hubertus Knabe, *Zweifel an der Industriegesellschaft: Ökologische Kritik in der erzählenden DDR-Literatur*, in:
Umweltprobleme und Umweltbewußtsein in der DDR (hg. von der
Redaktion Deutschland Archiv), Köln 1985, S. 201-251; Gisela Hel-
wig (Hg.), *Die DDR-Gesellschaft im Spiegel ihrer Literatur*, Köln
1986; Eckart Förtsch, *Literatur als Wissenschaftskritik*, in: *Lebensbedingungen in der DDR: Siebzehnte Tagung zum Stand der DDR-
Forschung in der Bundesrepublik Deutschland 12. bis 15. Juni 1984*,
Köln 1984, S. 157-168; u. a. Die gesellschaftliche Lage der Kirche
wurde nur selten als Quelle ergiebiger DDR-Analysen genutzt; vgl.
beispielsweise: Theo Mechtenberg, *Das Modell einer Steuerung ver-*

drängter Bewußtseinsinhalte am Beispiel der Evangelischen Kirche in der DDR, in: *deutsche studien* 104, 1988, S. 391-396.

23 Werner Leich, *Ansprache an den Staatsratsvorsitzenden Erich Honek-ker vom 3. März 1988. Schnellinformation des Bundes der Evangelischen Kirche in der DDR*, Masch., Berlin-Ost 1988.

24 Angaben aufgrund eigener Recherchen in den Kirchenämtern. Die von den Kirchen veröffentlichten Zahlen liegen weitaus höher.

25 Diese These bedeutet eine Umkehrung der seit Durkheim geläufigen Annahme, daß Religion das normative Fundament der Gesellschaft darstellt, wie sie auch heute noch etwa von Friedrich H. Tenbruck (*Geschichtserfahrung und Religion in der heutigen Gesellschaft*, in: ders. u. a., *Spricht Gott in der Geschichte?*, Freiburg 1972, S. 9-94), Peter Koslowski (Hg.) (*Die religiöse Dimension der Gesellschaft: Religion und ihre Theorien*, Tübingen 1985), Trutz Rendtorff (*Die Religion in der Moderne – die Moderne in der Religion: Zur religiösen Dimension der Neuzeit*, in: *Theologische Literaturzeitung* 110, 1985, S. 561-574) und anderen vertreten wird; vgl. dagegen: Niklas Luhmann, *Funktion der Religion*, Frankfurt/M. 1977, S. 248, der davon ausgeht, daß mit der funktionalen Differenzierung der Gesellschaft das Religionssystem immer ungeeigneter wird, die gesellschaftliche Integration zu tragen.

26 Betrug der Rückgang der Kirchenmitgliedszahlen von 1970 zu 1980 etwa 31,5%, so von 1980 bis 1988 nur etwa 23,5%.

27 Leonhard Kasek, *Zwischen Lethargie und Hoffnung*, in: *Die Weltbühne* 85, 1990, S. 948-951.

28 Vgl. dazu ausführlicher: Detlef Pollack, *Außenseiter oder Repräsentanten? Zur Rolle der politisch alternativen Gruppen im gesellschaftlichen Umbruchsprozeß der DDR*, in: *Deutschland Archiv* 23, 1990, S. 1216-1223.

29 *124. Tagung der Konferenz der Evangelischen Kirchenleitungen in der DDR 2./3. Juni 1989 in Berlin*, Vorlage Nr. 3/2, Masch.

30 Evangelisch-Lutherische Superintendentur Dresden Mitte, 19. Juli 1989, *Information über »Trommeln für die Opfer der Gewalt in China«*, Masch.

31 So schon in einer Erklärung zu den Demonstrationen anläßlich des Gedenkens an Karl Liebknecht und Rosa Luxemburg vom 16. Januar 1989.

32 Johannes Hempel (*Auskünfte, Hoffnungen* in: *Bericht der Kirchenleitung vor der Herbstsynode der Landeskirche Sachsen 1990*) hat recht, wenn er sagt, daß die Kirche »in der Öffentlichkeit direkt wirksame und für die westlichen Medien bestimmte Proteste in der Regel vermieden« und damit auf eine Herausforderung der Staatsgewalt verzichtet hat. Darin liegt aber nicht ein Versagen der Kirche, sondern die spezifische Bedingung ihrer Wirkungsmöglichkeit. Denn ein öffentlichkeits-

wirksamer Protest hätte der Staatsmacht sofort die nötige Handhabe gegeben, rechtliche Schritte gegen die Kirche einzuleiten. Andererseits war die Kirche, wie Hempel ebenfalls bemerkt, »von einem bestimmten Punkte an unnahbar« und hielt »zäh« an ihren Einsprüchen fest. Beides ist wichtig für die Rolle, die die Kirchen im Umbruchsprozeß spielen konnte: ihre äußere Zurückhaltung wie ihre der Sache nach durchgehaltene Widerständigkeit.

33 Vgl. etwa die Äußerungen auf der Bundessynode 15.-19. September 1989 in Eisenach (*epd Dokumentation* 43/1989).

34 Klaus Kaden, *Friedensgebet am 2. Oktober in St. Nikolai*, in: *Dona nobis pacem: Fürbitten und Friedensgebete Herbst '89 in Leipzig* (hg. von Günter Hanisch, Gottfried Hänisch, Friedrich Magirius und Johannes Richter), Berlin-Ost 1990, S. 34-36, hier S. 35.

35 Diese Bemerkung ist durch mehrere Teilnehmer bezeugt, findet sich jedoch nicht in dem eben zitierten Quellenband.

36 Christof Ziemer, *Die Weisheit des Volkes ist noch nicht erloschen*, in: *Die Opposition in der DDR: Entwürfe für einen anderen Sozialismus* (hg. von Gerhard Rein), Berlin-West 1989, S. 188-196, hier S. 190f.

37 *Krenz und Mielke vereinbarten auf Geheimkonferenz chinesische Lösung*, in: *Die Welt* vom 21. Mai 1990, S. 6.

38 Die Mitglieder des Politbüros haben den Verlauf der Montagsdemonstration am 9. Oktober in Leipzig nicht einmal verfolgt (Cordt Schnibben, *Makkaroni mit Schinken, bitte*, in: *Der Spiegel* vom 23. April 1990, S. 78-98, hier S. 93).

39 In einem System, das auf Ausgrenzung und Kriminalisierung aller nichtangepaßten Bestrebungen beruht, bedeutet das Eintreten für innergesellschaftlichen Frieden, für Dialog und Verständigung mit allen gesellschaftlichen Kräften eine Aufweichung des Systems.

40 Einer Analyse von Leserbriefen an verschiedene Zeitungen zufolge stieg die Zahl der Protestbriefe nicht schon nach den Wahlfälschungen, sondern vor allem nach den Beifallskundgebungen der SED-Führung für die brutale Zerschlagung der chinesischen Studentenbewegung erheblich an (Jan Wielgohs/Marianne Schulz, *Reformbewegung und Volksbewegung: Politische und soziale Aspekte im Umbruch der DDR-Gesellschaft*, in: *Aus Politik und Zeitgeschichte* B 16-17/1990, S. 15-24, hier S. 18, Anm. 12).

41 Vgl. etwa die Tagebuchaufzeichnungen von Ingrid Ebert, *In mir ist alles durcheinander*, in: *Die Revolution der Kerzen*, a. a. O. (Anm. 4), S. 85-102, hier S. 94ff.

Heinz Bude
Das Ende einer tragischen Gesellschaft

1. Die These

Gesellschaften kann man nach der Art und Weise ihrer Selbstthematisierung voneinander unterscheiden. Ähnlich wie eine Person begreift sich auch eine Gesellschaft als sich selbst und bringt sich so als eine wiedererkennbare Einheit in der Zeit hervor. Jedenfalls denken wir uns das so, wenn wir sagen, daß die französische offensichtlich eine andere als die spanische Gesellschaft darstellt.

Vielleicht macht es für die soziologische Beschreibung Sinn, mit Hayden White (1986) verschiedene Muster solcher gesellschaftlichen Selbstthematisierung auseinanderzuhalten. Es geht um die »master tropes« (Kenneth Burke 1969) des öffentlichen Gesprächs über das Woher und Wohin einer Gesellschaft: die Rede- und Gedankenfiguren, zu denen man immer wieder kommt, wenn man das Besondere dieser Gesellschaft gegenüber anderen Gesellschaften herausstellen will. Sie bestimmen, in welcher Weise über die Berechtigung sozialer Institutionen und politischer Interventionen geredet werden kann. Das heißt, aus der Art und Weise der Selbstthematisierung ergeben sich die spezifischen Legitimationsprobleme einer Gesellschaft.

Hayden White folgend kann man vier Muster gesellschaftlicher Selbstthematisierung unterscheiden: Es gibt tragische, komische, romanzenhafte und ironische Formen, in denen eine Gesellschaft ihre Geschichte erzählt und sich so in ihrer Besonderheit darstellt. Wichtig ist es, sich klarzumachen, daß es sich dabei um ein Schema von Vergleichsmustern handelt. Eine Gesellschaft ist nicht für sich komisch oder romanzenhaft zu nennen, sondern nur im Vergleich zu einer anderen. Deshalb können sich je nach Vergleichsperspektive verschiedene Kontraste anbieten. Das ist ein wenig verwirrend, zeigt aber nur, daß die Selbstbestimmung immer abhängig ist von anderen, denen gegenüber man sich selbst bestimmt.

Diese Vorbemerkungen waren nötig, um meine These verständlich zu machen, die folgendermaßen lautet: Die alte DDR-Gesellschaft war im Vergleich zur alten bundesrepublikanischen Gesellschaft eine tragische Gesellschaft, und die alte bundesrepublikanische Gesellschaft im Vergleich zur alten DDR-Gesellschaft eine ironische. Diese Differenz hatte ihren Ursprung in der Situation von 1945: Die DDR war die tragische und die Bundesrepublik die ironische Nachfolgegesellschaft des nationalsozialistischen Deutschlands. Diese wechselseitige Aufeinanderbezogenheit von Tragik und Ironie charakterisiert die Nachkriegszeit in Deutschland. Das Ende der Nachkriegszeit ist dadurch gekennzeichnet, daß die antifaschistische Tragik sich verbraucht hat und die postfaschistische Ironie anscheinend den Sieg davongetragen hat. Und die Frage für die Zukunft heißt, wie das neue Deutschland den Verlust seiner Tragik verarbeiten wird. Das wird nicht einfach sein, denn eine Tradition lebbarer Ironie ist in Deutschland bekanntlich nicht sehr verbreitet.

2. Tragische und ironische Selbstthematisierungen

Tragische und ironische Selbstthematisierungen unterscheiden sich zuerst durch die Differenz ihres thematischen Kerns: In tragischen Gesellschaften dreht sich alles um Untergang und Verfall, und zwar in einer besonderen Doppelheit: Einerseits herrscht das Bewußtsein für die Wirkungslosigkeit des einzelnen menschlichen Strebens; andererseits gibt es das Bewußtsein für die Notwendigkeit solchen Strebens und seiner Zusammenfassung in einer Gemeinschaft, da sonst Untergang und Verfall drohen. Das Thema ironischer Selbstthematisierungen dagegen ist endlose Wiederkehr und zufällige Katastrophe. Es bleibt einem nichts anderes übrig, als mit selbsterzeugten Operationen weiterzumachen. Allerdings ist damit nicht ausgeschlossen, daß durch eine zufällige Konstellation alles zusammenbricht.

Tragische Selbstthematisierungen bevorzugen mechanistische Erklärungen und ziehen radikale ideologische Konsequenzen. Derart wird die Vorstellung begründet, daß man sich einer bestimmten objektiv nachweisbaren Tendenz entgegenstellen müsse, da man anderenfalls unausweichlich der Katastrophe entgegengehe. Ironische Selbstthematisierungen setzen auf kontextualistische Erklärungen und implizieren eine liberale Ideologie. Da die Geschichte offen und geschlossen zugleich ist, erscheint es als sinnlos, einen bestimmten Weg als den einzig richtigen anzugeben.

Das Leben muß nicht unbedingt einen Sinn haben, um wert zu sein, gelebt zu werden.

Tragische und ironische Selbstthematisierungen unterscheiden sich weiter im Hinblick auf ihre Zeitstruktur: In tragischen Selbstthematisierungen dominiert eine bestimmte Vergangenheit, um daraus Lehren für die Zukunft ziehen zu können. Es geht darum, die Erfahrung der Vergangenheit so weiterzugeben, daß daraus Schlüsse für einen moralisch zu verantwortenden Übergang von der Gegenwart zur Zukunft gezogen werden können. Es handelt sich mithin um eine Form der Moralisierung der Zukunft. Ironische Selbstthematisierungen dagegen blicken auf die gegebene Gegenwart, aus der heraus variable Vergangenheiten und Zukünfte konstruiert werden können. Die Zukunft an sich ist ungewiß und entzieht sich daher einer moralischen Einschränkung.

Daraus ergibt sich notwendigerweise eine unterschiedliche Aufgabenbestimmung für die Intellektuellen. Die tragische Konstruktion sieht Deutungseliten vor, denen die Aufgabe zukommt, den Menschen ein Bewußtsein dafür zu vermitteln, daß ihre gegenwärtige Situation Resultat spezifischer Entscheidungen ist und deshalb durch erneutes Handeln verändert werden kann. Die ironische Konstruktion arbeitet mit Deutungsspezialisten, die das gesellschaftliche Bewußtsein in seiner Vielgestaltigkeit darstellen und kommentieren, um so das öffentliche Gespräch zwischen den verschiedenen Gruppen in Gang zu halten.

Tragisch ist die Voraussetzung des dauernden Ernstfalls, der den unermüdlichen Einsatz der Gesellschaftsmitglieder verlangt. Ironisch denkt man höchstens an den eventuellen Ernstfall, der hoffentlich nicht eintritt. Denn er wäre im Sinne des Mythos der endlosen Wiederkehr und zufälligen Katastrophe vernichtend.

Tragischen Selbstthematisierungen zufolge werden Praktiken seriöser Legitimation durch Appellation an eine universelle Gerechtigkeit begründet. Im Rahmen ironischer Selbstthematisierungen geschieht Legitimation durch die Einhaltung eines im Prinzip abänderbaren Verfahrens. Im einen Fall glaubt man noch an eine höhere Gerechtigkeit, im anderen nicht mehr.

Der Differenz der gesellschaftlichen Selbstthematisierungen entspricht zuletzt eine Differenz des herrschenden Persönlichkeitsideals: Das tragische Persönlichkeitsideal ist die sittliche Aufrichtigkeit, welche in der »kämpferischen Persönlichkeit« ihre höchste Ausprägung gewinnt. Die ironische Gleichgültigkeit der

Welt gegenüber lenkt dagegen alle Aufmerksamkeit auf die persönliche Echtheit, die sich um die ewige Frage nach dem »wahren« oder dem »falschen« Selbst dreht.

3. Tragik und Ironie als Antworten auf 1945

Horst Sindermann verteidigte in seinem letzten Interview, welches der *Spiegel* im Mai 1990 nach seinem Tode veröffentlichte, das Wort vom »antifaschistischen Schutzwall«: »Wir wollten nicht ausbluten, wir wollten die antifaschistisch-demokratische Ordnung, die es in der DDR gab, erhalten. Insofern halte ich meinen Begriff auch heute noch für richtig.« Die antifaschistische Politik war bis zum Schluß die zentrale Legitimationsgrundlage der DDR. Die SED versuchte noch am 3. Januar 1990 durch eine große Kundgebung am monumentalen Treptower Ehrenmal in Berlin, zu der immerhin 250000 Teilnehmer kamen, daran anzuknüpfen, um ihren Führungsanspruch zu retten.

Johannes R. Becher hatte 1945 in schwerem kulturprotestantischen Ton von einem »Reformationswerk« gesprochen, von der »weltanschaulich-moralischen Neugeburt des Volkes« (zitiert nach Meuschel 1991, S. 25). Auch im Westen gab es damals von honorigen Leuten ähnlich gestimmte Appelle an die »deutsche Jugend«. So forderte Alfred Andersch im Stil der weltanschaulichen Reinigung in der Zeitschrift *Der Ruf* einen »Fanatismus der Freiheit«. Die antifaschistische Umerziehung lag im Geist der Zeit und konnte sich sogar anders als die »re-education« auf ein autonomes Deutungsbedürfnis im deutschen Volk stützen.

Das tragische Schema ist offensichtlich: Die Gefahr von Verfall und Untergang ist der Faschismus. Die mechanistische Theorie, die dies erklärt, besagt, daß der Faschismus ursprünglich mit dem Kapitalismus zusammenhängt. Daher lag die radikale ideologische Konsequenz auf der Hand, nämlich den gemeinsamen Kampf gegen den kapitalistischen Westen zu führen, um den Faschismus endgültig zu besiegen.

Daß bis dahin die Katastrophe immer noch drohe, war der Kern der Gruppenphantasie der politischen Klasse in der DDR. Das Politbüro, so Horst Sindermann in dem erwähnten Interview, probte bis zuletzt ein- bis zweimal im Jahr im Kampfanzug den Verteidigungsfall. Und die merkwürdige Anlage von Wandlitz, die

1956 nach dem Ungarn-Aufstand im Wald vor Berlin gebaut wurde, muß man als Ausdruck dieser Überzeugung verstehen.

Die DDR bezog sich auf eine Vergangenheit, das war der Faschismus, und blickte in eine Zukunft, das war der Sozialismus. Damit hing auch die Vorstellung der unbedingten gesellschaftlichen Einheit zusammen: Die »Fehler von 1918« hatten gelehrt, daß der Verlust der Einheit der Arbeiterklasse nur den Faschismus heraufbeschwört. Und aus diesem Grunde mußten alle Versuche, die gesellschaftliche Einheit der DDR zu stören, von Anfang an bekämpft werden. Die «Stasi» stand daher nun im Dienst des Antifaschismus.

Die Bundesrepublik verfolgte demgegenüber, besiegelt durch die verheerende Niederlage der SPD in den Bundestagswahlen von 1953 und personifiziert durch Konrad Adenauer, eine postfaschistische Politik der »Verständigungsbrücken« (Möding/von Plato 1988) und der »leeren Kontinuität« (Fuchs 1988). Dafür stand der Fall Globke. Auch Leute, von denen jeder wußte, daß sie zu den Tätern gehört hatten, sollten offiziell integriert werden.

Hinter dieser Politik stand ein stilles Bündnis der in den Nationalsozialismus verwickelten Generationen gegen die Entnazifizierung und die Ablehnung des Freund/Feind-Schemas der Politik. Es ging um die ausdrückliche Integration der Mitläufer, die nur in einer Haltung des Vergebens und Vergessens möglich schien. Es galt die Konzentration auf das individuelle Schicksal, das mehr lebensgeschichtlich als zeitgeschichtlich, mehr existentiell als politisch verstanden wurde. Dieses Arrangement der Mitläufer mit den Tätern ist sicherlich der verleugnete Urgrund der westdeutschen Liberalität nach 1945.

Das ironische Schema ist deutlich zu erkennen: Die Bundesrepublik ist in der Tat aus der »Stunde Null« geboren. Sie stellt eine Gesellschaft ohne eine fixierte Vergangenheit und ohne eine missionarische Zukunft dar. Die »offene Gesellschaft« der Nachkriegszeit war in Westdeutschland eine Gesellschaft des Weitermachens und des Augenblicks, eine Gesellschaft ohne großen Sinn und ohne Ernstfall.

Aus der tragischen Perspektive des Antifaschismus mußte diese gesellschaftliche Konstruktion der Wirklichkeit als Zynismus erscheinen; und aus der ironischen Perspektive des Postfaschismus stand hinter dem Antifaschismus stets der Totalitarismus und dahinter der Stalinismus.

4. Die Hegemonie des tragischen Antifaschismus

Das tragische Selbstverständnis des Antifaschismus hielt sich in der DDR sehr lange. Wenn man den Umfragedaten glauben darf, die Walter Friedrich vom Zentralinstitut für Jugendforschung Leipzig zusammengestellt hat (Friedrich 1990), eigentlich bis Mitte der achtziger Jahre. In den siebziger Jahren war sogar eine kontinuierliche Verstärkung der Verbundenheit mit der DDR bei Lehrlingen, jungen Arbeitern und Studenten festzustellen. So bekundete 1975 über die Hälfte eine uneingeschränkte Identifikation mit der DDR. Erst Ende der siebziger Jahre nahmen Vorbehalte zu, doch hielt sich danach sogar noch ein leicht angestiegenes Identitätsbewußtsein bis 1985/86. Man war stolz auf die DDR, die im Bewußtsein ihrer Mehrheit nicht nur eine antifaschistische Gesellschaft des Friedens war, sondern auch eine Aufstiegsgesellschaft. Eine Art Aufbaustolz war weit verbreitet, der sich nicht zuletzt auf den augenfälligen Unterschied im Lebensstandard gegenüber den osteuropäischen Ländern berufen konnte.

Im übrigen wurde das Bild des tragischen Antifaschismus aus der Bundesrepublik bestätigt. In den siebziger Jahren wurde im Gefolge der Studentenbewegung das antifaschistische Deutschland in der DDR neu entdeckt. Man kritisierte zwar bestimmte Erscheinungen der Repression, aber im Grunde war für nicht wenige das »tragische Deutschland« das »bessere Deutschland«. Und Ende der siebziger Jahre entdeckte das melancholische Feuilleton in der Bundesrepublik das »idyllische Deutschland« in der DDR, das noch nicht von amerikanischer Zivilisation überschwemmt war. *Fremde Heimat. Empfindsame Reise durch die DDR-Provinz* nannte Horst Krüger einen Reisebericht aus dem Jahre 1977. Sein 1983 veröffentlichtes Buch hieß *Tiefer deutscher Traum*, worin sich der sentimentale Blick nicht satt sehen konnte. Am öffentlichkeitswirksamsten hat Günter Gaus (1983) das Bild der tragischen Idylle gemalt: Die Ostdeutschen seien deutscher als die Westdeutschen geblieben. Sie trügen sichtbar schwerer und ausfluchtsloser an der deutschen Vergangenheit. Derart befriedigte die DDR den tragischen Bedarf der durch die massive Verwestlichung ironisierten Westdeutschen, was den heftigen Protest einiger in den Westen emigrierter DDR-Intellektueller hervorrief – so zum Beispiel von Rolf Schneider, der einen bitteren Kommentar mit *Ruinen schaffen ohne Waffen* überschrieb (1990).

Allerdings trügt das Bild des allgemein akzeptierten tragischen Antifaschismus möglicherweise. Es verdeckt nämlich generationsspezifische Arrangements mit dieser gesellschaftlichen Selbstdeutung. Der Träger des herrschenden antifaschistischen Gründungsmythos der DDR war die »Weimarer Generation«, die bis zum Zusammenbruch in der Führung des Landes dominierte: Erich Honecker (Jahrgang 1912), Kurt Hager (Jahrgang 1912), Erich Mielke (Jahrgang 1907), Alfred Neumann (Jahrgang 1909) und Willi Stoph (Jahrgang 1914). Für diese Generation war die »verratene Revolution« (Sebastian Haffner 1979) von 1918/19 das Kernproblem ihrer Weltdeutung. Der Nationalsozialismus war für sie in gewisser Weise ein Sekundärphänomen dieses Schnitts in der deutschen Geschichte. Hätte damals nämlich die Arbeiterklasse gesiegt, hätte es keinen Faschismus in Deutschland gegeben. Darauf beruhte auch die eigentümliche Selbstsicherheit ihres Antifaschismus. Daß der Faschismus auch im Sozialismus möglich sein könnte, war für sie undenkbar.

Was aber ist zum Beispiel mit der »skeptischen Generation« der DDR? Ich meine zum Beispiel die »Flakhelfer« Günter Mittag (Jahrgang 1926), Konrad Naumann (Jahrgang 1928) und vor allem Günter Schabowski (Jahrgang 1929). Hat es die »Ohne-mich-Haltung« in der DDR nicht gegeben? Die Lebenstechnik der Rettung durch Rückzug hat sich bei dieser Generation schon während des Nationalsozialismus, vor allem in der Endphase des Krieges gebildet. Zu ihrer jugendlichen Lebenserfahrung gehört das Bewußtsein einer existentiellen Differenz zwischen äußerem Mitmachen und innerer Beteiligung (vgl. etwa Schörken 1984). Und darauf beruhte ihr Erfolg nach Krieg und Faschismus (Bude 1987). Was ist daraus nach 1945 in der DDR geworden? Hat es den von Helmut Schelsky (1957) beschriebenen Lebenszuschnitt von ideologischer Skepsis, lebenspraktischem Konkretismus und familialem Privatismus in diesem Teil Deutschlands nicht gegeben?

Eine Geschichte dieser Generation in der DDR könnte folgendermaßen aussehen: Die Zeit der um 1930 Geborenen war die Phase der technokratischen Reform Mitte der fünfziger bis Ende der sechziger Jahre (zur entsprechenden Periodisierung der DDR-Geschichte Meuschel 1991). Zupackende und anpassungsbereite junge Leute wurden gebraucht. Es sollte, wie Walter Ulbricht verkündet hatte, die Stunde der Facharbeiter und Ingenieure sein. Für viele dieser Altersgruppe begann in dieser Zeit eine rasante Karriere. Sie entwickelten im Neuen Ökonomischen System das Ideal der sachverständigen Steuerung. In der Wissenschaft beförderten sie das Interesse an der Kybernetik und an den Systemwissenschaften, worin manche die Chance sahen, das Verhältnis von Ideologie und Praxis, von Partei und Gesellschaft unter sachlich-funktionalen Gesichtspunkten neu zu definieren. Dies erinnert alles sehr an das Verhalten ihrer Generationsgenossen im Westen.

Die »skeptische Generation« in der DDR waren die Technokraten, die in dieser Phase der gesellschaftlichen Reform ein Zweckbündnis mit den Ideologen eingingen. Das bedeutete jedoch, daß sie sich letztlich den Ideologen der »sozialistischen Menschengemeinschaft« unterwarfen. Mit anderen Worten: Sie haben sich dem Generationenkampf um die gesellschaftliche Selbstdeutung nicht gestellt, sondern ihre Sache gemacht und die »Weimarer Generation« reden lassen.

In der Bundesrepublik hat dieser Kampf, wenn auch nicht lautstark und nicht nach außen getragen, durchaus stattgefunden. So hat es in den Gewerkschaften, freilich immer hinter den Kulissen, einen Kampf zwischen den »alten Sozialisten« und den »jungen Skeptikern« gegeben (dazu von Plato 1984). Ein Beispiel für den Ausgang dieses Kampfes bietet die Karriere von Heinz Kluncker, dem ehemaligen Vorsitzenden der ÖTV, dem seinerzeit in der Auseinandersetzung mit Willy Brandt Lohnerhöhungen wichtiger waren als der Machterhalt für die Sozialdemokratie.

Allerdings darf man die mit dem XX. Parteitag verbundenen Hoffnungen nicht vergessen. In gewisser Weise konnte man mit Chruschtschow ein Reformprogramm ideologischer Skepsis und technokratischer Effizienz verbinden (dazu Zimmermann 1976).

Ein Ausdruck dieses Kampfes um den Lebensstil in der DDR ist der Film *Die Spur der Steine* mit Manfred Krug, der mittlerweile mit viel Erfolg in den deutschen Kinos gelaufen ist. Nicht mehr antifaschistische Tragik, sondern existentielle Kaltschnäuzigkeit und lebenspositivistische Ironie werden hier vorgeführt. »Ohne mich« im ideologischen Sinne, aber »mit mir« im praktischen Sinne – das ist das Ideal des »Gleichgültigen« (Dieter Wellershoff 1963), das Manfred Krug in diesem Film verkörpert. Daß dieser Film verboten wurde, ist ein signifikantes Datum für die kulturelle Entwicklung der DDR: Die ideologische Tragik setzte sich gegen die lebenspraktische Ironie durch.

Die »skeptische Generation«, die eine neue Objektivität forderte, verlor in der DDR den Kampf gegen eine ideologische Bastion, die einerseits aus altem »deutschen Geist« in antifaschistischem Gewande bestand, welcher in der Nachfolge von Georg Lukács im Sozialismus die gesellschaftliche Grundlage eines klassizistischen Bildungsverständnisses sah und sich andererseits auf das missionarische Gedankengut der revolutionären Arbeiterbewegung berief. Das Bild des Arbeiters, der in der Weimarer Zeit Goethes *Faust* las, ließ die Herzen der herrschenden Kulturträger höher schlagen.

Aber wie überlebten die Angehörigen der »skeptischen Generation«? Prominente Vertreter dieser Generation führten in der DDR das Leben eines offiziell anerkannten Verweigerungsartisten. Ein Beispiel dafür ist der ästhetische Skeptizismus des Malers Werner Tübke (Jahrgang 1929): »Er zitiert, um sich nicht festzulegen, um nicht Stellung beziehen zu müssen. Seine Kunst ist eine geniale Kompilation von Stil- und Motivzitaten, hintersinnig, reflektiert, handwerklich meisterhaft« (Schmied 1990, zitiert nach: *Bilder aus Deutschland,* 1990, S. 43). Es ist bemerkenswert, daß dieser Stil des Sich-nicht-fassenlassen-Wollens zur anerkannten Bildkunst der DDR gehört. Man findet sowohl Bilder des Bekenntnisses als auch Bilder der Verweigerung jeden Bekenntnisses.

Nur hat sich diese kulturelle Definition im offiziellen Weltbild nicht durchgesetzt. Dadurch, daß die Diskontinuität in der Generationenfolge zwischen der »Weimarer« und der »skeptischen Generation« sich nicht ideologisch niederschlug und derart die Generationenkonkurrenz im öffentlichen Gespräch storniert wurde, verarmte das antifaschistische Deutungsmuster zusehends. Mit Karl Mannheim (1929) gesprochen: Ohne die Konkurrenz generationsspezifischer Weltdeutungen verflacht der Geist. Auf Dauer hat das zu einer Fixierung an einer mythischen Vergangenheit geführt, wodurch, wie Detlev Pollack (1990, S. 295) formuliert hat, die Zeit stillgestellt und die Differenz von Vergangenheit und Zukunft minimiert wurde.

5. Überschüssige Deutungsprobleme

Die zunehmende innere Aushöhlung des tragischen Antifaschismus hat aber noch andere, wahrscheinlich entscheidendere Gründe, die mit der Veränderung der Sozialstruktur in der DDR zusammenhängen. Nach einer Phase umfangreicher sozialer Aufstiegsbewegungen infolge der Umwälzung der Eigentumsordnung in den fünfziger Jahren trat in den sechziger Jahren und vor allem siebziger Jahren eine Phase der sozialstrukturellen Stabilisierung ein, in der die neu entstandenen Statusgruppen begannen, ihren Rang gegenüber Nachrückenden zu behaupten (vgl. dazu etwa: Belwe 1989; Thomas 1988 und Wielgohs/Schulz 1990). Wir haben es hier mit einem allgemeinen sozialstrukturellen Phänomen zu tun: Statusgewinnler haben die Tendenz, ihren neugewonnenen Status zu verteidigen. Vor allem die neue Intelligenz in der DDR versuchte, ihre Kinder zuerst im Bildungssystem und dann im Beschäftigungssystem statusgerecht zu plazieren. Auf den Universitäten wurden immer mehr Ausbildungsplätze von Reproduzenten dieser Schicht okkupiert. Zuletzt gab es prozentual gesehen sogar mehr Kinder von Akademikern auf den Universitäten als in der Bundesrepublik. Die daraus resultierende soziale Immobilität wurde zwar wissenschaftlich festgestellt (vgl. z. B. Lötsch/Freitag 1981), aber diese Tendenz war wohl gesellschaftspolitisch nicht mehr zu korrigieren. Zudem wurden Mitte der siebziger Jahre aus demographischen und beschäftigungspolitischen Gründen die Zulassungsquoten für die Universitäten deutlich reduziert und die Abiturientenzahlen dementsprechend begrenzt, was eine erhebliche Beschränkung sozialer Aufstiegschancen zur Folge hatte. Das heißt: Unter dem Deckmantel einer Politik sozialer Gleichheit in einer solidarischen Gesellschaft bildeten sich Statusgruppen, die sich gegenüber Jüngeren und Nachrückenden abschlossen. Diese Erfahrungen sozialer Schließung (zu diesem Begriff: Parkin 1983) erzeugten Deutungsprobleme, die mit dem Muster des tragischen Antifaschismus überhaupt nicht mehr zu fassen waren. Es fehlten sozusagen Begriffe, mit denen die Jüngeren diese Ausgrenzungserfahrungen zum Ausdruck bringen konnten.

Eine andere Entwicklung der Sozialstruktur war aber vielleicht noch entscheidender. Einher mit diesen Erfahrungen sozialer Schließung im Bildungs- und im Beschäftigungssystem gingen die

Erfahrungen des Entstehens einer anderen, gewissermaßen »inoffiziellen« Sozialstruktur. Die DDR-Gesellschaft war beileibe keine höfische Gesellschaft der Partei oder gar eine durch Repressionsorgane zusammengehaltene Gesellschaft, die die Entsubjektivierung der Gesellschaftsmitglieder mit sich brachte. Sie war vielmehr eine extreme Aushandlungsgesellschaft zur Verhinderung öffentlich artikulierter Konflikte. Bevor ein Konflikt zwischen konkurrierenden Interessen ausbrechen konnte, gab es wechselseitige Arrangements im Vorfeld, deren Prinzip darin bestand, jedem das Seine und das Ganze auf sich beruhen zu lassen. Dies wurde besonders dann wichtig, wenn es um begehrte Güter ging. Den Zugang zu den bevorzugten Westwaren öffnete nur das »Vitamin B«. Besondere soziale Beziehungen waren notwendig, um sich mit dem versorgen zu können, was alle wollten. Daß es solche Wege gab, wußte jeder, aber sie mußten doch im Schatten bleiben. In den Begriffen von Pierre Bourdieu (1979) ausgedrückt: Es entwickelte sich eine ausgeprägte Herrschaft des sozialen Kapitals, dessen Differenzen nicht als Differenzen von ökonomischem und symbolischem Kapital demonstriert werden durften. Es gab daher in der DDR ein System der Macht, welches überhaupt nichts mit der Partei oder der »Stasi« zu tun hatte. Es kam nicht zum Vorschein, weil alle daran beteiligt waren.

So wächst mit der Zeit eine erstickende Atmosphäre im sozialen Feld, die besonders die Neuankömmlinge zu spüren bekommen. Man nimmt ein feines System der Zugänge und Ausschlüsse wahr, das auf undurchsichtige Weise arrangiert ist. Diese Erfahrung eines unausgedrückten Systems sozialer Ungleichheit, das quer liegt zu den ausgedrückten Ungleichheiten, muß das Gefühl einer generellen »Inauthentizität« der Gesellschaft erzeugen.

Es bildete sich, wie Thomas Hanf verschiedentlich ausgeführt hat (z. B. 1991), eine »zweite Gesellschaft« der individuellen Anpassungen heraus, die die hochgehaltene Selbstdeutung des tragischen Antifaschismus faktisch ironisierte. Man liebte zwar die soziale Sicherheit einer solidarischen Gesellschaft, aber auf dieser Basis suchte jeder ziemlich ungehemmt in der »zweiten Gesellschaft« seinen Vorteil. Diese alltägliche praktische Einübung in Ironie entwertete mehr und mehr das hegemoniale gesellschaftliche Selbstverständnis. Allerdings, das zeigen jedenfalls die Daten des Leipziger Jugendinstituts, wurde deshalb lange Zeit die Überzeugung, eine Gesellschaft des Antifaschismus und des Friedens

zu sein, nicht aufgegeben. Es sieht so aus, als wollten die jungen
Leute trotz ihrer alltäglichen Ironie von der tragischen Selbstdeutung so schnell nicht lassen.

6. Nach dem Ende

Dies alles erklärt natürlich nicht den Zusammenbruch der DDR-
Gesellschaft. Allenfalls wird eine sich langsam aufbauende Disposition für die »Wende« deutlich, für die plötzlich eine historische
Chance bestand. Man kann so vielleicht besser verstehen, warum
weite Teile der Bevölkerung das Projekt einer »moralisch anspruchsvolleren Alternative zum Kapitalismus« (Blanke 1990,
S. 8) in der Bundesrepublik mit einem Mal aufgaben. Es war die
Befreiung von einer sozial zwar sicheren, kulturell aber ausge-
brannten Gesellschaft.

Deshalb konnte Gorbatschows Versuch einer Renovierung des
Sozialismus am Ende nicht verfangen. Im Sinne unserer begriff-
lichen Unterscheidung handelte es sich um eine erweiterte tragische Interpretation, nach der Untergang und Verfall des Sozialismus selbst drohten, wenn sich die Gesellschaft ihrer stalinistischen
Versteinerung nicht widersetze. Von diesem Versuch einer Wiederbelebung eines authentischen Sozialismus wollten die meisten
wohl nichts mehr wissen. Zu tief saß das Mißtrauen, daß damit
wieder ein neues Trugbild etabliert würde.

Die eigentlichen Träger der »deutschen Revolution« des Jahres
1989 waren daher nicht die neuen Bürgerbewegungen und auch
nicht die mutigen Demonstranten von Leipzig, Dresden und Berlin. In ihrem Programm eines freiheitlichen Sozialismus waren sie
nämlich in bestimmter Negation noch an die tragische Selbstinter-
pretation der DDR gebunden (vgl. Knabe 1990). In einem Aufruf
der Initiatoren von »Demokratie Jetzt« hieß es, der Sozialismus
müsse nun seine eigentliche, demokratische Gestalt finden, damit
er als Alternative zur westlichen Konsumgesellschaft nicht verlo-
rengehe (vgl. *Die Tageszeitung* 1989, S. 9). Die »Wende« bewirkten vielmehr die jungen Familien, die über Ungarn das Land
verließen. Sie führten der politischen Klasse in der DDR das Scheitern des Sozialismus vor. Denn ihnen ging es offenbar nicht
schlecht, und sie wurden auch nicht von der »Stasi« verfolgt, aber
trotzdem wandten sie sich einfach ab. Mit ihrem stummen Austritt

aus der DDR-Gesellschaft verlor die Tragik ihren Glanz. Bedeutete dies den letztlichen Sieg des ironischen Postfaschismus über den tragischen Antifaschismus?

Es ist gar nicht so sicher, ob sich die meisten ehemaligen DDR-Bürger darüber im klaren sind, was es heißt, in einer ironischen Gesellschaft zu leben. Ich möchte am Schluß die von mir benutzte begriffliche Unterscheidung für einen Blick in die Zukunft nutzen. Was macht ein Tragiker, der sich plötzlich in eine ironische Welt gestellt sieht? Ich sehe drei Möglichkeiten der Antwort. Die erste Möglichkeit besteht darin, daß der Tragiker nicht versteht, was los ist. Er übernimmt die in der neuen Welt verkündeten Werte, erkennt aber nicht, daß daran eigentlich niemand glaubt. In den Augen der ironischen Mehrheit macht er sich zu einer lächerlichen Gestalt. Wenn er schließlich seine Täuschung erkennen muß, fühlt er sich betrogen und gedemütigt und wird rabiat. Möglicherweise werden wir uns daher in den nächsten Jahren auf eine aus dem Osten Deutschlands kommende Entfriedlichung der bundesrepublikanischen Gesellschaft einstellen müssen.

Die zweite Möglichkeit ist eine bestimmte Art »innerer Emigration«. Der Tragiker paßt sich äußerlich der ironischen Welt an, aber innerlich beharrt er auf seinem tragischen Verständnis und wünscht der ironischen Welt den Untergang. Der Tragiker wird zum stillen Apokalyptiker. Das scheint mir die Haltung vieler aus der ehemals privilegierten Intelligenzschicht der DDR zu sein. Man nimmt die Deklassierung durch den »Sieg des Kapitals« hin und wartet klammheimlich auf die große Reinigung.

Als dritte Möglichkeit kommt in Betracht, daß sich der einstige Tragiker wegen seiner Naivität und Dummheit selbst zu hassen beginnt. Dieser Selbsthaß führt zu einer bestimmten Form des Zynismus, der einen Zustand jenseits der Enttäuschung sucht. Diese Haltung findet man unter Intellektuellen, die sich jetzt verstärkt Theorien zuwenden, die die Unentscheidbarkeit zum geistigen Programm erheben. Die tragischen Reste bei diesem Kehren sind jedoch unübersehbar: Man bevorzugt die ganz große, nicht die kleine und präzise Skepsis.

Für alle drei Varianten gilt, daß sie ihre Enttäuschung nicht zum Ausdruck bringen können. Es gibt keine Sprache für ihr unglückliches Bewußtsein, das daher rührt, daß sie an das Alte nicht mehr glauben können und das Neue nicht verstehen. Sie bleiben einsam damit, weil sie nicht als veraltet erscheinen möchten. Vielleicht muß deshalb ein Schweizer aus Frankreich nach Berlin kommen, um einen Film über die ehemalige DDR zu drehen. Jean-Luc Godard kündigte im Januar 1991 einen Film über ein einsames Volk an.

Ich danke der Köhler Stiftung, München, für die großzügige Förderung meiner Arbeit.

Literatur

Belwe, Katharina (1989), *Sozialstruktur und gesellschaftlicher Wandel in der DDR*, in: W. Weidenfeld und H. Zimmermann (Hg.), *Deutschland-Handbuch. Eine doppelte Bilanz 1949-1989*, Bonn, S. 125-143

Blanke, Thomas (1990), *Einleitung*, in: T. Blanke und R. Erd (Hg.), *DDR – ein Staat vergeht*, Frankfurt a. M., S. 7-22

Bourdieu, Pierre (1979), *Die feinen Unterschiede*, Frankfurt a. M.

Bude, Heinz (1987), *Deutsche Karrieren. Lebenskonstruktionen sozialer Aufsteiger aus der Flakhelfer-Generation*, Frankfurt a. M.

Burke, Kenneth (1945), *A Grammar of Motives*, New York

Die Tageszeitung (Hg.), 1989, *DDR-Journal zur Novemberrevolution*, Berlin

Friedrich, Walter (1990), *Mentalitätswandlungen der Jugend in der DDR*, in: *Aus Politik und Zeitgeschichte*, B 16-17, S. 25-37

Fuchs, Werner (1988), *Die Gesellschaftskrise um 1945 im öffentlich-institutionalisierten Gedächtnis heute – am Beispiel von Jubiläumsmeldungen in der Offenbacher Lokalpresse*, in: *Bios* 1, H. 2, S. 91-100

Gaus, Günter (1983), *Wo Deutschland liegt. Eine Ortsbestimmung*, Hamburg

Haffner, Sebastian (1979), *Die deutsche Revolution 1918/19. Wie war es wirklich?*, München

Hanf, Thomas (1991), *Modernisierung der Gesellschaft als sozialstrukturelles Problem*, in: *Berliner Journal für Soziologie* 1 (Sonderheft), S. 73-82

Knabe, Hubertus (1990), *Politische Opposition in der DDR*, in: *Aus Politik und Zeitgeschichte*, B 1-2, S. 21-32

Krüger, Horst (1977), *Fremde Heimat. Empfindsame Reise durch die DDR-Provinz*, in: *Merkur* 31, H. 3, S. 243-261

Krüger, Horst (1983), *Tiefer deutscher Traum. Reisen in die Vergangenheit*, Hamburg

Lötsch, Manfred/Joachim Freitag (1981), *Sozialstruktur und soziale Mobilität*, in: *Jahrbuch für Soziologie und Sozialpolitik*, S. 84-101

Mannheim, Karl (1929), *Die Bedeutung der Konkurrenz im Gebiete des Geistigen*, in ders., *Wissenssoziologie*, Berlin/Neuwied, S. 566-613

Meuschel, Sigrid (1991), *Wandel durch Auflehnung – Thesen zum Verfall bürokratischer Herrschaft in der DDR*, in: *Berliner Journal für Soziologie* 1 (Sonderheft), S. 15-27

Möding, Nori/Alexander von Plato (1988), *Journalisten in Nordrhein-Westfalen nach 1945*, in: *Bios* 1, H. 2, S. 72-81

Parkin, Frank (1983), *Strategien sozialer Schließung und Klassenbildung*, in: R. Kreckel (Hg.), *Soziale Ungleichheiten, Soziale Welt*, Sonderband 2, Göttingen, S. 121-135

von Plato, Alexander (1984), *»Der Verlierer geht nicht leer aus«. Betriebsräte geben zu Protokoll*, Bonn

Pollack, Detlev (1990), *Das Ende einer Organisationsgesellschaft. Systemtheoretische Überlegungen zum gesellschaftlichen Umbruch in der DDR*, in: *Zeitschrift für Soziologie* 19, S. 292-307

Schelsky, Helmut (1957), *Die skeptische Generation. Eine Soziologie der deutschen Jugend*, Düsseldorf/Köln

Schmied, Wieland (1990), *Zur Moderne keine Alternative*, in: *Bilder aus Deutschland. Kunst der DDR aus der Sammlung Ludwig*, Köln, S. 36-45

Schneider, Rolf (1990), *Ruinen schaffen ohne Waffen*, in: *Merian Extra »DDR«*, Hamburg, S. 62-71

Schörken, Rolf (1984), *Luftwaffenhelfer und Drittes Reich. Die Entstehung eines politischen Bewußtseins*, Stuttgart

Sindermann, Horst (1990), *»Wir sind keine Helden gewesen«*, in: *Der Spiegel* vom 7. Mai, S. 53-64

Thomas, Rüdiger (1988), *Aspekte des sozialen Wandels in der DDR*, in: H. Timmermann (Hg.), *Sozialstruktur und sozialer Wandel in der DDR*, Saarbrücken, S. 27-54

Wellershoff, Dieter (1963), *Der Gleichgültige. Versuche über Hemingway, Camus, Benn und Beckett*, Köln/Berlin

White, Hayden (1986), *Auch Klio dichtete oder Die Fiktion des Faktischen*, Stuttgart

Wielgohs, Jan/Marianne Schulz (1990), *Reformbewegung und Volksbewegung. Politische und soziale Aspekte im Umbruch der DDR-Gesellschaft*, in: *Aus Politik und Zeitgeschichte*, B 16-17, S. 15-24

Zimmermann, Hartmut (1976), *Politische Aspekte in der Herausbildung, dem Wandel und der Verwendung des Konzepts »Wissenschaftlich-technische Revolution« in der DDR*, in: *Deutschland Archiv* 9 (Sonderheft), S. 17-51

Claus Offe
Wohlstand, Nation, Republik

*Aspekte des deutschen Sonderweges vom Sozialismus
zum Kapitalismus*

Es spricht alles dafür, daß die Auflösung der politischen, ökonomischen und militärischen Ordnung in Osteuropa von zukünftigen
Historikern als ein epochemachender Einschnitt gewürdigt werden wird. Es ist heute zu früh, über Triebkräfte und Folgen dieses
Wandels insgesamt auch nur zu spekulieren. Andererseits ist es
jetzt, im Herbst des Jahres 1990, bereits zu spät, um diesen Wandel
als einen einheitlichen, in allen Ländern des ehemaligen »Realsozialismus« gleichartig verlaufenden zu beschreiben. Vielmehr erscheint schon heute jedes der betroffenen Länder als ein Sonderfall.
Einer dieser Sonderfälle, nämlich der deutsche, der Sonderfall der
(ehemaligen) Deutschen Demokratischen Republik, soll hier in
seinen heute erkennbaren Umrissen analysiert werden.

Revolutionen verändern die Grundlage der gesellschaftlichen
Einheit. Sie stiften einen neuen »Sozialvertrag«, in dem bestimmt
wird, wer in einer Gesellschaft wem gegenüber welche Rechte und
Pflichten hat und wie die einzelnen Teile und Funktionen der Gesellschaft miteinander koordiniert werden sollen. Ich möchte für
moderne und säkulare Gesellschaften drei mögliche Arten solcher
revolutionären Einheitsstiftung unterscheiden:

(1) die Einheit kann durch die Gemeinsamkeit der *nationalen Geschichte*,
der Sprache und der Kultur begründet werden – also durch alles das, was
Willy Brandt gemeint hat, als er davon sprach, daß nun »zusammen-
wächst«, was »zusammengehört«;
(2) sie kann aus einem revolutionären Akt der Proklamation einer *politischen Verfassung* resultieren – also z. B. aus einem für alle Zukunft verbind-
lichen Satz von Prinzipien der Freiheit, der Gleichheit und der Gerechtigkeit;
(3) und schließlich kann sie auch durch *Neuorganisation der Wirtschaft*,
also der Logik von Produkten und Verteilung zustande kommen – als
Ergebnis der Einrichtung einer »sozialistischen« oder »kapitalistischen«
Eigentumsordnung und Steuerungslogik.

Je nachdem, welcher Modus der Einheitsstiftung der vorherrschende ist, wird das durch ihn begründete soziale, politische und

ökonomische System mehr oder weniger »reißfest« sein: Die Art und Weise der Gründung entscheidet darüber, wie dauerhaft, wie belastbar und wie friedlich die soziale Ordnung sein wird und für wie lange der Rückfall in einen neuen Naturzustand abgewendet werden kann. Welches dieser Modelle der sozialen Ordnung war im Falle der revolutionären Umwälzung maßgeblich, die im Oktober 1989 in der DDR einsetzte?

Seit die DDR im Jahre 1949 als Folge des Zweiten Weltkrieges und des einsetzenden Kalten Krieges entstanden ist, war es immer eindeutig, in welchem Sinn die Frage nach der *inneren* Einheit von Staat und Gesellschaft in diesem Lande zu beantworten war: die DDR war niemals eine distinkte Nation, sondern immer Teilnation. Sie ist nicht durch einen eigenständigen revolutionären Akt der Verfassungsgebung entstanden (wenn auch zunächst ein negatives, nämlich »antifaschistisches« Prinzip als Gründungsidee des Staatswesens herhielt), sondern durch die sowjetische Besatzungsmacht und die von ihr dekretierte Verfassungsordnung konstituiert worden. Folglich war die DDR nichts anderes als ein – je länger, desto ausschließlicher – nach staatssozialistischen Prinzipien gestaltetes, eigenständiges *Wirtschafts*system. Sie hatte lediglich eine ökonomische Identität und repräsentierte insofern eine »reine« (und vielleicht auch deswegen vergleichsweise erfolgreiche) Form einer sozialistischen Wirtschaftsgesellschaft. Sie unterscheidet sich dadurch von allen anderen Comecon-Gesellschaften, die zumindest *auch* als nationale Gesellschaften integriert waren oder sich sogar jetzt als selbständige Nationen neu bilden. Insgesamt können wir gegenwärtig drei ganz verschiedene Verläufe des Wandels unterscheiden.

(1) einen konstitutionellen und ökonomischen Regimewechsel bei *Kontinuität* des Nationalstaates (z. B. Ungarn);
(2) *Neuentstehung* (oder Wiederentstehung) von Nationalstaaten im Rahmen des Regimewechsels (z. B. die baltischen Staaten);
(3) *Verlust* der Eigenstaatlichkeit durch Regimewechsel (bislang einziges Beispiel ist die DDR mit ihrer immer schon nur nominellen nationalen Identität).

Nicht nur die seit 1949 aufgebaute Identität der DDR, sondern ebenso ihre 1989 eingeleitete *Zerstörung* ist dadurch gekennzeichnet, daß beide nur in Kategorien der wirtschaftlichen Organisation verliefen. Es handelt sich bei der Umwälzung in der DDR um eine Revolutionierung der Produktionsweise, die durch den Beitritt zum Verfassungssystem der Bundesrepublik flankiert und ermöglicht wurde. Aber der Wechsel der Verfassung war nicht die treibende Kraft und das leitende Motiv des Umsturzes. Das galt allenfalls für die wenigen Wochen um die Jahreswende 1989/1990, in denen die demokratischen Bürgerbewegungen mit ihrem Ruf »Wir sind das Volk!« das Geschehen bestimmten. Das Fehlen eines längerfristig tragenden und genuin verfassungspolitischen Faktors der Neuordnung mag im Falle der DDR auch damit zusammenhängen, daß im kollektiven Gedächtnis der Bürger dieses Staates die Erfahrung liberal-demokratischer und pluralistischer politischer Verhältnisse seit dem Jahre 1933 nicht mehr enthalten ist. Diese Erfahrung liegt damit weiter zurück als in irgendeinem anderen Land außer der Sowjetunion selbst. Deswegen gibt es im revolutionären Prozeß der DDR (anders als in der BRD nach 1945) keine »alte« Generation, die für eine demokratisch-republikanische Führungsrolle hätte reaktiviert werden können. Anders als in Polen und in der Tschechoslowakei gab es in der DDR keine durch vergangene Kämpfe, Niederlagen und Repressionsakte markierte und für die Öffentlichkeit sichtbare demokratische Gegen-Elite von Personen (wie Dubček, Havel, Walesa) und Organisationen (Charta 77, Solidarność), die zur Ablösung des alten Regimes und zur revolutionären Begründung eines neuen bereitgestanden hätten. Zwar benannte sich die DDR selbst als ein »demokratisches und republikanisches« Staatswesen, aber jede offizielle Ausdeutung dieser Begriffe lief – nachdem sich bereits in den fünfziger Jahren das Pathos einer »antifaschistischen« Staatsgründung rasch verbraucht und kompromittiert hatte – nicht auf das Modell des liberalen Rechts- und *Verfassungs*staates hinaus, sondern auf die »führende Rolle der Partei der Arbeiterklasse« und damit auf einen Mechanismus der bürokratischen *Wirtschafts*organisation.

Der Prozeß, der zur Einheit der beiden deutschen Staaten führte, war weder ein von nationalen noch von demokratisch-revolutionären Motiven und Bewegungen getragener Vorgang, sondern ein wirtschaftlicher Integrationsprozeß, dessen Besonderheit gerade in der (bisherigen) Bedeutungslosigkeit konstitutioneller Kategorien besteht. Die politische Führung des in Auflösung begriffenen Staatswesens der DDR hatte im Jahr 1990 weder die erkennbare Ambition noch (wegen des dramatischen wirtschaftlichen Machtgefälles zwischen beiden Staaten) die reale

Chance, eigene Vorstellungen über die politische Ordnung des neuen Gesamtstaates zur Geltung zu bringen.

Allen Beteiligten ging es in erster Linie um Fragen der Wirtschaftsordnung und Wirtschaftsentwicklung. Die Dominanz der ökonomischen Integrationsbemühungen bringt allerdings ein Problem mit sich: Ein politisches System kann nicht *allein* durch ökonomische Kategorien integriert werden. Früher sagte man: Das Proletariat hat kein Vaterland, und das Kapital ist ohnehin heimatlos. Das Bedürfnis nach Wohlstand führt nicht zur Bindung an ein bestimmtes nationalstaatliches System, sondern ist standort-abstrakt. Ein intaktes Wirtschaftssystem ist notwendige, aber nicht zureichende Bedingung nationalstaatlicher Integration. Das zeigte sich an der Geschichte der »realsozialistischen« DDR, und es zeigt sich unvermindert nach ihrem Ende, d. h. nach ihrer Aufnahme in das Wirtschaftssssystem der kapitalistischen Bundesrepublik. Weil das Streben nach Bereicherung *allein* keine Grundlage für die wechselseitige Verpflichtung von Bürgern in einem staatlichen Verband sein kann, ergab sich auf beiden Seiten das Bedürfnis, die real gewordene ökonomische Interdependenz mit einem einheitsstiftenden Sinn zu füllen. Die Quelle, aus der dieser Sinn geschöpft wurde, war das Gefühl nationaler Einheit und Zusammengehörigkeit. Der Appell an nationale Gemeinschaftswerte erfüllte die Funktion, die blinde Gewalt der dramatischen ökonomischen Abläufe verständlich, akzeptabel und sinnvoll zu machen.

Das besondere Merkmal des neuen deutschen Nationalismus ist sein instrumenteller, sein artifizieller und auf die Bedürfnisse des wirtschaftlichen Einigungsprozesses hin funktionalisierter Charakter.

(1) Das gilt zunächst für das Verhältnis der DDR-Bevölkerung zur reichen Bundesrepublik. Die Parole »Wir sind *ein* Volk!«, die bald die demokratisch-revolutionäre Maxime »Wir sind *das* Volk!« übertönte, war von der durchsichtigen Absicht inspiriert, der dringend benötigten wirtschaftlichen Unterstützung von seiten der Bundesrepublik einen verpflichtenden Sinn zu geben. Das hat der Ministerpräsident der DDR später in die elegante Formel gekleidet, die Teilung sei nur durch Teilen zu überwinden.

(2) Dasselbe Muster eines taktisch kalkulierten Nationalismus bewährte sich auch umgekehrt im Verhältnis der Bundesrepublik zur DDR: Nur wenn die westdeutschen Steuerzahler dazu veranlaßt werden können, angesichts der entstehenden deutschen Ein-

heit Gefühle nationalen »Glücks« (H. Kohl) zu entwickeln, sind ihnen die empfindlichen Opfer politisch gefahrlos zuzumuten, die sie für die rasche wirtschaftliche Sanierung der DDR-Ökonomie allemal aufbringen müssen. Die Bereitschaft der westdeutschen Bevölkerung, solche Opfer zu bringen und darüber hinaus unbestimmte Verbindlichkeiten für die Zukunft einzugehen, hätte zudem dann erheblich nachgelassen, wenn die Kontrolle der nach Osten fließenden Ressourcen *nicht* alsbald in die Hand einer einheitlichen nationalen, d.h. einer von der Bundesrepublik dominierten Regierung übergegangen wäre.

(3) Schließlich hat sich der funktionalisierte Nationalismus als ein Instrument empfohlen und bewährt, das in den Verhandlungen der beiden deutschen Staaten mit den Alliierten des Zweiten Weltkriegs eingesetzt werden konnte: Ihnen gegenüber wurde das unbedingte Recht der Deutschen auf nationalstaatliche Einheit und Souveränität als ein so begehrenswertes Gut reklamiert, daß sie dessen Gewährung nicht ohne eigenes Risiko versagen konnten.

(4) Die Erleichterung des Verhältnisses zu sich selbst und der eigenen Geschichte, die durch Wiederherstellung der nationalen Einheit möglich wurde, mag außerdem eine Rolle gespielt haben. Während bisher zwangsläufig die moralischen Katastrophen des von Deutschen begonnenen Weltkrieges und der von ihnen begangenen Judenvernichtung im Mittelpunkt des (deswegen schwachen) westdeutschen Geschichts- und Nationalbewußtseins standen, bietet die Wiedervereinigung zumal den ehemaligen Westdeutschen die Chance, diese Last zu relativieren und zumindest teilweise gegen die ungleich leichtere Bürde auszuwechseln, die in der Bewältigung der Geschichte der DDR und ihrer systematischen und massenhaften Verletzung von Menschen- und Bürgerrechten besteht.

Der neue Nationalismus in Deutschland ist heute aus allen diesen Gründen kein Nationalismus der emotionalisierten Volksseele; dagegen spricht schon das Faktum, daß der Wiedervereinigung Deutschlands ein guter Teil der westdeutschen Bürger mit kostenbewußter Reserviertheit gegenübersteht. Es handelt sich vielmehr um einen kühl berechneten und moderierten »Eliten-Nationalismus«, der als sinnstiftende Kulisse für den überstürzten Prozeß der wirtschaftlichen Integration dramaturgisch eingesetzt wurde.

Das hohe Tempo der wirtschaftlichen Integration war selbst keineswegs zwangsläufig. Für dieses Tempo sprach aus der Sicht der *Regierung* der Bundesrepublik die Ungewißheit der sowjetischen innenpolitischen Entwicklung und des Schicksals von Michail Gorbatschow, die Gefahr einer strukturellen »Implosion« der DDR durch Abwanderung großer Teile ihrer wirtschaftlich aktiven Bevölkerung sowie (als Ursache dieser Gefahr) das völlige Fehlen eines politischen, moralischen und ökonomischen Willens zur Selbsterhaltung und Selbstbehauptung in Politik und Gesellschaft der DDR. Aber die *wirtschaftlichen* Eliten der Bundesrepublik, einschließlich der Bundesbank, votierten während der ersten Hälfte des Jahres 1990 nachdrücklich und mit (rein ökonomisch betrachtet) durchaus rationalen Argumenten für den »langsamen« Pfad. Nur das funktionalisierte Pathos der »nationalen Einheit« sorgte dafür, daß sich in diesem Konflikt zwischen politischer und ökonomischer Rationalität der »schnelle« Pfad der »national« angereicherten politischen Strategie durchsetzte.

Diesem Pfad hatten Gesellschaft und Politik der DDR nichts entgegenzusetzen. Es ist symptomatisch für den in vierzig Jahren »Realsozialismus« gleichsam betäubten und entpolitisierten Zustand der DDR-Gesellschaft, daß – in scharfem Gegensatz zur ungarischen, tschechoslowakischen und polnischen Situation – die politischen, moralischen und organisatorischen Ressourcen für eine eigenständige Reformpolitik nicht zur Verfügung standen und die Initiative deshalb nahezu restlos an die Bonner Regierung fiel. Die Handlungsinitiative, welche die westdeutsche Exekutive seit dem März 1990 durch Berufung auf das überragende Ziel der nationalen Einheit gewonnen hatte, konnte ihr, wie sich herausstellte, auch nicht von den ökonomischen Eliten der Bundesrepublik, nicht von der sozialdemokratischen Opposition, nicht von den Bundesländern und nicht von ihren außenpolitischen Partnern in Westeuropa oder jenseits des Atlantik streitig gemacht werden.

Obwohl der dramatische exekutive Kraftakt der national-kapitalistischen Integration der DDR weltweite Aufmerksamkeit erregte, ist der Erfolg dieser Strategie heute mehr als ungewiß. Die Strategie der westdeutschen Regierung bestand darin, durch exekutive Entscheidungen und internationale Verträge in rascher Folge Irreversibilitäten zu schaffen und gleichzeitig die sozialen und ökonomischen Folgen in die Zukunft hinein zu externalisieren und den Kräften des Marktes zu überlassen. Es handelt sich um eine Strategie, die – im wörtlichen wie im übertragenen Sinne – auf einem sehr hohen und sehr schlecht gesicherten Kredit basiert. Ihre Urheber vertrauen – sei es naiv, sei es zynisch – auf ein »zweites Wirtschaftswunder«, das die Marktwirtschaft der (früheren) DDR wie selbstverständlich bescheren werde. Dieses Vertrauen hat sich bisher nicht einmal in Ansätzen bestätigt.

Allerdings setzte sich im industriellen Sektor die wirtschaftliche Rationalität westdeutscher Investoren durch, die freilich weithin eine »Rationalität des Abwartens« war: Je länger der wirtschaftliche Niedergang der zu großen Teilen nicht wettbewerbsfähigen industriellen Basis der DDR andauern würde, so die Erwartung der maßgeblichen Kapitalgruppen, und je schmerzhafter seine ökonomischen und sozialen Ergebnisse sich ausnehmen würden, desto kostengünstiger würde der Rest zu übernehmen sein. Noch beschleunigt wurde dieser Niedergang durch den gezielten Ausbau der Dienstleistungen des Handels. Dieser sorgte dafür, daß die qualitativ, vor allem auch in ihrem symbolischen Prestigewert, durchweg überlegenen westdeutschen Erzeugnisse in jedem Winkel der ehemaligen DDR leicht erhältlich waren. Sie begannen unmittelbar nach der Währungsunion im Juli 1990, nicht nur die einheimischen Industrieprodukte, sondern sogar einheimische Agrarerzeugnisse vom Markt zu verdrängen. Die Chance, die Ökonomie der DDR gegen diesen Penetrationsdruck für einen begrenzten Zeitraum durch zollpolitische Maßnahmen zu schützen und ihren Umstellungsprozeß damit weniger schmerzhaft und zerstörerisch verlaufen zu lassen, war bereits durch die Tatsache zunichte gemacht, daß die Grenze nicht mehr bestand, an der die Verzollung der aus dem Westen kommenden Warenströme hätte stattfinden können.

Katastrophale Rückstände im Kommunikations- und Verkehrswesen, in der Energieversorgung, im Wohnungsbau, z. T. auch im Gesundheitswesen und im Bildungssystem führen dazu, daß die Chance der DDR-Ökonomie, im neuen marktwirtschaftlichen Wettbewerb mit offenen Grenzen zu bestehen und aus eigenen Kräften den Anschluß an die Dynamik wirtschaftlichen Wachstums zu finden, sich in der zweiten Hälfte des Jahres 1990 eher verschlechterte als verbesserte. Bei einer Bevölkerung von knapp 17 Millionen Einwohnern werden für den Winter 1990/91 etwa 2 Millionen Arbeitslose vorausgesagt.

Insgesamt handelt es sich bei den gegenwärtigen Anpassungsschwierigkeiten, Strukturbrüchen und Ungewißheiten über die Zukunft zweifellos um die schwerste (um nicht zu sagen: die einzige) wirtschaftliche Krise, die die Bevölkerung der DDR in den 40 Jahren ihrer Geschichte erlebt hat. Natürlich ist es möglich, den zerstörerischen Zwang zur Anpassung als einen kurzen harten Schock auf dem Wege zu Wohlstand und Stabilität zu deuten. Es ist aber eine offene Frage, wie viele Menschen in der (ehemaligen) DDR diese optimistische Deutung für wie lange Zeit teilen werden – und was diejenigen unternehmen werden, die sie nicht teilen.

Die Ursache des Zusammenbruchs war keineswegs eine akute ökonomische Krise. Vielmehr hat die DDR-Ökonomie ein durchaus erträgliches – und im Comecon-Vergleich sogar herausragendes – Maß an ökonomischer Effizienz erreicht, jedenfalls bei der Produktion und Verteilung von industriellen Individual- und Investitionsgütern. Gewiß ist im Vergleich zur Bundesrepublik ein enormer und systembedingt uneinholbarer Rückstand zu konstatieren, vor allem bei der Ausstattung mit Infrastruktureinrichtungen. So erreichte die DDR-Ökonomie nur 50 Prozent der Arbeitsproduktivität der BRD, verbrauchte aber 124 Prozent des Pro-Kopf-Energieeinsatzes der Bundesrepublik (mit der Folge extremer ökologischer Belastungen durch die vorwiegend verwendete Braunkohle).

Auf die positive Seite der Bilanz der DDR-Ökonomie gehört auch die Tatsache, daß das System in der Lage war, seinen Bürgern ein hohes (und demgemäß heute schmerzlich vermißtes) Maß an sozialer Sicherheit und Beschäftigungssicherheit zu bieten. Das Versorgungsniveau mit Konsumgütern war seit den sechziger Jahren, u. a. wegen einer gigantischen Subventionierung von Gütern und Leistungen des Grundbedarfs, ausreichend und teilweise gut. Die Sozialwissenschaftler, die sich in der Bundesrepublik und in anderen Ländern mit der Frage der Zufriedenheit der DDR-Bürger mit ihren Lebensverhältnissen beschäftigt haben, stellten denn auch in den siebziger und achtziger Jahren übereinstimmend fest, daß von wirtschaftlich bedingter Unzufriedenheit und einer daraus resultierenden politischen Instabilität in der DDR immer weniger die Rede sein könne. Vielmehr waren Wissenschaftler und zunehmend auch westdeutsche Politiker überzeugt, daß Ökonomie und Politik der DDR durch einen langsamen und lückenhaften, aber doch unumkehrbaren Prozeß der Konsolidierung geprägt seien. Nur so läßt sich erklären, daß gerade konservative Politiker sich in den achtziger Jahren für die Gewährung großer Kredite an die DDR einsetzten. Führung und Bevölkerung der DDR hatten Grund, auf eine Kontinuität solcher Subventionen aus der Bundesrepublik zu bauen – zumal der DDR-Staat das Tauschobjekt der Konzessionen in der Hand hatte, die in kleinen Schritten auf dem Gebiet der verwehrten Menschen- und Bürgerrechte in Aussicht gestellt werden konnten. Ein weiterer stabilisierender Faktor war die Tatsache, daß aufgrund der faktischen Rolle der DDR als eines EG-Binnenlandes gute Aussichten bestanden, auf dem westeuropäischen Markt für Rohstoffe und andere einfache Industrieprodukte (wie Möbel und Autoreifen) weiterhin zu expandieren und so insgeheim zum Billiglohn-Satelliten der Europäischen Gemeinschaft zu werden. Dies alles waren, trotz der gewaltigen Fehlsteuerungen der DDR-Wirtschaft und des aus ihnen herrührenden Modernitätsrückstandes, Faktoren, die auf Stabilität und Kontinuität hindeuteten. Entsprechend unerwartet und überraschend kam für alle Beobachter der tatsächliche Zusammenbruch. Welche Faktoren haben ihn ausgelöst?

Jedenfalls hatte der Zusammenbruch der Wirtschaft der DDR keine dramatischen und akuten inneren, im System der wirtschaftlichen Organisation und Steuerung selbst liegenden Ursachen – so deutlich sich deren Grenzen auch im Vergleich mit den westeuropäischen Wohlfahrtsgesellschaften abzeichneten. Der entscheidende Mangel des Systems war kein ökonomischer, sondern ein moralischer: es war um seiner Stabilität willen darauf angewiesen, die eigene erwerbstätige Bevölkerung nicht nur physisch einzusperren, ihr also die Abwanderung *(exit)* zu untersagen, sondern sie zusätzlich an der Wahrnehmung zentraler politischer Rechte wie Meinungs- und Medienfreiheit, Streikrecht und Wahlrecht *(voice)* zu hindern. Der funktionale Zusammenhang von realsozialistischer Wirtschaftsweise und politischer Repression liegt auf der Hand: Nur wenn »planwidrige« gesellschaftliche Interessen an ihrer Manifestation gehindert sowie die vom System selbst erzeugten Versuchungen, partikulare Vorteile auszunutzen, rigoros unterbunden werden, kann ein erträgliches Maß an Produktion und Produktivität zustande kommen.

Dieser inhärente Repressionsbedarf jedes realsozialistischen Wirtschaftssystems wurde im Falle der DDR noch erheblich durch den Umstand ihrer unmittelbaren Nachbarschaft zur Bundesrepublik Deutschland gesteigert. Das bloße *Dasein* der Bundesrepublik, nicht in erster Linie ihre nicht unerheblichen, wenn auch eher abnehmenden feindlichen *Strategien*, war für das politisch-ökonomische System der DDR eine Gefahr. Die Bedrohung bestand darin, daß jeder DDR-Bürger jederzeit den Status eines Bürgers in der Rechts-, Sprach- und Kulturgemeinschaft der Bundesrepublik in Anspruch nehmen konnte, wenn er es wünschte und ihm die Überwindung von Mauer und Stacheldraht gelang. Die Präsenz der elektronischen Medien der Bundesrepublik auf fast dem gesamten Territorium der DDR sorgte im übrigen dafür, daß über Rundfunk und Fernsehen westliche Konsum- und Lebensmodelle unkontrolliert in das Denken und die Wünsche der DDR-Bürger Eingang finden konnten. Dies hat in gewissem (wenn wohl auch erstaunlich geringem) Maße dazu beigetragen, das Verlangen nach mehr Partizipation und *voice* in der DDR-Bevölkerung zu stimulieren; umgekehrt hat es den Staatsapparat der DDR veranlaßt, durch forcierten Ausbau seiner Organe der Überwachung, Kontrolle und Manipulation in ein gigantisches System der *Surplus-Repression* zu investieren.

Je größer der Umfang der aus diesen Gründen und in dieser Umwelt *erforderlichen* (oder für erforderlich nur gehaltenen) Repression, desto größer das Risiko für den Bestand des Systems, wenn der Repressionsapparat versagt. Dies kann aus zwei Gründen geschehen. Zum einen kann der Repressionsapparat versagen, wenn seine Tätigkeit ein solches Maß an Erbitterung und Empörung der Bevölkerung hervorruft, daß noch mehr Repression zur Kontrolle dieser Repressionsfolgen nicht mehr zur Verfügung steht. Dann bricht der Repressionsapparat wegen Selbstüberlastung zusammen. Dieses Szenario paßt schlecht zu den Vorgängen in der DDR. Viel besser paßt ein anderes: Aus äußerlichen, zufälligen und unvorhersehbaren Gründen läßt die Aktionsfähigkeit des Repressionsapparates plötzlich so sehr nach, daß ein begrenztes und vergleichsweise »harmloses« Potential an Opposition und Widerstand in der Bevölkerung verheerende Folgen für die Stabilität des Systems auslösen kann. Das ist ganz eindeutig der Verlauf, den der Wandel in der DDR nahm.

Welches waren die Gründe, die den Repressionsapparat der DDR im Herbst 1989 außer Funktion setzen? Sie waren sämtlich außenpolitischer Natur, d. h., sie hatten nichts zu tun etwa mit einer liberalen Öffnung der Politik der DDR oder einem inneren Zerfall des Repressionsapparates. Unmittelbar ausschlaggebend war vielmehr die Unfähigkeit und Unwilligkeit der ungarischen Regierung, diejenigen DDR-Bürger, die (zunächst) als Urlauber in diesem Land weilten, an der Ausreise in die Bundesrepublik zu hindern. Ein zweiter Faktor war die klar voraussehbare Weigerung der von der Politik der *perestroika* erfaßten Sowjetunion, eine Repressionspolitik, wie sie zuletzt 1968 im Namen der Breschnew-Doktrin gegen die tschechoslowakische Bevölkerung verübt worden war, durch »brüderliche Hilfe« militärisch oder auch nur politisch zu unterstützen. Die Undenkbarkeit einer solchen Gewalt-Eskalation war (außer in Rumänien) drittens auch durch das erschreckende und weltweit verurteilte Negativ-Vorbild des Massakers mitbedingt, das die chinesische Führung im Juni 1989 an der Demokratie-Bewegung in Peking verübt hatte.

Eine solche Demokratie-Bewegung trat in der DDR erst zutage, als der Zusammenbruch der Repressionsfähigkeit des Regimes bereits in vollem Gange war und sich die Bürgerbewegung mithin relativ gefahrlos entfalten konnte. Nicht sie besiegte den Staatsapparat, sondern umgekehrt ermutigte die sichtbare Schwächung des Staatsapparates ihr Entstehen. Bis dahin hatte es in der DDR, anders als vor allem in Polen und Ungarn, in den achtziger Jahren nur schwache Ansätze für Oppositionsbewegungen gegeben. Sie bestanden aus kirchlichen Gruppen, Intellektuellen, Künstlern und Angehörigen der Professionen (Naturwissenschaftler, Ärzte, Anwälte), aus deren Kreise auch die politische Elite der Übergangsperiode des Jahres 1990 stammte. Deren wichtigste Oppositionsthemen waren Bürger- und Menschenrechte, Frieden und Abrüstung sowie ökologische Themen. Nach Inhalt und sozialer Basis, auch nach ihrer Organisations- und Aktionsform waren Anknüpfungen an die Politik der neuen sozialen Bewegungen, wie sie in Westeuropa in den siebziger und achtziger Jahren entstanden waren, unübersehbar. Anders als die polnische Solidarność-Bewegung beschränkten sich diese städtischen Protestbewegungen auf relativ primitive organisatorische Formen und führten jedenfalls nicht zur Bildung oppositioneller Parteien oder Gewerkschaften. Eine auffallend geringe Rolle spielten die Sozial- und Geisteswissenschaftler. Die Bürgerrechts- und Protestgruppen, die sich vor dem Herbst 1989 gebildet hatten, waren auch nicht in der Lage, mit ihren Themen und Taktiken bei Teilen der Industriearbeiterschaft, bei der Landbevölkerung oder gar bei Gruppierungen in Partei oder Staatsapparat Sympathie oder Unterstützung zu finden. Repräsentanten der literarischen Intelligenz fehlten in ihren Rängen fast völlig: für ein Pendant zu Vaclav Havel in der ČSSR gab es in der DDR geradezu strukturell keinen Raum – eben deswegen, weil es keine eigene »nationale Sprache« gab und deswegen oppositionelle Schriftsteller entweder längst den Weg in die Bundesrepublik gefunden hatten oder aber durch die ihnen gewährten Privilegien und Kooptationsbemühungen des Regimes so diskreditiert waren, daß jeder Versuch von ihrer Seite, sich nun an die Spitze der Bürgerrechtsbewegung zu setzen, ebenso peinlich wie aussichtslos gewesen wäre. In den Künsten hat interessanterweise nicht die Literatur mit ihrer sonst überall zutage tretenden Affinität zu Politik und öffentlicher Rede, sondern die Musik und z. T. die Malerei eine oppositionelle Rolle gespielt.

Die Schwäche der demokratisch-revolutionären Oppositionskräfte wird nicht nur durch ihr spätes Auftauchen, sondern nicht weniger durch ihren frühen Untergang belegt. Insgesamt repräsentierten sie eine kurzlebige und politisch aussichtslose Minderheitenposition, die zwar unter der unerwartet eingetretenen Bedingung der Schwäche des Repressionsapparates für wenige Wochen stark genug war, die Umwälzung voranzutreiben und zu rationalisieren, aber viel zu schwach, um sie zu führen oder ihre Ergebnisse mitzugestalten. Bedingung ihres Erfolges war zunächst, daß sie sich mehr oder weniger vage zu einer Spielart des »Sozialismus« bekannten und insofern von den zerfallenden Repressionsapparaten nicht ohne weiteres als »feindliche« Kräfte gebrandmarkt werden konnten. Aber nirgends ist es – bevor es zu spät war – zu einer Formulierung der politischen und institutionellen Konturen eines die Bürgerrechte und die Demokratieforderungen respektierenden Modells des Sozialismus gekommen, das als Weisung für einen »Dritten Weg« eine Rolle hätte spielen können.

Nicht der demokratische Protest und das Verlangen des Volkes nach Freiheit und Demokratie besiegelten das Ende der DDR, sondern der Wunsch nach wirtschaftlichem Wohlstand und, auf dessen Spuren, die massenhafte Abwanderung der Menschen durch die seit dem 9. November 1989 nicht mehr wirksamen Sperranlagen. Die DDR-Revolution war eine »Exit-Revolution«, keine »Voice-Revolution«. Nicht siegreicher *kollektiver* Kampf um eine neue *politische* Ordnung führte zum Ende des Staates der DDR, sondern die massenhafte und plötzlich nicht mehr aufhaltbare *individuelle* Abwanderung zerstörte seine *ökonomische* Basis.

Wie es *politisch* weitergehen sollte, welche Traditionen und Institutionen der DDR vielleicht erhalten bleiben könnten, welche Verfassungsordnung, welche Parteien, welche territoriale Organisation das Gebiet der DDR künftig erhalten sollten – alle diese Fragen wurden faktisch der westdeutschen Regierung zur Entscheidung anheimgestellt, nachdem ein Entwurf einer neuen Verfassung, der von Vertretern der Bürgerbewegungen (des »Runden Tisches«) vorgelegt worden war, vom neugewählten Parlament der DDR im April 1990 nicht einmal beraten wurde. Das Volk der DDR wurde nicht gefragt und drängte sich mit einer eigenen Antwort nicht vor – wenn nur die Teilhabe am westdeutschen Wohlstand als Inbegriff der Hoffnung auf eine bessere Zukunft erhalten blieb. Darin liegt eine politisch-moralische Unterforderung der DDR-Bevölkerung: Sie stand nicht da als Sieger einer Revolution, sondern als Konkursmasse unter neuem Management. So brauchte sie Übergang nicht selbst zustande zu bringen, sondern konnte sich darauf verlassen, daß dieser von der westdeutschen Regierung (schon aufgrund der für diese bestehenden grundgesetzlichen Verpflichtung zur Wiedervereinigung) irgendwie ins Werk gesetzt werde. Dementsprechend widerstandslos, ja passiv-fatalistisch wurde hingenommen, daß zunächst das westdeutsche Parteiensystem und dann in schneller Folge die Währung, die Wirtschafts- und Sozialordnung und schließlich das Privat- und Verfassungsrecht der Bundesrepublik deren neugewonnenem Ost-Territorium übergestülpt wurde.

Wie weit die DDR davon entfernt geblieben war, eine »sozialistische *Nation*« mit eigenem kollektiven Selbstbewußtsein und politischer Kultur zu werden, das zeigte sich an dem Fehlen einer eigenen Stimme der DDR im Prozeß der Vereinigung beider Staaten. Eine respektwürdige und bewahrenswerte eigene Tradition war in der DDR schlechterdings nicht zu entdecken. Anfängliche Versuche, kulturelle und politische Eigentümlichkeiten oder Errungenschaften der DDR ausfindig zu machen, stellten sich bald als unergiebig heraus. Allenfalls stieß man auf optische Täuschungen: Was man als »DDR-Identität« hätte in Anspruch nehmen können (z. B. eine Kultur der Hilfsbereitschaft und Bescheidenheit in einer Gesellschaft von »Nischen« und Versorgungsengpässen), stellte sich als Artefakt des autoritär-bürokratischen Regimes von Parteimonopol und Kommandowirtschaft heraus. Solche Artefakte begannen bald, sich zugleich mit den ökonomischen und politischen Strukturen aufzulösen, denen sie sich als Folge und Reaktionsbildung verdanken.

Statt mit der Frage bewahrenswerter Traditionen beschäftigten sich die frisch installierten politischen Eliten damit, sich in einem entschlossenen Akt der Selbstauslieferung in Begriffswelt und Stil der Bonner Politik imitierend einzugewöhnen, während die oppositionellen Bewegungen des Winters sich rückwärtsblickend daranmachten, die DDR-Geschichte zu »bewältigen« und den massiven Umfang der Sicherheitsapparate und ihrer Praxis der systematischen Verletzung von Menschen- und Bürgerrechten aufzudecken. Das einzige, was die Opposition in den Einigungsprozeß mitbrachte, war das Leiden an ihrer eigenen Geschichte. Aus diesem Leiden waren jedoch – anders als beim antifaschistischen Widerstand nach 1945 – keine Entwürfe für die politische Zukunft des Landes zu gewinnen; denn es stand ja außer Frage, daß das Regime des Partei- und Staatssicherheitsapparates erledigt war und gegen seine Restauration sich besondere Vorkehrungen erübrigten. So blieb die Klage über massenhaft verübtes Unrecht politisch steril; sie brachte – abgesehen vom Verfassungsentwurf des »Runden Tisches«, der dann freilich im freigewählten Parlament der DDR nicht einmal mehr zur Beratung zugelassen wurde und übrigens nur unter maßgeblicher Mitwirkung westdeutscher linker Intellektueller entstehen konnte – keine programmatische Initiative hervor. Den einzigen Kontrast zu dieser Sterilität der Eliten und der Intellektuellen in der DDR bildete die personell und programmatisch erneuerte ehemalige Staatspartei SED, die sich nun in die »Partei des demokratischen Sozialismus« (PDS) umbenannte. Sie hat allerdings bis heute weder ihr diskreditierendes Erbe so weit abgeschüttelt, noch überzeugende politische Perspektiven so erfolgreich vermittelt, daß man ihr eine politische Zukunft im vereinigten Deutschland voraussagen könnte.

Die in den vierzig Jahren ihrer Geschichte zunehmende relative Stabilität der DDR *und* ihr plötzlicher Zusammenbruch sind gleichermaßen durch *ökonomische* Kategorien der Integration bzw. der Desintegration bestimmt. Die DDR war stabil, weil sie durch Abriegelung nach außen und durch innere Repression ihr Produktionssystem so weit ausbauen konnte, daß sie der Gesellschaft ein ausreichendes Konsumniveau und ein hohes Maß an sozialer Sicherheit bieten konnte. Sie brach aus dem kontingenten Grund zusammen, daß die entscheidende »Produktivkraft Repression« plötzlich nicht mehr wirksam zur Verfügung stand. Die DDR konnte nicht auf das Bindemittel einer »nationalen Identität«, und ebenso wenig auf das einer eigenen politischen Legitimität zurückgreifen, um eine Ersatz-Loyalität aufzubieten und so den Zerfall aufzuhalten. Umgekehrt war dieser Zerfall nicht von einem *Willen* zur nationalen Einheit herbeigeführt und auch nicht maßgeblich von den *Intentionen* der kurzlebigen demokratisch-revolutionären Volksbewegung, die eher Produkt als Ursache des Zerfalls war. Meine These ist deshalb, daß der dramatische und völlig unerwartete Wandel der DDR überhaupt nicht in Kategorien des »Willens« zu verstehen ist (und auch nicht in denen einer historischen Logik langfristig sich zuspitzender innerer »Widersprüche«), sondern in der Kategorie eines historischen »Zufalls« und der von ihm ausgelösten Kettenreaktion.

War es ein *»glücklicher«* Zufall? Das gilt gewiß für das unmittelbare Ergebnis, daß eine große Bevölkerung nun an den liberaldemokratischen Rechtsgütern teilhat, die ihr bisher versagt waren. Eine positive Bewertung verdient auch die von Michail Gorbatschow vorangetriebene Politik der Entspannung, die eine notwendige Voraussetzung für den Zerfall des Regimes war. Aber das Urteil ist ungewiß im Hinblick auf die inneren Spannungen und die politisch-gesellschaftliche Dynamik einer zugleich nach-sozialistischen und gesamtdeutschen Formation. Zu fragen ist, ob *diese* Formation über die inneren Integrations- und Kohäsionskräfte verfügt, an deren Fehlen die DDR zugrunde gegangen ist.

Ich habe oben auf das Syndrom des »Eliten-Nationalismus« hingewiesen: Die politischen Führungsgruppen in Deutschland, nicht nur die Bonner Regierung, haben als sinngebenden Bezugspunkt für die forcierte Reorganisation und Eingliederung der DDR das »Glück« der nationalen Einheit ausgegeben. Sie bringen damit keineswegs eine in der Bevölkerung tatsächlich vorherrschende Gefühlslage *zum Ausdruck*, sondern sind gerade umgekehrt bemüht, das nationale Motiv *zur Erzeugung* jener Akzeptanz zu funktionalisieren, ohne die das Management der aktuellen Probleme nicht gelingen kann.

Es ist kein Wunder, daß die »Pflicht zum Opfer aus nationaler

Solidarität« eine Norm ist, deren Anerkennung von wirtschaftlichen Interessen gestärkt oder geschwächt werden kann. Im Sommer 1990 sprachen sich bei Meinungsumfragen 78 Prozent der Bewohner der DDR eindeutig *für* diese Norm aus, während ihr 73 Prozent der Bewohner der Bundesrepublik *nicht* zustimmten. Die Solidarität und das Gefühl der nationalen Zusammengehörigkeit, die da von den politischen Eliten eingeklagt werden, stoßen offensichtlich auf sozialstrukturelle Grenzen. Die Bevölkerung der Bundesrepublik ist fast viermal so groß wie die der DDR; sie ist wesentlich wohlhabender und wird es auf lange Zeit bleiben; sie ist wesentlich stärker von den beiden christlichen Konfessionen bestimmt als die mehrheitlich »atheistische« (und im übrigen vorwiegend protestantische) Bevölkerung der DDR; und außerdem erlauben es regionale Dialekte der deutschen Sprache, fast jeden Sprecher nahezu eindeutig danach einzuordnen, ob er aus dem ehemaligen DDR-Gebiet kommt oder nicht.

Diese Gegensätze werden als Folge der Einheit sichtbarer werden, und neue Verteilungskonflikte zwischen den beiden Teil-Territorien werden hinzukommen. Auf beiden Seiten wird es deutlich Verlierer und Gewinner der Vereinigung geben. Das Ergebnis werden gravierende Spaltungslinien innerhalb der gesamtdeutschen Gesellschaft sein, die durch einen moderierten Eliten-Nationalismus kaum zu überbrücken sein werden. Das Integrationsmittel des nationalen Gefühls und der nationalen Pflicht kann deshalb, wenn es wirksam bleiben soll, leicht in eine Eskalationslogik geraten und nach immer höherer Dosierung verlangen.

Aber auch ohne eine solche Eskalation ist das »nationale Gefühl« ungeeignet zur Bewältigung der Folgekonflikte der Integration. Die sinnstiftende Bezugnahme auf die »Gesamtheit der Deutschen« generiert zwangsläufig ebenso viele Konflikte, wie sie im günstigsten Falle lösen kann. Dies zunächst deswegen, weil nicht *alle* Menschen deutscher Identität innerhalb der Grenzen des vereinigten Deutschland leben. In diesem Umstand werden die Polen, trotz aller vertraglichen Zusicherungen, eine fortdauernde Gefahr sehen und die nationale Rechte in der Bundesrepublik eine ebenso fortdauernde Ermutigung, Ansprüche auf den »deutschen Osten« anzumelden. Konfliktstoff ergibt sich auch aus dem umgekehrten Sachverhalt: Nicht alle Menschen, die in Deutschland wohnen, *haben* eine deutsche Identität, sondern stammen – in vielen Großstädten zu mehr als 10 Prozent der Wohnbevölkerung – aus den Mittelmeerländern; hinzu kommt eine wachsende Zahl von Ausländern ohne Aufenthaltsgenehmigung und von Asylbewerbern. Je stärker die deutsche Innenpolitik unter den Leitstern der »nationalen Einheit« gerät, desto bedrohter werden die materiellen Lebensbedingungen, die politischen Rechte und die kulturellen Chancen auf alltägliche Anerkennung für die nicht-deutsche Bevölkerung insgesamt.

Drittens wird mit der Konzentration auf die gewaltigen Folgeprobleme der »nationalen Einheit« mit großer Wahrscheinlichkeit ein entsprechender Bedeutungsverlust aller »nicht-deutschen«, aller nicht nur nationalen Angelegenheiten und Zuständigkeiten der Politik deutscher Regierungen einhergehen. Der neugesetzten Priorität der deutschen Binnen-Perspektive können Aufgaben wie die Hilfe für die Dritte Welt, globale ökologische Probleme, die Unterstützung der übrigen osteuropäischen Länder und darüber hinaus alle »nicht-produktivistischen« Themen leicht zum Opfer fallen. Das würde erst recht für den Fall gelten, daß unter den ökonomischen Ungewißheiten des entstehenden gemeinsamen Marktes der Versuch *nicht* vollauf gelänge, ein (diesmal gesamtdeutsches) »neues Wirtschaftswunder« auszulösen, und deshalb jene Ressourcen für die *ökonomische* Integration des neuen Gesamtstaates nicht zur Verfügung stünden, auf die er wegen des Fehlens einer soliden *national-kulturellen* wie auch einer *demokratisch-revolutionären* Fundierung der Einheit besonders dringlich angewiesen wäre.

Seit ihrem Anfang hat die Bundesrepublik ihre Identität und ihren bemerkenswert robusten inneren Zusammenhalt aus dem gezogen, was man als institutionalisiertes Überlegenheitsgefühl beschreiben könnte. Was ihre am Vorbild der westlichen Demokratien gewonnene politische und konstitutionelle Ordnung der *liberalen Demokratie* angeht, so wurde diese Überlegenheit gegenüber der »totalitären« Ordnung der eigenen nationalsozialistischen Vergangenheit wie der osteuropäischen realsozialistischen Gegenwart reklamiert. Was ihre wirtschaftliche Ordnung und die Entwicklung der *sozialen Marktwirtschaft* angeht, so bietet die günstige Produktivitäts- und Wettbewerbsposition der Bundesrepublik gegenüber den anderen Industrieländern die Grundlage für ein hochentwickeltes kollektives Selbstbewußtsein der Westdeutschen. Diese beiden identitätsstiftenden Distinktionen könnten in der Zukunft in dem Maße an Kraft verlieren, in dem sich einerseits die Polarität der Blöcke und damit der erlebte Kontrast zu einem gegnerischen »totalitären« System auflöst und in dem andererseits angesichts der weltwirtschaftlichen Turbulenzen, der Ungewißheiten der europäischen Integration und der osteuropäischen wirtschaftlichen Herausforderungen die dominante wirtschaftliche Position Deutschlands und seines hochentwickelten Wohlfahrtsstaates von den Bürgern als prekär erlebt wird. In einer solchen Situation würde sich, und zwar auch auf der Ebene des Massenbewußtseins, der Rückfall auf den »nationalen« Modus der sozialen und politischen Integration anbieten, und die oben genannten negativen Konsequenzen des »Eliten-Nationalismus« könnten sich erheblich verschärfen.

Der Verzicht darauf, die Vereinigung der beiden deutschen Staaten durch einen förmlichen Prozeß der Verfassungsgebung zu vollziehen, erzeugt Ausgangsbedingungen, unter denen dieser Gefahr des Rückfalls in ein nationalistisches Modell der Integration zumindest weniger leicht begegnet werden kann, als es mit einer neuen und demokratisch beschlossenen Verfassung der Fall gewesen wäre. Bekanntlich ist das 1949 geschaffene Grundgesetz der Bundesrepublik Deutschland ein Provisorium. Die Demokratie, die es verfassungsrechtlich begründet, ist seinerzeit nicht durch einen förmlichen demokratischen Prozeß (z. B. Wahl einer verfassunggebenden Versammlung oder Volksabstimmung über den Verfassungstext) eingeführt worden. Das Grundgesetz bestimmt selbst in seinem abschließenden Artikel 146 die Bedingungen, unter denen es ungültig werden soll: nämlich an dem Tage, an dem das gesamte deutsche Volk in freier Entscheidung eine neue Verfassung beschlossen hat.

Zugleich enthält es jedoch in seinem Artikel 23 eine Bestimmung, nach der es einzelnen Teilen Deutschlands ermöglicht wird, durch *einseitige Beitrittserklärung* in den Geltungsbereich des Grundgesetzes aufgenommen zu werden. Eine solche Beitritterklärung ist der Weg, auf dem die ökonomisch zerfallende DDR tatsächlich zum 3. Oktober 1990 zum Bestandteil der Bundesrepublik Deutschland geworden ist. Das bedeutet nichts anderes, als daß – rechtlich und faktisch – weder die Bevölkerung der Bundesrepublik Deutschland noch die Bevölkerung der DDR jemals die Chance hatten, den so entstandenen neuen Verhältnissen ausdrücklich zuzustimmen – und das heißt: die daraus herrührenden Verpflichtungen und Belastungen in einer für die gemeinsame Zukunft und für alle Beteiligten verpflichtenden Weise *anzuerkennen*. Anders gesagt: Jeder Bürger, jede Interessengruppe, jede Gebietskörperschaft, jede politische Partei wird in jedem zukünftigen Konfliktfall mit gutem Recht die Position einnehmen können, daß die Bedingungen der Vereinigung der beiden deutschen Staaten im Herbst 1990 nichts anderes gewesen sei als eine vom Zwang unkontrollierbarer Umstände diktierte exekutive Notlösung, der mangels einer demokratischen Qualität und angesichts der völlig neuartigen Art der nun maßgeblichen politischen Kräfte und Probleme kaum eine verpflichtende Bindungswirkung zukommt. Der Sinn einer Verfassung besteht darin, dem Opportunismus dieser Art vorzubeugen: Eine Verfassung operiert im *futurum exactum* und erzeugt eine zukünftige Vergangenheit. Wenn es in den kommenden Jahren nicht gelingt, einen demokratischen Konstitutionsprozeß nachzuholen, dann wird kein Vorrat an jenen Kräften der Kohäsion zur Verfügung stehen, der in anderen westlichen Demokratien unter Berufung auf die verpflichtende Wirkung eines revolutionären Akts der Gründung des Gemeinwesens und die von ihm ausstrahlende Tradition und Legitimität mobilisiert werden kann.

Dabei wird gleichzeitig der *Bedarf* an solchen Kohäsivkräften zweifellos steigen. Alles spricht dafür, daß der selbstgerechte Triumph der Konservativen und Liberalen darüber, nun mit ihrem Glauben an die Überlegenheit der kapitalistischen Markt- und Eigentumsordnung von der Geschichte unwiderruflich ins Recht gesetzt worden zu sein, außerordentlich kurzlebig sein wird. Triumphgefühle retardieren zwar das Lernvermögen; doch werden die in den kapitalistischen Ländern selbst ungelösten Probleme der Arbeit und Beschäftigung, der Beziehungen der Geschlechter, der Generationen und der ethnischen Gruppen, der sozialen Gerechtigkeit und des verantwortlichen Umgangs mit natürlichen Ressourcen durch den Zusammenbruch des osteuropäischen Staatssozialismus' keinen Zentimeter in Richtung auf eine Lösung voranbewegt. Im Gegenteil, die Probleme werden sich qualitativ und quantitativ potenzieren. Der irreal und unproduktiv gewordene Gegensatz zwischen dem »kapitalistischen« und dem »sozialistischen« Block gelangt an ein Ende, das jedoch zugleich den Anfang einer *inner*kapitalistischen Dynamik von Konflikten und Widersprüchen markiert, denen mit den bisher probaten Mitteln des wirtschaftlichen Wachstums und der wohlfahrtsstaatlichen Befriedung allein nicht mehr beizukommen sein wird. Auf allen Lebensgebieten zeichnen sich Entwicklungen ab, deren Ursachen ebensowenig kontrollierbar sind, wie ihre Folgen erträglich sein werden. Als vergleichsweise harmloses Beispiel sei nur die prognostizierte Steigerung der Automobilisierung in Osteuropa um den Faktor fünf innerhalb der nächsten zehn Jahre genannt – ein ökologischer Alptraum, der von dem Alptraum explosiver ethnischer Partikularismen in einem von Migrationsbarrieren freigeräumten geographischen Großraum noch übertroffen wird.

Die gegenwärtige Konjunktur markt-liberaler und national-konservativer politischer Kräfte, die den Ereignissen der Jahre 1989 und 1990 einen gewaltigen ideologischen und wahlpolitischen *windfall profit* verdanken, geht in West- *wie* in Osteuropa einher mit einer entsprechenden Schwächung und Diskreditierung der politischen Linken – keineswegs nur der kommunistischen. Es sieht heute nicht so aus, als ob es den osteuropäischen Gesellschaften gelänge, rationale Elemente der politischen Regulierung aus ihren bisherigen Regimes der autoritären Bevormundung der Gesellschaft durch Staat und Partei in ihre neue Entwicklungsphase hinein zu übernehmen. Im Gegenteil: Es wäre nicht überraschend, wenn in Mittel- und Osteuropa jene schrillen Stimmen einer rücksichtslos besitzindividualistischen, chauvinistischen und partikularistischen Reaktion bald die Szene beherrschen würden, die auf dem übrigen europäischen Kontinent seit vierzig Jahren weithin zum Schweigen gebracht worden sind – eine osteuropäische Spielart des Thatcherismus. Falls es nicht gelingt, die akute Schwäche der demokratischen Linken – der Sozialdemokraten, der Sozialisten, der Ökologen und der sozialen Bewegungen in den westlichen Demokratien – zu überwinden, dann könnte daran nicht nur die Konstruktion eines den veränderten Verhältnissen adäquaten neuen »Sozialvertrages«, sondern selbst die Verteidigung der in Westeuropa bisher schon praktizierten Formen der politischen und ökonomischen Regulierung scheitern. So gehört heute viel Optimismus dazu, wenn man dem in einer historischen Minute neu entstandenen deutschen Einheitsstaat die Lernfähigkeit attestieren wollte, die erforderlich sein wird, um die Einheit nicht nur auf prekäres Wachstum und kurzlebigen nationalen Enthusiasmus, sondern auf adäquate und verpflichtende Verfassungsprinzipien einer demokratischen Republik zu gründen.

Randall Collins/David Waller
Der Zusammenbruch von Staaten und die Revolutionen im sowjetischen Block: Welche Theorien machten zutreffende Voraussagen?[1]

Der revolutionäre Zusammenbruch der Regimes sowjetischen Typs in Osteuropa im Herbst und Winter 1989/90 wurde von den meisten Beobachtern seinerzeit als eine überraschende und unvorhersehbare Folge von Ereignissen betrachtet. Seitdem sind Journalisten und Sozialwissenschaftler mit nachgeschobenen Erklärungen in die Bresche gesprungen; und es ist nun eine allgemein verbreitete Ansicht, daß der sowjetische Block wirtschaftlich schwach war, ideologisch unter Legitimationsverlust litt und daher reif war, der überlegenen westlichen, kapitalistisch-demokratischen Lebensweise anheimzufallen. Doch noch bis zum Ende der achtziger Jahre war dies keineswegs die vorherrschende Einschätzung der Lage. Liegt hier ein weiteres Beispiel für die Unbeständigkeit der öffentlichen Meinung und die Unfähigkeit der Sozialwissenschaften vor, sozialen Wandel anders als extrem situationsgebunden zu erklären?

Wir sind da anderer Meinung. Der Zusammenbruch des sowjetischen Blocks war nicht unvorhersehbar; tatsächlich wurde er bereits etwa 10 Jahre zuvor auf der Grundlage sozialwissenschaftlicher Theorien ausdrücklich vorausgesagt. Es gab andere Theorien, aus denen prinzipiell die Voraussage des sowjetischen Zusammenbruchs hervorgehen hätte sollen, die jedoch falsch angewendet wurden. Wieder andere Theorien waren natürlich einfach falsch. Die daraus zu ziehende angemessene Lehre ist, daß einige Theorien besser sind als andere und daß einige Theorien, obwohl sie ihre Stärken haben, falsch angewendet werden, weil der Theoretiker durch die ideologische Stimmung der Zeit ins Wanken gebracht wird. Eine nüchterne Analyse der Muster sozialen Wandels, einschließlich zukünftiger Veränderungen, ist möglich; was man dazu braucht, ist eine Theorie, die die wichtigsten kausalen Antriebskräfte isoliert hat. In diesem Falle werden jene Antriebskräfte hauptsächlich durch Aspekte der geopolitischen Theorie, ergänzt durch eine Theorie der sozialen Bewegungen, abgedeckt. Da ja der soziale Wandel im sowjetischen Block noch nicht endgültig abgeschlossen ist, gibt es noch immer Bedarf an Zukunftsprognosen; und es dürfte deutlich sein, daß Grundsätze der Geopolitik und der Theorie sozialer Bewegungen eine herausragende Rolle bei unseren ständigen Vorausdeutungen spielen sollten.

Ausdrückliche Vorhersagen des sowjetischen Zusammenbruchs

Hélène d'Encausse publizierte 1979 das Buch *Decline of an Empire: the Soviet Republics in Revolt*. In ihrer Argumentation, die eher auf die UdSSR selbst als auf das zu ihr gehörende Reich zielte, hob sie hervor, daß die Sowjetunion der Nachfolgestaat eines Reiches ist, das die Russen durch die Unterwerfung benachbarter ethnischer Gruppen errichtet hatten; daß aufgrund der sowjetischen Politik der kulturellen Autonomie ethnische Identitäten bewahrt wurden, während zugleich die Privilegien der russischen Volksangehörigen Feindseligkeiten zwischen den Gruppen nährten; und daß demographische Tendenzen – bloße Bestandserhaltung bei den Russen zusammen mit einer Bevölkerungsexplosion bei den zentralasiatischen Völkern – einen Zeitpunkt zu Anfang des 21. Jahrhunderts erahnen lassen, zu dem die Russen (die bereits in den siebziger Jahren auf 52% zurückfielen) eine ethnische Minderheit darstellen werden, die über eine zunehmend unbotmäßige, nichtrussische Mehrheit herrschen wird. Zwar war diese Argumentation nicht sehr von Theorien geleitet, doch kann man in ihr eine Art von Theorie der Ressourcenmobilisierung erkennen, verbunden mit einer auf Fakten beruhenden Extrapolierung von Tendenzen, die die Russen wahrscheinlich zunehmend schwächer werden lassen. Aus theoretischer Sicht ist diese Theorie unterdeterminiert, denn wir wissen allgemein, daß die Mobilisierung oppositioneller Bewegungen nicht genügt, um ein Zwangsregime zu stürzen; dies erfordert eine vorhergehende Krise des Staatsapparates selbst (Skocpol 1979). D'Encausses Version einer ethnischen Mobilisierungstheorie erfaßt einige Bestandteile der sowjetischen Krise, aber um ein vollständigeres Bild zu bekommen, brauchen wir eine geopolitische Theorie.

Im Jahre 1980 hielt Collins vor verschiedenen akademischen Kreisen einen Vortrag mit dem Titel *Der zukünftige Niedergang des russischen Reiches* (in der Folge in Collins 1986 veröffentlicht). Seine Argumentation bestand in einer Anwendung seiner Version der geopolitischen Theorie (Collins 1978), die in fünf Hauptprinzipien zusammengefaßt wird. Die ersten drei erklären das Wachstum oder den Niedergang territorialer Macht in einem längeren Zeitraum: (a) Staaten mit größeren wirtschaftlichen Ressourcen oder Bevölkerungen expandieren auf Kosten ärmerer und kleinerer Staaten; (b) Grenzländer, die nur in wenigen Himmelsrichtungen Konkurrenten haben, expandieren auf Kosten von Binnenländern, die von anderen umringt sind; (c) Binnenländer tendieren dazu, in kleinere Staaten zu zerfallen, in Abhängigkeit von den Manipulationen des Kräftegleichgewichts durch ihre Nachbarn. Die Auswirkungen dieser drei Prinzipien kumulieren und verstärken sich gegenseitig; die Großen werden größer und die Kleinen kleiner.

Doch diese kumulativen Prozesse setzen sich nicht unbegrenzt fort, weil schließlich noch zwei andere Prinzipien ins Spiel kommen: (d) Für einen Staat, der sich bei dem Versuch, Territorien zu kontrollieren, die weit von seinem Ausgangspunkt entfernt liegen, übermäßig ausgedehnt hat, wird die Ausübung seiner Macht immer kostspieliger, da er zunehmendem ideologischem Widerstand – vor allem von seiten unterworfener, vom Zentrum entfernter ethnischer Gruppen – begegnet. Ein Staat mit einer übermäßigen Ausdehnung erreicht zwangsläufig einen Punkt, an dem er örtliche Niederlagen an entfernten Grenzen erleidet. Wenn man nun hier das Webersche Prinzip einbringt, wonach die Legitimität einer politischen Elite nach innen von der Machtentfaltung ihres Staates nach außen abhängt (siehe Collins 1986, S. 145-166), kann man erwarten, daß ihre Macht dazu tendiert, sich mit einer größeren Geschwindigkeit aufzulösen als der, mit der sie wuchs. Im Extremfall kommt es im Gefolge schwerwiegender fiskalischer Probleme und einer Krise der Legitimität der übermäßigen Ausdehnung zu einem revolutionären Zusammenbruch der Herrschaft im Inneren.

Einen anderen Weg, auf dem Reiche zusammenbrechen, nennt das fünfte Prinzip: (e) Die kumulativen Auswirkungen der Ressourcenvorteile und der Grenzland-/Binnenland-Positionen reduzieren auf lange Sicht die Welt auf zwei konkurrierende Reiche, die das gesamte zwischen ihnen liegende Territorium an sich gebracht haben; in einer solchen historischen Periode kommt es zu einem Duell um die absolute Vorherrschaft, das mit beispielloser Grausamkeit und mit unerhörten Kosten ausgetragen wird. Solche Kriege führen im Normalfall zu gegenseitiger Erschöpfung und zum Heranwachsen neuer Großmächte an der Peripherie.

Collins leitete diese Prinzipien aus der Geschichte Chinas, des antiken Mittleren Ostens und Europas während der frühen Neuzeit ab. Ihre Anwendung auf die Lage der Sowjetunion und der Vereinigten Staaten am Ende des 20. Jahrhunderts hatte eine unerwartete, aber folgerichtige Voraussage zum Ergebnis: Rußland, das während seiner fünfhundertjährigen Expansion seit dem 15. Jahrhundert von allen geopolitischen Faktoren begünstigt war, hatte nun bis 1950 bei allen Faktoren negative Vorzeichen bekommen. Im Gegensatz dazu nahmen die USA bezüglich der meisten Faktoren eine relativ günstige Position ein.[2] Die UdSSR verfügte über weniger Ressourcen als ihre Feinde, und sie war zu einem Binnenland mit Feinden an vielen Grenzen geworden. Beide Faktoren ließen die Voraussage eines territorialen Niedergangs des sowjetischen Reiches zu. Die Tendenz zur Zerstückelung von Binnenstaaten weist nicht nur auf den Verlust des russischen Reiches, sondern auf seine schließliche Auflösung in kleine, instabile Staaten, die durch ihre stärkeren Nachbarn manipuliert werden. Für die übermäßige Ausdehnung finden sich zwei Belege: die wirtschaftlichen Kosten des Truppenunterhaltes über eine weite Entfernung bei der Konfrontation mit China, in Afghanistan sowie auch an den Grenzen im Mittleren Osten und in Osteuropa und die vielfältigen Schichten eroberter, ethnisch fremder Völker, die die äußeren Ränder des russischen Reiches ausmachen und die sich in ethnischer Feindseligkeit gegenüber der russischen Kontrolle bemerkbar machen. Wenn wir dies unter rein logistischen, wirtschaftlichen Aspekten betrachten, dann haben wir die Bestandteile zusammen für ein Skocpolsches Szenario (Skocpol 1979): einen staatlichen Zusammenbruch und eine Revolution aufgrund einer fiskalischen Krise wegen der militärischen Überrüstung. Wenn wir den Aspekt der Mobilisierung ethnischer Feindschaften betrachten, dann haben wir eine geopolitische Basis für die ethnischen Kämpfe, wie sie von d'Encausse (1979) prognostiziert wurden.

Bei jedem untersuchten geopolitischen Faktor zeigten die Voraussagen in dieselbe Richtung: Zusammenbruch des russischen

Reiches. Dies folgte auch aus dem letzten Prinzip: die Reduzierung der Welt auf zwei große Machtblöcke und das ruinöse Duell zwischen ihnen. Dieses Prinzip (das, so sei angemerkt, nicht auf der Basis des 20. Jahrhunderts, sondern als ein Rückschluß aus der Kumulation der Prinzipien a, b und c sowie älterer Beispiele aus der Geschichte Chinas, des Mittleren Ostens und Roms formuliert wurde) paßte zur alles beherrschenden Realität der Welt in der Mitte des 20. Jahrhunderts: dem Duell zwischen Kommunismus und Antikommunismus und ihrem atomaren Wettrüsten. Sogar die Möglichkeit eines tatsächlich stattfindenden Atomkrieges ist in diese Vorhersage eingeschlossen, denn sie behauptet, daß ein totaler Krieg üblicherweise beide Seiten zerstört und für die Überlebenden an der Peripherie ein Machtvakuum hinterläßt.

Mehrdeutigkeiten in der Voraussage

Obwohl Collins' Voraussage unzweideutig den Zerfall des Eroberungsreiches, das um den russischen Staat herum seit dem 15. Jahrhundert aufgebaut worden war, klarmachte, war sie in einigen wichtigen Hinsichten mehrdeutig. Sie sagte nicht voraus, welcher besondere Umstand die Ereignisse des Zusammenbruchs herbeiführen würde. Collins schlug ein Szenario vor, in dem gleichzeitig militärische Krisen oder Rebellionen an mehreren weit entfernten Fronten (z. B. in Ostasien und Osteuropa) in einer lokalen Niederlage enden würde, die den Anstoß zur Zersetzung des den Staat zusammenhaltenden Zwangsapparates geben würde. Natürlich stellte auch ein Atomkrieg einen Weg in den Niedergang dar mit fürchterlichen Konsequenzen für die übrige Welt. In Wirklichkeit entstanden die Ereignisse, die sich seit der Mitte der achtziger Jahre entwickelten, in erster Linie aus dem Zusammenspiel dreier Spannungsursachen in der UdSSR: der Kosten des atomaren Wettrüstens; der logistischen Kosten der übermäßigen Ausdehnung (der Unterhalt von Armeen an vielen Fronten, bei gleichzeitiger Kriegführung im unwegsamen Gelände Afghanistans gegen Truppen, die vom gegnerischen Block gut ausgerüstet wurden); und der Kosten der Aufrüstung der sowjetischen Marine. Letzteres ist ein anderer Aspekt der übermäßigen Ausdehnung, der an den Versuch der Franzosen im 18. Jahrhundert erinnert, sowohl eine maritime als auch eine territoriale Großmacht zu werden, was mit dem Zusammenbruch der Staatsfinanzen und mit der Revolution von 1789 endete (Kennedy 1987).

Die Krise der UdSSR in den späten achtziger Jahren präsentierte sich in erster Linie als Wirtschaftskrise, aber ihre Ursache waren militärische Ausgaben für schwer zu handhabende geopolitische Probleme. Der Grund, weshalb der Zusammenbruch des osteuropäischen Reiches nicht besonders blutig ausfiel, liegt in erster Linie darin, daß in diesen Jahren eine Sowjetführung auftauchte, deren Politik auf eine bewußte Verminderung von geopolitischen Risiken hinauslief. Gorbatschow kam dadurch an die Macht, daß die Fraktion, die den verheerenden Krieg in Afghanistan begonnen und weitergeführt hatte, in Ungnade gefallen war. Hier liegt die übliche Webersche Dynamik vor: Die während einer äußeren Niederlage amtierende Fraktion verliert an Legitimität und ihre Gegner im Inneren schaffen einen Durchbruch. Die Rolle der Person Gorbatschows bei alledem sollte nicht überbetont werden. Er war ein opportunistischer Politiker gewesen, und er kam an die Macht als Reaktion gegen die in Ungnade gefallene Fraktion der Befürworter hoher militärischer Ausgaben. Seine innenpolitischen Reformen waren zweifellos weder darauf gezielt, den Sozialismus abzubauen, noch die UdSSR im Inneren zu schwächen, aber sie beinhalteten eine bewußte Bereitschaft, die übermäßige geopolitische Ausdehnung zu beschneiden, sowohl durch die Reduzierung des atomaren Wettrüstens als auch durch die Aufgabe der Kontrolle über Osteuropa. Die Woge von Bewegungen gegen kommunistische Regimes, die lange Jahre Verbündete und Marionetten der Sowjetunion in Osteuropa gewesen waren, entstand genau zu dem Zeitpunkt, als sich das Bewußtsein verbreitete, die Russen seien gewillt, sich von ihren dortigen militärischen Positionen zu trennen. Dies ließ viele auf den fahrenden Zug springen, ein Phänomen, das in der Theorie sozialer Bewegungen wohlbekannt ist; sobald ein Umschlagspunkt erreicht war, kehrte sich die Massenbewegung in überwältigender Weise von den alten Zwangskoalitionen ab und verband sich mit deren Gegnern. Die sich überstürzenden Ereignisse des Winters 1989/90 waren alle von dem emotionalen Enthusiasmus begleitet, der typisch für jeden solchen Wechsel von Massenkoalitionen ist; aber dies stellt keine theoretische Überraschung dar. Es wäre viel überraschender für die Theorie sozialer Bewegungen gewesen, hätte der Wandel langsam, kühl und besonnen stattgefunden.

Die geopolitische Theorie hat also den Zusammenbruch des sowjetischen Reiches in Osteuropa insofern nicht vollständig vorausgesagt, als sie die relativ unblutige Form des Wandels nicht voraussah, die Tatsache, daß eine Reformfraktion den Zusammenbruch bewußt als eine Art Verlustabschreibung zulassen würde. Dies ist kein Verstoß gegen geopolitische Prinzipien; man sollte eher sagen, daß Gorbatschow, stillschweigend oder ausdrücklich, die geopolitischen Realitäten anerkannte, sich ihnen stellte und so die Kosten eines blutigeren Übergangs vermied. Die Theorie ließ auch in anderer Hinsicht nur eine unvollständige Vorhersage zu, nämlich was den Zeitpunkt des Zusammenbruchs betrifft. Collins (1978) bemerkte ausdrücklich, daß geopolitische Vorteile und Nachteile sich in Trends über eine Zeit von 30 bis 50 Jahren auf der Weltkarte bemerkbar machen; innerhalb dieses Zeitrahmens können nen einzelne Ereignisse als zufällig in Beziehung zum allgemeinen strukturellen Trend erscheinen.[3] Daher ist es vom Standpunkt der Geopolitik allein nicht möglich, eine längerfristige Voraussage darüber zu machen, in welchem Jahr oder Monat eine Krise ihre akute Phase erreichen wird. Es bleibt jedoch wichtig, den Langzeitrahmen im Gedächtnis zu behalten. Einzelne Umwälzungen erledigen ihre strukturelle Arbeit nicht auf einen Schlag. Der Zusammenbruch des sowjetischen Reiches in Osteuropa in den Jahren 1989/90 löschte einen Teil des russischen Reiches aus; aber das ist noch keine vollständige Erfüllung der Voraussage. Dies war: das letztliche Zerfallen des sowjetischen Territoriums in eine Anzahl kleinerer Staaten. Der Aufschwung separatistischer Bewegungen in vielen der an der Peripherie liegenden Unionsrepubliken in den Jahren 1990 und 1991 ist Teil dieses größeren Trends; aber die Abspaltung der Ukraine und der von Moslems bevölkerten zentralasiatischen Republiken von der UdSSR und die Zersplitterung der ausgedehnten russischen Republik selbst sind auch Teil der Voraussage. Dies ist ein Langzeitprozeß, der noch viele Drehungen und Windungen durchmachen kann; auf mittlere Sicht kann es sein, daß Gorbatschows Politik des Beschneidens von Verpflichtungen in Osteuropa es der UdSSR leichter macht, unter einem erneuerten autoritären Regime zusammenzuhalten. Dennoch sollte sich die geopolitische Langzeitvorhersage irgendwann im 21. Jahrhundert noch einlösen: der Zerfall des gesamten russischen Reiches.

Geopolitische Theorien, die die Voraussage verfehlten

Die von Collins verwendete geopolitische Theorie ist nur eine aus einer Familie solcher Theorien. Für die geopolitischen Prinzipien der logistischen Folgen einer übermäßigen Ausdehnung und des Grenzlandvorteils bezog sich Collins ausdrücklich auf Stinchcombe (1968) und McNeill (1963). Die Voraussage einer Revolution in der Folge fiskalischer Krisen wegen militärischer Belastungen ist eine Extrapolierung von Skocpol (1979) und wird durch eine Anzahl ähnlicher Analysen der militärischen Belastungen bei Zusammenbrüchen von Staaten erhärtet. Geopolitische Theorien sind während der achtziger Jahre zunehmend bedeutsam geworden; so dokumentiert Kennedy (1987) die Bedeutung des relativen Ressourcenvorteils für die Expansion eines Reiches sehr umfangreich und betont den Anteil der übermäßigen Ausdehnung am Niedergang solcher Reiche.

Und trotzdem haben die meisten Vertreter geopolitischer Theorien den sowjetischen Zusammenbruch nicht vorhergesagt. Wir sehen zwei Gründe für dieses Versäumnis: Entweder waren spezifische Versionen geopolitischer Theorie nicht auf die wichtigsten Prozesse hin orientiert; oder die Theorien benutzten zwar die richtigen Variablen, aber der Blick ihrer Anwender war durch ideologische Zeitströmungen getrübt.

Zur Kategorie der Theorien, die die zentralen Prozesse verfehlten, gehören die Theorien des Hegemoniewechsels und der Stabilität. Sie ließen weder den Zusammenbruch des sowjetischen Blocks noch die momentanen Schwierigkeiten innerhalb der Sowjetunion vorhersehen. Diese Theorien befassen sich in erster Linie mit Hegemonialzyklen im modernen Weltsystem (seit ungefähr 1500) und mit der momentanen oder zukünftigen Position der Vereinigten Staaten darin. Obwohl die Unterschiede zwischen diesen Theorien beträchtlich sind, sehen die meisten von ihnen die Sowjetunion als den hauptsächlichen Herausforderer der Position der Vereinigten Staaten in der Nachkriegszeit (siehe Gilpin 1981; Modelski 1987; Research Working Group 1979). Einige Theorien sagten auch voraus, daß die Sowjetunion der wahrscheinliche Gegner im nächsten Hegemonialkrieg sein werde. Trotzdem werde sie keinen Hegemonialstatus erreichen, weil ihre Führungsressourcen sich gemeinsam mit denen der USA erschöpfen würden, sogar dann, wenn sie siegreich bliebe (Modelski 1987).

Es ist eindeutig, daß die Sowjetunion die größte militärische Herausforderung an die USA in der Nachkriegszeit darstellte. Die Sowjetunion besaß auch ideologische und organisatorische Ressourcen, die, durch ihr Wirtschaftswachstum gestärkt, zu ihrem Erscheinungsbild als einem starken Staat beitrugen (Nye, 1990). In den späten achtziger Jahren sahen dann viele die militärische Dimension als primäre Basis für die Herausforderung amerikanischer Hegemonie durch die Sowjetunion; einige urteilten über die Sowjetunion, sie sei eine »eindimensionale Supermacht«. Viele Theoriegruppen, besonders solche, die sich an unmittelbar politischen Themen orientierten, konzentrierten sich auf das numerische Wachstum des sowjetischen Militärs, auf Fälle von territorialer Ausdehnung oder auf die sowjetische Unterstützung für die entfernten und sympathisierenden Regime ihres »äußeren« Reiches. Solche Sorgen über militärisches Wachstum, das strategische Wettrüsten und die Ausdehnung des sogenannten »äußeren« Reiches entstanden gemeinsam mit Sorgen über die einzigartige Lage der Sowjetunion auf der eurasischen Landmasse, über die mögliche Bedrohung, die dies für die übrige Welt bedeutete, und über verfügbare Strategien zur Eindämmung der empfundenen Bedrohung. Hier haben wir eine gestutzte Version geopolitischer Theorie vorliegen, die es versäumt, die relativen Ressourcen und Verantwortlichkeiten von Staaten in ihren Beziehungen zueinander zu behandeln; eingeengt durch die bloße Beschäftigung mit Hegemonie und Bedrohung verfehlt sie die Bewegungskräfte, durch die Staaten untergehen.

Andere geopolitische Theorien beschäftigten sich mit dem Verhältnis zwischen Wirtschaftswachstum, Militärausgaben und territorialer Expansion. Kennedy (1987) behauptet, Aufstieg und Niedergang von Staaten seien durch die ungleichmäßige geographische Verteilung von Ressourcen bestimmt. Expandierende Staaten tendieren dazu, so lange zu wachsen, bis die Verpflichtungen die Fähigkeiten übersteigen, sie zu erfüllen. Wenn dieser Punkt überschritten ist, wird der Staat unfähig, mit rivalisierenden Staaten Schritt zu halten oder die Ruhe im Inneren effektiv aufrechtzuerhalten.

Parker (1988) beschrieb – vor den Revolutionen von 1989 – die Sowjetunion als ein Reich mit Kontrollproblemen im Inneren infolge von Prozessen, die seine territoriale Expansion in Gang setzte. Insbesondere betrachtete Parker die Probleme politischer

Koordination, den Widerstand alter Kernbereiche gegen Herrschaftsansprüche und das Niveau des Nationalismus in den alten Kernregionen. Nach den »Revolutionen von 1989« identifiziert Parker (1991) vier Faktoren, die den Niedergang eines Hegemonialstaates wie der Sowjetunion herbeiführen könnten: 1. übermäßige Ausdehnung in feindliche Territorien hinein, die nicht effektiv kontrolliert werden können; 2. übermäßig ausgedehnte Einflußsphären außerhalb der Grenzen; 3. exzessive und nicht zu bewältigende Zentralisierung der politischen Kernregion und 4. eine Verlagerung des Schwerpunkts ökonomischer Macht vom Zentrum an die Peripherie. Parker (1991, S. 29) macht geltend, daß »[d]er prinzipielle Grund für den Zusammenbruch das Versagen der zentralen Kommandowirtschaft war, wie sie in der Sowjetunion und im ganzen Ostblock praktiziert wurde«. Es gibt eine kleine Veränderung in der Betonung zwischen diesen beiden Formulierungen; aber trotzdem bleibt Parker bei seiner Betonung der inneren Faktoren – Folgen der übermäßigen Ausdehnung – als erstem Grund für den Wandel.

Parkers Argumentation ähnelt sehr der Kennedys (1987), in der der innere Druck durch die finanziellen Kosten der übermäßigen territorialen Ausdehnung und ihre Konsequenzen für die innere Stabilität untersucht wurden. Parker und Kennedy ähneln sich in ihrer Betonung der politischen Kosten eines Reiches; sie ähneln sich auch darin, daß sie den Übergangsmoment, in dem territoriale Ausdehnung zur übermäßigen Ausdehnung wird, zu wenig theoretisch durchleuchten. Kennedy kümmerte sich mehr um die Zukunft der USA als Großmacht als um die Sowjetunion. Diese Sichtweise ließ ihn den relativen Niedergang der USA vor dem Niedergang der Sowjetunion voraussagen. Hier waren die Theorien »nahe dran«, aber sie versagten ganz einfach bei der korrekten Anwendung.

Eine Bestätigung der Modernisierungs- und Konvergenztheorien?

Um allen Theorien gerecht zu werden, die aus systematischen Gründen den sozialen Wandel der späten achtziger Jahre voraussagten, noch bevor er tatsächlich stattfand, müssen wir auch Theorien mit einschließen, die die Auffassung vertraten, der Wandel werde in Richtung des westlichen, demokratisch-kapitalistischen Modells gehen. Modernisierungstheorien dieser Art sind seit dem ideologischen Linksruck in den sechziger Jahren aus der Mode gekommen (obwohl sie vielleicht im Rechtstrend der neunziger Jahre ihr Comeback erleben werden); um fair zu sein, sollten wir alle Ideologie beiseite lassen und lediglich schauen, wie ihre Voraussagen abgeschnitten haben. Parsons' (1964) Theorie des langfristigen sozialen Wandels betrachtet demokratische Zusammenschlüsse als evolutionäre Universalien. Das grundlegende Argument für seine Position ist, daß in dem Maße, in dem eine Gesellschaft an Größe und Komplexität zunimmt, die Wichtigkeit effektiver politischer Organisation für ihre administrative Fähigkeit und für ihre Unterstützung einer universalistischen Rechtsordnung zunimmt. Eine sehr allgemeine Voraussage Parsons' (1964, S. 356) zur zukünftigen Instabilität totalitärer Organisationen ist in der folgenden Passage enthalten: »...[der Totalitarismus] wird sich als instabil erweisen und wird entweder Anpassungen vornehmen müssen, die allgemein in die Richtung von Wahldemokratien und pluralistischem Parteiensystem gehen, oder in allgemein weniger fortgeschrittene und politisch weniger effektive Organisationsformen ›zurückfallen‹ und nicht so schnell oder so weit vorankommen wie im anderen Falle zu erwarten wäre.«

Parsons legt sich also unzweideutig darauf fest, daß die Gesellschaften sowjetischen Modells sich schließlich in Demokratien nach westlichem Vorbild und obendrein – eben weil die Differenzierung der Wirtschaft vom Gemeinwesen zur Form des Privateigentums ein weiteres Kennzeichen evolutionären Fortschritts ist – dabei in kapitalistische Demokratien verwandeln werden. Falls nicht, seien sie zum Niedergang sowohl ihrer Macht als auch ihrer Produktivität verdammt. Wie die meisten Evolutionstheoretiker gab auch Parsons keinen spezifischen Zeitrahmen an, aber man muß zugeben, daß die Veränderungen in Osteuropa am Ende der achtziger Jahre mit seinen Voraussagen übereinstimmen.

Konvergenztheorien sind den gerade besprochenen Evolutionstheorien ähnlich. Forschungen über Industriegesellschaften sagten die Konvergenz des Ostens und des Westens in Industriestaaten gemischter Form voraus (siehe Galbraith 1967; Bell 1973). Wie Huntington und Brzezinski (1964) ausführen, nehmen die meisten Konvergenztheorien an, daß eine Seite die endgültige revolutionäre Verwandlung in das System der anderen erfährt. Auch das trifft auf die Ereignisse des Jahres 1989, soweit sie bisher gediehen sind, zu. Trotzdem meinen wir, daß der Fall doch zweideutiger ist als bei den Voraussagen der geopolitischen Theorie. Parsons sagte die weltweite Verbreitung von Demokratie und Kapitalismus voraus; Huntington, Galbraith u. a. sahen etwas Nebulöseres voraus, das Teile des bürokratischen Sozialismus mit Marktwirtschaft verbindet, und hegten weniger zuversichtliche Erwartungen für die Demokratie. Und für 1991 – dem Jahr, in dem wir dies schreiben – muß man sagen, daß wir keinerlei Sicherheit darüber haben, daß Osteuropa (ganz zu schweigen von der UdSSR) in demokratischen oder kapitalistischen Formen Ruhe gefunden hätte. Die sicherste Feststellung ist, daß Ostdeutschland so aussehen wird wie das demokratische und kapitalistische System Westdeutschlands; aber das hat weniger mit autonomen Trends in Richtung Konvergenz oder evolutionärer Auswahl zu tun als mit der nackten Tatsache der geopolitischen Einverleibung in den anderen Staat. Für Polen, Ungarn und die Tschechoslowakei läßt sich eine vernünftige Wette darauf abschließen, daß sie demokratischer und kapitalistischer werden, und sei es nur, weil sie wahrscheinlich in die Strukturen der Europäischen Gemeinschaft eingegliedert werden. Auf der anderen Seite kann es genausogut sein, daß die Balkanstaaten es nicht schaffen, demokratisch oder kapitalistisch zu werden. Die Konvergenz nach Huntington-Brzezinski ist weicher und vielleicht wahrscheinlicher. Aber – bezogen auf die strikte Form ihrer These –: Ist es wahrscheinlich, daß alle politischen Ökonomien der Welt die gleiche Struktur haben werden? Es kann durchaus sein, daß einige Staaten sich bei einer Mischung von Sozialismus und Kapitalismus stabilisieren werden, aber es wäre doch wohl eine voreilige Voraussage, die USA würden in den neunziger Jahren stark zur sozialistischen Seite hin konvergieren.

Die geopolitischen Voraussagen sind konkreter, nüchterner und nirgendwo annähernd so zuversichtlich. Ihre Voraussage ist, daß das sowjetische Reich zerfallen wird; weil dies nur zu einem Teil geschehen ist, sollte man erwarten, daß der Zerfall noch weitergeht. Die Theorie sagt nichts darüber aus, welche Wirtschafts- oder Regierungsform folgen wird. Wenn man ein Webersches Prinzip der Legitimation politischer Parteien durch das Machtprestige des unter ihrer Herrschaft stehenden Staates hinzufügt, dann können wir eine kurzfristige Voraussage wagen: Wer auch immer sich zum Zeitpunkt des Zusammenbruchs der geopolitischen Position eines Staates im Amt befindet, wird für sein ideologisches Programm die Legitimation verlieren. Somit ist es das geopolitische Scheitern der UdSSR, was den Sozialismus diskreditiert hat, nicht die immanenten Mängel des ökonomischen Systems selbst; in derselben Weise diskreditierte das geopolitische Versagen des zaristischen Reiches die modernisierenden Kapitalisten, die zu dieser Zeit an der Macht waren. Es ist im Bereich des Möglichen, daß jede pro-kapitalistische Fraktion, die die Macht über die auseinanderfallenden Teilstücke des alten russischen Reiches erlangt, ihrerseits delegitimiert werden wird, wenn ihre geopolitische Position weiter zusammenbricht; man kann sagen, daß dies das Schicksal der Gorbatschow-Fraktion in den späten achtziger Jahren war. Daher wäre eine bessere langfristige Voraussage statt eines stabilen Kapitalismus oder stabilen Sozialismus eine Abfolge von scheiternden Wirtschaftsprogrammen, solange die geopolitische Position des alten russischen Reiches instabil bleibt.

Eine Diskussion der theoretischen Grundlagen, die für eine Voraussage der Chancen für die Demokratie relevant sind, würde zu weit führen. Es genügt zu sagen, daß Demokratie nichts ist, was sich leicht oder gar automatisch errichten ließe, und daß die Vertreibung eines bestimmten autoritären Regimes keine Garantie dafür ist, daß eine stabile Demokratie an seine Stelle tritt. Was auf festen theoretischen Grundlagen steht, ist die Voraussage, daß die UdSSR und die verbleibenden sozialistischen Staaten alten Stils in ihrem früheren Reich im nächsten Jahrhundert weiter geopolitisch auf dem Weg nach unten sind; und diese Form von Instabilität macht die Errichtung einer Demokratie nicht wahrscheinlich. Auf der anderen Seite gibt es für diejenigen Staaten, die es schaffen, sich an die EG anzubinden, eine expandierende geopolitische Macht, die ihren inneren politischen Formen festen Halt verschaffen wird.

Die Weltsystem-Theorie: eine versäumte Gelegenheit zur Voraussage

Die zeitgenössischen neomarxistischen Theorien des langfristigen sozialen Wandels waren nicht in der Lage, den staatlichen Zusammenbruch und den Zerfall des sowjetischen Blocks in Osteuropa vorauszusagen. Es gibt eine Reihe von Gründen für dieses Scheitern. Einer davon ist, daß die marxistische Theorie auf eine Version evolutionärer Abfolge setzt, in der der Sozialismus dem Kapitalismus folgt und nicht etwa zu ihm zurückkehrt. Ein anderer Grund war die Konzentration vieler marxistischer und neomarxistischer Theorien auf die kapitalistische Ausbeutung der weniger entwickelten Peripherie. In dem Maße, wie sich die Weltsystem-Theorie mit staatlichem Zusammenbruch befaßt, liegt ihr Schwerpunkt auf dem zukünftigen Zerfall des kapitalistischen Kerns und auf der langfristigen Erwartung einer sozialistischen Weltordnung als der einzig möglichen Auflösung der Dynamik des Kapitalismus. Die existierenden sozialistischen Gesellschaften sowjetischen Stils stellten für diesen Ansatz ein Problem dar, aber mit diesen Anomalien versöhnte man sich dadurch, daß man sie als halb-periphere (oder halb-zentrale) Staaten in einem einheitlichen kapitalistischen Weltsystem betrachtete. Politische Unterdrückung, Privilegierung von Eliten und das gigantische Militärbudget im sozialistischen Block sind für den Marxismus nur einige der empirischen Anomalien, die solche Gesellschaften herausgebildet haben. Diese empirischen Beobachtungen haben einige zu der Behauptung gebracht, die innere Organisation und das internationale Verhalten der sogenannten sozialistischen Staaten des sowjetischen Blocks sei eher kapitalistisch als sozialistisch.

In einer der hierfür repräsentativen Analysen des Sozialismus sowjetischen Stils behauptete Chase-Dunn (1980; 1982), der Status der Sowjetunion sei der eines halb-peripheren Staates in einem einheitlichen kapitalistischen Weltsystem. Die zentralistische politische Kontrolle über die heimische Wirtschaft passe zum Bestreben des Staates, zum Kernbereich zu gehören. Die Teilnahme am internationalen Wettbewerbssystem der Nationalstaaten sei für die Determinierung der kapitalistischen Innenpolitik der Sowjetunion ebenso wesentlich. Forcierte Industrialisierung sei für das staatliche Überleben und die militärische Gleichrangigkeit mit den Kernmächten unabdingbar (Shannon 1989). Einige andere haben die Behauptung aufgestellt, die Entwicklung im sowjetischen Block sei in Wirklichkeit ein Fall von »abhängiger Entwicklung« (Clark/Bahry 1983).

Ob diese Formationen nun als Alternative zum Kapitalismus oder als eine Form abhängiger Entwicklung gesehen wurden – die Revolution im sowjetischen Block wurde von Neomarxisten weitestgehend nicht vorausgesehen. Hier war die Anwendung der

Theorie fast ausschließlich retrospektiv. Einige marxistische Analysen behaupten jetzt, daß die jüngsten Ereignisse überfällige Krisen im »real existierenden Sozialismus« waren (Comisso 1990; siehe auch Etzioni-Halevy 1990; Habermas 1990). Wie jene Sichtweisen, die die kürzlichen Ereignisse im nachhinein als Konsequenzen ideologischen Scheiterns werten (Brzezinski 1989; Chirot 1990), betonen auch Theorien des politischen Scheiterns des Sozialismus eher die inneren Schwächen als die äußeren.

Einige Theoretiker haben versucht, die jüngsten Rebellionen in den sozialistischen Ländern aus einer weltwirtschaftlichen und damit eher externalistischen Perspektive zu interpretieren. Boswell und Peters (1990, S. 5) behaupten, daß »Rebellionen in den sozialistischen Staaten... in weiten Teilen Reaktionen auf nationale Konsequenzen eines Polarisierungsprozesses in der Weltwirtschaft« sind, wobei »ökonomische Trennlinien die kritischen Wendepunkte in dem Übergang von Stagnation zu Expansion darstellen, wenn Firmen, Industrien und Staaten extensive Innovationen soziopolitischer Akkumulation entwickeln müssen, um erneutes Wachstum und Entwicklung zu unterstützen. Diejenigen, denen es nicht gelingt, diese Akkumulationsinnovationen zu übernehmen, verbleiben in der Stagnation und schließlich in der Abhängigkeit von den Innovatoren.« Boswell und Peters stellen die Theorien auf, daß die bürokratische Unbeweglichkeit und die internationale Isolierung der staatssozialistischen Gesellschaften dafür verantwortlich waren, daß sie das gegenwärtige Akkumulationsinnovationsregime und die flexible Produktion, die sich in den kapitalistischen Ländern verbreiten, nicht übernehmen konnten. Diese Bedingungen erzeugten eine Teilung der Weltwirtschaft, die die staatssozialistischen Gesellschaften am unteren Ende des neuen Akkumulationsinnovationsregimes belasse. Neben einer zunehmenden Abhängigkeit dieser Gesellschaften von den kapitalistischen Ländern wegen ihrer Lage zur Teilungslinie behaupten Boswell und Peters, daß die negativen politischen Effekte auf die staatssozialistischen Regimes sich zum größten Teil ihrer politischen Zentralisierung und mangelnden Trennung von Staat und Gesellschaft verdanken. Rebellionen gegen den Partei- und Staatsapparat seien in den meisten staatssozialistischen Gesellschaften das wahrscheinliche Ergebnis.

Eine weitere retrospektive Interpretation der Krise in Osteuropa, diesmal aus einer orthodoxeren Weltsystem-Perspektive, versteht die Krise als Resultat zweier Ebenen von Abhängigkeit (siehe Staniszkis 1990). Die erste Ebene ist die Abhängigkeit vom Kapitalismus, die zweite die gegenseitige Abhängigkeit der Comecon-Länder. Die Unterentwicklung des Sozialismus, d. h. die zweifache Abhängigkeit, verdankt sich seinem peripheren Status in der Weltwirtschaft und der politisch aufgezwungenen Produktionslenkung, die den osteuropäischen Block wettbewerbsfähig gegenüber dem Westen machen sollte.

Es ist eine Ironie, daß die Weltsystem-Theorie nicht in der Lage war, zu einer nüchternen Voraussage, oder zumindest zu einem Erkennen der Möglichkeit eines Zusammenbruchs des sowjetischen Blocks zu kommen, bis sie von den Ereignissen überholt wurde. Denn sie ist eindeutig auf dem richtigen Weg, wenn sie politische Ökonomien nicht als isolierte Strukturen betrachtete, die man aufgrund ihrer inneren Vor- und Nachteile beurteilen muß, sondern als Teile, die durch ihre Position in einem größeren Konfliktsystem beeinflußt werden. Wallerstein hat ausdrücklich vermerkt, daß es keine sozialistischen Wirtschaften geben kann, sondern nur Staaten, die durch ideologische Sozialisten kontrolliert werden und in einer Weltwirtschaft arbeiten, deren Antriebskräfte kapitalistisch sind. Man sollte daraus schließen, daß das Schicksal der sozialistischen Staaten denselben Prinzipien folgt, die den Aufstieg und Fall jeder anderen Einheit zwischen Kern, Halbperipherie und Peripherie – oder die Abfolge von Hegemonialstaaten innerhalb des Kerns – bestimmt. Aus rein theoretischen Gründen (ideologische Voreingenommenheit einmal beiseite gelassen) kann man die Schwäche der Weltsystem-Theorie darin sehen, daß sie in der Spezifizierung dessen, was einzelne Staaten durch diese strukturellen Positionen bewegt, unterentwickelt ist. Ihre Unfähigkeit, den Niedergang des russischen Reiches theoretisch vorauszusagen, ist von derselben Art wie ihre Schwierigkeit, zu spezifizieren, warum England eher als Frankreich oder Deutschland in früheren Phasen die Hegemonialstellung erreicht hat. Die Weltsystem-Theorie behauptet, daß es eine Struktur von Positionen gibt und daß periodische Neuverteilungen der Positionen stattfinden, aber sie läßt theoretisch unbestimmt, wer innerhalb der Struktur sich wohin bewegt.

Trotzdem hat die Weltsystem-Theorie zur Verbesserung unserer Fähigkeit, diese Dinge vorauszusagen, viel zu bieten. Was ihr hauptsächlich fehlt, ist genau eine Theorie geopolitischer Prozesse. Diese ist wesentlich, weil geopolitische Stärken und Schwächen immer einen unmittelbaren Einfluß auf die Stärke eines Staates haben. Und sie beeinflussen auch wesentlich die Innenpolitik durch die Beeinflussung der fiskalischen Gesundheit des Staatsapparates und der Legitimation von Herrschern und Opposition. Ohne eine geopolitische Komponente bietet die Weltsystem-Theorie nur einen schwerfälligen und distanzierten Ansatz zur politischen Dynamik, so als trüge man bei dem Versuch, eine Uhr zusammenzusetzen, dicke Handschuhe. Auf der anderen Seite sollte die Analyse wirtschaftlicher Antriebskräfte durch den Weltsystem-Ansatz der geopolitischen Theorie willkommen sein. Einer der wesentlichen Faktoren geopolitischer Theorie (in der obigen Liste Collins' Prinzip (a)) sind die relativen wirtschaftlichen Ressourcen, die für militärische Macht verfügbar sind; die Weltsystem-Theorie verwandelt diesen Faktor von einer exogenen Variablen in ein Ergebnis der laufenden Prozesse in der kapitalistischen Weltwirtschaft.

Eine Weltsystem-Theorie kann an einer wichtigen Verbindungsstelle in die geopolitische Theorie hineinpassen. So wäre eine feinkörnigere Analyse der relativen geopolitischen Stärken und Schwächen in der Lage gewesen, zu erklären, warum der sowjetische Block von einer Periode wirtschaftlicher Expansion in den fünfziger und sechziger Jahren in den wirtschaftlichen Abschwung geriet, der in den achtziger Jahren akut wurde (Kennedy 1987, S. 429-431, S. 490-496). Dieses Nachkriegswachstum – das jetzt von den Beschwörern kapitalistischer Überlegenheit beim lauten Selbstlob ihrer Interpretationen der sowjetischen Krise der achtziger Jahre weithin ignoriert wird – zeigt, daß eine Krise nicht bloß das Resultat eines Scheiterns der inneren Struktur ist, ob ökonomisch oder ideologisch. Statt dessen müssen wir die weltweiten Beziehungen sowohl der Ökonomie als auch der Geopolitik sehen, die zusammen für das Auf und Ab in der Stärke einzelner Regimes verantwortlich sind.

Langfristig betrachtet wandelten sich die geopolitischen Bedingungen für das russische Reich mit dem Beginn des 20. Jahrhunderts zum Negativen. Dies spielte mit einer Anzahl anderer, eher mittelfristiger Bedingungen zusammen, die für die kleineren Hügel und Täler in der Kurve verantwortlich sind. Unserer Meinung nach haben die von der Weltsystem-Theorie untersuchten wirtschaftlichen Antriebskräfte ihre größten Auswirkungen in diesem mittleren Bereich, indem sie zeigen, wie der sowjetische Block in der Lage war, die geopolitsche Schwäche in den fünfziger und sechzig Jahren zeitweise auszugleichen, während er ihnen in den achtziger Jahren zum Opfer fiel.

Theorien, die völlig fehlgingen

Es würde zu weit führen, jede Theorie zu diskutieren, die falsch war, weil sie den Niedergang des sowjetischen Blocks nicht vorhersah. Eine Perspektive, die Erwähnung verdient, ist die Unterstellung besonderer organisatorischer Stärken totalitärer Regimes und ihrer Konsequenzen für das sowjetische Verhalten im internationalen System ebenso wie für die Ruhe im Inneren. Daß die Sowjetunion durch ein sogenanntes totalitäres Regime regiert wurde, bedeute, daß ihre Fähigkeit, bezüglich geostrategischer Angelegenheiten integriert und kohärent zu handeln, größer sei als die demokratisch organisierter Staaten. Als Konsequenz daraus sei es für die Sowjetunion leicht gewesen, ihr internationales Umfeld in ihrem Sinne zu manipulieren und einzurichten. Im inneren Bereich liegen totalitäre Stärken in der Effektivität von Polizeiterror und Unterdrückung bei der Befriedung der inneren Opposition gegen die staatliche Politik. In einem bestimmten Maße dreht sich die Perspektive um ein Paradox, insofern nämlich die Effektivität stark unpersönlicher, bürokratischer totalitärer Regimes eine Führung durch das Staatsoberhaupt erfordert. Einige Anhänger dieser Richtung argumentieren, daß es mit Ausnahme kurzer Turbulenzen in Zeiten des Führungswechsels ein beachtliches Maß an Stabilität und Stärke in totalitären Regimen gibt und daß die dem neuen Führer gewährte Flexibilität die Kosten der Nachfolgekrisen und die Unbeweglichkeit des Systems als ganzes bei weitem aufwiegt. Die innere Macht kommunistischer Regimes, sowohl in ihrer Rhetorik als in ihrer Praxis, führte viele Beobachter dazu, die Existenz solcher Regimes auf lange Sicht als unveränderlich zu akzeptieren.

Dies ist eine Übernahme aus der soziologischen Theorie der Bürokratie als eines eisernen Käfigs, die im frühen 20. Jahrhundert vorherrschend war. Dieses Bild ist in der Organisationstheorie später modifiziert worden, und wir sehen heute Bürokratien als im Inneren ineffizient, durchsiebt von informellen Gruppen und dem Veränderungsdruck der Umwelt unterworfen. Auf die sowjetische Bürokratie angewandt, ist das populäre Stereotyp hinter der gegenwärtigen Organisationstheorie zurückgeblieben. Das Bild von der unveränderlichen totalitären Organisation hat auch ideologische Wurzeln; es ist ein Erbe der Periode um den Zweiten Weltkrieg, wie es in der Orwellschen Vision von *1984* verdichtet wurde. Dieses Bild trugen einige politische Fraktionen im Westen noch fast bis zum Ende der achtziger Jahre mit sich, repräsentiert durch Präsident Reagans Rede vom »Reich des Bösen«.

Ideologische Scheuklappen

Zusammenfassend läßt sich sagen, daß die meisten sozialwissenschaftlichen Ansichten über den sowjetischen Block es versäumten, im voraus die Möglichkeit oder gar Wahrscheinlichkeit eines Zusammenbruchs der sowjetischen Macht zu sehen. Einige Theorien waren ganz einfach unzureichend. Die geopolitische Theorie zeigte in die richtige Richtung, aber nur wenige ihrer Anwender sahen die Wahrscheinlichkeit des russischen Niedergangs. Die Weltsystem-Theorie hätte eigentlich schließen können, daß ein solcher Niedergang zumindest möglich war, aber die meisten wichen dieser Schlußfolgerung aus. Warum aber lagen die meisten Theorien völlig daneben, und warum waren die meisten Sozialwissenschaftler, die eine brauchbare Theorie hatten, unfähig zur richtigen Prognose?

Ideologische Scheuklappen behinderten die meisten Beobachter auf der Linken wie der Rechten. Beide Enden des politischen Spektrums waren ideologisch darauf eingestimmt, die UdSSR als enorm stark zu sehen. Die Rechte wollte das Bild eines furchterregenden Feindes. Collins erinnert sich, daß bei seiner geopolitischen Voraussage des zukünftigen Niedergangs des russischen Reiches an der Columbia University im Jahre 1980 – vor einem Publikum, in dem viele Rußlandexperten saßen – die Reaktion sich nicht auf spezifische Probleme der geopolitischen Theorie richtete, sondern in der Zurückweisung des Bildes von einem schwachen Rußland als außerhalb jeder Plausibilität liegend bestand. Die Rußlandexperten, unter ihnen ein großer Anteil emigrierter Antikommunisten, wollten nichts hören, was die Motivation für die amerikanische Aufrüstung gegen die wahrgenommene

Bedrohung durch die Sowjetmacht vermindern könnte. Sogar nachdem Gorbatschow seine Glasnost-Politik auf den Weg gebracht hatte, fuhren Konservative in den USA noch einige Jahre lang damit fort, das Bild vom furchtbaren Feind zu beschwören, und erst im Sommer 1989 verschob sich die Meinung. Diese ideologische Haltung ist soziologisch voraussagbar. Sie paßt in das Simmelsche Prinzip, wonach ein äußerer Konflikt mit einem gefürchteten Feind die innere Solidarität fördert. Dies sind die Zutaten zum von den Konservativen besetzten politischen Raum – Ordnung im Innern und eine Atmosphäre zu bekämpfender Bedrohung –, im Grunde genommen ein Definitionsmerkmal rechter Politik.

Der linken Seite des politischen Spektrums gelang es ebenfalls nicht, die sowjetische Schwäche zu erkennen. In den frühen achtziger Jahren war die linksliberale Politik im Westen auf die Schrecken des atomaren Wettrüstens konzentriert. Die Linke blieb wie die Rechte dem Bild einer extrem mächtigen UdSSR verhaftet, wenngleich aus anderen Gründen. Für die Linke war das Bild der Welt das eines Gleichgewichts des Schreckens; die sichere gegenseitige Zerstörung war die Grundlage für die Forderung nach Verhandlungen über den gegenseitigen Abbau von Atomwaffen. Collins erinnert sich daran, daß Aktivisten der Friedensbewegung nichts von geopolitischen Argumenten, die eine sowjetische Schwäche nahelegten, hören wollten, unter anderem auch aus dem Grunde, daß es sich hierbei nicht um ein moralisches Argument handelte; Realpolitik fiel per Definition in die Zuständigkeit der Militaristen.

Paul Kennedys Analyse, im Jahre 1987 kurz vor den ersten Zeichen eines sowjetischen Disengagement veröffentlicht, stellt eine andere Form der linksliberalen Voreingenommenheit dar. Kennedy sah die allgemeinen geopolitischen Muster des Ressourcenvorteils und der übermäßigen Ausdehnung korrekt, aber seine Hauptsorge galt der Beschreibung der Gefahren für die USA als einer Großmacht im potentiellen Niedergang. Wie viele Linksliberale dieser Zeit war er darum besorgt, den Fehler des Vietnamkrieges nicht zu wiederholen.[4] Kennedys Scheitern muß ideologischen Scheuklappen zugeschrieben werden und nicht seiner Theorie; er verfügte über das richtige Modell, war aber nicht in der Lage, seinem Prinzip der Bewertung der relativen geopolitischen Macht von Gegnern in Beziehung zueinander zu folgen.

Wir wollen nun unsere Analyse aktualisieren. Eines der Attribute der geopolitischen Theorie ist das Webersche Prinzip, wonach innere politische Fraktionen mit dem Machtprestige des Staates aufsteigen und fallen, das heißt mit den kurzfristigen, unmittelbaren Verschiebungen, die aus den langfristigen geopolitischen Stärken und Schwächen resultieren. Anders gesagt: Ideologische Popularität folgt der Geopolitik. Weil das Machtprestige der Großmächte reziprok miteinander verbunden ist, bringt der Niedergang der einen einen relativen Aufstieg der anderen mit sich, ganz unabhängig von irgendwelchen Verschiebungen ihrer inneren Stärke. Der Fall der Linken auf der Weltbühne geht mit dem Aufstieg der Rechten einher. Dies ist ein zufälliges Ergebnis der Position der Fraktionen, die im Osten und Westen am Höhepunkt der Verschiebungen in den geopolitischen Machtverhältnissen gerade an der Macht sind. Die Rechte ist im Westen politisch im Aufwind zur gleichen Zeit, da die kapitalistische Rechte – vielleicht nur zeitweilig – im alten russischen Block Boden gutmacht. Unsere politische Rhetorik wird jetzt mit den Bildern und Voreingenommenheiten rechtsgerichteten, prokapitalistischen Denkens überschwemmt.

Sozialwissenschaftler haben keine sehr ausgeprägte Fähigkeit, sich für ideologische Aktualitäten unempfindlich zu machen. Aber wir sollten es versuchen. In dem Maße, wie der ideologische Tonfall der neunziger Jahre in unsere soziologischen Analysen einfließt, wird er uns wieder für das, was in der Welt vor sich geht, blind machen. Der geopolitische Niedergang des russischen Reiches ist ein Langzeitmuster, und er ist noch längst nicht vorbei. Wenn wir seine Prozesse und seine Verzweigungen in der übrigen Welt verstehen wollen, dann müssen wir uns an das soziologische Handwerkszeug halten, das sich bisher bewährt hat. Und wir müssen versuchen, auf turbulente Zeiten sowohl analytisch als auch emotional zu reagieren, so daß wir unsere gegenwärtigen Erfahrungen zur weiteren Verbesserung unserer Theorien nutzen können.

Anmerkungen

1 Dieser Artikel basiert auf einem Vortrag, der auf dem Jahrestreffen der American Sociological Association in Cincinnati im August 1991 gehalten wurde. Er entstand also, noch bevor der mißlungene Staatsstreich vom August 1991 den Zwangsapparat der UdSSR an einen weiteren Umschlagpunkt brachte. Obwohl der Aufsatz sich in erster Linie auf die osteuropäische Revolutionswelle des Jahres 1989 bezieht, fühlen sich die Autoren durch die nachfolgenden Ereignisse nicht in Verlegenheit gebracht und haben keine Veränderungen am Wortlaut des Textes vorgenommen. Die geopolitische Theorie, in Verbindung mit der soziologischen Theorie des staatlichen Zusammenbruchs und der Mobilisierung sozialer Bewegungen, ist ein wesentlicher Leitfaden für die stattfindenden Entwicklungen. Man kann periodisch wiederkehrende, geopolitisch angetriebene Veränderungen für viele Jahrzehnte im ganzen Gebiet des alten russischen Imperiums erwarten.

2 Die Kosten der übermäßigen Ausdehnung im Vietnamkrieg waren ein negativer Faktor – ein Negativum, das bei den nachfolgenden kleinen Kriegen der USA im karibischen Raum nicht zum Tragen kam. Die fortdauernde Bedeutung der Ozeane als Schutzwall gegen Eroberungen aus großer Entfernung wird in Collins (1981) gezeigt – ein Hinweis darauf, warum die geographische Position der USA bezüglich Prinzip (b) geopolitisch viel vorteilhafter als die der UdSSR ist.

3 Es gibt zwei verschiedene Zeitordnungen, die nicht durcheinandergebracht werden sollten. Geopolitische Zeit umfaßt Zeiträume von 30 bis 50 Jahren, für die Voraussagen zu treffen sind. Die Zeitordnung sozialer Bewegungen hingegen ist notwendigerweise recht schnell; die Phase der Massenmobilisierung von Bewegungen, vor allem wenn sie um die Macht im Staate streiten, umfaßt allenfalls Monate, und die kritische Periode des Umschlag-Phänomens, in der eine große Mehrheit sich von einem Machtzentrum zu einem anderen bewegt, dauert ein paar Tage. Die beiden Zeitrahmen sind miteinander verbunden: Geopolitische Prozesse, die im längeren Rahmen ablaufen, schaffen die Bedingungen, unter denen die sozialen Bewegungen des Übergangs ihre relativ kurzzeitigen Intensitäten erreichen können.

4 In diesem Sinn ist es bemerkenswert, daß Kennedy ein verheerendes Ergebnis der Vorbereitungen der USA für den Golfkrieg 1991 voraussagte, indem er seine Aufmerksamkeit auf die Gefahren übermäßiger Ausdehnung für die USA konzentrierte und die relative Balance der Ressourcen auf der irakischen Seite herunterspielte. Kurz gesagt konzentrierte sich Kennedy nur auf einen Teilbereich der geopolitischen Theorie und ignorierte das Gesamtpaket der Prinzipien.

Literatur

Bell, Daniel (1973), *The Coming of Post-Industrial Society*, New York

Boswell, Terry/Ralph Peters (1990), *State Socialism and the Industrial Devide in the World-Economy: A Comparative Essay on the Rebellions in Poland and China*, in: *Critical Sociology* 17, (1), S. 3-34

Brzezinski, Zbigniew (1989/1990), *The Grand Failure: The Birth and Death of Communism in the Twentieth Century*, New York

Chase-Dunn, Christopher (1980), *Socialist Societies in the Capitalist World-Economy*, in: *Social Problems* 27, (5) Juni, S. 505-525

Ders. (Hg.) (1982), *Socialist States in the World-System*, Beverly Hills, CA

Chirot, Daniel (1990) (Manuskript), *After Socialism, What? Ideological Implications of the Events of 1989 in Eastern Europe for the Rest of the World*, Seattle

Clark, Cal/Donna Bahry (1983), *Dependant Development: A Socialist Variant*, in: *International Studies Quarterly* 27, S. 271-293

Collins, Randall (1978), *Long-term Social Change and the Territorial Power of States*, in: Louis Kriesberg (Hg.), *Research in Social Movements, Conflicts, and Change*, Bd. 1, Greenwich, Conn., S. 1-34

Ders. (1980), *The Future Decline of the Russian Empire: An Application of Geopolitical Theory, Sociology Lecture Series*, University of South Florida, Tampa, February 1980; Columbia University, April 1980 (veröffentlicht in: Collins 1986)

Ders. (1981), *Does Modern Technology Change the Rules of Geopolitics?*, in: *Journal of Political and Military Sociology* 9, S. 163-177

Ders. (1986), *Weberian Sociological Theory*, New York

Comisso, Ellen (1990), *Crisis in Socialism or Crisis of Socialism?*, in: *World Politics* 62, (4) Juli, S. 563-596

d'Encausse, Hélène C. (1979), *Decline of an Empire: the Soviet Socialist Republics in Revolt*, New York

Etzioni-Halevy, Eva (1990), *How Western Marxism is Attempting to Survive the Collapse of Communism in Eastern Europe*, in: *Society* (Nov./Dec.), S. 85-87

Galbraith, John Kenneth (1967), *The New Industrial State*, Boston

Gilpin, Robert (1981), *War and Change in World Politics*, Cambridge, New York

Habermas, Jürgen (1990), *What Does Socialism Mean Today? The Rectifying Revolution and the Need for New Thinking of the Left*, in: *New Left Review* 183, S. 3-21

Huntington, Samuel P./Zbigniew Brzezinski (1964), *Political Power: USA/USSR*, New York

Kennan, George F. (1947), *The Sources of Soviet Conduct*, in: *Foreign Affairs* 25 (Juli), S. 566-582

edition suhrkamp
Eine Auswahl

edition suhrkamp
Eine Auswahl

316/8/6.90

Kennedy, Paul (1987), *The Rise and Fall of the Great Powers: Economic Change and Military Conflict from 1500 to 2000*, New York

McNeill, William H. (1963), *The Rise of the West: A History of the Human Community*, Chicago

Modelski, George (1987), *Long Cycles in World Politics*, Seattle

Nye, Joseph S. (1990), *Bound to Lead: The Changing Nature of American Power*, New York

Parker, Geoffrey (1988), *The Geopolitics of Domination*, London

Ders. (1991), *Continuity and Change in Western Geopolitical Thought During the Twentieth Century*, in: *International Journal of Sociology*, S. 21-33

Parsons, Talcott (1964), *Evolutionary Universals in Society*, in: *American Sociological Review* 29, (3) Juni, S. 339-357

Pipes, Richard (1990), *Gorbachev's Russia: Breakdown or Crackdown?*, in: *Commentary* 89, (3) March, S. 13-25

Przeworski, Adam (1991), *The »East« Becomes the »South«? The Autumn of the People and the Future of Eastern Europe*, in: *Political Science and Politics* 24, (1) March, S. 20-24

Research Working Group on Cycles and Secular Trends (1979), *Cyclical Rhythms and Secular Trends of the Capitalist World-Economy: Some Premises, Hypotheses and Questions*, in: *Review* 2 (Spring), S. 483-500

Shannon, Thomas R. (1989), *An Introduction to the World-System Perspective*, Boulder, Colorado

Skocpol, Theda (1979), *States and Social Revolutions*, New York

Staniszkis, Jadwiga (1990), *Patterns of Change in Eastern Europe*, in: *East European Politics and Societies* 4, (1) Winter, S. 77-97

Stinchcombe, Arthur L. (1968), *Constructing Social Theories*, New York

Kulturgeschichte
in der edition suhrkamp

308/1/2.92

edition suhrkamp
Eine Auswahl

edition suhrkamp
Eine Auswahl

edition suhrkamp
Eine Auswahl

edition suhrkamp
Eine Auswahl

edition suhrkamp
Eine Auswahl